‹ns
apresenta

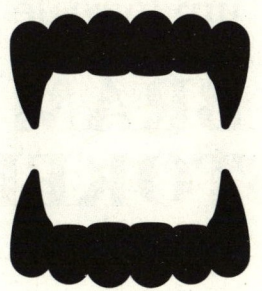

um livro de

BRAM STOKER

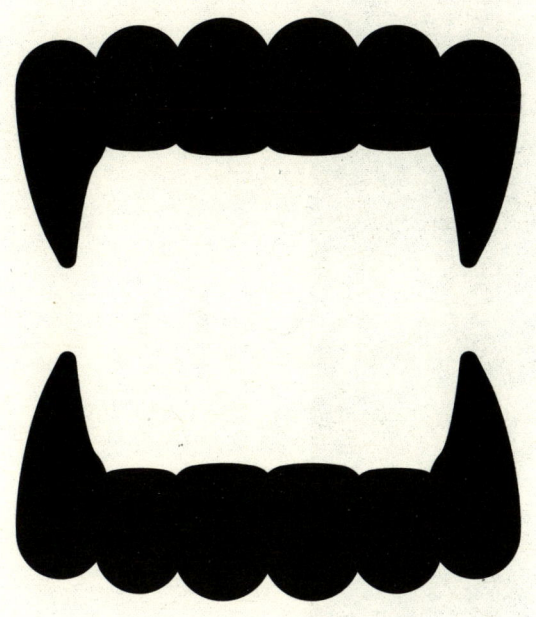

DRÁCULA

DIÁRIO DE JONATHAN HARKER
(taquigrafado)

3 de maio. Bistrița — Saí de Munique às 8h35 da noite, em 1º de maio, e cheguei a Viena muito cedo na manhã seguinte; deveria ter chegado às 5h46, mas o trem estava uma hora atrasado. Budapeste parece ser um excelente lugar, pelo que consegui ver da janela do trem e pelo rápido passeio que dei pela cidade. Tive receio em me afastar muito da estação, pois, como havíamos chegado lá com atraso, partiríamos o mais rápido possível. A impressão do lugar era como se eu estivesse saindo do Ocidente e entrando no Oriente; a mais ocidental das esplêndidas pontes sobre o rio Danúbio, que aqui tem grande amplitude e profundidade, conduziu-nos por entre as tradições do domínio turco.

O tempo estava muito bom quando partimos, e chegamos a Clausemburgo* ao anoitecer. Passei a noite no Hotel Royale. Para o jantar ou melhor, para a ceia, foi servido um excelente frango temperado com uma espécie de pimenta vermelha. Estava muito bom, mas senti muita sede. (Nota: pegar a receita para Mina.) Perguntei ao garçom e ele disse que se chamava *paprika hendl*, e que era um prato típico do país, portanto daria para conseguir a receita em qualquer lugar da região dos Cárpatos. Meu alemão enferrujado foi muito útil; para falar a verdade, não sei como teria me arranjado sem ele.

Antes de partir de Londres, como estava com tempo, fiz uma visita ao Museu Britânico e consultei livros e mapas referentes à Transilvânia. Algum conhecimento prévio sobre o país poderia vir a calhar quando eu tivesse que tratar com o nobre de lá. Descobri que a região por ele mencionada fica no extremo norte do país, perto das fronteiras de Transilvânia, Moldávia e Bucovina, bem no meio dos Montes Cárpatos, um dos lugares mais selvagens e menos conhecidos da Europa. Não consegui a localização exata do castelo de Drácula em mapa algum, pois não existem mapas do país comparáveis aos do acervo do Serviço de Topografia da Grã-Bretanha, mas verifiquei que Bistrița, a localidade mencionada pelo Conde Drácula, é bem conhecida. Vou

---

* Cidade que integrava o Império Austro-Húngaro. Em 1896, era residência recorrer aqui a algumas das minhas notas, pois poderão refrescar-me a memória quando conversar com Mina a respeito das minhas viagens.

A população da Transilvânia divide-se em quatro nacionalidades: os saxões ao sul, e misturados a eles os valáquios, descendentes dos dácios; os magiares a oeste; e os zequelis a leste e norte. Estou viajando para a região habitada por esses últimos, que se dizem descendentes de Átila e dos hunos, o que pode até ser verdade, já que, quando os magiares conquistaram o país, no século XI, encontraram os hunos estabelecidos ali. Li que todas as superstições conhecidas no mundo estão reunidas na ferradura dos Cárpatos, como se fosse algum tipo de centro de redemoinho imaginativo. Nesse caso, minha estada pode ser muito interessante. (Nota: perguntar ao conde sobre essas superstições.)

Não dormi bem, apesar da cama bastante confortável, pois tive vários sonhos estranhos. Um cão uivou a noite inteira debaixo da minha janela, e talvez tenha sido isso que atrapalhou meu sono, ou pode ter a ver com a páprica, pois bebi uma garrafa de água inteira e continuei com sede. Somente quando estava quase amanhecendo consegui conciliar o sono, e fui despertado por pancadas insistentes à porta do quarto. Então, imagino que estivesse dormindo profundamente mesmo.

Para o café da manhã, foram servidos mais pimenta vermelha e uma espécie de mingau de farinha de milho chamado *mamaliga*, e berinjela recheada com carne moída, o que resultou em um prato excelente chamado *impletata*. (Nota: pedir a receita também.)

Tive de me apressar para terminar logo, pois o trem partiria pouco antes das oito. Na verdade, deveria ter partido. Corri para chegar à estação às 7h30, mas acabei tendo de esperar mais de uma hora, sentado em meu vagão, até finalmente iniciarmos a viagem. Parece que, quanto mais se avança rumo ao Oriente, menos pontuais são os trens. Como serão os da China?

Ao longo do dia, atravessamos lentamente uma bela região. Em toda parte havia vilarejos e castelos no topo das encostas íngremes, como as que vemos nos velhos missais; passamos por rios e córregos que, devido às largas margens rochosas de ambos os lados, pareciam sempre sujeitos a inundações. A água tem de ser muito abundante e a corrente, necessariamente forte para conseguir arrancar a vegetação das margens dos rios. Em todas as paradas havia pessoas, e às vezes até multidões, usando os mais diversos trajes.

Alguns pareciam camponeses ingleses ou aqueles vistos atravessando a França e a Alemanha, com casacos curtos, chapéus redondos e calças rústicas. Contudo, havia outros muito pitorescos. As mulheres da região até pareciam bonitas de longe, mas um olhar mais cuidadoso revelava que não se importavam com a cintura.* Todas vestiam camisas brancas de mangas longas, e muitas delas usavam cintos com várias fitas, ou algo parecido, penduradas como saias de balé, e dava para ver que usavam anáguas por baixo. Os mais estranhos foram os eslovacos, pois pareciam mais bárbaros que os demais. Vestiam chapéus de caubói, largas calças pardacentas, camisas de linho branco e enormes cintos de couro, de quase quinze centímetros de largura, cravejados de alfinetes de latão. Usavam as botas altas por cima das calças, tinham cabelos longos e negros e bigodes espessos. Eram pitorescos, mas nada simpáticos. Se estivessem no teatro, dariam um belo grupo de salteadores orientais. Mas, de acordo com o que fiquei sabendo, eram inofensivos, e parecia até faltar a todos uma certa autoconfiança natural.

A cor gradiente do céu escurecia, anunciando o fim do crepúsculo, quando chegamos a Bistrița, e o lugar parecia antigo e intrigante. Situada bem na fronteira, pois se chega à Bucovina pelo Passo Borgo, Bistrița ainda exibe as marcas de sua tempestuosa existência. Há cinquenta anos, uma série de incêndios causou terríveis estragos, em cinco momentos diferentes. No início do século XVII, a cidade foi sitiada durante três semanas, e treze mil pessoas morreram, com a fome e as doenças se somando às baixas da guerra propriamente dita.

O Conde Drácula havia me sugerido o hotel Golden Krone, e descobri, com satisfação, que era bem antigo, pois tinha interesse de saber mais a respeito dos costumes do país. Era evidente que me aguardavam por lá. Uma anfitriã idosa muito simpática me recebeu com entusiasmo, dando-me as boas-vindas. Ela usava o tradicional traje de

---

* Alusão ao descuido em não usar espartilho, o protagonista da vestimenta feminina da época.

camponesa — anágua branca com um duplo avental longo de tecido colorido e bem apertado.

— É o *Herr* inglês? — perguntou com uma mesura.

— Sim — respondi. — Sou Jonathan Harker.

Sorrindo, ela fez um sinal a um senhor de camisa branca que a acompanhou até a porta, retirou-se e voltou em seguida com uma carta:

> Meu amigo. Seja bem-vindo aos Montes Cárpatos. Espero ansiosamente por vossa companhia. Durma bem esta noite. Amanhã, às três horas, pegue a diligência para Bucovina, há um lugar reservado para você. No Passo Borgo, minha carruagem o esperará para trazê-lo ao meu encontro. Espero que sua viagem de Londres até aqui tenha sido boa e estou certo de que sua estada em meu belo país será prazerosa.
>
> Seu amigo,
> Drácula

4 de maio — Fiquei sabendo que o dono do hotel havia recebido uma carta do conde com instruções para reservar-me o melhor lugar da diligência. Quando fiz perguntas sobre isso, porém, ele me pareceu reticente e fingiu que não estava entendendo meu alemão. Creio que não era verdade, pois ele havia me entendido perfeitamente até então; pelo menos, respondeu às minhas perguntas como se as tivesse entendido. Ele e a esposa, a senhora que me recebera, entreolharam-se, denotando medo. Com um resmungo, ele disse que tudo o que sabia era que o dinheiro tinha vindo dentro de uma carta. Quando perguntei a ele se conhecia o Conde Drácula e seu castelo, tanto ele como a esposa fizeram o sinal da cruz e disseram que nada sabiam, recusando-se a continuar a conversa. Mas estava tão perto da hora de partir que não tive tempo de perguntar a respeito para mais ninguém. Aquilo pareceu muito misterioso, e de modo algum tranquilizador.

Um pouco antes de partir, a mulher do dono do hotel veio ao meu quarto e perguntou, sem esconder um forte nervosismo:

— O senhor tem mesmo que ir? Jovem *Herr*, tem mesmo que ir?

Estava tão alterada que custei a entender o que dizia. Parecia não estar mais dominando o pouco do alemão que conhecia e o misturava com alguma outra língua que eu desconhecia completamente. Só consegui entender o que dizia fazendo muitas perguntas. Quando expliquei que não podia deixar de ir, pois estavam me esperando para um negócio importante, ela perguntou de novo:

— Sabe que dia é hoje?

Respondi que era 4 de maio, mas ela sacudiu a cabeça e disse:

— É claro! Sei muito bem, mas sabe que dia é hoje?

Disse que não entendia o que ela estava falando, e ela prosseguiu de modo incisivo:

— Hoje é a véspera do dia de São Jorge. Não sabe que hoje, quando o relógio bater meia-noite, todos os espíritos malignos do mundo estarão à solta? O senhor sabe aonde vai e o que vai fazer por lá?

Parecia tão assustada que procurei acalmá-la, mas não consegui. Acabou ajoelhando-se na minha frente, suplicando que eu não partisse, que esperasse pelo menos mais um ou dois dias para ir. Sua atitude pareceu-me verdadeiramente descabida e acabei ficando desconfortável. Entretanto, havia negócios importantes a serem resolvidos e nada poderia interferir. Tentei tirá-la do chão, dizendo com toda a seriedade que agradecia muito, mas que precisava mesmo partir. Finalmente, ela acabou se levantando, enxugou as lágrimas e ofereceu-me um crucifixo que tirou do próprio pescoço. Como membro da Igreja Anglicana, fiquei sem ação, fui ensinado a ver tais objetos como idolatria; ao mesmo tempo, não queria desapontar a velha senhora que estava tão bem-intencionada e com tal estado de espírito. Creio que ela tenha percebido minha hesitação, pois tratou ela mesma de colocar o crucifixo em meu pescoço, dizendo-me:

— Use-o por amor à sua mãe!

Logo depois, retirou-se do recinto.

Estou escrevendo este trecho do diário enquanto espero a diligência, já atrasada, é claro. O crucifixo ainda está no meu pescoço. Talvez pelo pavor da velha senhora, ou pelas muitas histórias de fantasmas do lugar, ou até pelo próprio crucifixo, mas o fato é que me sinto inquieto.

Se este caderno chegar às mãos de Mina antes que eu volte para junto dela, aproveito para deixar-lhe meu adeus.
    A diligência está chegando!

5 de maio. Castelo — As névoas da manhã desapareceram e o sol já está bem alto no horizonte distante, recortado por árvores ou montanhas. Está tão longe que coisas grandes e pequenas se confundem. Estou sem sono e, como ninguém me chamará até que eu acorde, escreverei até o sono vir. Há muitas coisas estranhas para deixar registradas. Para que não leiam meu diário imaginando que exagerei no jantar antes de partir de Bistrița, deixo escrito o cardápio exato. Comi o chamado "bife ladrão", espetinhos de bacon, cebola e carne, temperados com pimenta vermelha e assados no forno, no terno estilo dos churrascos de gato londrinos! O vinho era um Golden Mediasch, que causa uma pontada estranha na língua, mas é bem agradável ao paladar. Tomei duas taças e nada mais.

    Quando subi na diligência, o cocheiro estava conversando com a dona do hotel; sem dúvida falavam sobre mim, pois me olhavam de soslaio. Algumas pessoas que estavam sentadas no banco, ao lado da porta, denominadas por eles de "portadores de palavras", vieram e ficaram ouvindo, virando-se para mim com expressão de piedade. Consegui distinguir, durante a conversa, diversas palavras muitas vezes repetidas; palavras esquisitas, faladas em várias línguas, pois aquele grupo era composto de diferentes nacionalidades. Sendo assim, tirei da valise meu dicionário poliglota e olhei o significado. A constatação não foi muito animadora para mim, pois as palavras eram: "*Ordog*" — satanás; "*pokol*" — inferno; "*stregoica*" — feiticeiro; e "*vrolok*" e "*vlkoslak*" — ambas com o mesmo significado, em eslovaco e sérvio, para algo como lobisomem ou vampiro. (Nota: perguntar ao conde sobre essas superstições.)

    Quando partimos, todas as pessoas que estavam em frente à estalagem, e que já eram um número considerável, fizeram o sinal da cruz, apontando em seguida dois dedos na minha direção. Com alguma dificuldade, consegui que um companheiro de viagem me explicasse o que aquilo significava. Ele não quis falar nada a princípio, mas, quando soube que eu era inglês, explicou-me que se tratava de uma simpatia contra mau-olhado. Não gostei nada daquilo, pois partia para um lugar desconhecido para me encontrar com um homem desconhecido. Mas todos pareciam tão bondosos, pesarosos e preocupados comigo que não pude deixar de me comover. Nunca me esquecerei da última visão do pátio da estalagem e do grupo de pessoas pitorescas fazendo o sinal da cruz em frente à diligência, com um fundo de folhas de oleandro e laranjeiras nos canteiros verdes no centro do pátio. Então, o cocheiro, cujas calças largas de linho — *"gotza"*, como eles dizem — cobriam toda a frente do assento da diligência, estalou o longo chicote nos quatro cavalos presos lado a lado e eles saíram em disparada, iniciando nossa viagem.

 Diante da beleza da paisagem, esqueci-me dos temores fantasmagóricos, embora talvez não fosse fácil sentir-me livre deles se eu soubesse a língua, ou melhor, as línguas que falavam meus companheiros de viagem. À nossa frente estendiam-se encostas verdejantes margeadas por florestas e bosques e, no alto das colinas, agitavam-se pomares ou casas de fazenda cujas empenas do telhado viravam-se para a estrada. Em toda parte, havia enorme quantidade de frutas florescendo: maçãs, ameixas, peras e cerejas. Conforme passávamos pela região, pude perceber a grama verde debaixo das árvores cheia de pétalas caídas. Dentre as colinas verdejantes, que as pessoas locais chamam de *Mittel Land*, estava a estrada repleta de curvas cobertas por relva ou agulhas de pinheiros que ocasionalmente desciam as encostas como línguas de fogo. Apesar de a estrada ser íngreme, a carruagem parecia voar por ela com uma pressa febril. Eu não podia compreender o que significava essa pressa, mas era evidente que o cocheiro estava decidido a chegar rapidamente ao Passo Borgo. Contaram-me que aquele caminho era excelente no verão, mas que ainda não havia sido consertado depois dos danos sofridos durante as nevascas do inverno. Nesse aspecto, é diferente das estradas nos Cárpatos, em que há uma velha tradição de sempre ficarem em mau estado. Mesmo em tempos antigos, os *hospodares** não as restauravam, para que os turcos não pensassem que

---

*   "Donos da terra", em eslovaco.

estavam se preparando para receber soldados estrangeiros e assim apressassem a guerra que estava sempre prestes a estourar.

    Além das encostas verdejantes e ondulantes de *Mittel Land*, havia poderosos anteparos até as altas escarpas dos Cárpatos. Estendiam-se tanto à direita como à esquerda, com o sol do fim da tarde caindo sobre eles e exibindo fantásticas cores da cadeia de montanhas, azuis profundos e roxos nas sombras dos picos verdes e marrons onde a relva e a rocha se misturavam, e uma perspectiva infinita de rochas irregulares e pedras angulosas, e até elas se perdiam na distância, dando ênfase a imponentes picos nevados. Em vários locais havia majestosos penhascos nas montanhas, pelos quais, quando o sol começava a baixar, dava para ver os clarões de quedas-d'água cristalinas. Um de meus companheiros de viagem tocou meu braço quando um pico nevado de uma montanha bem alta parecia estar logo à nossa frente.

    — Veja! *Isten szek!** O assento de Deus! — exclamou, fazendo o sinal da cruz.

    Conforme seguíamos nosso caminho interminável e o sol ficava cada vez mais baixo atrás de nós, as sombras do anoitecer começaram a surgir. Isso foi enfatizado pelo fato de que o topo da montanha coberto de neve ainda apresentava os sinais do crepúsculo e parecia reluzir com um discreto e delicado rosa. Passamos por tchecos e eslovacos, todos com trajes tradicionais, mas percebi que, infelizmente, muitos apresentavam casos de bócio. Vi muitas cruzes na beira da estrada e, passando por elas, todos os meus companheiros de viagem faziam o sinal da cruz. De vez em quando havia um camponês, ou camponesa, ajoelhados diante de um altar; pareciam tão devotos que nem prestavam atenção ao mundo exterior. Havia muitas coisas novas para mim. Montes de feno nas árvores, lindos emaranhados de bétulas, com os troncos brancos brilhando feito prata por entre o delicado verdejar das folhas. Ocasionalmente, uma carroça passava por nós. Era um veículo camponês comum, com estrutura comprida e articulada como as vértebras de uma cobra, projetado para adaptar-se à irregularidade da estrada. Grupos de camponeses sentavam-se

---

* "Isto é Deus!", em húngaro.

sobre as carroças para voltar para casa, tchecos com peles de ovelhas brancas e eslovacos com peles tingidas e longos bastões com um machado em uma das extremidades.

Conforme anoitecia, a temperatura começou a cair muito, e o avanço do crepúsculo pareceu encobrir a escuridão de árvores, carvalhos, faias e pinheiros em uma bruma soturna. Contudo, os abetos negros ainda despontavam no fundo da neve recente em alguns locais dos vales que corriam lá embaixo nas encostas. Às vezes, quando a estrada passava dentre os bosques de pinheiros que pareciam se fechar sobre nós na escuridão, enormes massas cinzentas encobriam as árvores em alguns pontos e produziam efeitos estranhos e solenes ao mesmo tempo que ainda faziam voltar à tona pensamentos e imaginações assombrosos do início do dia. O pôr do sol trazia um estranho relevo às fantasmagóricas nuvens que parecem serpentear incessantemente pelos vales dos Cárpatos. Alguns trechos nas encostas eram tão irregulares que, apesar da pressa do cocheiro, os cavalos só conseguiam passar bem devagar. Quis descer e seguir a pé ao lado deles, como se faz na Inglaterra, mas o cocheiro não me autorizou.

— Não, não — disse ele. — Não se deve andar a pé aqui. Os cães são muito bravos.

E acrescentou, visivelmente com intenção de fazer graça, olhando em torno para ver o sorriso de aprovação das demais pessoas:

— E o senhor ainda poderá ver muita coisa desse tipo antes de dormir.

A única parada que fez foi momentânea, para acender os lampiões. Quando escureceu de vez, a agitação entre os passageiros aumentou. A carruagem ia com muita velocidade, mas, mesmo assim, os viajantes incitavam o cocheiro a avançar ainda mais depressa. Ele açoitava os cavalos sem piedade, estimulando-os aos gritos e vibrando o comprido chicote. Em meio à escuridão, avistei certa mancha de luz acinzentada mais adiante, parecendo uma fenda na montanha. A agitação entre os passageiros cresceu. A diligência sacudia loucamente sobre as grandes molas de couro, parecendo uma embarcação em mar tempestuoso. Precisei segurar firme. A estrada tinha melhorado, parecíamos voar sobre ela, e as montanhas pareciam se aproximar de ambos os lados, fechando-se sobre nós. Estávamos entrando no Passo Borgo. Um a um, vários dos passageiros ofereceram-me presentes, obrigando-me a aceitá-los com tamanha veemência que não era possível recusar. Eram presentes estranhos, mas todos oferecidos com boa vontade, com uma palavra de carinho, uma bênção e aquela mistura estranha de movimentos supersticiosos que vi na frente do hotel de Bistriţa: o sinal da cruz e o gesto contra mau-olhado.

Depois, enquanto corríamos em disparada, o cocheiro se debruçou sobre os cavalos que galopavam pela estrada e os passageiros olharam pelas janelas, observando a escuridão avidamente. Era evidente que algo muito empolgante estava acontecendo, ou prestes a acontecer, mas, embora eu tenha perguntado a todos os passageiros, ninguém quis me dar uma explicação. A empolgação permaneceu por algum tempo. Por fim, avistamos a entrada oriental do Passo Borgo. Nuvens escuras e pesadas cobriam o céu, ameaçando tempestade, e havia no ar a expectativa pesada e opressiva de um trovão. Dava a impressão de que a cadeia de montanhas separava duas atmosferas distintas e havíamos acabado de penetrar na atmosfera tempestuosa.

Comecei a olhar para fora também àquela altura, procurando a carruagem que deveria levar-me ao conde. Esperava, a qualquer momento, ver o clarão dos lampiões, mas só via a escuridão. A única luz vinha dos lampiões da diligência em que estávamos, e seus feixes de luz mostravam as nuvens brancas formadas pela respiração dos cavalos ofegantes. Agora podíamos ver a estrada de areia estendendo-se branca à nossa frente, mas nenhum sinal de outro veículo. Os passageiros voltaram a se acomodar com uma espécie de alegria, parecendo zombar de minha própria frustração. Eu pensava no que deveria fazer quando vi o cocheiro consultar o relógio e dizer aos outros algo que mal consegui ouvir, de tão baixo. Achei ter ouvido o seguinte:

— Uma hora mais cedo.

Então, ele se virou para mim e disse em um alemão pior que o meu:

— Não há carruagem alguma aqui. O *Herr* não está sendo esperado. Deve ir conosco para Bucovina e voltar amanhã ou depois. Depois de amanhã será melhor.

Enquanto o homem falava, os cavalos começaram a relinchar, bufar e bater as patas de forma tão enfurecida que ele precisou dominá-los. Naquele momento, entre os gritos dos camponeses que faziam o sinal da cruz, apareceu uma caleche puxada por quatro cavalos que parou ao lado do cocheiro. Pude notar, pela luz dos lampiões, que os quatro animais eram magníficos cavalos pretos. Vinham conduzidos por um homem bem alto, com uma longa barba castanha, usando uma cartola negra, parecendo ocultar-lhe rosto. Só consegui perceber que o brilho em seus olhos era muito vivo, parecendo avermelhado sob a luz dos lampiões conforme ele se virava para nós. Ele disse para o cocheiro:

— Está adiantado hoje, meu amigo.

O homem respondeu, gaguejando:

— O *Herr* inglês estava com muita pressa.

O estranho retrucou:

— Talvez seja por isso que queria levá-lo para Bucovina. Não tente me enganar, meu amigo. Sei muita coisa, e meus cavalos são velozes.

Ele sorria enquanto falava, e a luz dos lampiões iluminou-lhe a boca de contorno rude, com lábios muito vermelhos e dentes pontiagudos, brancos como marfim.

Um de meus companheiros de viagem murmurou para outro o verso de *Lenore*, de Bürger:*

— *"Denn die Todten reiten schnell."* ("Pois os mortos viajam depressa.")

O bizarro condutor ouviu aquelas palavras, pois olhou para nós, sorrindo. O viajante virou o rosto, fazendo o sinal da cruz ao mesmo tempo que fazia o gesto de proteção.

— Dê-me a bagagem do *Herr* — ordenou, e com prontidão exagerada minhas malas foram colocadas na caleche.

Desci pela lateral da diligência, pois a caleche estava muito próxima, e o condutor ajudou-me a subir, pegando-me pelo braço com o punho de aço. Parecia ter uma força prodigiosa. Sem dizer uma palavra, sacudiu as rédeas, os cavalos viraram e mergulhamos na escuridão do Passo. Olhando para trás, vi a respiração dos cavalos na luz dos lampiões e

---

* O poema, de Gottfried August Bürger, conta a história de Lenore, uma mulher conduzida à morte por um homem misterioso, o qual ela pensa ser o seu amado.

imaginei meus companheiros de viagem se benzendo. Em seguida, o cocheiro estalou o chicote, gritando para os cavalos, e todos seguiram na direção de Bucovina. Vendo-os sumir nas trevas da noite, correu-me pelo corpo um estranho arrepio de frio e dominou-me uma sensação de solidão, mas logo uma capa foi atirada sobre meus ombros e um manto sobre meus joelhos, e o cocheiro me disse em excelente alemão:

— A noite está fria, *mein Herr*, e o meu senhor, o conde, incumbiu-me de tomar conta do senhor. Debaixo do assento há uma garrafa de *slivotitz* (aguardente de ameixa do país), se o senhor quiser.

Não bebi, mas era um consolo saber que tinha a bebida ali à mão. Sentia-me confuso e um tanto amedrontado. Acho que, se tivesse qualquer outra opção, eu a teria escolhido em vez de seguir naquela viagem em direção ao desconhecido.

A caleche avançava com rapidez em linha reta, depois fez uma curva completa e entrou em outra estrada. Minha impressão era de que o carro passava constantemente pelos mesmos lugares e, realmente, prestando atenção aos detalhes, dei-me conta de que estava acontecendo isso mesmo. Não tive coragem de perguntar ao cocheiro o que ele estava fazendo. Não adiantaria nada meu protesto, caso ele estivesse deliberadamente atrasando a viagem. Tive curiosidade, contudo, de saber as horas e, acendendo um fósforo, consultei o relógio. Faltavam poucos minutos para a meia-noite. Fiquei assustado, creio que a superstição geral a respeito da meia-noite tenha aumentado por causa das minhas recentes experiências. Aguardei os acontecimentos com uma expectativa de suspense que me causava até náuseas.

Logo em seguida, ouvi um cão latir ao longe, em alguma casa de fazenda distante pela estrada. Parecia um longo e atemorizante lamento, como se fosse de medo. Outros cães foram respondendo até que, trazido pelo vento, que agora soprava de leve sobre o Passo, chegou aos meus ouvidos um uivo selvagem que parecia vir de muito longe, tão longe quanto a imaginação pode alcançar nas sombras da noite. Desde o primeiro o uivo, os cavalos começaram a ficar agitados, mas o cocheiro sussurrou algo e eles se aquietaram, apesar de permanecerem trêmulos e suados como depois de uma disparada motivada por um temor repentino. Foi quando, muito longe, vindo das montanhas de ambos os lados, começou um uivo mais forte e mais agudo. Era o som dos lobos, que afetou da mesma maneira a mim e aos cavalos. Tive vontade de pular da caleche e sair correndo, enquanto os cavalos começaram a empinar e a relinchar. O cocheiro precisou empregar toda a força para contê-los. Em poucos minutos, contudo, meus ouvidos se acostumaram àquele som e os cavalos ficaram tão calmos que o cocheiro pôde descer e ficar em pé diante deles, acariciando-os e falando-lhes no ouvido, como eu tinha ouvido dizer que os domadores de cavalos fazem. O resultado foi formidável. Os animais ficaram totalmente calmos, embora ainda tremessem. O cocheiro voltou ao seu assento e tocou o carro, aumentando a velocidade. Dessa vez, quando chegou à extremidade do Passo, entrou subitamente em um caminho que fazia uma curva aguda para a direita.

Logo estávamos cobertos por árvores que em alguns trechos formavam arcos sobre a estrada, dando a impressão de que passávamos por um túnel. Enormes rochedos margeavam o caminho de ambos os lados. Apesar de estarmos abrigados, podíamos ouvir o sibilar do vento, que gemia e assobiava entre os rochedos, e os ramos das árvores batiam uns contra os outros conforme passávamos. O frio aumentava e a neve começou a cair em flocos muito finos, cobrindo a nós e tudo ao nosso redor com um manto branco. O vento ainda insistia em nos trazer o uivo dos cães, embora cada vez mais fracos. O ganido dos lobos, ao contrário, parecia cada vez mais próximo, como se estivessem nos cercando. Fiquei apavorado, e os cavalos partilhavam do meu medo. O cocheiro, contudo, parecia inabalável; olhava ora para a esquerda, ora para a direita, mas eu não conseguia distinguir coisa alguma no meio da escuridão.

De repente, vi brilhar uma chama azul, fraca e bruxuleante, ao longe, à esquerda. O cocheiro a viu no mesmo momento. Parou os cavalos imediatamente, saltou da caleche e sumiu na escuridão. Eu não sabia o que fazer, principalmente com o uivo dos lobos cada vez mais próximo. Contudo, enquanto eu pensava, o cocheiro reapareceu e, sem dizer palavra, retomou seu assento e seguimos a viagem. Creio que adormeci, e comecei a sonhar com o incidente, pois ele pareceu se repetir infinitamente, e agora, pensando em retrospecto, tenho a impressão de ter vivido um pesadelo horrível. Em certo momento, a chama pareceu tão perto da estrada que, apesar da escuridão que nos cercava, pude distinguir os movimentos do cocheiro. Ele se dirigiu rapidamente para o ponto em que surgia a chama azul, que devia ser muito fraca, já que não parecia iluminar o local situado ao redor dela, e, apanhando algumas pedras, formou com elas um certo aparato. Com isso, ocorreu um estranho efeito ótico: quando o cocheiro ficou entre mim e a chama, não obstruiu a luz fantasmagórica. Fiquei intrigado, mas o efeito foi momentâneo e concluí que meus olhos estavam me enganando em decorrência do esforço de enxergar na escuridão. Depois, as chamas azuis sumiram entre a escuridão, com o uivo dos lobos em torno de nós, como se os animais estivessem seguindo a caleche, em um círculo em movimento.

Por fim, houve uma ocasião em que o cocheiro avançou mais do que das outras vezes e, durante sua ausência, os animais começaram a relinchar e pinotear, apavorados. Não compreendi a razão, pois o uivo dos lobos cessara inteiramente. E naquele mesmo instante, a lua, irrompendo entre as nuvens escuras, surgiu por trás da crista irregular de uma rocha coberta de pinheiros e, à sua luz, vi que estávamos rodeados por lobos, com os dentes pontiagudos arreganhados e a língua de fora, as patas compridas e musculosas e a pelagem desgrenhada. Eram muito mais terríveis naquele silêncio soturno do que quando estavam uivando. Senti-me paralisado pelo medo. Apenas quando se vê face a face com tais horrores um homem pode entender sua relevância.

Os lobos começaram a uivar ao mesmo tempo, como se a lua exercesse algum efeito peculiar sobre eles. Os cavalos empinavam, desesperados, revirando os olhos de maneira angustiante, mas o círculo vivo do terror os circundava, obrigando-os a permanecer dentro dele. Gritei, chamando o cocheiro, compreendendo que a única solução seria tentar quebrar o círculo dos lobos para ajudá-lo a se aproximar. Comecei a gritar e bater com as mãos na lateral externa da caleche, na esperança de assustar os lobos que estavam daquele lado e dar ao cocheiro uma oportunidade de se aproximar. Não sei como ele chegou, mas o fato é que ouvi sua voz imperiosa e, olhando na direção de onde partia o som, vi-o de pé na estrada. Ele agitou os braços, como que afastando algum obstáculo invisível, e os lobos recuaram. Naquele momento, uma pesada nuvem obscureceu a face da lua, e as trevas pairaram sobre nós novamente.

Quando consegui enxergar de novo, o cocheiro estava entrando na caleche e os lobos tinham desaparecido. Foi tão estranho que um pavor inenarrável tomou conta de mim, e tive medo até de falar ou de me mexer. O tempo parecia interminável quando retomamos o caminho, agora na quase completa escuridão, pois as nuvens que passavam escondiam a lua. Continuamos subindo, com ocasionais descidas curtas, mas quase sempre subindo. De repente, notei que o cocheiro conduzia os cavalos pelo pátio de um vasto castelo em ruínas. Nem um único raio de luz era projetado das altas janelas da construção, e as ameias destruídas formavam uma linha irregular destacada contra o céu.

DIÁRIO DE JONATHAN HARKER
(Continuação)

5 de maio — Creio ter adormecido. Afinal, se estivesse inteiramente acordado, teria notado a aproximação de um lugar tão notável. Na escuridão, o pátio parecia muito grande, e vários caminhos escuros partiam dele sob grandes arcos arredondados, talvez parecesse maior do que na realidade. Ainda não consegui ver o pátio à luz do dia.

Quando a caleche parou, o cocheiro saltou e me ajudou a descer. Novamente não pude deixar de notar sua força prodigiosa. A mão dele parecia uma prensa de aço, capaz de esmagar a minha se quisesse. Em seguida, tirou minha bagagem e a colocou no chão ao meu lado, diante de uma grande e velha porta cravejada de pregos de ferro que se abria em uma parede de pedras imensas. Mesmo na penumbra, dava para ver que as pedras eram esculpidas, mas esses adornos estavam bem desgastados pelo tempo e clima. Subindo de novo para a caleche, o cocheiro sacudiu as rédeas. Os animais partiram e o carro desapareceu em uma das passagens escuras. E eu permaneci parado ali.

Fiquei em silêncio onde estava, sem saber o que fazer. Não havia sinal de campainha ou aldrava, e não parecia provável que minha voz pudesse penetrar aquelas paredes e janelas escuras. Tive a impressão de ter esperado infinitamente, com dúvidas e temores que cresciam dentro de mim. Que lugar era aquele em que tinha ido parar? Que tipo de pessoas viviam ali? Em que aventura silenciosa teria embarcado?

Seria um incidente comum na vida de um mero assistente de procurador que tinha de explicar a um estrangeiro sobre a compra de uma propriedade em Londres? Assistente de procurador! Mina não gostaria de me ouvir falando assim. Procurador, porque, pouco antes de sair de Londres fiquei sabendo que tinha passado no concurso que fiz. Tive de me beliscar e esfregar os olhos para ver se estava acordado. Aquilo tudo me parecia um pesadelo horrível e esperava acordar, de repente, em minha casa, com a madrugada penetrando lentamente pelas janelas, como sempre acontecia comigo na manhã seguinte a um plantão no escritório. Mas meus olhos não me iludiam e minha pele reagiu ao teste do beliscão. Estava realmente acordado, nos Cárpatos. A única coisa que me restava era ter paciência e esperar o amanhecer.

Exatamente quando chegava a essa conclusão, ouvi, por trás da porta, passos pesados que se aproximavam. Vi, pelas frestas, o clarão de uma luz em minha direção. Ouvi o som de correntes batendo e de uma tranca de ferrolhos maciços sendo puxada. Uma chave girou na fechadura, com um rangido característico do longo desuso, e a pesada porta foi aberta.

No lado de dentro estava de pé um velho alto, barbeado e com um longo bigode branco, vestido de preto da cabeça aos pés, sem um traço sequer de cor em sua pessoa. Trazia na mão um velho lampião de prata, cuja chama ardia sem qualquer cúpula e lançava nas paredes sombras enormes e trêmulas conforme tremeluzia na corrente de ar da porta aberta. Com a mão direita, ele fez sinal para que eu entrasse. Foi cordial e me saudou em excelente inglês, mas com um sotaque estranho:

— Seja bem-vindo à minha casa! Entre por livre e espontânea vontade!

Não fez menção alguma de avançar para vir ao meu encontro e ficou imóvel como uma estátua, como se seu gesto de boas-vindas o tivesse petrificado. Contudo, assim que entrei, ele adiantou-se, impulsivamente, e apertou minha mão com uma força que me fez recuar, o que não foi atenuado pelo fato de sua mão ser fria como gelo, mais parecendo a mão de um morto.

— Seja bem-vindo à minha casa — disse novamente. — Entre por livre e espontânea vontade. Saia são e salvo e deixe aqui um pouco da felicidade que traz.

A força com que apertou a minha mão era tão semelhante à que eu havia notado no cocheiro, cujo rosto não vira, que, por um momento, imaginei se os dois não seriam a mesma pessoa. Para me assegurar, perguntei:

— Conde Drácula?

— Sou Drácula — respondeu ele com uma mesura cordial. — E desejo-lhe boas-vindas à minha casa, Sr. Harker. Entre. A noite está fria e o senhor deve estar precisando comer e descansar.

Enquanto falava, pendurou o lampião em um suporte de metal na parede e, antes que eu pudesse impedir, pegou minha bagagem e seguiu adiante. Protestei, mas ele insistiu:

— O senhor é meu hóspede. Já é tarde e meus criados não estão disponíveis. Deixe que eu mesmo cuido do senhor.

Fez questão de levar minha bagagem por um corredor e depois por uma escada de pedra em caracol, seguida por outro corredor de pedra. Nossos passos ressoavam ruidosamente pelo piso. No fim do corredor, o conde abriu uma pesada porta e regozijei-me ao ver uma sala bem iluminada, com uma mesa posta para a ceia e uma lareira em que crepitava um fogo recém-alimentado.

O conde parou, depositou minha bagagem no chão, fechou a porta e, atravessando a sala, abriu outra porta, que dava para uma pequena sala octogonal, iluminada por um simples lampião e que parecia não ter janela alguma. Atravessando-a, abriu outra porta e fez sinal para que eu entrasse. A vista era agradável: tratava-se de um grande quarto de dormir bem iluminado e aquecido por outra lareira cujas toras haviam sido acrescentadas recentemente, emitindo um rugido seco pela chaminé. O próprio conde colocou ali minha bagagem e disse, antes de fechar a porta:

— O senhor deve querer, depois da viagem, fazer sua toalete e se refrescar. Espero que encontre tudo o que deseja. Quando terminar, pode passar para a outra sala, onde encontrará a ceia preparada.

A luz, o calor e a cortês recepção do conde tinham acabado com qualquer dúvida ou temor que eu tivesse. Voltando ao meu estado normal, percebi que estava faminto. Então, depois de fazer uma toalete rápida, entrei na sala contígua.

Encontrei a ceia servida. Meu anfitrião, que estava em pé junto à lareira, mostrou a mesa com um gesto afável e disse:

— Peço-lhe que se sente e ceie à vontade. Espero que me desculpe por não lhe fazer companhia, mas já jantei e não costumo cear.

Entreguei a ele a carta lacrada que o Sr. Hawkins havia enviado por mim. Ele a abriu e leu-a com cautela; depois, sorrindo amavelmente, entregou a carta a mim para que eu a lesse. Pelo menos um trecho dela trouxe-me grande prazer:

> Lamento que um ataque de gota, moléstia que me acomete com frequência, impeça-me, em absoluto, de qualquer viagem em

breve, mas tenho o prazer de comunicar que posso enviar um substituto plenamente capaz, no qual deposito absoluta confiança. É um jovem cheio de energia e talento, dono de fiel disposição. É discreto, fala pouco e amadureceu trabalhando comigo. Estará à sua disposição, para ajudá-lo quando o senhor desejar, e receberá suas instruções a respeito de todos os assuntos.

 O próprio conde tirou a tampa de uma travessa e eu ataquei imediatamente um excelente frango assado, que, com queijo, salada e uma garrafa de um velho Tokay, do qual tomei duas taças, constituiu minha ceia. Enquanto eu comia, o conde me fez muitas perguntas sobre a viagem e contei-lhe todos os pormenores.

 Quando acabei de cear, cedendo ao desejo de meu anfitrião, sentei-me em uma cadeira junto do fogo e pus-me a fumar um charuto que ele me ofereceu, desculpando-se, ao mesmo tempo, pelo fato de não me acompanhar. Tive, então, oportunidade de observá-lo e achei sua fisionomia altamente expressiva.

 Era um rosto muito forte, aquilino, com nariz fino de ponte alta e narinas dilatadas, arqueadas de forma peculiar, testa ampla e abaulada e bela cabeleira, já rareando nas têmporas, mas muito abundante no restante da cabeça. Sobrancelhas espessas, quase unidas sobre o nariz, parecendo se curvar sob a própria profusão. A boca, pelo que pude ver sob o bigode espesso, era firme e dura, parecendo até cruel com os dentes particularmente pontiagudos e brancos, projetando-se entre os lábios, cuja cor demonstrava extraordinária vitalidade para a idade. No mais, as orelhas eram pálidas e muito pontudas, o queixo largo e forte e a face firme, embora magra. O que mais impressionava, no entanto, era a extraordinária palidez.

 Até ali, só tinha notado o dorso das mãos dele, quando postas sobre os joelhos à luz do fogo, que pareciam ser brancas e finas. Mas, vendo-as mais de perto, pude notar que eram bem ásperas, largas, com dedos curtos e gordos. Por mais estranho que pareça, as palmas das mãos tinham pelos no centro. As unhas eram compridas e finas, cortadas em pontas afiadas. Quando o conde se inclinou sobre mim, encostando-me as mãos, não pude conter um tremor. Talvez tenha sido por causa do mau hálito, mas o fato é que senti uma horrível sensação de náusea, e não pude disfarçar, por mais que tentasse. O conde evidentemente percebeu isso, e recuou. Com uma espécie de sorriso sombrio, que me permitia ver melhor os dentes salientes, sentou-se novamente do outro lado da lareira. Ficamos em silêncio durante algum tempo. Ao olhar na direção da janela, vi a primeira faixa pálida que anunciava a madrugada. Parecia haver uma estranha quietude pairando por lá. Mas, prestando mais atenção, distingui lá embaixo, no vale, os uivos de muitos lobos.

— Ouça-os... Os filhos da noite — disse o conde com um brilho no olhar. — Que música fazem!

E notando, sem dúvida, meu estranhamento, acrescentou:

— Os senhores, habitantes da cidade, não podem compreender os sentimentos de um caçador.

Levantou-se e disse:

— Mas o senhor deve estar cansado. Seu quarto já está arrumado e amanhã poderá dormir até a hora que quiser. Estarei ausente durante toda a tarde. Durma bem e tenha bons sonhos!

E, com uma mesura cortês, abriu a porta do aposento octogonal para mim e entrei em meu quarto.

Encontro-me num mar de assombros. Tenho dúvidas. Tenho medo. Penso coisas estranhas que não me atrevo a confessar nem a mim mesmo. Deus me proteja, ao menos para o bem daqueles que amo!

7 de maio — Descansei bastante nas últimas vinte e quatro horas e uma nova manhã começou. Dormi até tarde e ninguém me acordou. Depois, vesti-me, dirigi-me à sala em que havia ceado e encontrei uma refeição fria e café ainda quente, pois o bule estava colocado sobre a lareira. Em cima da mesa, havia um cartão, que dizia:

> Precisei me ausentar por um momento.
> Não espere por mim. D.

Terminada a farta refeição, procurei a campainha, a fim de chamar os criados para tirar a mesa, mas não encontrei campainha alguma.

Havia, naquela casa, algumas deficiências estranhas que eram contraditórias às provas de riqueza que a cercavam. O serviço de mesa era de ouro e tão bem trabalhado que devia ter um imenso valor. As cortinas e os estofados das poltronas e sofás e o dossel da minha cama eram dos tecidos mais caros e belos. Na época em que foram fabricados, devem ter custado uma exorbitância, sim, porque eram centenários, apesar de estarem em excelente estado. Vi algo semelhante em Hampton Court, mas os tecidos estavam gastos, esgarçados e comidos por traças. Em nenhum dos aposentos, nem mesmo no meu toucador, havia um espelho, e tive de usar o espelhinho que havia trazido na mala para me barbear ou pentear os cabelos. Ainda não tinha visto um criado ou ouvido qualquer ruído no castelo, a não ser o uivo dos lobos.

Um pouco depois de terminar a refeição, que não sei se devo chamar de café da manhã ou jantar, pois eram cinco ou seis da tarde, procurei alguma coisa para ler. Não queria andar pelo castelo sem pedir permissão ao conde. Não havia livro, jornal e nem mesmo material para escrever naquela sala. Abri a porta do quarto e encontrei uma espécie de biblioteca. No lado oposto, tentei abrir a porta, mas estava trancada.

Na biblioteca, senti-me satisfeito ao encontrar muitos livros em inglês. Havia prateleiras inteiras cheias deles e volumes encadernados de jornais. No centro, havia uma mesa repleta de revistas e jornais londrinos; nenhum deles, contudo, era de data recente. Os livros eram sobre assuntos variados: história, geografia, política, economia política, botânica, geologia, direito. Todos relacionados à Inglaterra e à vida, aos hábitos e aos costumes ingleses. Havia até mesmo obras de referência, como o *Catálogo de Endereços Comerciais de Londres*, com os livros "vermelho" e "azul",* o *Almanaque de Whitaker*, as listas do Exército e da Marinha e, o que de certa forma deixou-me feliz, o *Catálogo dos Advogados*.

Enquanto examinava os livros, a porta se abriu e o conde entrou. Saudou-me cordialmente, comentando que esperava que eu tivesse tido um bom descanso, e disse:

---

* O livro vermelho contém endereços da nobreza, enquanto o azul apresenta informações sobre membros do governo.

— Estou satisfeito que tenha encontrado a biblioteca. Tenho certeza de que há aqui muita coisa que o interessará. Estes companheiros — disse, apontando para os livros — têm sido bons amigos para mim, e há alguns anos, desde que tive a ideia de ir para Londres, dão-me muitas horas de prazer. Foi com eles que aprendi a conhecer sua grande Inglaterra. Conhecer Londres significa apaixonar-se por ela, e não vejo a hora de estar no meio do turbilhão da humanidade, compartilhar de sua vida, das suas transformações, de sua morte e de tudo o que faz dela aquilo que ela é. Mas, infelizmente, só conheço seu idioma pelos livros. Quero aprender a falá-lo com o senhor.

— Mas o senhor fala inglês perfeitamente, conde! — disse a ele.

Ele fez uma mesura.

— Agradeço, meu amigo, por tamanha lisonja, mas ainda me falta muita coisa. Receio estar no início da estrada que desejo percorrer. Na verdade, conheço a gramática e as palavras, mas ainda não sei como pronunciá-las.

— Na verdade, a sua pronúncia é perfeita.

— Não — respondeu ele. — Sei que, se fosse para Londres, todos ali perceberiam que sou estrangeiro. Isso não é suficiente para mim. Aqui sou nobre. Sou um boiardo. Os plebeus me conhecem e sou senhor deles. Mas um estranho em uma terra estrangeira não é ninguém. Os homens não o conhecem e por isso não dão importância a ele. Ficarei contente de ser como os outros, de maneira que, quando eu falar, ninguém pare para comentar: "Ha, ha! Um estrangeiro". Tenho sido senhor há muito tempo, e preferiria continuar sendo um senhor, ou, pelo menos, não quero que ninguém passe a ser meu senhor. Você não veio aqui somente como agente de meu amigo Peter Hawkins, de Exeter, para conversar comigo sobre minha nova propriedade em Londres. Espero que fique comigo algum tempo. Assim, conversando com você, conseguirei adquirir o sotaque inglês. Gostaria que me corrigisse, mesmo os pequenos erros de pronúncia. Peço desculpas por ter estado fora tanto tempo hoje, mas sei que perdoará quem tem tantos negócios importantes para tratar.

Claro que concordei, mencionando o prazer que seria para mim tal encargo, e pedi-lhe licença para entrar quando quisesse naquele aposento.

— O senhor pode entrar em todos os cômodos do castelo, exceto, naturalmente, onde as portas estiverem trancadas. Há um motivo para as coisas serem como são. Se você pudesse ver com meus olhos e soubesse o que eu sei, talvez pudesse ter uma compreensão melhor.

Eu disse que tinha certeza disso, e ele continuou:

— Não se esqueça de que estamos na Transilvânia. Nossos costumes são diferentes dos da Inglaterra, e o senhor poderá ver aqui muitas coisas incomuns. Pelo que me contou sobre as experiências vividas até agora, já teve uma amostra das estranhezas que podem acontecer.

Esse comentário abria a possibilidade para uma longa conversa, e como era evidente que ele estava disposto a conversar, fiz muitas perguntas relativas a fatos que tinham acontecido comigo ou que eu havia percebido. Às vezes, ele mudava de assunto ou saía pela tangente, fingindo não compreender, mas, em geral, respondia com muita franqueza. Tornei-me mais audacioso e perguntei o que significavam as coisas estranhas que vira no dia anterior, como, por exemplo, o fato de o cocheiro ter se dirigido aos lugares em que apareciam as chamas azuis. Ele me explicou que as pessoas acreditavam que em determinada noite do ano — a noite anterior, de fato, quando os espíritos malignos supostamente estariam à solta — uma chama azul seria avistada em qualquer lugar em que houvesse um tesouro enterrado.

— Não há dúvida de que existem muitos tesouros enterrados na região pela qual você passou ontem à noite; este solo foi disputado, durante muitos séculos, por valáquios, saxões e turcos. Há poucos palmos desta terra que não tenham sido regados com o sangue dos patriotas ou dos invasores. Nos velhos tempos, houve situações comoventes, quando os austríacos e húngaros invadiram o país em hordas, e os patriotas os enfrentaram nas montanhas. Eram homens, mulheres, idosos e crianças, esperando por eles nas rochas sobre os passos, a fim de causar avalanches para destruí-los. Quando o invasor triunfava, pouca coisa encontrava, pois o que havia tinha sido escondido no solo amigo.

— Mas como esses tesouros ficaram tanto tempo escondidos, mesmo sendo tão fácil encontrá-los? — indaguei.

O conde sorriu, deixando à mostra os dentes compridos e afiados, e respondeu:

— Os camponeses, no fundo, são medrosos e tolos. Essas chamas só aparecem em determinada noite e, nessa noite, ninguém da região tem coragem de sair de casa. Meu caro amigo, mesmo que a pessoa saísse, não saberia o que fazer. Até o camponês mencionado por você, que marcou o local da chama, não saberia onde procurá-lo à luz do dia. Nem mesmo você, sou capaz de jurar, conseguiria encontrar esses locais novamente, certo?

— Com certeza — concordei. — Sei tão pouco quanto os mortos sobre onde procurar.

Então mudamos de assunto.

— Mas falemos sobre Londres e minha futura residência.

Pedindo desculpas pelo meu descuido, fui até meu quarto pegar os documentos na mala. Enquanto os organizava, ouvi barulho de porcelana e o tilintar de prataria no outro aposento e, quando voltei, notei que a mesa havia sido tirada e que a lâmpada tinha sido acesa, pois já havia escurecido completamente. Os lampiões também estavam acesos na biblioteca e encontrei o conde deitado no sofá, lendo, dentre tudo o que poderia escolher na vastidão de títulos da biblioteca, o *Guia Bradshaw*[*] da Inglaterra.

Quando entrei, ele tirou da mesa os livros e papéis e começamos a discutir planos, dados e números de todo tipo. Ele estava interessado em tudo e fez uma infinidade de perguntas sobre o lugar e os arredores. Era óbvio que havia estudado muito o assunto e tinha mais informações do que eu mesmo. Quando mencionei isso, ele retrucou:

— Não acha necessário que seja assim? Quando eu estiver lá, meu amigo Harker Jonathan... Desculpe, eu recaio no costume de meu país, de colocar o sobrenome na frente. Meu amigo Jonathan Harker não estará mais ao meu lado para dar-me todas as informações de que necessito, pois, sem dúvida, estará em Exeter, a quilômetros de distância, provavelmente trabalhando com documentos jurídicos, ao lado de meu outro amigo, Peter Hawkins.

---

[*] Guia sobre as estradas de ferro e a navegação a vapor no Reino Unido e na Irlanda, criado pelo inglês George Bradshaw.

Passamos a tratar dos detalhes da aquisição da propriedade de Purfleet. Depois que dei ao conde as explicações, peguei suas assinaturas nos papéis necessários e escrevi uma carta para a remessa dos documentos ao Sr. Hawkins, o conde indagou como foi que eu tinha descoberto uma propriedade tão ideal. Li, então, para ele, minhas anotações, que reproduzo aqui:

— Em Purfleet, em uma das transversais, descobri uma propriedade que me pareceu adequada. Havia uma placa antiga anunciando a venda. É cercada por um muro alto de pedras de estrutura antiga que há muitos anos não recebe conserto algum. Os portões são de carvalho e ferro corroído pela ferrugem. A propriedade chama-se Carfax, uma corruptela de Quatro Faces, em menção às suas quatro fachadas, posicionadas de acordo com os pontos cardeais. A propriedade deve ter uns vinte acres, cercados inteiramente pelo muro que já mencionei. Há muitas árvores que tornam o lugar sombrio, e há um açude ou lagoinha profunda e escura, evidentemente alimentada por algumas nascentes, uma vez que a água flui para um córrego de bom tamanho. A casa é bem ampla e extremamente antiga. Creio que data dos tempos medievais, com uma parte de pedra muito espessa, com poucas janelas bem no alto fortemente protegidas por barras de ferro. Parece ter sido parte de um forte, e fica próxima a uma antiga capela ou igreja. Não deu para entrar na capela, pois estava sem a chave da porta, mas fiz algumas imagens de diversos ângulos com minha câmera. A casa principal foi ampliada, mas de uma forma tão confusa que não dá para imaginar a extensão que ocupa no terreno, porém parece ser bem grande. Uma das propriedades da vizinhança foi construída recentemente e transformada em um manicômio particular. Mas não dá para vê-lo da propriedade.

Quando terminei, o conde disse:

— Estou satisfeito em saber que se trata de uma casa grande e muito antiga. Pertenço a uma família antiga e seria horrível ter que morar em uma casa nova. Uma casa não se torna habitável em um dia; e, no fim das contas, vão-se pouquíssimos dias para compor um século. Estou satisfeito também por saber que há uma capela. Nós, os nobres transilvanos, amamos que nossos ossos não acabem jazendo dentre os mortos plebeus. Não estou procurando alegria e humor, nem a volúpia brilhante do excesso de luz do sol e as águas cintilantes que agradam os jovens alegres. Não sou mais um jovem, e meu coração, depois de lamentar exaustivamente a morte por tantos anos, não está mais acostumado à hilaridade. Os muros do meu castelo também estão destruídos. As sombras são muitas e o vento frio sopra por entre as ameias e os caixilhos. Adoro a penumbra e a sombra, e ficar só com meus pensamentos satisfaz-me a maior parte do tempo.

Contudo, tive a sensação de que sua expressão não estava em sintonia com as palavras que dizia, ou melhor, que suas expressões acrescentavam ao sorriso algo malévolo e soturno.

Logo em seguida, desculpou-se e saiu, pedindo-me que arrumasse todos os papéis. Ele ficou algum tempo longe e passei a examinar os livros ao meu redor, dentre os quais um atlas, que se abriu exatamente no mapa da Inglaterra, como se aquela página em específico tivesse sido aberta muitas e muitas vezes. Prestando mais atenção, reparei que três localidades haviam sido marcadas com um pequeno círculo feito a tinta. Notei que uma delas era a leste de Londres, especificamente onde ficava a nova propriedade do conde. As duas outras eram em Exeter e Whitby, na costa de Yorkshire.

Passara-se quase uma hora quando o conde voltou.

— Ainda com os livros? — perguntou. — Muito bem! Mas não deve trabalhar demais. Venha! Fui informado de que sua ceia está pronta.

Ele me pegou pelo braço e passamos à sala ao lado, onde a mesa estava posta com uma ceia excelente. Mais uma vez, o conde desculpou-se por não me fazer companhia, pois tinha jantado fora de casa. Contudo, conversou comigo enquanto eu comia, como no dia anterior. Depois da ceia, fumei, como na noite anterior, e o conde ficou perto de mim, conversando e fazendo perguntas sobre os mais variados assuntos durante horas seguidas. Percebi que estava ficando bem tarde, mas não mencionei nada, pois achava que era minha obrigação satisfazer aos desejos do meu anfitrião de todas as formas possíveis. Eu estava sem sono, pois o longo descanso da noite anterior havia me restabelecido, mas não pude deixar de sentir aquele arrepio que nos acomete quando a manhã se aproxima, o que é, a seu próprio modo, como a virada da maré. Dizem que as pessoas que estão próximas da morte geralmente se vão na chegada do amanhecer ou na virada da maré. Qualquer um que, cansado demais, porém preso às obrigações, tenha experimentado essa mudança, pode acreditar perfeitamente nisso. De repente, ouvimos o cantar de um galo, que cortou estridente o ar calmo da madrugada. O conde sobressaltou-se.

— Já é madrugada de novo? Não devia tê-lo feito ficar acordado até esta hora. O senhor deve tornar menos interessante sua conversa sobre minha nova pátria, a Inglaterra, para que eu não me esqueça de que o tempo voa.

E, com uma mesura cordial, retirou-se.

Fui para o meu quarto e abri as cortinas, mas havia pouca coisa para ver. A janela dava para o pátio, e a única coisa que vi foi o céu cinzento. Assim, tornei a fechar as cortinas e retomei as anotações no meu diário.

8 de maio — Ao recomeçar a escrever no diário, receio que esteja me tornando muito vago. Sinto-me satisfeito por ter anotado os detalhes desde o princípio, pois há algo tão estranho neste lugar e em tudo dentro dele que não posso deixar de sentir certa inquietude. Queria estar são e salvo bem longe daqui, ou mesmo nunca ter vindo para cá. Talvez essa estranha existência noturna esteja me afetando, mas quisera eu ser apenas isso! Se pelo menos eu tivesse alguém para conversar, mas não há ninguém. Só tenho o conde com quem conversar, e ele...! Receio ser a única alma vivente neste castelo. Serei prosaico em relação aos fatos. Isso me ajudará a suportar a situação e a imaginação não escapará ao meu controle. Se isso acontecer, estou perdido. Vou contar de uma vez minha situação, ou qual parece ser.

Fui para a cama e dormi apenas algumas horas, então, vendo que não conseguiria dormir mais, levantei-me. Pendurei na janela meu espelhinho de barbear e estava começando a fazer a barba. De repente, senti alguém tocar meu ombro e ouvi a voz do conde atrás de mim:

— Bom dia.

Tomei um susto, pois me intrigou o fato de não o ter visto entrar, já que todo o aposento atrás de mim estava refletido no espelhinho.

Com o susto, cortei-me ligeiramente com a navalha, mas nem percebi a princípio. Depois de ter respondido à saudação do conde, tornei a olhar para o espelho, para entender como eu poderia ter me enganado. Dessa vez, não poderia haver dúvida, pois o homem estava ao meu lado e eu conseguia vê-lo por sobre o ombro. Mas sua imagem não estava refletida no espelho! Todo o quarto, por trás de mim, aparecia no espelho, mas não havia sinal de homem algum, a não ser eu mesmo.

Aquilo era surpreendente, além de tantas outras coisas estranhas, e serviu para aumentar a inquietação que eu sempre sentia perto do conde. Contudo, naquele momento, vi que o corte sangrara um pouco e o sangue escorria pelo meu queixo. Abaixei a navalha e virei-me, procurando alguma coisa para estancar o sangue. Quando o conde olhou para o meu rosto, seus olhos chamejaram com uma espécie de fúria demoníaca, e ele subitamente estendeu as mãos para agarrar meu pescoço. Recuei, e ele tocou as contas do rosário do qual pendia o crucifixo. Instantaneamente, ele mudou de comportamento, pois a fúria passou tão depressa que mal pude acreditar que tivesse ocorrido.

— Tome cuidado para não se cortar — disse ele. — Neste país, isso é mais perigoso do que você pensa.

Depois, agarrando o espelhinho, prosseguiu:

— Foi este maldito objeto o causador de tudo! É um ridículo instrumento da vaidade humana. Fora com ele!

Abrindo a pesada janela com um gesto brusco de sua mão terrível, ele atirou fora o espelho, que se fez em mil pedaços nas pedras do pátio lá embaixo. Depois, retirou-se sem dizer nada. Foi muito irritante, pois não sei como vou fazer a barba, a não ser que a caixa do meu relógio ou o fundo da bacia de barbear, ambos de metal, sirvam de espelho.

Quando cheguei à sala de jantar, a refeição matinal estava servida, mas não consegui encontrar o conde em lugar algum. Comi sozinho. É estranho ainda não ter visto o conde comer ou beber. Deve ser um homem bem peculiar!

Depois de comer, andei um pouco pelo castelo. Desci a escada e encontrei um aposento que dava para o sul. A vista era magnífica, e, de onde eu estava, podia ver tudo. O castelo fica à beira de um terrível precipício. Se uma pedra cair da janela, despencará por trezentos metros sem tocar coisa alguma! Até onde a vista podia alcançar, só havia as copas verdes das árvores, com uma fenda, de vez em quando, onde se abre um abismo. Por toda a parte, viam-se fitas prateadas de rios serpenteando pela floresta em ravinas profundas.

Não me sinto capaz de descrever belezas, pois, após verificar a paisagem, continuei a examinar o castelo. Portas, portas por toda a parte, e todas fechadas e trancadas. Não há qualquer saída disponível além das janelas.

O castelo é uma verdadeira prisão, e eu, seu prisioneiro.

III

DIÁRIO DE JONATHAN HARKER
(continuação)

Quando me dei conta de que estava preso ali, senti uma irritação profunda. Corri pelas escadas, para cima e para baixo, tentando em vão abrir as portas e olhando por todas as janelas que encontrei, sentindo a profunda convicção de desamparo me dominar. Quando voltei a mim, depois de algumas horas, tive a impressão de haver enlouquecido, pois minha conduta parecia a de um rato apanhado em uma ratoeira. Contudo, quando tive tal convicção, sentei-me calmamente — tão calmamente quanto já fiz qualquer coisa na vida — e comecei a refletir sobre o que seria o melhor a fazer.

Ainda estou refletindo e não cheguei a uma conclusão definitiva. Só tenho certeza de uma coisa: não devo permitir que o conde saiba o que estou pensando. Ele sabe muito bem que estou aprisionado; e como foi ele mesmo que me prendeu, e sem dúvida tem seus motivos para isso, simplesmente tentaria me enganar se eu lhe revelasse os fatos. Ao que parece, devo esconder meus próprios segredos e temores e ficar sempre de olhos bem abertos. Estou, certamente, sendo enganado feito uma criança por meus próprios medos ou desesperadamente em apuros. E se isso for real, preciso de toda a minha inteligência para sair dessa situação.

Mal havia chegado a essa conclusão, ouvi o barulho da grande porta de baixo sendo fechada. Era o conde que havia voltado. Ele não veio para a biblioteca de imediato, então eu fui cautelosamente até o meu quarto e o encontrei arrumando a cama. Era estranho, mas confirmava a conclusão a que eu tinha chegado anteriormente: não havia criados na casa. Quando mais tarde eu o vi, pelo vão das dobradiças na porta, servindo a mesa na sala de jantar, tive certeza disso, pois, se ele executa pessoalmente todas essas tarefas braçais, certamente não há mais ninguém aqui além dele para fazê-las. Isso me deu um susto, pois, se não há mais ninguém no castelo, deve ter sido o próprio conde quem dirigiu a caleche que me trouxe até aqui.

Chegar a tal conclusão aterrorizou-me, pois, se assim era, o que significa o poder do conde de dominar os lobos, como demonstrou, apenas levantando a mão para exigir silêncio?

Por que todas aquelas pessoas em Bistrița e na diligência tinham tido tanto medo por mim? O que significava o oferecimento do crucifixo, do alho, da rosa-silvestre e da faia da montanha? Bendita seja a boa mulher que pendurou o crucifixo em meu pescoço! Tocá-lo traz-me força e confiança. É estranho que um objeto que eu devia considerar uma prova de idolatria me proporcione tal sentimento de conforto. Será que a própria essência do rosário faz dele um meio tangível de acesso à lembrança da empatia e do conforto? Mas pensarei nisso mais tarde. Por enquanto, preciso descobrir tudo que for possível sobre o Conde Drácula, para que eu possa compreender melhor o que está se passando. Esta noite, talvez ele fale a respeito de si, se eu dirigir a conversa nesse sentido. Contudo, preciso ter cautela, para não despertar suspeitas.

Meia-noite — Tive uma longa conversa com o conde. Fiz algumas perguntas sobre a história da Transilvânia e ele se entusiasmou com o assunto. Ao falar dos acontecimentos, especialmente das batalhas, parecia que realmente tinha presenciado tudo aquilo. Explicou-me depois que um boiardo tem tanto orgulho de sua casa como tem de si mesmo, de sua glória e de seu destino. Quando se refere à sua casa, diz sempre "nós", e fala no plural, como se fosse um rei. Queria poder transcrever tudo exatamente como ele me contou, pois a forma como o fez deixou-me fascinado. Parecia estar ali contida toda a história do país. Ele ficava mais animado à medida que falava e ia caminhando pela sala, passando a mão no bigode branco e segurando tudo o que vinha à mão como se fosse esmigalhar com a própria força. Transcreverei com a maior riqueza de detalhes uma das coisas que ele me disse, pois é a história de sua raça. Contou-me o conde:

— Nós, os *székelys*,[*] temos o direito de nos sentirmos orgulhosos: em nossas veias corre o sangue de muitas raças valentes que travaram lutas ferozes para a conquista. Aqui, neste redemoinho de raças europeias, a tribo úgrica[†] trouxe da Islândia o espírito belicoso recebido

---

[*] "Zequélis" ou "sículos", em português. Optou-se por utilizar o termo em húngaro para evitar um anacronismo e, assim, manter a fala fiel ao contexto.

[†] A língua húngara parte do ramo úgrico, que descende das línguas urálicas.

de Thor e Odin; seus homens, os *berserkers*,* se lançaram com tanta gana nas praias da Europa, sim, e da África e da Ásia também, que os povos pensavam que eram lobisomens propriamente ditos. Também para cá vieram e encontraram os hunos, cuja fúria guerreira varrera a terra como um incêndio, até que os povos moribundos afirmassem ter nas veias o sangue das velhas feiticeiras que, expulsas da Cítia, tinham se acasalado com demônios no deserto. Idiotas! Que demônio ou bruxo foi tão grande quanto Átila, cujo sangue corre nestas veias? — disse ele, estendendo os braços. — É de se admirar que sejamos uma raça de conquistadores, que tenhamos orgulho de que, quando o magiar, o lombardo, o avar caucasiano, o búlgaro e o turco alinharam-se aos milhares em nossas fronteiras, nós os fizemos recuar? É estranho que, quando Arpad† e suas legiões atravessaram a terra húngara, encontraram-nos aqui na fronteira? Que o *Honflagalás*‡ se completou aqui? E quando a invasão húngara avançou para o Oriente, nós, os *székelys*, fomos considerados parentes pelos vitoriosos magiares. E ainda mais, a nós foi confiado o dever sem fim de guardar a fronteira da Turquia, pois, como dizem os turcos, "a água dorme, e o inimigo não tem sono". Quem, dentre as quatro nações,§ recebeu a "espada sangrenta"¶ com maior alegria? Quem acudiu mais prontamente ao estandarte do rei quando se ouviu o chamado da guerra? Quando redimimos aquela grande vergonha de minha nação, a vergonha de Kosovo,** em que as bandeiras dos valáquios e magiares caíram sob a bandeira do Crescente? Quem, senão um homem de minha própria raça como voivoda,†† atravessou o Danúbio e venceu os turcos em seu próprio terreno? Um Drácula, de fato! Uma pena que seu indigno irmão, depois da derrota,

---

* Guerreiros que se deixavam levar pela fúria da batalha para assustar e vencer seus inimigos. Dizia-se que eram os escolhidos dos deuses.
† Chefe da tribo magiar.
‡ Conquista da terra pátria, em húngaro.
§ Magiares, valáquios, saxões e zequélis.
¶ A espada sangrenta, recebida por um nobre, denota emergência nacional.
** Batalha de 1389 contra os turcos. Hoje o Kosovo é uma região independente.
†† Senhor da guerra.

vendeu seu povo aos turcos e trouxe a vergonha da escravidão sobre eles! Sim, não foi esse Drácula que inspirou o outro de sua raça, muito depois, a lançar suas forças pelo grande rio nas terras dos turcos? Que, quando foi abatido, voltou, e tornou a voltar muitas vezes, embora tivesse voltado sozinho do sangrento campo de batalha onde suas tropas eram massacradas, pois sabia que, no fim, ele sozinho acabaria triunfando! Dizem que só pensava em si mesmo. De que valem camponeses sem um líder? De que vale a guerra sem um cérebro e um coração para conduzi-la? Uma vez mais, quando, depois da batalha de Mohács, nos livramos do jugo húngaro, nós, do sangue Drácula, estávamos entre os líderes, pois nosso espírito não aceitava o fato de não estarmos livres. Meu jovem, os *székelys* — e os Drácula, como o sangue em seus corações, como seus cérebros e suas espadas — podem se gabar de feitos que povos breves como os Habsburgo e os Romanov jamais alcançarão. Os dias de conflitos terminaram. O sangue é precioso demais nestes tempos de paz desonrosa, e as glórias das grandes raças são apenas histórias que alguém conta.

Já estava quase amanhecendo quando fomos dormir. (**Nota:** Este diário se parece horrivelmente com o começo das *Mil e uma noites*, pois tudo acaba com o canto do galo, ou com o fantasma do pai de Hamlet.)

12 de maio — Comecemos com os fatos — fatos parcos e nus, verificados em livros e números e a respeito dos quais não pode haver dúvida. No entanto, não os confundirei com experiências que necessitem das minhas observações ou lembranças. Ontem à noite, quando o conde veio ao meu quarto, começou a fazer perguntas referentes a assuntos judiciais e procedimentos em certos tipos de transação comercial. Eu havia passado o dia dedicado exaustivamente aos livros e, simplesmente para manter a mente ocupada, comentei sobre algumas questões que havia examinado em Lincoln's Inn. Havia um certo método nas perguntas do conde, então vou tentar transcrevê-las na sequência. A informação talvez possa vir a ser-me útil em algum momento.

Primeiramente, ele quis saber se na Inglaterra é lícito uma pessoa ter dois ou mais procuradores. Respondi-lhe que quem quisesse poderia ter até uma dúzia de procuradores, mas que não era aconselhável ter mais de um empenhado na execução de uma mesma transação, já que só poderia agir um por vez, e mudar de procurador, sem dúvida, seria prejudicial aos interesses da parte.

Ele pareceu entender completamente e perguntou se haveria alguma dificuldade de ordem prática em ter uma pessoa para atender aos seus interesses bancários, por exemplo, outra para cuidar do envio marítimo de mercadorias, caso fosse necessário contratar ajuda em algum lugar que não fosse o da residência do procurador bancário.

Pedi a ele que explicasse melhor, para não correr o risco de transmitir informações erradas.

— Vou exemplificar. Nosso amigo comum, Sr. Peter Hawkins, que mora em Exeter, longe de Londres, compra para mim, por intermédio seu, uma propriedade em Londres. Muito bom! Agora, deixe-me dizer francamente, para que o senhor não estranhe o fato de eu ter contratado os serviços de alguém que mora longe de Londres em vez de um morador local. Minha intenção ao agir de tal forma foi porque não desejava que outros interesses locais fossem satisfeitos, além dos meus; e como um morador de Londres poderia, talvez, buscar alguma vantagem para si mesmo ou para um amigo, fui então mais longe para buscar meu agente, cujos trabalhos deveriam estar voltados apenas para os meus interesses. Agora, suponhamos que eu tenha muitos negócios e deseje, por exemplo, embarcar mercadorias para Newcastle, Durham, Harwich ou Dover. Não o faria com mais facilidade por meio de consignações para alguém desses portos?

Respondi que certamente seria mais fácil dessa forma, embora nós procuradores tenhamos um sistema de agenciamento entre nós, então o serviço local poderia ser feito na cidade em questão sob ordens de qualquer advogado. Se o cliente passasse para as mãos de um único homem, poderia ter seus desejos atendidos por ele sem preocupações. Ao que ele indagou:

— Mas haveria a liberdade de dirigir eu mesmo as atividades, não é verdade?

— É claro — respondi. — Isso é feito, frequentemente, por homens de negócios, que não desejam que o trâmite inteiro de seus negócios seja conhecido por uma única pessoa.

— Ótimo! — disse ele, passando em seguida a fazer perguntas sobre os meios de fazer consignações e sobre os meios de se livrar de quaisquer dificuldades que pudessem surgir, evitando-as de antemão.

Expliquei todas as possibilidades da melhor forma que pude, e fiquei com a impressão de que ele seria um ótimo procurador, pois não havia nada que não tivesse pensado ou previsto. Para alguém que nunca estivera na Inglaterra, e que pelo visto não estava acostumado a fazer muitos negócios, seu conhecimento e sua perspicácia eram magníficos. Quando ficou satisfeito com os pontos sobre os quais conversamos, e verifiquei da melhor maneira que pude nos livros disponíveis, ele levantou-se de repente e perguntou:

— O senhor escreveu, depois de sua primeira carta, ao nosso amigo, Sr. Peter Hawkins, ou a qualquer outra pessoa?

Foi com certa amargura que respondi que não. Eu não tivera ainda oportunidade de enviar cartas a quem quer que fosse.

— Pois então escreva agora, meu jovem amigo — disse ele, pousando a mão pesada no meu ombro. — Escreva ao seu amigo e a qualquer outra pessoa e diga, se quiser, que vai ficar comigo por mais um mês.

— Quer que eu fique tanto tempo? — perguntei, sentindo um frio no coração.

— Desejo muito e não aceitarei uma recusa. Quando o seu senhor, seu patrão, como queira, concordou em enviar uma pessoa no lugar dele, ficou combinado que apenas os meus interesses seriam levados em consideração. Não impus limites. Não é mesmo?

Tive que concordar. Afinal de contas, eu estava ali representando os interesses do Sr. Hawkins, e não os meus, então precisava pensar nele, e não em mim. Além disso, enquanto falava, o Conde Drácula deu a entender, pelo olhar, que eu era seu prisioneiro e tinha de fazer o que ele quisesse. O conde viu sua vitória em minha mesura e o domínio diante da preocupação expressa em meu rosto, e começou a se valer disso na mesma hora, mas à sua maneira suave e irresistível.

— Peço-lhe, meu jovem amigo — prosseguiu —, que só fale de negócios em suas cartas. Sem dúvida, seus amigos ficarão satisfeitos sabendo que o senhor vai bem e que está ansioso para voltar, não é mesmo?

Enquanto falava, o conde me passou três folhas de papel e três envelopes. Eram envelopes para correspondência internacional extremamente finos. Olhei para as folhas, depois para o conde, e notei o sorriso sereno, com os caninos afiados sobressaindo sobre o lábio vermelho. Percebi que era como se ele estivesse falando em voz alta que eu deveria tomar cuidado com o que escreveria, e era bem provável que ele leria tudo. Resolvi enviar apenas bilhetes formais por enquanto. Contaria tudo ao Sr. Hawkins em segredo, e para Mina, pois para ela poderia taquigrafar, o que deixaria o conde intrigado, caso viesse a ler.

Ao terminar minhas duas cartas, sentei-me tranquilamente, lendo um livro, enquanto o conde redigia as próprias correspondências, consultando diversas obras sobre a mesa enquanto escrevia. Por fim, pegou minhas duas cartas, juntou às suas e pôs de lado o material de escrita. No momento em que a porta fechou atrás dele, inclinei-me sobre as cartas viradas para baixo na mesa e as examinei. Não tive nenhum pudor ao lê-las, pois em tais circunstâncias sentia que precisava me proteger de todas as maneiras possíveis.

Uma delas era para Samuel F. Billington, no número 7 de The Crescent, Whitby, outra para *Herr* Leutner, em Varna, a terceira para o Coutts & Co.,* Londres, e a quarta aos *Herren* Klopstock e Billreuth, banqueiros em Budapeste. A segunda e a quarta estavam abertas. Estava prestes a ler quando percebi que a maçaneta se movia. Voltei para o meu assento a tempo apenas de continuar a folhear meu livro antes que o conde entrasse na sala, trazendo na mão ainda outra carta. Ele pegou os envelopes da mesa, selou-os cuidadosamente e anunciou, virando-se para mim:

— Espero que me desculpe, mas tenho muita coisa que fazer hoje. Espero que encontre tudo o que desejar.

Chegando à porta, voltou-se para advertir:

— Permita-me aconselhá-lo, meu caro jovem amigo... Não, deixe-me avisá-lo, com toda a seriedade, que, se sair destes aposentos, não deve de modo algum dormir em outra parte do castelo. É muito antigo e tem muitas lembranças, e as pessoas que nele dormirem sem

---

* Banco privado de Londres.

prudência terão maus sonhos. Considere-se avisado! Se tiver sono, volte para o seu quarto ou para estes aposentos; assim seu repouso será seguro. Mas, se não tiver cuidado...

Ele interrompeu a fala de modo grotesco, mexendo as mãos como se as estivesse lavando.

Compreendi a insinuação perfeitamente, mas duvidava de que pudesse haver pesadelo pior que o mistério horrível e anormal que me rodeava.

Mais tarde — Confirmo o que escrevi, agora sem dúvida alguma. Não tenho receio de dormir em lugar algum neste castelo, desde que ele não esteja por perto. Coloquei o crucifixo na cabeceira da cama, imaginando afastar os pesadelos. Não tirarei o crucifixo de lá.

Quando o conde saiu, fui para o meu quarto. Um tempo depois, como tudo estava em silêncio, saí e subi a escada de pedra, de onde podia avistar a face sul. Havia uma sensação de liberdade ao olhar para a imensidão do lado de fora, embora me fosse inacessível, em comparação com a estreiteza e escuridão do pátio. Olhando para o pátio, senti que estava mesmo em uma prisão e desejei respirar ar puro, mesmo em plena noite. Começo a sentir os efeitos dessa existência noturna. Está destruindo meus nervos. Assusto-me com minha própria sombra e as imaginações mais horríveis me dominam. Deus sabe que há fundamento no aterrorizante medo que sinto aqui neste lugar amaldiçoado!

Fiquei olhando a bela paisagem, banhada pelo luar de um amarelado tênue, até quase amanhecer. Sob a luz suave, as montanhas distantes pareciam estar derretendo, e as sombras nos vales e nas gargantas ganhavam uma negritude aveludada. Aquela beleza tão pura me animou de certa forma. Sentia paz e certo conforto a cada respiração. Debruçando-me na janela, observei algo se movendo no andar de baixo, um pouco à esquerda. Pela posição dos aposentos, supus que o local dava exatamente para as janelas do quarto do conde. A janela em que eu estava era alta e profunda, dividida ao meio por uma coluna de pedra que, embora mostrasse as marcas do tempo, ainda estava inteira. Mas era evidente que os caixilhos tinham desaparecido havia anos. Escondi-me atrás da coluna de pedra e olhei para fora atentamente.

A cabeça do conde, saindo pela janela, tomou minha atenção por completo. Não vi seu rosto, mas, pelo pescoço e pelo movimento das costas e braços, tive certeza de que era ele. De qualquer forma, não podia me enganar com aquelas mãos, que observei em tantas oportunidades. A princípio, fiquei interessado e um tanto distraído; afinal, qualquer coisa serve para distrair um prisioneiro. Mas meus sentimentos transformaram-se em repulsa e terror quando vi todo o corpo do conde projetar-se pela janela, vagarosamente, arrastando-se pela parede externa do castelo em direção ao pavoroso abismo. Ele estava *de cabeça para baixo*, o manto agitando-se ao vento como asas enormes. Inicialmente, não acreditei no que via. Pensei que fosse algum truque do luar, algum efeito assustador da sombra, mas não havia dúvidas. O conde se agarrava com os dedos dos pés e das mãos às pedras da parede, despidas de cimento pelo desgaste dos anos, e se movia muito depressa para baixo, usando cada projeção e desnível em seu trajeto, parecendo uma lagartixa.

Que tipo de homem é esse, ou que tipo de criatura é essa, que se assemelha tanto a um homem? Sinto que o pavor deste lugar horrível esteja me dominando. Estou apavorado e não tenho como fugir. Estou cercado de terrores em que não ouso nem pensar...

15 de maio — Outra vez vi o conde andar parede abaixo como uma lagartixa. Desceu uns trinta metros de lado e depois avançou mais um pouco à esquerda. Ele desapareceu a uns cem pés abaixo, em alguma janela ou buraco. Quando a cabeça sumiu de vista, inclinei o corpo para fora, procurando um melhor ângulo de visão, mas foi inútil, pois a distância era muito grande. Vi que ele tinha saído do castelo, e resolvi aproveitar a oportunidade para explorar além do que tinha me atrevido até então. Voltei ao quarto e, pegando um lampião, experimentei todas as portas. Estavam trancadas, como esperado, e as fechaduras eram relativamente novas. Contudo, desci pela escada de pedra, chegando ao vestíbulo por onde entrara no castelo pela primeira vez.

Verifiquei que podia abrir facilmente os ferrolhos da porta e o cadeado, mas a porta estava trancada e a chave não estava por perto. Devia estar no quarto do conde.

Resolvi ver se encontrava a porta do quarto dele aberta para pegar a chave e fugir. Continuei a examinar as várias escadas e corredores e tentar abrir as portas. Uma ou duas salas pequenas próximas do saguão estavam abertas, mas não havia nada nelas, somente mobiliário antigo, gasto pelo tempo e carcomido por traças. Contudo, finalmente encontrei uma porta no alto de uma escada que, embora parecesse trancada, cedeu levemente quando fiz força. Insisti e descobri que não estava realmente destrancada; as dobradiças haviam se soltado, e a pesada porta ficara apoiada no chão. Era uma oportunidade única; fiz mais força e, depois de muitas tentativas, consegui afastá-la o suficiente para conseguir entrar.

Era uma ala do castelo mais à direita e em um andar inferior ao dos aposentos que eu conhecia. Pela janela, podia ver que aqueles aposentos se situavam ao sul da propriedade, e as janelas do último davam tanto para o oeste quanto para o sul. Na face sul, assim como na face oeste, havia um grande precipício. O castelo fora construído em um elevado rochedo, e era impenetrável por três lados; e nem fundas, arcos ou canhões jamais conseguiriam atingir as grandes janelas. Uma consequência disso era a garantia de luz e conforto, algo impossível em locais que precisam ser defendidos. A oeste fica um grande vale que dá para as montanhas e, erguendo-se ao longe, grandes cadeias de montanhas irregulares, com uma infinidade de picos e rochedos juncados de faias e acácias que se agarravam nas texturas e rugosidades da rocha. Era evidente que aquela parte do castelo tinha sido ocupada pelas damas nos velhos tempos, pois a mobília era mais confortável que a dos aposentos vistos até então. As janelas não tinham cortinas, e o luar amarelado que invadia os prismas de vidro permitia ver até mesmo cores, ao mesmo tempo que amenizava a poeira abundante que dominava o local, e de certa forma disfarçava os estragos do tempo e das traças. Meu lampião parecia ter pouco efeito diante do luar brilhante, mas estava contente por tê-lo ali comigo, pois havia uma solidão medonha naquele lugar, que esfriava meu coração e estremecia meus nervos. Mesmo assim, era melhor do que ficar sozinho nos cômodos, que passei a odiar devido à presença do conde. Após tentar controlar um pouco os nervos, senti uma tranquilidade suave invadir meu ser.

Aqui estou, sentado junto à escrivaninha de carvalho, onde, em tempos distantes, possivelmente uma bela dama também tenha se sentado para escrever, com muito zelo e pudor, suas cartas de amor. Estou taquigrafando no diário tudo o que aconteceu desde que o fechei pela última vez. O século XIX já vai bem adiantado. No entanto, a não ser que minha intuição esteja enganada, os séculos antigos tinham, e têm, uma força própria que a simples "modernidade" não é capaz de destruir.

Mais tarde: madrugada de 16 de maio — Deus conserve minha sanidade, pois é tudo o que me resta. Segurança e a certeza da segurança são coisas do passado. Enquanto eu viver aqui, minha única esperança é não enlouquecer, se é que eu já não esteja delirando. Se eu estiver são, com certeza é enlouquecedor pensar em todas as coisas malignas que espreitam este local pavoroso. O conde é o que menos me apavora, e ele é o único a quem posso recorrer para me manter seguro, mesmo que seja apenas enquanto servir aos seus propósitos. Meu Deus! Deus de piedade, ajude-me a manter a calma, pois sem isso não conseguirei evitar a loucura. Estou começando a ver sob nova ótica certas coisas que antes me intrigavam. Até agora nunca tinha conseguido entender completamente o que Shakespeare pretendia dizer com o pedido de Hamlet:

Minha lousa! Rápido, minha lousa!
Preciso registrar...*

Neste momento, sentindo o cérebro desorientado, ou como se eu tivesse sofrido o choque que o enlouqueceria de vez, recorro ao meu diário em busca de tranquilidade. O hábito de repassar com precisão os fatos deve me acalmar.

A misteriosa advertência do conde atemorizou-me na hora e me atemoriza hoje mais ainda, pois no futuro terá um terrível domínio sobre mim. Ficarei com medo até de duvidar de algo que ele possa dizer!

---

* SHAKESPEARE, William. *Hamlet*. Tradução de Millôr Fernandes. Porto Alegre: L&PM Pocket, 1997.

Depois de ter escrito no diário e de, felizmente, ter colocado o caderno e a pena no bolso, tive sono. Lembrei-me da advertência do conde, mas senti certo prazer em desobedecê-la. O cansaço foi me dominando, trazendo também a obstinação do sono. O luar suave me acalentava, e a vastidão avistada pela janela trazia uma sensação de liberdade que me exaltava. Resolvi não voltar naquela noite aos aposentos sombrios, mas dormir ali mesmo, onde antigamente as damas descansavam, cantavam e viviam docemente, ao mesmo tempo que sofriam no peito delicado a dor de terem seus homens em guerras distantes e impiedosas. Puxei um grande divã de um canto, para que dali pudesse apreciar a bela vista à leste e ao sul, e me preparei para dormir sem pensar nem me importar com a poeira. Creio que adormeci. Novamente, tenho a impressão de ter adormecido, mas tudo que se seguiu foi tão real que, exatamente neste momento, em plena luz matinal, não posso acreditar que estivesse dormindo.

Eu não estava só. O aposento era o mesmo, exatamente igual em tudo desde que ali entrei. Eu podia ver, no chão iluminado pelo luar, minhas pegadas nos pontos em que eu perturbara o longo acúmulo de pó. À minha frente, estavam três jovens mulheres. Considerando suas maneiras e os trajes, presumi serem damas da nobreza. Pensei que fosse um sonho porque, embora o luar estivesse por trás delas, suas sombras não apareciam no chão. Aproximaram-se de mim, olharam-me durante algum tempo e sussurraram umas para as outras. Duas eram morenas, com narizes aquilinos como o do conde, e grandes olhos escuros e vivos, que pareciam quase vermelhos em contraste com o pálido luar. A outra era extremamente branca, com espessos cabelos louros e pálidos olhos cor de safira. Tive a impressão de conhecer aquele rosto, e de conhecê-lo de algum sonho temeroso, mas não pude me lembrar do local nem da ocasião. Todas as três tinham dentes extremamente brancos, que brilhavam como pérolas contra o rubi dos lábios volumosos. Havia algo nelas que me deixava inquieto, um desejo e um pavor mortal ao mesmo tempo. Sentia uma vontade ardente de que elas me beijassem com aqueles lábios vermelhos. Não devia registrar isso, pois Mina pode ler estas notas algum dia e ficar magoada. Mas não posso mentir. Depois de sussurrarem entre si, as três mulheres riram. O som era límpido e musical, mas tão forte que parecia impossível ter saído de lábios humanos. O som parecia a intolerável doçura do tilintar de taças de vidro cheias de água sendo tocadas pelas mãos de alguém habilidoso. A moça loura sacudiu a cabeça sensualmente, e as duas outras a instigaram. Uma delas disse:

— Vá. Você primeiro e nós depois. Você tem o direito de começar.

— Ele é jovem e forte — acrescentou a outra moça. — Haverá beijos para nós todas.

Fiquei deitado sem me mover, aguardando, na agonia de uma deliciosa expectativa. A moça loura adiantou-se e se debruçou sobre mim até que pude sentir sua respiração. De certa forma, seu hálito era doce como o mel, e produzia o mesmo efeito em meus nervos que sua voz, porém com um amargor que superava a doçura. Era um amargor agressivo, similar ao sentido no cheiro de sangue.

Fiquei com medo de abrir os olhos, mas consegui ver sob os cílios. A moça ajoelhou-se, inclinando-se por cima de mim em regozijo. Havia certa voluptuosidade que despertava excitação misturada com repulsa; quando ela arqueou o pescoço, lambendo os lábios como se fosse mesmo um animal, pude ver, sob a luz do luar, a umidade cintilante da boca escarlate, e a língua vermelha deslizando pelos dentes pontiagudos. Ela abaixou ainda mais a cabeça, indo além da minha boca e do meu queixo, e parecia estar quase fechando os lábios em minha garganta. Então subitamente parou, e eu ouvi o som de sua língua estalando nos dentes e lábios, e senti seu hálito quente em meu pescoço. Houve um formigamento na área, como acontece com a aproximação da mão que fará cócegas. Minha concentração voltou-se totalmente para o toque macio de seus lábios em minha pele hipersensível e a depressão dos dois dentes pontiagudos, cujo avanço ela conteve assim que os encostou em mim. Fechei os olhos em êxtase lânguido e esperei, sentindo o coração acelerar.

Entretanto, naquele instante, a sensação mudou. Tive consciência da presença do conde, e percebi que ele estava tomado pela fúria. Abri os olhos involuntariamente, então o vi envolver o pescoço da moça loura com a mão rude e puxá-la para trás com gigantesca força. O rosto delicado dela estava dominado por uma tormenta de fúria; os olhos azuis, sobrepujados pela raiva; os dentes brancos à mostra, demonstrando cólera; e as faces vermelhas. Justo o conde! Nunca pensei em tamanha fúria e ira, nem mesmo nos piores demônios. Vi que seus olhos praticamente chamuscavam. A luz vermelha neles era evidente, como se as chamas do fogo do inferno flamejassem por eles. A palidez do rosto era macabra, e as linhas de expressão estavam acentuadas, duras como cabos retesados. As sobrancelhas espessas, que se uniam sobre o nariz, agora pareciam uma barra de metal incandescente. Com um movimento implacável do braço, o conde atirou a mulher para longe e foi na direção das demais, como se as fosse expulsar violentamente. Foi o mesmo gesto imperioso que presenciei sendo usado com os lobos. Ele as censurou em tom baixo, quase um sussurro, mas sua voz cortou o ar e reverberou pela sala:

— Como se atrevem a tocá-lo? Como ousam pôr os olhos nele, sabendo que estavam proibidas? Afastem-se, vocês todas! Este homem me pertence! Cuidado com a forma como o tratam, ou vão se ver comigo!

— Você jamais amou! — exclamou a moça loura, dando uma gargalhada vulgar. — Você não sabe amar!

As outras riram também, e aquelas gargalhadas vazias, vigorosas e cruéis tomaram completamente a sala, e eu quase desmaiei, esmagado sob aqueles risos de prazer malévolo. O conde virou-se e me olhou atentamente no rosto.

— Eu também sou capaz de amar. Vocês mesmas podem dizer isso, basta lembrarem-se do passado. Agora, prometo que, quando não precisar mais dele, vocês poderão beijá-lo à vontade. Vão embora! Preciso acordá-lo. Há muito trabalho a fazer.

— Não temos nada para hoje? — perguntou uma das mulheres com uma gargalhada, apontando para o saco que o conde atirara no meio da sala. O saco se movia, indicando que havia algo vivo lá dentro.

O conde fez um sinal com a cabeça em resposta. Uma das mulheres precipitou-se sobre o saco e o abriu. Se meus ouvidos não me enganaram, ouvi os suspiros e o choramingar baixinho de uma criança quase sufocada. As mulheres rodearam o saco, e eu fiquei estático de terror, e as vi desaparecerem, levando consigo o horrível pacote.

Não havia porta alguma perto delas, e não poderiam ter passado por mim sem que eu percebesse. Foi como se simplesmente tivessem sumido sob os raios do luar e saído pela janela. Na penumbra lá fora, vi por um momento as formas sombrias e imprecisas se dissolvendo até desaparecerem completamente. Então o horror tomou conta de mim e perdi os sentidos.

IV

DIÁRIO DE JONATHAN HARKER
(continuação)

Acordei em minha cama. Se tudo aquilo não foi um sonho, o conde deve ter me trazido para cá. Tentei chegar a alguma conclusão sobre o que ocorrera, sem conseguir nenhum resultado satisfatório. Havia algumas pequenas provas de que eu não havia sonhado. Minhas roupas estavam dobradas de modo diferente de como costumo dobrá-las e meu relógio estava sem corda, embora eu tenha o hábito rigoroso de dar corda antes de ir para a cama, entre vários outros detalhes. Mas essas coisas não eram prova suficiente, poderiam ser apenas uma evidência de que minha cabeça não anda bem e estou alterado por uma série de motivos. Preciso de provas. Uma coisa me deixou satisfeito: se foi mesmo o conde que me trouxe para cá e tirou minhas roupas, deve ter feito isso às pressas, pois não mexeu nos meus bolsos. Tenho certeza de que este diário seria um mistério que ele não suportaria. Teria ficado com as anotações ou até destruído tudo. Contemplando o quarto, apesar de ter sido para mim cenário de tantos medos, vejo que é agora uma espécie de santuário, pois nada pode ser mais assustador do que aquelas mulheres horripilantes, que estavam — que *estão* — só esperando para sugar meu sangue.

18 de maio — Novamente desci à luz do dia até aquela sala; *preciso* saber a verdade. Quando cheguei à porta no alto da escada, encontrei-a trancada. E tinha sido fechada com tamanha força que a madeira dos batentes estava lascada. Observei que o ferrolho não havia sido passado, mas a porta estava trancada por dentro. Temo não ter sido um sonho, e essa deve ser a minha premissa para agir.

19 de maio — Estou enrascado, sem dúvida. Ontem à noite, o conde me pediu, todo cortês, que eu escrevesse três cartas, uma dizendo que meu trabalho aqui está quase pronto e que regressarei dentro de poucos dias. Outra dizendo que vou partir no dia seguinte ao da carta, pela manhã, e a terceira dizendo que saí do castelo e cheguei a Bistrița. Na situação atual, seria loucura rebelar-me abertamente contra o conde. Estou sob seu domínio, e uma recusa poderia levantar suspeitas ou dar vazão à sua ira. O conde sabe que sei de muitas coisas e por isso não posso continuar vivo, pois representaria um perigo para ele. Minha única esperança é ganhar tempo, esperando que surja uma oportunidade. Pode ser que eu consiga fugir de alguma forma, mas seus olhos apresentavam um pouco daquela fúria expressa no ataque à loira. Ele me disse que o correio nem sempre passava no castelo, por isso era melhor escrever agora, pois minhas cartas deixariam meus amigos tranquilos. Disse-me com tamanha veemência que cancelaria as duas últimas cartas, interceptando-as em Bistrița no momento adequado, caso minha estada no castelo se prolongasse, que minha oposição a isso seria equivalente a novas desconfianças. Assim, fingi concordar e perguntei quais datas deveria escrever nas cartas. Ele refletiu um pouco e disse:

— A primeira deve ser de 12 de junho; a segunda, 19 de junho; e a terceira, 29 de junho.

Agora já sei até quando vou viver. Deus me ajude!

28 de maio — Há uma possibilidade de fuga ou, pelo menos, de mandar notícias para a Inglaterra. Um bando de ciganos veio até o castelo e está acampado no pátio. Tenho notas sobre eles em meu livro. São nativos da região, embora existam aliados espalhados pelo mundo. Há milhares deles na Hungria e na Transilvânia, e praticamente não vivem sob os preceitos da lei. Em geral, são associados a um grande nobre ou boiardo, passando a adotar o nome dele. Não têm medo nem religião, mas são supersticiosos e falam entre si com dialetos variantes da língua romani.

Vou escrever cartas e tentar fazer com que os ciganos as enviem pelo correio para mim. Já falei com eles pela janela do meu quarto. Foi uma forma de estabelecer contato e relacionamento. Eles tiraram os chapéus, cumprimentaram-me e fizeram muitos sinais, que não pude compreender, assim como não entendi o que diziam...

Escrevi as cartas. A carta para Mina foi taquigrafada e escrevi outra para o Sr. Hawkins, pedindo-lhe apenas que procurasse Mina, a quem expliquei a situação, mas sem contar os horrores que me cercam, que a deixariam morta de medo. Se as cartas não forem enviadas, o conde também não ficará sabendo do meu segredo e nem de tudo o que descobri até agora...

Atirei as cartas por entre as barras da janela, junto com uma moeda de ouro, e indiquei por sinais meu desejo de que fossem enviadas pelo correio. O homem que pegou as cartas apertou-as de encontro ao peito e fez uma mesura; em seguida, guardou-as no chapéu. Era apenas isso que eu podia fazer. Voltei apressadamente ao escritório e comecei a ler. Enquanto o conde não vinha, escrevi aqui...

O conde apareceu um pouco depois. Sentou-se perto de mim e disse, com absoluta calma, enquanto abria duas cartas:
— Os ciganos me deram isto aqui, algo com que, apesar de desconhecer a origem, devo evidentemente tomar cuidado. Veja só! — Ele certamente já tinha lido. — Uma é do senhor para meu amigo Peter Hawkins, e a outra... — Ao observar os símbolos estranhos quando abriu o envelope, ele assumiu uma expressão sombria, e seus olhos brilharam de forma sinistra. — A outra é uma coisa vil... um ultraje à amizade e à hospitalidade! Não está assinada; portanto, não nos importa.

E, calmamente, ele segurou a carta e o envelope na chama do lampião, até que se queimassem por completo. Depois, continuou:
— Naturalmente, vou enviar a carta a Hawkins, uma vez que foi escrita pelo senhor. Suas correspondências são sagradas para mim. Desculpe-me, abri o lacre inadvertidamente. Gostaria de fechá-la novamente?

Ele me estendeu a carta e, com uma mesura cortês, entregou-me um envelope novo, e não me restou alternativa a não ser reendereçá-lo e o devolver em silêncio. Quando o conde saiu do aposento, ouvi o barulho da chave ser girada de leve na fechadura. Um minuto depois, levantei e testei a porta. Estava trancada.

Uma ou duas horas depois, o conde voltou, entrando silenciosamente na sala, e eu despertei, pois estivera dormindo no sofá. O conde foi muito cortês e estava animado, e comentou, ao perceber que eu cochilara:

— Está cansado, meu amigo? — perguntou gentilmente. — Vá para a cama para descansar melhor. Não posso ter o prazer de conversarmos hoje à noite, pois tenho muito o que fazer. Mas estou certo de que o senhor dormirá.

Fui para o meu quarto, deitei-me e, por mais estranho que pareça, dormi sem sonhar. Há calmaria no desespero.

31 de maio — Quando acordei esta manhã, tive a ideia de pegar papel e envelope da mala e deixá-los no bolso, a fim de escrever, caso surgisse alguma oportunidade, mas uma nova e desagradável surpresa me aguardava.

Todos os papéis em branco haviam desaparecido, assim como memorandos, anotações sobre as ferrovias e as viagens, minha carta de crédito, tudo o que me seria útil se conseguisse sair do castelo. Sentei-me um pouco. Então me ocorreu de procurar os documentos na valise e no armário em que havia guardado as roupas.

Também o terno que eu usara na viagem tinha desaparecido, assim como o sobretudo. Nenhum sinal deles por ali. Pareceu-me um tipo de vileza...

17 de junho — Eu estava sentado na cama esta manhã, tentando ordenar os pensamentos, quando ouvi o barulho de chicotadas e cascos de cavalos subindo o caminho de pedras além do pátio. Corri alegremente até a janela e vi duas carroças compridas entrando no pátio, cada uma delas puxada por oito cavalos e conduzida por um eslovaco, com seu chapéu característico, cinturão cravejado de rebites, pele de ovelha suja e botas de cano alto. Traziam também os compridos cajados na mão. Corri para a porta, pensando em descer e tentar alcançá-los pelo vestíbulo principal, pois o portão de entrada estaria aberto para eles. Mais uma decepção: minha porta estava trancada por fora.

Corri para a janela e gritei. Os homens olharam-me com expressão de ignorância e não atenderam ao chamado. O líder dos ciganos apareceu naquele instante e, vendo que apontavam para a minha janela, disse-lhes algo que os fez rir. A partir daquele momento, não adiantaria fazer qualquer esforço, ou gritar, ou rogar, nada os faria olharem para mim. Convictos, deram-me as costas. Nas carroças, havia enormes caixas quadradas com grossas alças de corda. Pela facilidade com que os eslovacos as carregavam e o som oco que faziam ao serem movidas bruscamente, era óbvio que estavam vazias. Após descarregá-las e empilhá-las em um canto do pátio, receberam algum dinheiro dos ciganos e, cuspindo nas moedas para dar sorte, voltaram sem pressa alguma para as carroças. Pouco depois, ouvi o estalar dos chicotes sumir ao longe.

24 de junho, antes do amanhecer — Noite passada, o conde me deixou mais cedo e se trancou em seu quarto. Em seguida, enchendo-me de coragem, corri para a escada em espiral e olhei pela janela da ala sul. Pensei que veria o conde, pois alguma coisa estava acontecendo. Os ciganos estão hospedados em algum lugar do castelo, trabalhando em alguma coisa. Sei disso porque, de vez em quando, ouço um som surdo e distante, como que de pás e picaretas. Seja o que for, deve ser a conclusão de alguma crueldade.

Fazia menos de meia hora que estava ali quando vi algo saindo pela janela do conde. Recuei, espreitando com toda atenção, e vi o corpo inteiro do homem surgir. Fiquei chocado ao constatar que estava usando o meu terno de viagem e tinha pendurado no ombro o saco terrível que as mulheres haviam levado.

Não restava dúvidas do que pretendia, e com o meu terno! Agora sabia de sua nova trama: faria com que as pessoas me vissem, ou achassem que tinham me visto, deixando assim uma prova de que eu tinha ido às cidades ou aldeias postar minhas cartas. Além disso, qualquer maldade que ele viesse a fazer poderia ser atribuída a mim pelas pessoas da região.

Enfurece-me a ideia de que isso esteja acontecendo enquanto estou impotentemente trancado aqui. Como um verdadeiro prisioneiro, mas sem a proteção da lei. Até criminosos têm esse direito e esse consolo que me é negado.

Pensei em vigiar a chegada do conde e permaneci obstinadamente sentado à janela, contemplando lá fora por um bom tempo. Naquele momento, prestei atenção em pequenas manchas estranhas que pairavam nos raios da lua. Pareciam pequenos grãos de pó que rodopiavam e formavam grupos revoando como névoa. Tive uma sensação de alívio e serenidade ao observá-los. Acomodei-me recostado ao parapeito, para aproveitar ao máximo a visão daquelas peripécias aéreas.

Tive então um sobressalto ao ouvir um uivo baixo e penoso de cães em algum ponto distante no vale, longe do meu campo de visão. Parecia ressoar em meus ouvidos cada vez mais alto. As nuvens flutuantes de pó tomaram novas formas com tal som, e pareciam agora dançar à luz da lua. Senti uma estranha sensação, como se estivesse me esforçando para despertar, obedecendo a uma espécie de chamado instintivo. Não, era a minha própria alma que lutava, e a minha sensibilidade, meio que esquecida, esforçava-se para responder àquele chamado. Estava sendo hipnotizado! A nuvem de pó oscilava ondulante cada vez mais veloz. Os raios de luar pareciam tremer quando passavam por mim em direção à massa de trevas ao longe. Elas foram ficando cada vez mais unidas, até tomarem formas fantasmagóricas e indistintas. Levei um susto imenso e, totalmente acordado, em plena posse de minhas faculdades, saí dali correndo e gritando. Os espectros que se materializavam aos poucos sob o luar eram as três mulheres fantasmagóricas a quem eu estava condenado. Fugi para o meu quarto, e me senti um pouco mais seguro ali dentro, pois não via a lua e o lampião brilhava com força.

Depois de algumas horas, escutei algo se movendo no quarto do conde; parecia um gemido agudo rapidamente sufocado. E então o silêncio voltou, um silêncio profundo e tenebroso que dava calafrios. Com o coração batendo acelerado, girei a maçaneta e vi que estava trancado em minha prisão, e não havia nada que pudesse mudar aquela situação. Simplesmente sentei-me e chorei, e foi então que ouvi um som vindo do pátio, um grito feminino, agonizante.

Corri até a janela e, abrindo-a, observei por entre as barras. Lá fora, havia de fato uma mulher de cabelos desgrenhados, com as mãos sobre o coração. Parecia cansada de tanto correr. Estava encostada na coluna do portão e, ao ver meu rosto na janela, aproximou-se e berrou com a voz repleta de ameaças:

— Monstro, devolva o meu filho!

Caindo de joelhos, repetiu as mesmas palavras, e o tom em sua voz partiu meu coração. Então puxou os cabelos e bateu no peito, entregando-se a todas as violências daquela emoção dilacerante. Por fim, aproximou-se um pouco mais e, embora já não a pudesse ver, ouvi as batidas de suas mãos nuas na porta.

Em algum lugar acima de mim no castelo, provavelmente na torre, ouvi a voz do conde e seu sussurro áspero e metálico. Seu chamado aparentemente foi respondido por uivos distantes e esparsos de lobos. Em poucos minutos, como se estivesse abrindo as comportas de uma eclusa, fez uma alcateia inteira passar pela larga entrada do pátio. Os gritos da mulher cessaram e o uivo dos lobos durou apenas um momento. Depois, saíram todos em fila, um por um, lambendo os beiços. Não consegui nem ter pena, pois tinha entendido o destino do bebê, então morrer talvez tivesse sido mesmo o melhor para ela.

O que farei? O que posso fazer? Como será possível escapar de tamanha tortura? Como fugir dessa aterrorizante criatura da noite, das trevas e do pavor?

25 de junho, pela manhã — Só quem já sofreu durante a noite sabe como a aurora pode ser doce e desejada tanto ao coração quanto aos olhos. Quando o sol despontou, passando o topo do grande portão da entrada em frente à minha janela, foi como se ali houvesse pousado a pomba da Arca.* Senti o medo dissipar-se como se fosse uma veste fina dissolvida no calor. Preciso tomar alguma atitude enquanto a coragem deste dia ainda tem algum controle sobre mim. Na noite passada, uma de minhas cartas datadas foi levada ao correio, a primeira da série fatal que deve apagar da terra os últimos traços de minha existência.

Não vou pensar nisso. Tenho de agir agora!

Percebi que todas as vezes que fui molestado, ameaçado ou havia passado por algum perigo ou pavor, era noite. Ainda não vi o conde à luz do dia. Será possível que ele durma enquanto os outros estão acordados e que fique acordado enquanto todos dormem? Queria muito

---

* Referência à pomba da Arca de Noé, que era solta para ver se as águas ainda cobriam toda a superfície da terra.

conseguir entrar no quarto dele! Mas sei que não existe a mínima chance. A porta está sempre trancada. É impossível entrar.

Há apenas uma maneira, mas não sei se me atreveria. Será que outro corpo passaria por onde ele passou? Vi quando se arrastou pela janela. Será que eu conseguiria fazer isso, chegando à sua janela da mesma forma que ele? As probabilidades são mínimas, mas minha situação é desesperadora demais. Vou arriscar. O pior que pode acontecer é a morte; a morte de um homem não é a de um bezerro, e o temido Além ainda pode estar aberto para mim. Deus me ajude em minha tarefa! Adeus, Mina, caso eu falhe! Adeus, meu amigo e segundo pai! Adeus, Mina!

Mesmo dia, mais tarde — Deus me ajudou e voltei são e salvo ao meu quarto após minha tentativa. Devo anotar cada detalhe cronologicamente. Tomado de coragem, resolvi embarcar nessa aventura. Fui até a janela que dá para o sul e fiquei do lado de fora, equilibrando-me sobre o ressalto que acompanha essa parte do castelo. As pedras são grandes e irregulares, e a argamassa que as une está desgastada pelas marcas do tempo. Tirei os sapatos e segui pelo caminho perigoso.

Durante o percurso, olhei para baixo apenas uma vez, apenas e para ter certeza de que a visão da terrível altura não me abalaria. Conhecia bem a direção e a distância da janela do quarto do conde e segui para lá da melhor forma que pude, aproveitando todas as oportunidades. Não tive tontura, acredito que por estar tenso demais, e dentro de um tempo ridiculamente curto eu estava em pé no peitoril da janela, tentando abri-la. Entretanto, eu estava muito agitado quando me abaixei e passei os pés para descer dentro do quarto. Quando consegui entrar, olhei ao redor, procurando o conde, mas, com surpresa e alegria, fiz uma descoberta. O quarto estava vazio! Era escassamente mobiliado com objetos estranhos. Os móveis eram semelhantes aos dos aposentos da ala sul e estavam cobertos de pó. Procurei em vão a chave; não estava na fechadura nem em lugar algum. A única coisa que encontrei num canto foi um monte de moedas de ouro, de diversos países — romanas, britânicas, austríacas, húngaras, gregas e turcas —, todas cobertas de poeira, como se estivessem ali havia muito tempo. Todas tinham mais de trezentos anos. Havia também correntes, ornamentos e joias, mas tudo muito antigo e oxidado.

Em um canto, havia uma porta pesada. Tentei abri-la, pois, já que não havia encontrado a chave da porta do quarto e nem a da porta da entrada do castelo, que era o meu interesse principal, precisava continuar procurando, senão meus esforços seriam em vão. A porta estava aberta, e dava para um corredor de pedra, que terminava em uma escadaria íngreme em caracol. Desci por lá, prestando atenção aos degraus, pois a única iluminação na escada vinha de algumas fendas na alvenaria. No fim da escada, havia outro corredor escuro, semelhante a um túnel, de onde emanava um doentio odor de morte de terra velha recém-revolvida. Conforme eu andava pelo corredor, mais forte o cheiro ficava. Finalmente, encontrei outra pesada porta entreaberta. Quando a transpus, vi que estava em uma capela arruinada, que evidentemente tinha sido usada como cemitério. O teto estava destruído e em dois locais distintos havia degraus que levavam a sepulturas; no entanto, dava para ver que o terreno tinha sido escavado havia pouco tempo, e a terra fora colocada em caixas grandes de madeira, as mesmas trazidas pelos eslovacos. Como não havia ninguém por lá, tentei encontrar outra saída, mas sem sucesso. Então, examinei todos os cantos da capela, aproveitando a oportunidade. Procurei por toda a parte, até mesmo nas criptas sombrias, onde a luz era quase inexistente, mas isso me deu um aperto no coração. Em duas delas, havia apenas fragmentos de esquifes e poeira. Contudo, na terceira, fiz uma descoberta.

Ao todo, havia cinquenta caixas grandes. Em uma delas, em um monte de terra recentemente escavada, jazia o conde! Se estava morto ou dormindo, não há como dizer, pois seus olhos estavam abertos e paralisados, mas sem o aspecto vítreo da morte, e as faces expressavam o calor da vida, apesar da palidez. Os lábios estavam vermelhos como sempre. Entretanto, não havia sinal de movimento, respiração, pulsação ou batimento cardíaco. Debrucei-me sobre ele e tentei em vão procurar um sinal de vida. Ele não devia estar ali havia muito, pois o fedor da terra teria passado em algumas horas. A tampa estava ao lado da caixa, furada em alguns pontos. Pensei em verificar se as chaves estariam com ele, mas, quando me aproximei, vi em seus olhos um ódio tão extremo, mesmo estando inconsciente de minha presença, que fugi dali. Saltei novamente a janela do quarto do conde e me arrastei de volta pela parede do castelo. Uma vez em meu quarto, atirei-me na cama e tentei refletir...

29 de junho — Hoje é a data de minha última carta, e o conde tomou todas as providências para que essa projeção fosse genuína. Novamente o vi sair do castelo pela mesma janela, usando minhas roupas. Ao vê-lo descer pela parede como uma lagartixa rastejante, quis ter um revólver, ou qualquer outra arma letal, para poder destruí-lo. Contudo, não creio que qualquer arma feita por humanos tenha qualquer efeito sobre tal criatura. Não ousei esperar por sua volta, pois receava ver aquelas malditas irmãs. Fui para a biblioteca e fiquei lendo até adormecer.

Fui acordado pelo conde, que me encarava com uma expressão sombria.

— Amanhã, meu amigo, devemos nos separar. O senhor regressará à sua bela Inglaterra, e eu, para um certo trabalho, e talvez por isso nunca mais nos encontremos. Sua carta foi enviada. Não estarei mais aqui amanhã, mas tudo está pronto para a sua viagem. Pela manhã virão os ciganos, que têm de executar alguns trabalhos aqui, e alguns eslovacos. Quando tiverem partido, minha carruagem virá buscá-lo para levá-lo ao Passo Borgo, para que possa tomar a diligência de Bucovina a Bistriţa. Entretanto, espero vê-lo mais vezes no castelo de Drácula.

Desconfiei de suas palavras e resolvi testar sua sinceridade. Sinceridade! Como se tal palavra pudesse ser associada a um monstro daqueles!

— Por que não posso partir esta noite? — perguntei de súbito.

— Porque, caro senhor, meu cocheiro e os cavalos estão fora, executando um trabalho para mim.

— Mas eu poderia ir a pé. Quero ir embora de uma vez por todas.

O conde sorriu de forma tão suave, astuta e diabólica que ficou evidente que havia algo por trás daquela simpatia.

— E a sua bagagem? — retrucou ele.

— Não importa. Posso mandar buscá-la mais tarde.

O conde levantou-se e falou com uma cortesia tão agradável que até esfreguei os olhos, de tão verdadeira que parecia.

— Vocês, ingleses, têm um ditado que aprecio demais, pois o espírito é o mesmo que os dos nossos boiardos: "Boas-vindas na chegada, sem demoras na partida". Venha comigo, meu caro jovem amigo. Você não vai ficar nem mais uma hora em minha casa contra a vontade, embora a sua partida e o seu desejo repentino de me deixar me entristeçam. Venha!

De forma solene, segurando o lampião, escoltou-me pela escada e caminhamos até a porta do vestíbulo. De súbito, parou.

— Ouça!

De muito perto, vinha o uivo de lobos. Parecia que o som tinha começado assim que o conde levantou a mão, como a música de uma grande orquestra regida pela sua batuta. Depois de alguns momentos, ele se aproximou solenemente da porta e começou a abri-la, após destravar os pesados ferrolhos e afrouxar as correntes.

Assombrado, vi que a porta não estava trancada. Com desconfiança, olhei rapidamente em volta e não vi chave alguma. Conforme o conde ia puxando a porta, o uivo dos lobos ficava mais intenso e feroz. Vi as feras projetando as bocarras vermelhas com dentes protuberantes pela fresta da porta, saltando sobre as patas grossas com garras assustadoras. Tive consciência de que não adiantaria lutar contra o conde naquele momento. Com aqueles aliados sob seu domínio, não havia nada que eu pudesse fazer. O conde continuou abrindo a porta lentamente, com o corpo no vão. Foi então que percebi que aquele poderia ser o momento e o método pelo qual ele se livraria de mim. Eu estava sendo entregue aos lobos, mediante minha própria solicitação. Havia uma crueldade diabólica naquela ideia que combinava com os métodos do conde, e, no último segundo, exclamei:

— Feche a porta! Eu espero até amanhã!

Cobri o rosto com as mãos, para esconder as lágrimas de frustração. Ele fechou a porta com um gesto imperioso do braço, e o estrondo dos ferrolhos ecoou pelo saguão.

Voltamos em silêncio para a biblioteca, e depois de um ou dois minutos eu fui para o meu quarto. A última visão que tive do conde foi ele me mandando um beijo com a mão, com os olhos brilhando avermelhados pela vitória obtida e um sorriso que causaria orgulho até mesmo a Judas no inferno.

Quando me preparava para ir me deitar, tive a impressão de ouvir um sussurro junto à porta. Aproximei-me na ponta dos pés e, a menos que eu tenha me enganado, creio ter ouvido a voz do conde:

— Voltem para o seu lugar! Seu momento ainda não chegou. Tenham paciência! Esta noite é minha. A de amanhã será de vocês!

Ouvi risadas sussurradas, zombeteiras, e abri a porta furioso. Dei de cara com as três mulheres horríveis, passando a língua nos lábios. Ao me ver, soltaram uma gargalhada horripilante e fugiram.

Voltando ao quarto, caí de joelhos. Será que meu fim está tão próximo? Amanhã! Amanhã! Senhor, protegei-me, e também aos que me querem bem!

30 de junho, pela manhã — Talvez estas sejam as últimas palavras que escrevo neste diário. Acordei pouco antes da aurora e fiquei de joelhos, decidido a estar pronto para encarar a morte.

Finalmente, senti a súbita mudança no ar que anuncia o nascer do dia e então ouvi o canto dos galos, anunciador de boas novas, e percebi que estava em segurança. Com o coração alegre, abri a porta do quarto e corri até o saguão. Tinha visto na noite anterior que a porta principal não estava trancada, então podia ter esperança de conseguir fugir dali. Com as mãos trêmulas, puxei com ímpeto as correntes e soltei os pesados ferrolhos.

Mas a pesada porta não se moveu. Todos os meus esforços tinham sido em vão. Em desespero, puxei-a muitas vezes, e então a sacudi. A placa maciça balançou no batente, e pude verificar que estava trancada. Depois de nos termos despedido na noite anterior, o conde trancou a porta.

Estava decidido a procurar a chave a qualquer custo, então resolvi descer novamente pela parede externa até o quarto do conde. Ele poderia me matar, mas estar condenado a esse fim me parecia agora o menor dos males. Corri imediatamente até a janela da face leste e desci até o quarto dele, como fizera na vez anterior.

O cômodo estava vazio, como eu imaginava. Não encontrei chave alguma, mas a pilha de moedas de ouro continuava ali. Transpus a porta no canto do cômodo, desci a escada em espiral que conduzia ao corredor subterrâneo e cheguei à antiga capela. Agora eu sabia exatamente onde encontrar aquele monstro. O caixote continuava no mesmo lugar, perto da parede, mas dessa vez com a tampa fechada, e os pregos na posição em que seriam martelados. A chave com certeza estava com o conde. Puxei cuidadosamente a tampa de madeira e encostei a lateral na parede, disposto a revistar os bolsos do conde.

Mas o que vi congelou minha alma de tanto pavor. Era o conde deitado ali, porém com aspecto bem diferente. Sua juventude tinha sido parcialmente restaurada. Os cabelos e bigodes brancos eram agora de um tom grisalho-escuro; os vincos da face estavam menos evidentes; a pele clara parecia corada como um rubi; e a boca estava ainda mais vermelha que o de sempre, pois nos lábios havia gotas de sangue fresco, que lhe escorria pelo canto da boca até o queixo e o pescoço. Até os olhos profundos e fuzilantes pareciam mais vívidos, como se tivessem sido postos ali por sobre a carne inchada, e as pálpebras e olheiras pareciam intumescidas. Tudo indicava que aquela criatura medonha havia se fartado de sangue. Jazia ali como uma repulsiva sanguessuga, cansada e satisfeita. Toquei-o com tamanha repulsa que cheguei a estremecer, mas tinha que agir daquela forma. Se não encontrasse a chave, seria o meu fim. Quando a noite chegasse, seria a vez de o meu corpo servir de banquete para aquelas três mulheres horrendas. Tateei seu corpo em vão à procura da chave. Então parei para contemplar o conde. Eu seria capaz de enlouquecer se ficasse olhando para aquele sorriso sarcástico. Aquele era o ser que eu estava ajudando a levar para Londres, onde talvez, em séculos futuros, saciaria sua sede de sangue e criaria entre os milhões de habitantes um crescente círculo de semidemônios para abusar dos indefesos. Só de imaginar, senti um desejo furioso de livrar o mundo de tal monstro. Não havia armas à mão, então agarrei a pá que os trabalhadores estavam usando para encher os caixões com a intenção de lhe desferir uma pancada. Assim que levantei o instrumento, com a lâmina voltada para o rosto horrendo, a cabeça do conde virou em minha direção, e ele parecia me fitar com o brilho do olhar de um basilisco. Aquela visão me paralisou, e acabei errando o golpe. A pá girou na minha mão e desviou-se da face do conde. Consegui provocar-lhe apenas um leve corte na testa antes de o instrumento escapar de minha mão e cair na caixa. Quando puxei a pá de volta, a lâmina ficou presa na borda da caixa, e ela se fechou, escondendo a cena horrorosa. A última visão que tive foi a de um sorriso maligno no rosto intumescido e marcado de sangue que deve ter saído das profundezas do inferno.

Atordoado, fiquei pensando no que deveria fazer, com o cérebro quase queimando, tamanho o desespero que tomava conta de mim. Foi quando ouvi cantos e vozes se aproximando, além de ruído de rodas e estalar de chicotes. Os ciganos e eslovacos mencionados pelo conde estavam chegando. Depois de uma última olhada para a caixa que continha aquele corpo vil, corri até o quarto, disposto a fugir quando a porta fosse aberta. Apurei os ouvidos e fiquei prestando atenção, até ouvir a chave girando na fechadura e a pesada porta lá embaixo sendo empurrada. Tinha de haver mais uma entrada, ou então algum daqueles homens deveria ter a chave de uma das portas. O barulho de muitos passos ao longo de algum corredor ecoou no vestíbulo. Voltei para a cripta, tentando encontrar outra entrada. Naquele momento, uma forte corrente de ar fez a porta da escada em espiral bater com estrondo, levantando a poeira das vigas. Ao tentar abri-la, vi que estava emperrada. Eu era novamente um prisioneiro, e o pesado fardo de um horrível destino recaía sobre mim.

Enquanto escrevo, ouço no corredor lá embaixo o barulho de passos e de coisas pesadas sendo colocadas no chão. Com certeza, são as caixas com sua carga de terra. Também escuto marteladas. É a caixa que está sendo pregada. Agora, ouço passos que se afastam.

A porta foi fechada, e as correntes tilintam. Ouço o ruído da chave girando na fechadura e sendo retirada em seguida. Então outra porta é aberta e depois fechada. Escuto o estalar da tranca e do ferrolho.

Ouço no pátio e nas pedras do calçamento o rolar das rodas pesadas, o estalo dos chicotes e o coro dos ciganos se afastando.

Estou sozinho no castelo com aquelas mulheres diabólicas! Não posso ficar! Nojo! Mina é mulher e não tem nada em comum com elas. São demônios do abismo do inferno!

Não vou ficar sozinho com elas. Preciso tentar descer pela parede externa do castelo e ir ainda mais longe do que das outras vezes. Levarei um pouco de ouro comigo, para o caso de precisar mais tarde. Talvez encontre uma forma de sair deste lugar amaldiçoado.

Assim, vou embora para casa! Embora no primeiro trem que vier! Embora deste maldito lugar, embora desta terra maligna em que o demônio e suas criaturas ainda andam com pés humanos!

Pelo menos a misericórdia de Deus é maior do que a desses monstros, e o precipício é alto e íngreme. À beira do precipício, um homem pode dormir como homem. Adeus a todos! Mina!

V

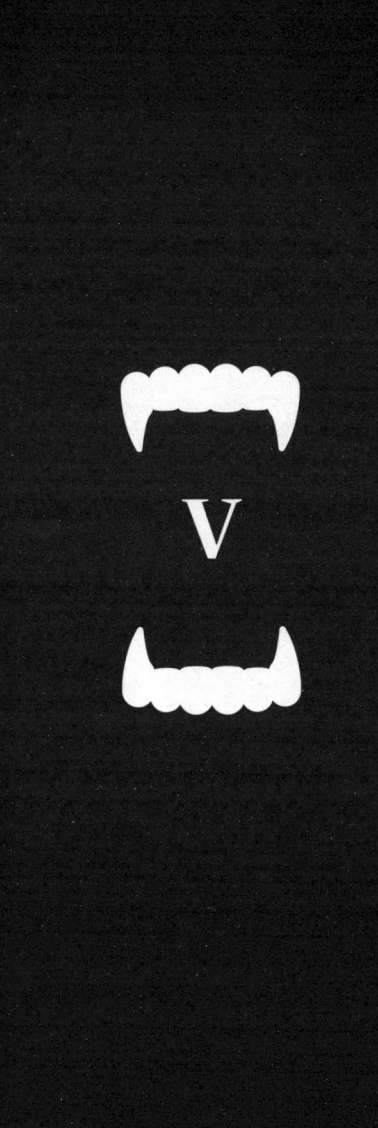

CARTA DA SENHORITA MINA MURRAY
À SENHORITA LUCY WESTENRA

9 de maio

Querida Lucy,

Peço-lhe perdão por ter demorado tanto para escrever, mas estou com muito trabalho. A vida de uma professora-assistente é muito difícil. Estou ansiosa para que possamos nos encontrar à beira-mar e conversar à vontade, sonhando acordadas. Tenho trabalhado muito ultimamente, pois quero acompanhar os estudos de Jonathan e tenho praticado taquigrafia assiduamente. Quando estivermos casados, poderei ser útil a Jonathan, e se eu conseguir estenografar bem, poderei anotar o que ele quer dizer assim e depois datilografar na máquina de escrever, na qual também estou treinando bastante. Às vezes, trocamos cartas estenografadas, e ele também taquigrafa suas anotações de viagem. Quando estiver com você, vou escrever um diário, também taquigrafado. E não estou falando de um daqueles diários com uma página para cada dia da semana, com o domingo espremido num cantinho, mas sim um caderno em que eu possa escrever sempre que tiver vontade. Creio que outras pessoas não terão interesse nele, mas não escreverei para mostrar a ninguém. Talvez mostre a Jonathan algum dia, se houver algo que seja interessante compartilhar, mas será mais um caderno para eu praticar. Tentarei fazer como as jornalistas. Vou entrevistar, anotar descrições e tentar me lembrar das conversas. Praticando bastante, será possível me lembrar de tudo que vi e ouvi durante todo o dia. Vamos ver. Quando a encontrar, contarei todos os detalhes dos meus planos.

Jonathan me escreveu da Transilvânia, apenas algumas linhas apressadas. Ele está bem e regressará dentro de uma semana, mais ou menos.

Estou ansiosa para saber de todas as novidades que ele tem para contar. Deve ser tão bom conhecer países estrangeiros! Eu me pergunto se nós — digo, se Jonathan e eu — algum dia os visitaremos juntos. O relógio está batendo dez horas. Adeus.

Com amor, Mina.

Conte-me tudo quando escrever. Há muito tempo você não me conta nada. Ouvi rumores, particularmente sobre um rapaz alto, bonito, de cabelos encaracolados...

CARTA DE LUCY WESTENRA A MINA MURRAY

17, Chathan Street
Quarta-feira

Minha querida Mina,

Devo dizer que você me taxou *muito* injustamente de ser uma má correspondente. Já lhe escrevi *duas* vezes desde que nos vimos pela última vez, e a sua última carta foi apenas a sua *segunda*; além do mais, nada tenho para lhe contar. De verdade, não há nada de interessante. A vida na cidade segue de maneira muito agradável e temos ido bastante a galerias de arte e passeado no parque.

Quanto ao rapaz alto, de cabelos encaracolados, creio que esteja se referindo ao que me acompanhou ao concerto Pop.* É claro que alguém anda espalhando boatos. Trata-se do senhor Holmwood. Ele nos visita com frequência e se dá muito bem com mamãe; os dois sempre têm muitos assuntos em comum. Conhecemos há algum tempo um rapaz que seria excelente *para você*, se já não estivesse noiva de Jonathan. É um ótimo partido, bonito, rico e de boa família, e, além disso, médico de muito futuro. Imagine! Tem apenas 29 anos e administra um imenso hospício! O senhor Holmwood nos apresentou, e ele veio nos fazer uma visita, e tem vindo muitas vezes depois disso. Creio que é o homem mais resoluto que já vi e, no entanto, é muito calmo. Nada parece perturbá-lo. Imagino o maravilhoso poder que exerce sobre os pacientes. Tem o hábito curioso de olhar as pessoas fixamente no rosto, como se quisesse ler seus pensamentos. Faz isso comigo o tempo todo, mas tenho muito orgulho de ser uma pessoa impenetrável. Sei disso, pois me olho no espelho. Você já tentou interpretar seu próprio rosto? *Eu já*, e considero um ótimo exercício. Mas, caso nunca tenha tentado, pode ser trabalhoso. Ele diz que eu

---

* Concertos que, na época, aconteciam em Londres, no Saint James Hall.

represento um curioso estudo psicológico; modéstia à parte, concordo com ele.

Como você sabe, não me interesso muito por vestidos para poder lhe descrever a moda atual. Roupa é bobagem. Essa é uma gíria, mas não há problemas. Arthur diz isso o tempo todo. Aí está, tenho que dizer. Mina, nós sempre contamos nossos segredos uma para a outra desde que éramos *crianças*. Já dormimos juntas, fizemos as refeições juntas, rimos e choramos juntas, mas, mesmo tendo lhe contado tantas coisas, agora quero lhe contar mais. Você ainda não adivinhou, Mina? Eu o amo. Sinto-me envergonhada de escrever isso, pois, embora eu *ache* que ele sinta o mesmo, ele não se declarou para mim. Mas, oh, Mina, eu o amo; eu o amo; eu o amo! Contar isso me fez sentir melhor. Queria estar com você, querida, sentada na frente da lareira, com roupas de baixo, como fazíamos, e então eu tentaria lhe contar como me sinto. Não sei como consigo escrever a respeito, mesmo que seja para você. Temo parar de escrever e rasgar a carta, mas não quero parar, pois quero *tanto* lhe contar tudo! Escreva *imediatamente*, e me conte o que pensa a respeito disso. Adeus, Mina. Reze por mim, reze pela minha felicidade.

Lucy

P.S.: Nem preciso dizer que é segredo. L.

CARTA DE LUCY WESTENRA A MINA MURRAY

24 de maio

Minha querida Mina,

Obrigada, obrigada, obrigada por sua amável carta.

Foi muito agradável recebê-la! Foi tão bom poder dividir isso com você e saber que tenho seu apoio.

Minha querida, sabemos que depois da tempestade vem a bonança, e esses provérbios antigos são muito verdadeiros. Imagine que eu, que vou fazer vinte anos em setembro e nunca fora pedida em casamento, pelo menos não seriamente, recebi três propostas! Imagine! TRÊS propostas, no mesmo dia. Não é horrível? Tenho pena dos outros dois pobres coitados.

Sinto-me tão feliz, Mina, que nem sei o que fazer! Três propostas! Mas, por favor, não conte às outras moças, senão podem ter ideias erradas sobre isso e poderão ficar magoadas e se sentirem menosprezadas caso não recebam ao menos seis propostas cada uma no primeiro dia em casa. Algumas moças são tão fúteis! Você e eu, Mina, que estamos noivas e em breve vamos nos tornar duas respeitáveis mulheres casadas, podemos desprezar tal vaidade.

Bem, deixe-me falar sobre as três propostas, mas, por favor, guarde segredo. Não conte a *ninguém*, exceto a Jonathan, claro. Sei que vai contar a ele, pois eu, em seu lugar, contaria tudo a Arthur. A mulher deve contar tudo para o marido. Você não concorda? E eu devo ser justa, pois os homens preferem que suas esposas sejam tão justas quanto eles. Mas receio que nem sempre as mulheres sejam justas como deveriam ser. Bem, minha cara, vamos aos pedidos! O primeiro pretendente veio antes do almoço. Era o dr. John Seward, diretor do hospício, sobre o qual já lhe falei. Ele tentava demonstrar tranquilidade, mas, na verdade, estava muito nervoso. Tinha, sem dúvida, pensado antes em inúmeros detalhes e decorado a fala, mas quase se sentou em cima da cartola, o que os homens em geral não fazem quando estão calmos, e quando quis parecer despreocupado, ficou brincando com um bisturi, de um jeito tão estranho que eu quase gritei. Falou-me muito diretamente. Disse que gostava muito de mim, embora me conhecesse tão pouco, e que a sua vida seria muito melhor comigo a seu lado, ajudando-o e incentivando-o. Estava quase me dizendo como seria infeliz se eu não me interessasse por ele, mas, vendo-me chorar, exclamou que era um bruto e não me perturbaria ainda mais naquele momento. Depois, perguntou-me se poderia amá-lo algum dia. Sacudi a cabeça negativamente e suas mãos ficaram trêmulas; depois de hesitar um pouco, perguntou-me se eu gostava de outro. Ele ponderou bem as palavras, e disse que não queria me arrancar uma confissão, apenas saber, pois, se o coração de uma mulher estiver livre, um homem pode ter esperança. Achei que devia ser sincera com ele, e disse apenas que havia alguém. Ele se levantou, olhou-me intensa e gravemente nos olhos e segurou minhas mãos nas suas, então me desejou felicidades e disse que, se eu precisasse de um amigo, poderia contar com ele. Não posso evitar chorar, Mina. Peço desculpas por esta carta toda borrada. É muito agradável receber uma proposta de casamento, mas nem um pouco bom ver um pobre homem, que a ama de verdade, ir embora de coração partido, e é pior ainda saber que, não importa o que seja dito naquele momento, ele sairá da sua vida. Minha cara, paro aqui, pois me sinto tão triste em meio à minha felicidade!

À *noite*

Arthur acaba de sair e sinto-me muito melhor do que quando interrompi a carta, por isso vou continuar a contar o que aconteceu durante o dia. Bem, minha querida, o segundo pretendente apareceu depois do almoço. É um rapaz muito simpático, americano, do Texas, e parece tão jovem que custa a acreditar que tenha estado em tantos lugares e vivido tantas aventuras. Isso faz com que eu entenda Desdêmona após ter ouvido as inúmeras proezas que ela ouviu, embora narradas por um homem negro.[*] Nós, mulheres, somos tão covardes que acreditamos que um homem nos libertará de todos os medos após o casamento. Se eu fosse um homem e quisesse ser amado por uma moça, agora eu sei o que faria. Na verdade, não sei, pois era o Sr. Morris que me contava suas histórias, e Arthur nunca me contou nada, e mesmo assim... Mas, minha querida, estou atropelando a história. Eu estava sozinha quando o senhor Quincey P. Morris apareceu. Parece que um rapaz sempre consegue encontrar uma moça sozinha. Na verdade, nem sempre, pois Arthur procurou duas vezes uma oportunidade, e eu sempre o ajudei nessa iniciativa, não me envergonho de contar. Inicialmente, devo dizer que o Sr. Morris nem sempre usa gírias, pelo menos nunca com estranhos ou com quem não conhece, pois é muito educado e tem modos distintos, mas percebeu que gosto de ouvi-lo usar gírias americanas e diz coisas engraçadas sempre que estamos sozinhos, para que ninguém fique chocado com isso. No entanto, minha cara, acho que ele as inventa, pois sempre se encaixam perfeitamente no que ele quer dizer. Sei

---

[*] Referência a um trecho de *Otelo*, de Shakespeare. Otelo era um general mouro que ganhou o coração de Desdêmona, filha do senador Brabâncio de Veneza, após a narrativa de suas aventuras.

que gírias são assim mesmo. Não sei se as usarei algum dia. Não sei se Arthur gosta, pois nunca o vi usando gíria. Mas, como ia dizendo, o senhor Morris sentou-se a meu lado e me olhou da forma mais feliz que podia, porém notei seu nervosismo quando segurou a minha mão e disse docemente:

— Srta. Lucy, sei que não sou digno de desatar-lhe os sapatos, mas acho que, se for esperar um homem digno da senhorita, talvez demore muito, e vai acabar unindo-se às sete mocinhas que seguram vela atrás de noivo. Você não quer então simplesmente montar nesta garupa e irmos embora os dois estrada afora, com dois cabrestos?

Ele parecia tão bem-humorado e divertido que me foi muito menos difícil responder-lhe negativamente do que ao pobre dr. Seward. Assim, disse-lhe, da forma mais despreocupada que consegui, que não tinha pressa de me casar. Não estava interessada em garupa e não me sentia pronta para um cabresto. Ele retrucou, dizendo que esperava que, se tivesse falado de modo menos leviano para uma ocasião tão séria, eu o perdoaria. Ele realmente parecia sério quando disse isso, e eu acabei assumindo uma postura solene também — eu sei, Mina, que você deve estar me considerando uma paqueradora descarada —, e não pude deixar de sentir uma certa exultação por ele ser o número dois daquele dia. E então, antes que eu pudesse dizer qualquer coisa, ele começou a abrir o coração e a alma aos meus pés. Foi tão sincero que jamais acreditarei que um homem é sempre divertido, mas nunca honesto, só porque às vezes é alegre. Creio que deve ter notado algum obstáculo em minha expressão, pois parou de súbito e declarou com um fervor tão viril que sinto que poderia amá-lo se não fosse comprometida.

— Lucy, sei que você tem bom coração. Se eu não acreditasse que você não tem compromisso algum, no mais íntimo de sua alma, eu não estaria falando com você como estou agora. Conte para mim, de amigo para amigo, há alguém que você ame? Pois, se existir, nunca mais encosto em um fio de cabelo seu, e serei, com a sua permissão, um amigo muito fiel.

Querida Mina, como alguns homens podem ser tão grandiosos com mulheres indignas deles? Eu estava aqui, quase zombando do enorme coração de um verdadeiro cavalheiro. Caí no choro. Creio, minha cara, que você pense que minha carta está muito piegas, mas eu realmente me senti muito mal. Por que uma moça não pode se casar com três pretendentes, ou com quantos quiser, evitando, assim, todo esse aborrecimento? Sei que estou falando uma heresia, nem deveria pensar nisso.

Fico feliz em dizer que, apesar de estar chorando, consegui olhar nos olhos corajosos do Sr. Morris, e lhe contei tudo abertamente:

— Sim, amo outra pessoa, mas ele ainda não me declarou seu amor.

Senti que fiz o certo ao lhe falar tão francamente, pois o rosto dele se iluminou, então ele estendeu as mãos e pegou as minhas, acho que eu mesma lhe dei as mãos, e afirmou, com muito pesar:

— Essa é a minha garota corajosa. Prefiro uma chance de conquistá-la um dia do que todas as chances com qualquer outra no mundo. Não chore, querida. Se for por mim, sou muito forte e não será qualquer golpe que me derrubará. Se esse outro sujeito não sabe a felicidade que tem, bem, é melhor que descubra logo, ou terá de se ver comigo. Menina, a sua sinceridade e a sua coragem ganharam a minha amizade, e isso é mais raro do que amor. Ao menos, é menos egoísta. Minha querida, vai ser um caminho solitário para mim daqui até o Juízo Final. Você não me concederia um beijo? Para afastar a escuridão de vez em quando. Você sabe que pode, se quiser. Afinal, esse outro bom rapaz, e ele deve ser mesmo bom, um cavalheiro, ou você não se apaixonaria por ele, ainda não se declarou.

Aquilo me conquistou, Mina, pois foi ousado e doce da parte dele, e nobre também para um rival, não é mesmo? E ele estava tão triste que me inclinei e o beijei. Ele se levantou, segurando minhas mãos e, ao olhar para o meu rosto — creio que eu estivesse incrivelmente enrubescida —, disse:

— Menina, peguei em sua mão e você me beijou. Se essas coisas não nos tornam amigos, nada mais nos tornará. Obrigado por sua doce honestidade comigo. Adeus.

Ele apertou minha mão, pegou o chapéu e saiu da sala sem olhar para trás, sem lágrima, sem tremor, sem fazer uma pausa, e agora estou chorando feito um bebê.

Por que um homem como ele deve sofrer tanto enquanto existem tantas garotas que adorariam até o chão pisado por ele? Eu faria isso se estivesse desimpedida, só que não quero estar desimpedida. Minha cara, fiquei muito abalada, e não conseguirei escrever sobre minha felicidade agora, depois de ter lhe contado tudo isso. E não quero ainda falar do terceiro pretendente enquanto não estiver totalmente feliz. De quem sempre a adora,

Sua afetuosa amiga,
Lucy

P.S. Acho que não há necessidade de dizer o nome do terceiro pretendente, pois você já deve ter adivinhado. E tudo aconteceu tão rapidamente! Ele entrou, me envolveu em seus braços e me beijou. Sinto-me transbordando de alegria, não sei o que fiz para merecê-la. Tudo que me resta no futuro é mostrar que não sou ingrata a Deus por toda a Sua bondade comigo enviando-me um namorado, marido e amigo como ele. Adeus.

DIÁRIO DO DR. SEWARD
(gravado em fonógrafo)

25 de maio — Meu apetite sumiu hoje. Não consigo comer, nem repousar, então volto ao diário. No abatimento em que me encontro, depois da recusa que sofri, estou com uma sensação de vazio; nada no mundo parece ter importância suficiente para valer a pena ser feito... Como eu sei que o melhor remédio para esse tipo de sofrimento é o trabalho, fui visitar pacientes. Escolhi um doente que promete um estudo muito interessante. Ele é muito estranho, e isso aumenta a minha determinação em compreendê-lo melhor. Creio que hoje tenha conseguido chegar mais perto do centro de todo o mistério.

Interroguei-o com toda a calma do mundo, para entender melhor suas alucinações. Vejo agora que havia um pouco de crueldade no método que adotara anteriormente. Era como se quisesse mantê-lo à beira de um surto, algo que evito com os pacientes como o abismo do inferno. (Nota: em qual ocasião eu *não* evitaria o abismo do inferno?)

*Omnia Romae venalia sunt.** O inferno tem seu preço! *Verb. sap.*† Se houver algo por trás desse instinto, seria valioso retraçar suas origens com precisão; assim, é melhor que eu comece a fazer isso, portanto.

R. M. Renfield, 59 anos. Temperamento sanguíneo, grande força física, animação patológica, períodos de depressão, terminando com alguma ideia fixa indistinta. Creio que o temperamento sanguíneo por si só somado à influência perturbadora resultam em um brilhantismo mental. Um homem possivelmente perigoso, provavelmente perigoso, embora altruísta. Nos egoístas, a cautela é uma armadura que os protege contra os inimigos e contra eles mesmos. O que penso nesse momento é o seguinte: sendo o ego um ponto fixo, a força centrípeta equilibra-se com a centrífuga. Quando um dever ou uma causa são o ponto fixo, a centrífuga se sobressai, e apenas acidentes, ou uma série de acidentes, podem equilibrá-la.

CARTA DE QUINCEY P. MORRIS
AO HONORÁVEL SR. ARTHUR HOLMWOOD

25 de maio

Meu caro Art,

Já contamos histórias à beira das fogueiras nas pradarias, já curamos as feridas um do outro após tentar desembarcar nas Ilhas Marquesas e brindamos à margem do lago Titicaca. Ainda há histórias a contar, feridas para curar e brindes a fazer. Por que você não vem amanhã à noite e faremos isso à luz da fogueira no meu acampamento? Não hesito em convidá-lo, pois sei que, amanhã, uma certa dama vai estar ocupada com um jantar e você estará livre. Teremos apenas a companhia de outra pessoa, nosso velho amigo desde a Coreia, Jack Seward. Ele também virá, e afogaremos nossas mágoas em taças de vinho, brindando ao homem mais feliz da terra, que conquistou o coração mais nobre que Deus já criou, e o mais valioso. Prometemos calorosas boas-vindas, parabéns afetuosos e brindes verdadeiros como a

---

* "Tudo em Roma está à venda", Salústio (86-34 a.C.).

† Abreviatura de *"verbum sapienti"*, que significa "uma palavra basta para o sábio".

sua mão direita. Também juramos levá-lo para casa se você beber demais à saúde de um certo par de olhos. Venha!

Seu, como sempre fui e serei,
Quincey P. Morris

TELEGRAMA DE ARTHUR HOLMWOOD PARA QUINCEY P. MORRIS

26 de maio

Conte comigo sempre. Tenho notícias que o deixarão de orelhas em pé.

VI

DIÁRIO DE MINA MURRAY

24 de julho, Whitby — Lucy foi me esperar na estação, doce e gentil como nunca, e de lá fomos para a casa em Crescent, onde alugamos quartos.

É um lugar lindo. O riozinho Esk atravessa o vale, que vai se alargando à medida que se aproxima do porto. Um grande viaduto sustentado por pilastras altas atravessa a paisagem, e às vezes parece mais distante do que na verdade é. O vale é de um lindo tom de verde, e é tão íngreme que, quando se está no alto, enxerga-se perfeitamente o outro lado, a menos que se esteja perto o suficiente do precipício para olhar para baixo. Todas as casas da cidade antiga, do lado oposto ao que estamos, têm telhados avermelhados e parecem empilhadas umas sobre as outras, como naquelas gravuras de Nuremberg. No alto da cidade fica a ruína da abadia de Whitby, saqueada pelos dinamarqueses e cenário da parte do poema *Marmion** em que a amante é emparedada viva. É uma ruína nobre, imensa e cheia de fragmentos bonitos e românticos. Existe uma lenda de que uma dama de branco aparece em uma das janelas. Entre a ruína e a cidade há outra igreja, a paróquia local, cercada por um grande cemitério repleto de lápides. Para mim, é o lugar mais bonito de Whitby, pois fica bem no alto da cidade e tem uma ampla vista do porto até o promontório denominado Kettleness, que se projeta sobre o mar. A encosta sobre o porto é tão íngreme que parte dela desabou e algumas lápides foram destruídas. Em um ponto, algumas delas se espalham pelo caminho de areia lá embaixo. O terreno da igreja tem umas trilhas com bancos em todo o percurso, e as pessoas passam o dia sentadas ali, contemplando a vista admirável e sentindo a brisa. Virei aqui para escrever sempre que puder. Na verdade, estou escrevendo agora, com o caderno apoiado nos joelhos e ouvindo a conversa de três senhores idosos sentados ao meu lado. Parece que não fazem nada o dia inteiro além de se sentar para conversar no cemitério.

O porto está logo abaixo, com um longo muro de granito avançando pelo mar na outra extremidade e uma curva aberta no final, onde

---

* *Marmion*, de Walter Scott. No poema, Constance, a freira seduzida por Marmion, que se torna sua amante, é condenada por quebra dos votos e emparedada viva na abadia.

há um farol bem no meio. Ao longo da parte externa do muro corre um sólido quebra-mar, que se dobra para dentro como um cotovelo na extremidade mais próxima, com um farol bem na ponta. Entre os dois cais, fica a estreita entrada do porto, que então se alarga subitamente.

É bonito na maré cheia, mas quando a maré abaixa não sobra nada, apenas o córrego do Esk, que atravessa bancos de areia, com rochas despontando em alguns lugares. Fora do porto, deste lado, há um grande arrecife de quase um quilômetro, começando logo atrás do farol sul. No fim do arrecife, há uma boia com um sino, que soa quando o tempo está ruim e envia um pesaroso tilintar pelo vento. Conforme uma lenda local, os sinos tocam no mar quando um navio se perde. Preciso perguntar àquele senhor sobre isso. Ele está vindo para cá...

É um ancião bem divertido. Deve ser muito velho, pois seu rosto tem tantos vincos e rugas que parece o tronco de uma árvore. Disse que tem quase cem anos e que foi marinheiro de uma frota pesqueira na Groenlândia na época da batalha de Waterloo. Parece ser uma pessoa muito cética, pois, quando perguntei sobre os sinos e a Dama de Branco da abadia, foi bastante brusco:

— Eu não me preocuparia com isso, senhorita. São coisas de antigamente. A senhorita me perdoe, não vou dizer que nunca tenha existido tal coisa, mas não é da minha época. Isso é conversa de forasteiro, de viajante, desse tipo de gente. Não é assunto para uma mocinha tão simpática como a senhorita. Esses turistas de York e Leeds, que só vêm aqui pra comer arenque, tomar chá e comprar azeviche mais barato, talvez acreditem. Não sei quem inventou essas mentiras para eles... até no jornal está cheio dessas bobagens.

Imaginei que ele seria a pessoa perfeita para me ensinar fatos interessantes e perguntei se poderia me contar sobre os velhos tempos de caça às baleias. Ele estava começando a falar, mas então o relógio bateu seis horas. Ele se levantou com esforço e me disse:

— Tenho que voltar para casa, senhorita. Minha neta não gosta de ficar esperando quando o jantar está pronto, e eu demoro muito na escada. São muitos degraus. Se eu me atrasar, perco o jantar, senhorita.

Afastou-se mancando, descendo a escada o mais rápido que conseguia. A escada é uma característica do local. Vai da cidade à igreja e tem centenas de degraus — não sei exatamente quantos —, com uma discreta curva. A encosta é tão suave que dá até para passar a cavalo por lá. Creio que deve ter algo a ver originalmente com a abadia. Agora, vou para casa também. Lucy saiu para fazer umas visitas com a mãe; eu não quis ir junto, pois eram visitas formais, mas elas já devem ter voltado.

1º de agosto — Cheguei aqui com Lucy há uma hora e tivemos uma conversa muito interessante com meu velho amigo e outros dois senhores que sempre estão com ele. Ele se comporta como se fosse o oráculo dos outros dois, acho também que deve ter sido bem autoritário em seu tempo áureo. Não concorda com nada e deixa todos chateados. Se sua argumentação não os convence, ameaça-os e vê o silêncio dos companheiros como sinal de concordância. Lucy estava adoravelmente linda com seu vestido branco. Ela adquiriu uma bela cor depois que chegou aqui. Percebi que os velhinhos apressaram-se a vir se sentar perto dela. Lucy é muito gentil com pessoas mais velhas, e acho que todos se apaixonaram por ela instantaneamente! Até o meu velhinho pareceu se controlar e não a contradisse em momento algum; como consequência, passou a discordar de mim com veemência redobrada. Voltei ao assunto das lendas e ele começou logo um sermão. Vou tentar lembrar o que ele disse e transcrever aqui:

— Isso não passa de bobagem. Uma pura, total e completa bobagem. É isso. Essas histórias de maldição, espíritos, aparições, cães demoníacos, duendes e tudo mais só servem para fazer crianças e mulheres que não têm nada na cabeça cair no choro. Não passam de fantasias. Isso e todos os presságios, sinais e avisos são invencionices de vigários, espertalhões mal-intencionados e farsantes de ferroviária para assustar e confundir os desinformados. É assim que eles induzem as pessoas a fazerem coisas que não fariam em circunstâncias diferentes. Fico furioso só de pensar. São eles que, não contentes ao publicar mentiras nos jornais e pregá-las em seus púlpitos, insistem em gravá-las nas lápides. Olhe para qualquer lugar ao redor. Todas essas lápides, como cabeças erguidas para fora da terra tentando manter o orgulho, estão tortas, simplesmente tombando com o peso das mentiras nelas inscritas. Em todas elas está escrito: "Aqui jaz o corpo" ou "Consagrado à memória de", mas nem metade tem um corpo enterrado, e ninguém se importa com a memória, muito menos a considera algo sagrado. É tudo mentira, apenas mentiras! Meu Deus, que comoção no Dia do Juízo Final, quando eles vierem juntos, de mortalha, tentando arrastar as lápides para provar como foram bons. Alguns virão tremendo, apavorados, com as mãos tão enrugadas e escorregadias do tempo que ficaram no mar que nem conseguem mais cerrar o punho.

Percebi, pelo ar de satisfação do senhor e o modo como olhou ao redor, buscando a aprovação dos colegas, que ele estava se exibindo. Então comentei, para incentivá-lo a continuar:

— Sr. Swales, o senhor não pode estar falando sério. Certamente essas lápides não estão *todas* erradas.

— Quem vai saber? Talvez algumas pobres coitadas estejam certas, mas as que descrevem o morto como alguém bonzinho demais, estão, sim, pois tem quem pense que uma tigela é a mesma coisa que o mar, contanto que seja seu. Mentira! Veja só, senhorita. A senhorita chega aqui, vinda de fora, e olha este *kirk-garth*.

Assenti, pois achei melhor concordar, embora não tivesse entendido exatamente o dialeto usado por ele. Sabia que tinha algo a ver com a igreja. Ele continuou:

— E a senhorita acha que todas essas lápides são de pessoas mortas e enterradas aqui, com todo o conforto?

Assenti novamente.

— Pois bem, é aí que está a mentira. Ora, dezenas dessas tumbas estão vazias como a caixinha de rapé do velho Dun na sexta-feira à noite.

Ele cutucou um dos companheiros e todos gargalharam.

— Meu Deus! Como podia ser diferente? Veja aquela ali, do outro lado da trilha. Leia!

Fui até lá e li:

— "Edward Spencelagh, comandante naval, assassinado por piratas na costa de Andres, em abril de 1854, aos trinta anos."

Quando voltei, o Sr. Swales prosseguiu:

— Quem o trouxe para casa, eu me pergunto, para enterrá-lo aqui? Assassinado na costa de Andres! E a senhorita acha que o corpo dele está aqui embaixo! Ora, posso citar uma dúzia de pessoas cujos ossos estão lá em cima, no mar da Groenlândia. — Ele apontou em direção ao norte. — Estão em qualquer lugar em que as correntes os tenham carregado. E são essas lápides aí à sua volta. A senhorita pode, com seus olhos de moça, ler daqui a letra miúda dessas mentiras. Este Braithwaite Lowery, conheci o pai dele: morreu no Lively, perto da Groenlândia, em 1820. Andrew Woodhouse: morreu afogado no mesmo mar, em 1777; John Paxton: afogado na altura de cabo Farewell, no ano seguinte. E o velho John Rawlings, cujo avô navegou comigo, morreu afogado no golfo da Finlândia, em 1850. A senhorita acha que todos esses homens virão correndo para Whitby quando soarem as trombetas? Tenho as minhas dúvidas! Estou dizendo para a senhorita que, quando chegarem aqui, vão se amontoar, dando cotoveladas, e vai ser como as nossas brigas sobre o gelo nos velhos tempos, que duravam do raiar do dia ao anoitecer, quando tentávamos cuidar das feridas à luz da aurora boreal.

Claro que tudo não passava de uma brincadeira local, pois o velho caiu na gargalhada, seguido pelos companheiros.

— O senhor não está com a razão, pois parte do pressuposto de que todas as pessoas, ou suas almas, terão que levar as próprias lápides consigo no Dia do Juízo Final. O senhor acha mesmo que isso vai ser necessário?

— Para que mais servem as lápides? Responda, senhorita!

— Para consolar os parentes, creio eu.

— Para consolar os parentes, a senhorita crê! — repetiu ele, com intenso desprezo. — Qual é o consolo de saber que essas lápides mentem e que todo mundo aqui sabe que é mentira? — Ele apontou para uma lápide aos nossos pés, sobre a qual estava o nosso banco, perto da beira do penhasco. — Leia as mentiras dessa pedra — ordenou.

De onde eu estava, as letras ficavam de ponta-cabeça, mas Lucy, mais próxima da pedra, inclinou-se e leu:

— "Consagrada à memória de George Canon, que morreu, na esperança da gloriosa ressurreição, no dia 29 de julho de 1873, ao cair das pedras de Kettleness. Este túmulo foi construído por sua mãe, pesarosa pela perda do querido e amado filho. Ele era seu único filho, e ela era viúva." Realmente, Sr. Swales, não vejo nada de engraçado aqui! — comentou Lucy em tom sério e, de certa forma, severo.

— Não vê nada de engraçado! Mas isso é porque a senhorita não sabe que a mãe pesarosa era uma megera que o odiava porque ele era torto e deformado; e ele detestava tanto a mãe que cometeu suicídio para que ela não recebesse o dinheiro do seguro que tinha feito para o filho. Ele estourou o topo da cabeça com uma espingarda que eles tinham para espantar corvos. Só que, dessa vez, não teve serventia, porque vieram também as moscas e os urubus. E foi assim que ele caiu das pedras. E quanto à esperança de ressurreição gloriosa, eu ouvi muitas vezes o rapaz dizer que preferiria ir para o inferno, já que a mãe certamente iria para o céu, pois era muito devota, e ele não queria ficar no mesmo lugar que ela. Pois então, esta lápide não lhe parece um monte de mentiras? — perguntou ele, batendo com a bengala na pedra. — E o Arcanjo Gabriel não vai dar uma gargalhada quando Geordie subir ofegante os degraus com a lápide equilibrada na corcunda, pedindo que seja considerada prova?

Eu não soube o que dizer, mas Lucy levantou-se e mudou de assunto.

— Por que o senhor nos contou isso? Este é o meu banco preferido, e não posso escolher outro. Agora vou ter de me sentar aqui sabendo que estou sobre a tumba de um suicida.

— Isso não vai lhe fazer mal, minha bela moça; além disso, pode ser uma alegria para o pobre Geordie ter uma moça tão bonita em seu colo. Não tem problema. Eu me sento aqui há quase vinte anos, e nunca me aconteceu absolutamente nada. Não se preocupe com o que está ou não está aí embaixo! No dia em que a senhorita vir cada um carregando a própria lápide e este lugar parecendo um campo depois da colheita, pode começar a ter medo. Agora tenho que ir. Minhas recomendações a vocês, minhas damas!

E então o velho se foi, mancando.

Lucy e eu ficamos mais um pouco, e ela me falou sobre Arthur e sobre o casamento que se aproximava. Isso me deixou um pouco angustiada, pois há um mês não recebo notícias de Jonathan.

No mesmo dia — Vim aqui sozinha, pois estou muito triste. Não chegou carta alguma para mim. Espero que tudo esteja bem com Jonathan. O relógio acaba de bater nove horas. Observo as luzes da cidade que aparecem em fileiras nas ruas e isoladas às vezes. Seguem o curso do Esk, desaparecendo na curva do vale. À esquerda, a visão é cortada por uma linha negra; é o telhado da antiga casa ao lado da abadia que obscurece a visão. Ouço o balido de carneiros e ovelhas atrás de mim, e cascos de burros nas pedras da estrada embaixo. As ondas batem com força no quebra-mar e no cais; na esquina de uma viela, há uma reunião do Exército da Salvação. Um som não se mistura ao outro, mas ouço os dois daqui onde estou. Fico me perguntando onde estará Jonathan e se ele pensa em mim. Queria que estivesse aqui comigo!

DIÁRIO DO DR. SEWARD

5 de junho — Quanto mais eu entendo Renfield, mais interessante se torna seu caso. Ele tem determinadas qualidades muito desenvolvidas: egoísmo, discrição e determinação. Queria saber qual é o objetivo da última característica. Ele parece ter arquitetado algum plano, mas ainda não sei bem do que se trata. O que o redime é seu amor pelos animais, embora às vezes sua atitude me leve a crer que ele tem somente uma crueldade anormal. Os animais de estimação são os mais inusitados. Seu novo passatempo é pegar moscas. Tem uma quantidade tão grande delas que eu o censurei, e lhe disse que precisava se livrar delas. Para meu espanto, não ficou furioso, como eu esperava; apenas considerou o caso com uma seriedade ingênua. Depois de refletir por um momento, perguntou:

— O senhor pode me dar mais três dias? Vou me livrar delas.

Eu permiti, claro. Mas vou ficar de olho nele.

18 de junho — No momento, Renfield passou a se interessar por aranhas, e mantém vários exemplares, muito grandes, em uma caixa. Alimenta-as com as moscas, cuja quantidade obviamente diminuiu, embora ele utilize metade de sua própria comida para atraí-las para o quarto.

1º de julho — As aranhas acabaram se tornando um incômodo muito maior que as moscas, então hoje ordenei a ele que acabasse com elas também. Como ele pareceu ter ficado muito triste, permiti que desse fim somente em algumas. Renfield concordou, animado, e concedi o mesmo tempo de antes para que o fizesse. Senti muito nojo dele, pois quando uma horrenda varejeira, intumescida de carniça, entrou no quarto, ele a pegou, segurou-a exultante por alguns segundos entre o indicador e o polegar, e, antes que eu percebesse o que ia fazer, enfiou-a na boca e a engoliu. Eu o repreendi severamente, mas ele argumentou calmamente que a varejeira era muito gostosa e saudável, que aquilo era vida, vida forte, e que a mosca lhe dava vida. Sua atitude fez surgir o esboço de uma ideia em minha mente. Preciso observar como ele vai fazer para se livrar das aranhas. Evidentemente, Renfield tem um problema mental profundo, pois mantém um pequeno diário em que sempre faz anotações. Páginas inteiras preenchidas com números, geralmente com uma sequência de algarismos acrescentada à lista, e então ele soma os totais, como se estivesse fechando alguma contabilidade, como dizem os auditores.

8 de julho — Sem dúvida, há um método na loucura de Renfield. Estou elaborando as ideias em minha mente e logo chegarei a uma conclusão. Assim, o pensamento inconsciente cederá lugar ao consciente. Afastei-me de meu amigo por alguns dias, para poder observar melhor, e assim perceber qualquer alteração. As coisas continuam como eram, exceto por ele ter aberto mão de alguns de seus bichos e adotado um novo. Agora resolveu se distrair com os pardais e já amansou um quase inteiramente. Seu método para amansá-lo é simples, visto que as aranhas já diminuíram. As que restam, contudo, estão bem alimentadas, pois ele continua a atrair moscas com a comida.

19 de julho — Estamos progredindo. Meu amigo tem agora uma colônia de pardais, e as moscas e aranhas estão quase extintas. Quando entrei, ele veio correndo me dizer que precisava me pedir um favor — um favor muito, muito grande. Sua postura era submissa como a de um cão. Perguntei o que era e ele respondeu, com uma espécie de arrebatamento na voz e no comportamento:

— Um gatinho, um simpático gatinho, fofinho e brincalhão, para que eu possa brincar com ele e lhe dar comida, muita comida!

Não me surpreendi com o pedido; já vinha percebendo que seus bichos de estimação continuavam aumentando em tamanho e vivacidade, mas não queria que aquela bela família de pardais domesticados fosse exterminada, como as moscas e as aranhas. Eu disse que veria o que poderia fazer e perguntei se ele não preferiria um gato adulto em vez de um filhote. A resposta ávida o traiu:

— Prefiro um gato adulto! Só mencionei um gatinho para que você não recusasse meu pedido. Ninguém me recusaria um gatinho, não é mesmo?

Balancei a cabeça e disse que, no momento, temia não ser possível, mas veria o que poderia fazer. Ele ficou sombrio, e senti um sinal de perigo em sua expressão; aquele olhar subitamente feroz e enviesado escondia uma intenção assassina. O sujeito é um maníaco homicida em desenvolvimento. Vou fazer experimentos abordando esse novo desejo e ver o que acontece, então terei mais informações.

10 horas da noite — Voltei a visitá-lo e o encontrei sentado em um canto, taciturno. Quando entrei, atirou-se de joelhos diante de mim e implorou para que eu lhe permitisse ter um gato. Disse que sua salvação dependia disso. Mantive-me firme e disse que não seria possível. Ao ouvir minha resposta, Renfield se afastou e sentou-se calado no mesmo canto em que eu o encontrei, roendo as unhas. Voltarei a visitá-lo amanhã.

20 de julho — Fui ver Renfield bem cedo, antes da passagem dos enfermeiros. Ele estava acordado e cantarolava, espalhando pela janela o açúcar que havia economizado. Tinha voltado a caçar moscas.

Seus modos eram animados e graciosos. Procurei os pássaros e, não os encontrando, perguntei-lhe onde estavam. Sem se voltar para mim, respondeu que tinham fugido. Mas havia penas pelo quarto e, no travesseiro, uma mancha de sangue. Não fiz comentário algum e pedi ao enfermeiro que me reportasse qualquer coisa estranha que acontecesse no decorrer do dia.

11 horas — O enfermeiro acaba de me dizer que Renfield passou mal e vomitou muitas penas.

— Doutor, acho que ele comeu os pardais, com penas e tudo — disse o homem.

11 horas da noite — Dei um opiáceo a Renfield. Uma dose bem forte, suficiente para fazê-lo dormir, e peguei seu diário. Os pensamentos que agitavam minha mente nos últimos dias se concretizaram, provando minha teoria. Meu maníaco homicida é de uma espécie peculiar. Vou definir uma nova classificação para ele: maníaco zoófago (devorador de vida). O que ele deseja é absorver tantas vidas quanto possível, e arranjou um jeito de fazer isso de modo cumulativo. Deu muitas moscas a uma aranha, muitas aranhas a um pardal, e queria um gato para comer muitos pardais. Quais seriam as etapas seguintes de seu plano? Talvez até valesse a pena deixá-lo completar o experimento, algo que poderia ser feito, se houvesse motivo suficiente. A vivissecção foi desprezada, mas veja os resultados que temos hoje! Por que não promover o progresso da ciência em seu aspecto mais difícil e vital, o conhecimento do cérebro? Se ao menos eu soubesse o segredo daquela mente, se tivesse a chave para a fantasia de um único lunático, poderia elevar meu próprio ramo da ciência a um patamar em que os avanços da fisiologia de Burdon-Sanderson ou o conhecimento cerebral de Ferrier pareceriam minúsculos. Se apenas houvesse um motivo coerente! Nem posso pensar muito nisso para não me sentir tentado. Um bom motivo talvez virasse o jogo a meu favor, pois será que também não tenho um cérebro excepcional, congenitamente falando?

Como o homem soube argumentar! Lunáticos sempre são assim em seu escopo. Pergunto-me em quantas vidas ele calcula o valor de um homem, ou se uma já basta. Ele fechou a conta com precisão, e hoje começou um novo registro. Quantos de nós iniciam um novo registro a cada dia de nossas vidas?

Para mim, parece que foi ontem que minha vida terminou junto com minha nova esperança e que comecei de fato um novo registro. Assim será até que o Grande Registrador* me adicione e feche o meu balanço em termos de perdas e ganhos. Lucy, Lucy, não posso ficar zangado com você, nem posso ficar zangado com meu amigo cuja felicidade é sua; devo simplesmente esperar de forma resignada e trabalhar. Trabalhar! Trabalhar!

Se tivesse uma causa forte como meu pobre amigo louco aqui, uma causa boa, generosa, que me fizesse trabalhar, isso significaria felicidade.

DIÁRIO DE MINA MURRAY

26 de julho — Sinto-me angustiada, e escrever aqui me deixa mais calma. É como sussurrar as palavras no próprio ouvido e escutá-las simultaneamente. E a taquigrafia tem uma particularidade que muda totalmente a forma de escrever. Estou infeliz por causa de Lucy e de Jonathan. Não tinha notícias de Jonathan havia muito tempo, e estava muito preocupada, mas ontem o querido Sr. Hawkins, que é muito atencioso comigo, enviou-me um bilhete dele. Eu havia escrito a ele, perguntando-lhe se teria alguma notícia, e ele respondeu que acabara de receber um bilhete de Jonathan, e o enviou anexo. É uma mensagem de uma linha apenas, datada do castelo de Drácula, anunciando em poucas palavras seu regresso. Não parecia uma mensagem de Jonathan. Não entendi e fiquei ainda mais angustiada. Nesse meio-tempo, embora Lucy estivesse bem, seu sonambulismo voltou a se manifestar. A mãe dela conversou sobre isso comigo, e decidimos que era melhor fechar a porta do nosso quarto

---

* Anjo da tradição abraâmica.

todas as noites. A Sra. Westenra está muito preocupada, acha que os sonâmbulos caminham pelos telhados, ao longo dos beirais ou à beira de abismos, de onde arriscam acordar num susto e cair gritando em desespero, ecoando assustadoramente ao longe. Coitada, claro que ela está muito preocupada com a filha, e me contou que o marido, o pai de Lucy, fazia a mesma coisa. Levantava-se à noite e, se ninguém o impedisse, vestia-se e saía. Lucy vai se casar no próximo outono e está muito preocupada com o enxoval, o vestido e a decoração da casa. Entendo Lucy completamente, pois farei o mesmo com Jonathan, só que de uma forma simples, tentando pagar juntos as contas. O Sr. Holmwood, o exmo. Sr. Arthur Holmwood, filho único de lorde Godalming, virá se reunir conosco dentro de pouco tempo, logo que possa sair da cidade, pois seu pai não está passando bem, e Lucy está contando as horas ansiosamente. Ela deseja levá-lo ao banco do jardim da igreja no alto da montanha e lhe mostrar toda a beleza da cidade. Sinto que a espera a deixa aflita. Ela ficará muito melhor quando o noivo chegar.

27 de julho — Continuo sem notícias de Jonathan, o que me deixa aflita, embora eu não saiba por quê. Se ele me escrevesse ao menos uma linha! Lucy continua com sonambulismo, e todas as noites acordo com ela caminhando pelo quarto. Felizmente o tempo está bom, então não há perigo de ela apanhar um resfriado. Mas a ansiedade e o sono constantemente interrompido estão me afetando, e por isso tenho estado nervosa e também com o sono leve. Felizmente, Lucy está passando bem. O Sr. Holmwood foi chamado para ir a Ring ver o pai, cujo estado de saúde está se agravando. A demora em ver o noivo aflige Lucy, mas isso não interferiu em sua aparência. Ela está um pouco mais robusta e com um adorável tom róseo no rosto. Perdeu também aquele aspecto anêmico de antes. Tomara que continue assim!

3 de agosto — Mais uma semana se passou e nenhuma notícia de Jonathan, nem mesmo para o Sr. Hawkins. Deus queira que não esteja doente! Ele certamente teria escrito. Voltei a ler sua última carta. A caligrafia é dele mesmo, mas o conteúdo não me convenceu. Não é o estilo dele. Lucy não caminhou muito durante o sono na última semana, mas sua concentração me parece estranha, e não entendo o motivo. Mesmo durante o sono, é como se estivesse me vigiando. Tenta abrir a porta e, percebendo que está trancada, põe-se a procurar a chave pelo quarto.

6 de agosto — Mais três dias sem notícia. A expectativa é insuportável. Se ao menos eu soubesse para onde endereçar a carta ou para onde ir, estaria menos preocupada. Não tive uma única notícia dele depois da última carta. Só me resta rezar a Deus, pedindo paciência. Lucy está bem, porém mais agitada do que antes.

Na noite passada, o céu estava ameaçador, e os pescadores achavam que uma tempestade se aproximava. Tentarei observar para aprender sobre os sinais do tempo. O dia está bem nublado, vejo o sol escondido atrás das nuvens espessas no alto de Kettleness enquanto escrevo. Está tudo cinza, exceto o verde do gramado se destacando como esmeralda. Pedras cinzentas, nuvens cinzentas, nas quais se refletem os raios do sol ao longe, pairando no mar que se estende sobre os bancos de areia cinzenta. O mar quebra na praia e nos bancos de areia com um rugido abafado pela neblina, que avança terra adentro. O horizonte sumiu na névoa cinzenta. Tudo é vastidão. As nuvens acumulam-se como gigantescas rochas. O marulho soa como um presságio de fim do mundo. Há vultos escuros em vários pontos da praia, às vezes ocultos no nevoeiro, como árvores que andam.[*] Os barcos pesqueiros são conduzidos apressadamente de volta, subindo e descendo pelas ondas ao se aproximarem do porto, inclinando-se até as correntes das âncoras tocarem a água. Lá vem o velho Sr. Swales. Caminha na minha direção e, pelo modo como tirou o chapéu, vejo que está disposto a conversar. A transformação no pobre senhor consternou-me. Quando ele se sentou ao meu lado, comentou de forma muito gentil:

— Queria confessar uma coisa à senhorita.

Percebi que não se sentia à vontade, então tomei-lhe a mão enrugada e pedi que falasse abertamente.

---

[*] Cf. Marcos 8:24.

Ele prosseguiu, mantendo a mão sobre a minha:

— Receio, minha cara, ter deixado a senhorita chocada com todas as crueldades que disse nas últimas semanas, sobre os mortos e afins. Não fiz por mal, quero que a senhorita se lembre disso quando eu for embora. Nós, velhos caducos, com um pé na cova, não gostamos de pensar nessas coisas, não queremos sentir medo, e é por isso que pareço não me importar, para aliviar um pouco minha própria angústia. Mas, senhorita, pelo amor de Deus, não tenho medo de morrer, nem um pouco, só que não quero morrer, se puder evitar. Minha hora não deve tardar. Sou velho, e cem anos é tempo demais para qualquer um. Estou tão perto que o Velho Ceifador já afia a foice. Madame, não consigo me livrar desse costume de me gabar disso sempre que posso. Um dia o Anjo da Morte soará sua trombeta para mim. Mas não há necessidade de choro nem vela, minha cara! — acrescentou, ao ver que eu estava com lágrimas nos olhos, e continuou: — Se ele vier esta noite mesmo, não vou deixar de responder ao seu chamado. Afinal, a vida não passa da espera por uma outra coisa diferente disso que estamos fazendo, e a morte é a única certeza que temos. Estou contente, pois ela está chegando para mim, minha cara, e bem depressa. Pode chegar enquanto estamos aqui, olhando e devaneando. Quem sabe naquele vento lá no mar que vem carregado de naufrágios e desgraças, aflições sofridas e corações tristes. Olha só! — exclamou ele de súbito. — Tem alguma coisa naquele vento e no nevoeiro. É algo que parece ter o jeito, o som, o gosto e o cheiro da morte. Está no ar. Sinto que se aproxima. Senhor, que eu esteja contente para atender ao chamado!

O Sr. Swales ergueu as mãos em devoção e levantou o chapéu, movendo a boca inaudivelmente, como se estivesse rezando. Após alguns minutos de silêncio, levantou-se, apertamos as mãos, ele me deu sua bênção, despediu-se e saiu manquitolando. Aquilo me deixou comovida e tomada de tristeza.

Fiquei contente quando um homem da guarda costeira se aproximou, empunhando um binóculo. Parou para conversar comigo, como sempre faz, mas olhava constantemente para um estranho navio.

— Não sei ao certo que navio é aquele. Parece ser russo — comentou ele. — Mas é estranho como navega. Parece que vê a tempestade se aproximar, mas não sabe se segue para o norte ou se entra aqui. É muito estranha a forma como parece à deriva, como se não houvesse ninguém ao leme, mudando a rota a cada sopro do vento. Amanhã saberemos mais.

VII

RECORTE DO JORNAL *THE DAILYGRAPH* DE 8 DE AGOSTO
(colado no diário de Mina Murray)

De um correspondente local

Whitby — Uma das maiores e mais violentas tempestades de que se tem registro na região, com resultados estranhos e únicos. O tempo estava um pouco abafado, mas normal para o mês de agosto. A noite de sábado foi clara como nunca, e um grande número de pessoas aproveitara aquele dia para visitar Mulgrave Woods, a Baía de Robin Hood, Rig Mill, Runswick, Staithes e diversos outros lugares das vizinhanças de Whitby. Os barcos a vapor *Emma* e *Scarborough* realizavam excursões pelo litoral, e a cidade de Whitby estava muito movimentada. O dia foi muito bonito até o entardecer, quando alguns dos velhos fofoqueiros que gostam de se sentar no jardim do cemitério da igreja de East Cliff para observar o mar ao norte e ao leste do penhasco alertaram para uma aparição repentina de nuvens carregadas no céu a noroeste. O vento soprava brando de sudoeste, equivalente ao número dois na linguagem barométrica. O guarda-costeiro encarregado emitiu rapidamente um alerta. Um velho marinheiro, que há mais de meio século observa os sinais do tempo em East Cliff, previu, com segurança, uma súbita tempestade. O pôr do sol foi magnífico, repleto de nuvens esplendidamente coloridas, e reuniu muitas pessoas na orla do penhasco em que se localiza o jardim do cemitério da antiga igreja para contemplar o espetáculo. Antes que o sol se recolhesse atrás de Kettleness, recortando ousadamente as nuvens negras e colorindo o céu com inúmeras cores poentes — vermelho, roxo, rosa, lilás e muitos tons de dourado —, havia nuvens menores em algumas partes, porém completamente negras e delineadas por silhuetas imensas. Os pintores atentamente captaram o momento, e sem dúvida esboços do *Prelúdio à Grande Tempestade* vão ornamentar as paredes da Academia Real e do Instituto Real no próximo mês de maio. Muitos capitães decidiram ficar atracados no porto até o fim da tempestade. O vento desapareceu por completo no decorrer da noite, e à meia-noite houve uma calmaria mórbida e um calor sufocante, marcado pela intensidade desanimadora que afeta as pessoas mais sensíveis quando uma tempestade se aproxima. Havia poucas luzes no mar, pois até as embarcações a vapor que navegam pelo litoral perto da costa mantiveram-se afastadas, e poucos barcos pesqueiros podiam ser vistos. A única vela visível era a de uma escuna estrangeira com o velame completamente aberto, que parecia seguir para oeste. A inconsequência ou ignorância dos marinheiros dessa embarcação desencadeou muitos comentários, e foram enviados avisos para que a velocidade fosse reduzida devido ao perigo. Um pouco antes do anoitecer, a escuna fora avistada com as velas drapejando soltas, deslizando sobre as ondas, "estática como um barco pintado, sobre uma pintura do mar".*

Pouco antes de dez horas, a atmosfera transformou-se, e reinou um silêncio tão completo que era possível ouvir o latido de um cão na cidade e o balido de uma ovelha no campo. A banda no porto, com seu ar francês jovial, parecia não soar de acordo com o silêncio da natureza. Pouco antes da meia-noite, ouviu-se um ruído estranho do mar, e bem no alto um estrondo peculiar dominou o ambiente.

Subitamente, irrompeu a tempestade. Toda a paisagem pareceu agitar-se ao mesmo tempo, com uma rapidez tão incrível que mesmo depois ainda parece impossível de ser concebida. As ondas ergueram-se com fúria, sobrepondo-se cada vez mais altas, e em poucos minutos o mar, que até então estava calmo, transformou-se em um monstro a rugir e destruir tudo. A espuma branca das ondas explodia loucamente na areia da praia, subindo nas pedras do penhasco. Outras estouravam nos quebra-mares, molhando as lanternas dos faróis de todo o porto de Whitby. O vento bramia como um trovão, soprando com tanta força que até mesmo os homens mais fortes não conseguiam se manter no chão sem se agarrar a grades e postes. Foi preciso retirar toda a multidão de curiosos, pois poderia haver muitas mortes. Para agravar ainda mais a situação, o nevoeiro avançou pelo continente. Eram nuvens brancas e úmidas que invadiam tudo de maneira fantasmagórica, tão pesadas e frias que não era preciso fazer muito esforço para imaginar que os espíritos daqueles mortos no mar tinham vindo visitar os vivos com as mãos grudentas da morte, fazendo muita

---

* Verso da *Balada do Velho Marinheiro*, de Samuel Taylor Coleridge.

gente estremecer de medo com a passagem das coroas de brumas do mar. O nevoeiro se dissipava em algumas ocasiões, e podia-se ver o mar debaixo dos clarões dos relâmpagos, que agora vibravam com rapidez e frequência, seguidos pelo estrondo repentino dos trovões, que faziam o céu estremecer com a impetuosidade da tempestade.

A grandiosidade de algumas das cenas reveladas nesses clarões era tão incalculável que absorvia todo o interesse. O mar elevava-se como se fosse uma montanha de água a cada onda, lançando ao céu poderosas massas de espuma branca, que pareciam alcançar o infinito com a tempestade. Era possível avistar um ou outro barco de pesca em alguns pontos, com a vela destruída, tentando desesperadamente abrigar-se antes do próximo impacto, e vez ou outra uma ave marinha de asas brancas era levada pela tempestade. No topo de East Cliff, havia um novo holofote que seria utilizado pela primeira vez. Os encarregados o ligaram e, entre uma rajada de névoa e outra, varriam a superfície do mar. O serviço provou sua eficácia algumas vezes, como quando um pesqueiro cheio de água se aproximava às cegas porto adentro e, com a ajuda do holofote, conseguiu escapar do perigo de se chocar contra o cais. Conforme os barcos iam chegando ao porto em segurança, um grito de alegria se elevava da multidão na orla, e parecia rasgar a ventania, para então ser levado embora por ela.

O holofote logo projetou a luz em uma escuna com as velas abertas mais adiante; parecia a mesma embarcação avistada durante a tarde. O vento naquele momento voltava-se para leste, e um alvoroço tomou conta dos curiosos no penhasco ao perceberem o risco que a embarcação corria agora. Havia um enorme arrecife entre a escuna e o porto, contra o qual vez ou outra um navio se chocava. Com aquele vento, seria praticamente impossível conseguir acertar a entrada do porto. Já era quase maré cheia, mas as ondas estavam tão imensas que, em seu refluxo, quase dava para ver o fundo do mar. A escuna, com as velas abertas, vinha tão rápido que, conforme disse um velho marinheiro, "ia acabar batendo em algum lugar, nem que fosse no inferno". Naquele momento, um nevoeiro úmido ainda maior encobriu tudo sob sua massa cinzenta, e aos homens restava apenas ouvir o rugido da tempestade, o estrondo dos trovões e a batida das ondas poderosas que cruzavam a imensidão com ainda mais força que antes. O feixe do holofote estava focado na boca da enseada do outro lado do cais, onde se esperava que fosse ocorrer o choque. Os homens ficaram ali, aguardando preocupados. De súbito, o vento mudou para nordeste, e a névoa se dissipou com isso. *Mirabile dictu*,* a estranha escuna desviou-se do choque no meio dos quebra-mares e, saltando pelas ondas com toda a velocidade, chegou ao porto em segurança. Todos sentiram um arrepio ao acompanhar o feixe do holofote, pois, preso ao leme, havia um corpo com a cabeça caída, balançando horrivelmente para a frente e para trás a cada sacudida da escuna. Não se avistou nenhuma outra pessoa no convés. Houve grande assombro quando todos perceberam que o navio havia sido trazido ao porto por um morto! De qualquer forma, tudo aconteceu muito rapidamente. A escuna, no entanto, não parou; passou direto pelo porto e encalhou em um banco de areia e nas pedras lavadas pela força das marés e das tempestades a sudeste do quebra-mar, abaixo de East Cliff, um cais chamado Tate Hill.

O choque contra o banco de areia foi evidentemente forte e danificou grande parte do conjunto de velas da embarcação, trazendo abaixo parte do aparelho de laborar do convés superior. O mais estranho de tudo foi que, assim que a embarcação parou na costa, um enorme cão surgiu no convés vindo de algum andar inferior, como se o impacto o tivesse lançado para cima, e correu para a proa, saltando na areia. O animal foi direto para o penhasco íngreme, onde o cemitério da igreja acaba sobre o cais leste de forma tão abrupta que algumas lápides — tumbas ou túmulos, como dizem em Whitby — projetam-se para fora, perto da queda do penhasco. E dali ele sumiu na escuridão, que parecia intensificar-se além do feixe do holofote.

Não havia ninguém no cais de Tate Hill naquele momento, pois todos os moradores da região estavam em casa dormindo ou lá no alto do penhasco, em meio à multidão. Sendo assim, o guarda-costeiro responsável pelo lado leste do porto desceu rapidamente pelo pequeno ancoradouro e foi o primeiro a subir a bordo. A entrada do porto foi iluminada e nada foi encontrado, então o feixe do holofote

---

*   Expressão em latim que significa "por incrível que pareça".

foi direcionado para o local do naufrágio e lá ficou. O guarda foi correndo para a popa e, ao se aproximar do leme, recuou subitamente ao examiná-lo, como que tomado por uma emoção súbita. A atitude deixou todos ainda mais curiosos, e muitas pessoas correram para lá. Ir de West Cliff até Tate Hill requer uma boa caminhada pela ponte móvel, mas este correspondente que vos escreve é um bom corredor, e foi bem mais rápido que a multidão. Ao chegar lá, contudo, já havia algumas pessoas no ancoradouro, e o guarda-costeiro e a polícia impediam a entrada no navio. Por eu ser jornalista, o barqueiro deu-me permissão de subir ao convés, e assim fiz parte do pequeno grupo que viu o marinheiro morto ainda preso ao leme.

Entendi a surpresa e o estranhamento do guarda-costeiro, pois não é todo dia que se vê algo do tipo. O homem estava simplesmente preso pelas mãos, uma atada à outra, e as duas à manopla do leme. Havia um crucifixo entre uma das mãos e a madeira, e o rosário prendia os pulsos ao leme com o reforço de cabos. Pode ser que o pobre homem até tenha se sentado em algum momento, mas a agitação e os golpes das velas despedaçadas sobre o timão o arrastaram para a lateral, de modo que os cabos roçando sua pele lhe cortaram a carne até o osso. Após detalhada investigação do estado das coisas, um médico, o cirurgião J.M. Caffyn, de 33 anos, de East Elliot Place, que chegou ali depois de mim, atestou que o homem devia estar morto havia pelo menos dois dias. Havia uma garrafa em seu bolso, fechada cuidadosamente por uma rolha. Estava vazia, exceto por um pequeno papel enrolado, que mais tarde saberíamos ser o anexo do diário de bordo. O guarda-costeiro acreditava que o próprio homem devia ter se amarrado, usando os dentes para dar os nós. O fato de um guarda-costeiro ter sido o primeiro a subir a bordo pode resultar em futuras complicações no Tribunal do Almirantado, pois esses profissionais não devem ficar com o espólio, que é um direito do primeiro civil a entrar em um navio naufragado. As línguas da lei, contudo, já estão agitadas, e um estudante de direito disse de forma categórica que os direitos do proprietário da escuna já tinham sido violados, pois o bem estava detido em desacordo com os estatutos de mãos-mortas, já que o leme, que era um símbolo e até mesmo uma prova de possessão delegada, estava na *mão de um morto*. Não preciso dizer que o marinheiro foi cuidadosamente retirado do local em que se manteve vigilante de forma honrosa até a morte, com uma firmeza nobre como a do jovem Casabianca,* e levado ao necrotério para averiguações.

A tempestade já está passando, e sua fúria se atenuou. Os curiosos voltam para casa. O céu começa a ficar vermelho nas colinas de Yorkshire. Enviarei mais pormenores para a próxima edição sobre a escuna que naufragou após um percurso milagroso até o porto no meio da tempestade.

Whitby, 9 de agosto — A continuação da estranha chegada dos destroços na tempestade da noite passada é quase mais inusitada do que os próprios destroços. Verificou-se que a escuna russa, de Varna, chamava-se *Demeter*. Estava navegando com lastro de areia prateada, e nela havia apenas um pequeno carregamento de grandes caixotes de terra. O carregamento estava consignado a um procurador de Whitby, o Sr. S. F. Billington, localizado no número 7 de The Crescent, que, pela manhã, subiu a bordo e tomou posse dos bens. O cônsul russo tomou posse formal do barco e pagou os devidos impostos à autoridade portuária.

Não se fala em outra coisa na cidade a não ser no estranho acontecimento. Oficiais da Câmara do Comércio foram muito detalhistas e seguiram todas as regras necessárias. Como se trata de um caso de comoção popular, estão todo obviamente empenhados a não dar motivos para qualquer tipo de reclamação. O destino do cão é de grande interesse. Alguns membros da Sociedade Protetora dos Animais, bastante ativa em Whitby, o procuraram em vão. Para desapontamento geral, o animal parece ter simplesmente desaparecido da cidade. Pode ser que tenha se assustado e ido se refugiar na charneca, e esteja escondido por lá, com medo. Muitas pessoas têm receio de que ele acabe se tornando um perigo, pois é um animal feroz. Hoje cedo, um cão muito grande, mestiço de mastim, pertencente a um carvoeiro próximo ao cais de Tate Hill, foi encontrado morto com o pescoço estraçalhado e

---

* Personagem que dá título a um poema de Felicia Hemans. O poema fala de um jovem que só sai de seu posto no convés em chamas após receber ordens do pai.

a barriga aberta de ponta a ponta por uma garra selvagem, mostrando que lutou de forma feroz.

Mais tarde no mesmo dia — Graças à amabilidade do inspetor da Câmara de Comércio, pude examinar o diário de bordo da escuna *Demeter*. Estava em ordem até três dias atrás, mas não há registro algum de interesse particular, a não ser o desaparecimento de alguns membros da tripulação. O documento mais interessante é o que estava dentro da garrafa, que foi analisado hoje para inquérito. Não me lembro de já ter encontrado narrativa mais estranha do que a relatada sobre os dois dias anteriores. Transcrevo aqui, omitindo apenas alguns pormenores técnicos de náutica e das atribuições do contramestre. Ao que parece, o capitão tinha sido acometido por desordens mentais antes de iniciar a viagem sobre as águas profundas, e seu estado foi piorando durante a viagem. Naturalmente, minhas informações devem ser aceitas com reservas; transcrevo o que dita um funcionário do cônsul russo, que teve a bondade de traduzir para mim, já que não há muito tempo.

DIÁRIO DE BORDO DA ESCUNA *DEMETER*

Viagem de Varna a Whitby

Escrito em 18 de julho. Estão acontecendo coisas tão estranhas que farei anotações cuidadosas, a partir de agora, até chegarmos ao nosso destino.

Em 6 de julho recebemos a carga, que consiste em areia e caixotes cheios de terra. Ao meio dia, partimos. Vento de leste. Tripulação: cinco marinheiros... dois tripulantes, o cozinheiro e eu (capitão).

Em 11 de julho, entramos no Bósforo ao amanhecer. Inspetores aduaneiros turcos vieram a bordo. *Backsheesh*.* Tudo em ordem. Partimos às 4 da tarde.

Em 12 de julho, atravessamos os Dardanelos. Mais inspetores alfandegários e uma lancha do esquadrão costeiro. Mais *backsheesh*. Oficiais fazem inspeção completa, porém rápida. Querem que nossa saída ocorra logo. Atravessamos o arquipélago do Egeu à noite.

---

* "Gorjeta, propina", traduzido do persa.

Em 13 de julho, passamos pelo cabo de Matapari. A tripulação mostra-se insatisfeita com alguma coisa. Parecem amedrontados, mas não revelaram o motivo.

Em 14 de julho, fiquei preocupado com a tripulação. Todos os marinheiros são homens corajosos, que já tinham viajado comigo antes. O imediato não soube dizer o que estava acontecendo. Os marinheiros apenas lhe disseram que havia *alguma coisa* e se persignaram. O imediato perdeu a calma com um deles e o agrediu. Esperava comoção, mas terminou tudo bem.

Em 16 de julho, o imediato me comunicou que um dos homens, Petrofsky, desaparecera. É incompreensível. Na noite anterior, Petrofsky fizera a vigia de bombordo durante oito sinos e foi rendido por Abramoff, mas não voltou mais para o beliche. Tripulação abatida como nunca vi. Esperavam que algo assim acontecesse, mas não falaram nada além de que há *alguma coisa* a bordo. O imediato está muito impaciente com eles. Teme problemas pela frente.

Em 17 de julho, ontem, um dos homens, Olgaren, procurou-me assombrado e me avisou que acha que há um estranho a bordo. Disse-me que, quando estava em seu posto, precisou esconder-se atrás do castelo de proa para se proteger da chuva e viu um vulto alto e esguio, que não se parecia com ninguém da tripulação, saindo pela escotilha e seguindo pelo convés até desaparecer. Acompanhou-o pé ante pé, mas, ao chegar à proa, não encontrou ninguém, e todas as escotilhas estavam fechadas. Está apavorado, e receio que o medo dele contamine o restante da tripulação. Para evitar isso, percorri hoje todo o navio, de proa a popa.

Mais tarde, reuni todos os tripulantes e disse-lhes que, como estavam achando que havia alguém a bordo, daríamos uma batida completa no navio. O imediato irritou-se, achando que aquelas ideias tolas desmoralizariam os homens. Disse ainda que ele se empenharia em mantê-los longe de problemas com o auxílio de um bastão. Deixei-o no leme enquanto os demais davam uma busca completa, lado a lado, com lanternas. Não deixamos nem um canto sem olhar. Só havia os grandes caixotes, não existindo lugar algum em que uma pessoa pudesse se esconder. Os tripulantes ficaram muito mais aliviados. O imediato fechou a cara, mas não fez comentário algum.

22 de julho — Mar agitado nos últimos três dias. Os tripulantes estão tão ocupados que parecem ter esquecido seus temores. Passamos Gibraltar e os estreitos. O imediato voltou a ficar bem com a tripulação. Elogiei o bom trabalho dos marinheiros durante o mau tempo. Tudo está bem.

24 de julho — Uma maldição parece pesar sobre o navio. Já nos falta um marujo, e desapareceu outro homem enquanto estava de serviço assim que entramos no golfo de Biscaia, em meio à tempestade. Assim como ocorrera no primeiro desaparecimento, esse também estava de vigia durante a noite. O medo reina de novo. Enviei um comunicado, informando que ficassem de dois em dois nos turnos de vigia. Receiam ficar sós. O imediato está furioso. Pode ser que haja problemas, que ele ou a tripulação decidam partir para a violência.

28 de julho — Quatro dias de inferno, tempestade furiosa, um verdadeiro turbilhão. Ninguém dorme. Os homens estão exaustos. É difícil pôr alguém de serviço, já não há ninguém em condições. O segundo imediato se ofereceu para fazer a vigia e ficar no leme para que os homens possam dormir algumas horas. O vento está mais ameno, o mar ainda está muito turbulento, mas, como a escuna está mais estável, não sentimos tanto.

29 de julho — Outra tragédia. Tive de fazer turnos simples, por falta de homens. Pela manhã, só encontrei o timoneiro. Estamos agora sem o segundo imediato e a tripulação está em pânico. Quando o vigia da manhã chegou ao convés, não havia ninguém além do timoneiro. Ele gritou e todos fomos até lá. Fizemos uma inspeção completa, mas não encontramos ninguém. O imediato e eu resolvemos andar armados de agora em diante e aguardarmos até descobrir algum sinal do motivo desses desaparecimentos.

30 de julho — Última noite. Felizmente estamos nos aproximando da Inglaterra. Tempo bom, todas as velas levantadas. Dormi profundamente, pois estava exausto. Acordei com o imediato vindo me comunicar que tanto o homem da vigia noturna como o timoneiro tinham desaparecido. Só restamos eu, o imediato e dois marinheiros.

1º de agosto — Dois dias de nevoeiro e nenhuma vela à vista. Esperava que, no Canal da Mancha, pudesse pedir socorro ou abrigo. Estamos navegando contra o vento. Nem me arrisquei a mexer nas velas, pois não conseguiria abrir tudo sozinho depois. Estamos praticamente à deriva, em direção a um destino terrível. O imediato tornou-se o mais arrasado de todos. Parece que sua natureza forte se voltou contra ele. Os marinheiros estão trabalhando com paciência e vigor, tendo ultrapassado o medo. São russos, o imediato é romeno.

2 de agosto, à meia-noite — Acordei após poucos minutos de sono, ouvindo um grito que parecia vir de bombordo. Nada pude ver na neblina. Corri para o convés e esbarrei com o imediato. Mais um homem tinha desaparecido. Ele disse que ouviu um grito, mas nenhum sinal do vigia. Deus, tenha piedade de nós! O imediato acha que acabamos de passar pelos estreitos de Dover, pois, quando o nevoeiro se dissipou, ele viu North Foreland, no mesmo instante em que ouviu o grito. Se estiver certo, estamos agora no mar do Norte, e só Deus poderá nos conduzir pelo nevoeiro, que parece se mover conosco; e Ele parece ter nos abandonado.

3 de agosto — À meia-noite, vim render o homem que estava no leme. Não havia ninguém lá. O vento estava estável e, conforme seguíamos adiante, não se sentia guinada para lado algum. Não quis correr o risco de deixar o leme, então gritei pelo imediato que, alguns segundos depois, apareceu transtornado e com os olhos esbugalhados. Temi que tivesse perdido a razão. Ele se aproximou de mim e murmurou ofegante no meu ouvido, com medo até de que o próprio vento pudesse ouvi-lo:

— Ele está aqui, agora sei. Eu o vi na noite passada. A Coisa parece um homem alto e magro, branco como um fantasma. Debruçou-se na amurada. Aproximei-me dele e dei-lhe uma facada, mas a faca o atravessou sem feri-lo, como se tivesse cortado o ar. — Conforme falava, sacou a faca e deu um golpe violento no ar. E prosseguiu: — Mas ele está aqui, tenho certeza. E eu vou encontrá-lo. Está no porão, talvez dentro de uma daquelas caixas. Vou abrir uma por uma. Fique no leme.

E afastou-se, com o dedo nos lábios.

Um vento forte surgia, por isso não pude deixar o leme. Pouco depois, avistei-o subindo para o convés, carregando uma caixa de ferramentas e uma lanterna, e desceu pela escotilha. Deve ter enlouquecido. Não adianta contrariá-lo. Não há nada nas caixas. A nota diz que há apenas argila, e abri-las não mudará nada. Assim, deixei-me ficar aqui, cuidando do timão e escrevendo estas notas. Apenas me resta ter fé em Deus e esperar que o nevoeiro se dissipe. Se conseguir chegar a qualquer porto com este vento, arriarei as velas e farei sinal, pedindo socorro.

Está quase terminado agora. Quando eu esperava que o imediato voltaria mais calmo — pois o ouvi martelando algo no porão, e trabalhar é bom para ele —, subitamente veio da portinhola um grito horrível que gelou-me o sangue, e o imediato apareceu correndo, com uma expressão de pavor no rosto.

— Socorro! Me ajude! — Seu tom era de desespero, mas a voz era firme. — É melhor vir também, capitão, antes que seja tarde demais. *Ele* está aqui. Agora conheço o segredo. O mar me salvará dele! É tudo o que me resta!

E, antes que eu pudesse dizer uma palavra, precipitou-se no mar. Creio que agora também sei o segredo. Foi esse louco que se livrou dos homens, um por um, e agora os acompanhou. Deus, tenha piedade de mim! Como poderei contar todos esses horrores quando chegar ao porto? *Quando* eu chegar ao porto! Será que chegarei?

4 de agosto — O nevoeiro permanece, o sol não pode atravessar. Sei que é dia porque sou marinheiro. Não me atrevo a deixar o leme e descer até a carga, por isso passei a noite toda aqui e o vi na penumbra. Esta noite eu o vi... Deus me perdoe, mas o imediato fez bem em se atirar ao mar. É melhor morrer como homem. Morrer como marinheiro nas águas profundas, não há nada a ser dito contra isso. Comigo, porém, o caso é diferente. Tenho de salvar minha honra de capitão e darei um fim a esse demônio ou monstro. Estou cada vez mais fraco. Vou amarrar as mãos ao leme quando fraquejar, e para isso usarei algo que a Coisa jamais ousará tocar, e então, venha vento bom ou ruim, salvarei minha alma e minha honra como capitão. A noite se aproxima e estou perdendo as forças. Talvez eu não consiga agir se ele me olhar nos olhos. Se o barco naufragar, talvez esta escuna seja encontrada com este frasco e poderão compreender o que ocorreu. Senão... Bem, então todos saberão que fui fiel ao meu posto. Deus, a Santa Virgem e os santos ajudem uma pobre alma ignorante a cumprir seu dever...

Naturalmente, o inquérito não pode contar com testemunhas, portanto o veredito é inconclusivo. Não há como provar ou não que ele tenha cometido todos os assassinatos. A opinião quase unânime é a de que o capitão foi um herói e será enterrado com toda a pompa. Decidiram que seu corpo será levado em um cortejo de barcos pelo rio Esk até chegar ao cais de Tate Hill. Lá subirão com o corpo pelos degraus da escada da abadia e ele será enterrado no cemitério da igreja do penhasco. Há centenas de proprietários de barcos interessados em participar do cortejo. Não se ouviu mais falar do cão, pois tudo indica que ele seria adotado pela cidade. O funeral será amanhã, e assim terminará mais um "mistério do mar".

DIÁRIO DE MINA MURRAY

8 de agosto — Lucy esteve muito agitada durante a noite passada e eu também não consegui dormir. A tempestade rugiu furiosa a noite toda. Eu estremecia a cada estrondo nos dutos da chaminé. Pensei ter ouvido um tiro ao longe, quando percebi um estampido agudo. Apesar de parecer estranho, Lucy não acordou. Contudo, por duas vezes, levantou-se e se vestiu. Felizmente, pude ver a tempo e, sem assustá-la, fiz com que se despisse e voltasse a se deitar. É realmente curioso esse estado de sonambulismo, pois, assim que é impedida fisicamente, ela retoma quase exatamente a rotina de sua vida e esquece a intenção anterior, se é que existia alguma.

Levantamo-nos cedo e fomos ao porto, para ver se havia acontecido alguma coisa durante a noite. Havia pouca gente por lá. O sol estava brilhante, e a atmosfera, muito pura. O ar era claro e fresco, e as ondas saltavam altas, parecendo de certa forma escuras pelo contraste da espuma branca como a neve. Elas abriam passagem pela entrada do porto como se fossem um gigante impondo-se contra a multidão. Sinto-me realmente feliz porque ontem Jonathan não estava no mar, e sim em terra. Mas estará ele em terra ou no mar? Onde estará e como? Sinto-me cada vez mais angustiada por não ter notícia alguma. Se eu ao menos soubesse o que fazer!

10 de agosto — O enterro do desventurado capitão foi emocionante. Todos os barcos do porto pareciam estar lá, e o caixão foi levado por capitães durante todo o trajeto do cais de Tate Hill até o cemitério da igreja.

Lucy e eu havíamos chegado antes ao cemitério e nos sentamos em nosso banco preferido, enquanto o cortejo de barcos subia o rio e voltava até o cais. A vista de onde estávamos era excelente, e conseguimos ver quase tudo. O enterro do pobre homem foi perto do nosso banco; assim, no momento certo, nos levantamos e acompanhamos tudo em pé.

Pobre Lucy, está visivelmente abatida. O tempo todo irritadiça e muito contrariada. Naturalmente, as noites de sonambulismo a deprimem. Algo muito estranho parece estar acontecendo com ela. Ela não admite para mim que há uma razão para andar tão agitada, ou talvez nem ela mesma saiba o que é. Além disso, soubemos também da morte do nosso amigo, o velho marinheiro quase centenário, Sr. Swales. Seu corpo foi encontrado hoje de manhã no banco onde costumamos nos sentar, com o pescoço quebrado. Segundo disseram, e de acordo com o médico, ele tinha caído aterrorizado, e a expressão de pavor estampada em seu rosto fez estremecer todos os que o viram. Coitado! Tínhamos ficado amigas dele. Talvez tenha visto a morte com os olhos moribundos!

Lucy é muito sensível e meiga, e agora mesmo ficou nervosa com um pequeno incidente a que nem dei importância, apesar de gostar muito de animais. Um dos marinheiros compareceu ao enterro acompanhado de seu cão; é um animal muito manso que está sempre com ele. São sempre muito silenciosos. Nunca vi nenhum dos dois se alterar. Durante o enterro, o cão não ficou junto do dono, mas um pouco afastado, uivando sem parar. O marinheiro o chamou, a princípio com bons modos, depois furioso, mas o animal não atendeu, nem parou de uivar e ladrar. Parecia estar numa espécie de fúria, os olhos selvagens e todos os pelos arrepiados como o rabo de um gato pronto para a briga. O marinheiro, afinal, perdeu a paciência, agarrou o pobre animal e o chutou, atirando-o na direção do túmulo.

Logo que bateu na pedra, o cão se acalmou; começou a tremer muito, mas não tentou fugir. Em vez disso, ficou num estado de terror tão deplorável que eu tentei, sem muito sucesso, reconfortá-lo. Lucy também ficou consternada, mas não tocou o cão; ficou apenas olhando para ele, agoniada. Receio que, com sua extrema sensibilidade, vá sonhar com o incidente durante a noite.

Todas essas coisas acontecendo — o navio trazido ao porto por um defunto, a postura dele, amarrado ao leme com um crucifixo e um rosário, o funeral comovente, o cão que se dividia entre fúria e pavor — serão conteúdo para os seus sonhos.

Acho que o melhor é dar um longo passeio até os rochedos da baía de Robin Hood, porque quando ela está fisicamente cansada não é acometida por crises de sonambulismo.

VIII

DIÁRIO DE MINA MURRAY
(continuação)

No mesmo dia, às 11 horas da noite — Como me sinto cansada! Nem ousaria abrir o diário agora se não tivesse tomado essa missão como dever. A caminhada foi maravilhosa. Após algum tempo, Lucy voltou a ficar animada, e eu acho que foi por causa de umas vacas simpáticas que se aproximaram de nós em um campo próximo ao farol, dando-nos um tremendo susto. Acredito que esquecemos tudo, exceto, é claro, o medo, e creio que foi isso que nos deu a possibilidade de um recomeço.

Tomamos um belo chá na baía de Robin Hood, em uma simpática e antiga estalagem com uma janela bem próxima das pedras cobertas de algas da praia. Acho que teríamos chocado a "Nova Mulher"* com nosso apetite. Os homens são mais tolerantes, graças a Deus!

Por fim, voltamos caminhando, fazendo várias paradas para descansar, e ficamos com o coração acelerado, receando a aparição dos touros selvagens. Lucy ficou realmente cansada, e pretendíamos ir direto para a cama, mas o jovem pároco veio nos visitar, e a Sra. Westenra o convidou para a ceia. Lucy e eu tivemos que tentar vencer o sono. Foi uma luta árdua para mim, e me sinto uma heroína.

Espero que um dia os bispos se reúnam e decidam formar um novo tipo de pároco que, por mais que seja pressionado, não fique para a ceia e perceba quando uma jovem estiver cansada. Lucy dormiu e respira suavemente. Adquiriu cores nas faces e está linda. Se o Sr. Holmwood se apaixonou apenas ao vê-la na sala de estar, queria saber o que diria se a visse agora. Algum dia, um defensor da "Nova Mulher" vai lançar a ideia de que os homens e as mulheres deveriam poder ver uns aos outros dormindo antes de fazerem ou aceitarem propostas de casamento. Mas creio que, no futuro, a própria "Nova Mulher" não se contentará apenas em aceitar uma proposta. Ela mesma a fará, e de forma perfeita! Sinto um certo consolo ao pensar assim. Estou feliz agora que a querida Lucy parece melhor. Realmente acredito que tenha se recuperado e que seus problemas com sonambulismo acabaram. Ficaria

---

* Referência ao livro *The New Womanhood*, de Winnifred Harper Cooley.

muito feliz se tivesse notícias de Jonathan... Deus o abençoe e proteja, onde quer que esteja.

11 de agosto, 3 horas da madrugada — Não consigo dormir, portanto resolvi escrever. Estou agitada demais para dormir. Vivemos uma aventura, foi uma experiência angustiante! Adormeci logo depois de fechar o diário... Fui despertada subitamente e me sentei na cama, com um medo terrível e uma sensação de vazio ao meu redor. O quarto estava completamente escuro. Levantei-me e apalpei o leito de Lucy. Estava vazio. Acendi um fósforo e descobri que ela não estava no quarto. A porta estava fechada, mas não trancada, como eu a tinha deixado. Para não acordar a mãe de Lucy, que não tem se sentido muito bem ultimamente, vesti-me silenciosamente, preparando-me para ir à procura de minha amiga. Quando estava saindo do quarto, pensei que, dependendo da roupa que Lucy estivesse usando, eu teria uma pista de suas intenções. Se estivesse de roupão, poderia procurá-la pela casa; se estivesse de vestido, ela teria saído. Verifiquei que tanto os vestidos quanto o roupão estavam nos devidos lugares. "Graças a Deus", pensei, pois isso significava que Lucy não podia estar longe, já que estava apenas de camisola. Desci a escada e procurei em todo o andar inferior. Não a encontrei. Então verifiquei todos os outros cômodos da casa, sentindo o coração cada vez mais gelado de medo. A porta da rua estava aberta. Não escancarada, mas destravada. A casa é sempre trancada à noite, por isso tive receio de que Lucy tivesse saído daquele jeito mesmo. Não tinha tempo para pensar no que poderia acontecer e senti um medo indefinido tomar conta de mim, tornando todos os detalhes obscuros. Coloquei um xale nas costas e saí correndo. O relógio da igreja marcava uma hora quando cheguei a The Crescent. Tudo estava deserto enquanto eu seguia pela orla do cais. Corri pela North Terrace, mas não havia sinal algum do vulto branco que eu procurava. À beira de West Cliff, sobre o ancoradouro, olhei para East Cliff, do outro lado do porto, com um misto de esperança e temor — não sei descrever bem meus sentimentos — de encontrar Lucy sentada em nosso banco favorito. A lua cheia brilhava no céu, e pesadas nuvens passavam apressadamente, transformando o cenário em um jogo de luz e sombras que se misturavam. Não consegui ver nada por um tempo, pois uma nuvem encobriu a igreja de St. Mary e tudo ao redor dela. Consegui visualizar as ruínas da abadia em meio à paisagem conforme a nuvem ia passando e um facho de luz estreito se movia como uma espada afiada, tornando a igreja e o cemitério visíveis pouco a pouco.

Foi então que vi um vulto branco como a neve, reclinado em nosso banco favorito e iluminado pela luz prateada do luar. A nuvem passou com tanta velocidade que não consegui distinguir muita coisa, pois a sombra fechou a luz quase que imediatamente; contudo, parecia haver um vulto escuro de pé, atrás do banco em que o vulto branco estava, inclinando-se sobre ele. Não sei dizer se era um homem ou um animal. Não me detive tentando conseguir vislumbrar algo na escuridão novamente: desci a escadaria correndo até o cais e continuei pelo mercado de peixes até a ponte, pois era o único caminho para East Cliff. Não havia ninguém pela cidade, o que era ótimo, pois não queria que Lucy fosse vista naquele estado. O percurso pareceu levar uma eternidade. Estava com os joelhos tremendo e ofegante quando venci os intermináveis degraus até a abadia. Devo ter caminhado depressa, embora tivesse a impressão de que meus pés tinham se transformado em chumbo e todas as articulações do corpo estivessem enferrujadas. Quando cheguei ao topo, vi o vulto branco no banco, já que estava perto o suficiente para enxergar na escuridão. E sem dúvida alguma havia algo comprido e negro inclinado sobre o vulto branco.

— Lucy! Lucy! — gritei, horrorizada.

Ela não respondeu, mas, por trás dela, voltaram-se para mim dois ardentes olhos vermelhos projetando-se de um rosto pálido. Corri até o portão do cemitério; no entanto, durante algum tempo perdi Lucy de vista, oculta pela igreja. Quando o banco estava novamente em meu campo de visão, a nuvem tinha passado, e a lua brilhava agora tão intensamente que pude distinguir Lucy com a cabeça reclinada no encosto do banco. Estava sozinha, e não havia sinal de mais nada por perto.

Quando me inclinei perto dela, percebi que dormia ainda. Tinha os lábios entreabertos e respirava pesadamente, como se estivesse com dificuldade de encher os pulmões. Quando me aproximei um pouco, ela levantou as mãos e puxou a gola da camisola, fechando-a ao redor do pescoço. Coloquei o xale sobre seus ombros e enrolei as pontas ao redor de seu pescoço, com receio de que pegasse o ar frio da noite, pouco vestida como estava. Fiquei com medo de acordá-la, então prendi o xale com um alfinete para poder ficar com as mãos livres e conseguir auxiliá-la. Mas, na pressa, acho que fui desajeitada ao fazer isso, e devo tê-la arranhado, pois, vez ou outra, ela levava a mão ao pescoço e gemia. Calcei-a com meus sapatos e tentei acordá-la com cuidado. A princípio, ela não reagiu, mas foi ficando cada vez mais inquieta, gemendo e suspirando. Como o tempo passava depressa e, por diversas outras razões, eu queria levá-la logo para casa, tive de sacudi-la com força, e ela finalmente abriu os olhos e despertou. Ela não pareceu surpresa ao me ver, já que não sabia onde estava. Lucy é sempre graciosa ao acordar, e mesmo naquele momento, tremendo de frio e aturdida por estar de camisola no cemitério da igreja no meio da noite, ela acordou com a mesma brandura de sempre. Abraçou-me com braços trêmulos e me acompanhou com docilidade quando lhe disse que precisávamos voltar para casa. Machuquei os pés no cascalho durante o caminho de volta, e Lucy percebeu que eu sentia dor. Ela parou e insistiu para que eu calçasse os sapatos novamente, mas me recusei. Assim que chegamos à trilha do lado de fora do cemitério, onde havia uma poça d'água, cobri meus pés com lama, para que ninguém percebesse que eu estava descalça, caso encontrássemos alguém pelo caminho.

Tivemos sorte de não encontrar ninguém. Vimos apenas um homem, que não parecia muito sóbrio, seguindo rua acima. Ficamos escondidas na soleira de uma porta até o perdermos de vista em um dos becos. São passagens pequenas e estreitas, que os escoceses chamam de *wynds*. Senti o coração bater com tanta força que pensei que fosse desmaiar. Eu receava muito, não somente pela saúde de Lucy, mas também por sua reputação, que todos soubessem o que estava acontecendo com ela. Depois de entrarmos em casa e lavarmos os pés, rezamos e nos deitamos de novo. Antes de dormir, ela pediu que eu não contasse a ninguém sobre o seu passeio sonâmbulo, nem mesmo à mãe. Hesitei a princípio, mas acabei prometendo, principalmente devido ao estado de saúde da mãe. Eu temia que isso a deixasse apavorada, e também me preocupava com a distorção da história, caso se tornasse pública. O silêncio parecia ser a medida mais sensata a se tomar. Tomara que eu esteja certa. Tranquei a porta e amarrei a chave no pulso, talvez assim não seja incomodada novamente. Lucy está dormindo profundamente. O reflexo da madrugada desponta lá longe, em cima do mar...

Mesmo dia, meio-dia — Lucy dormia tão profundamente que tive de acordá-la, e ao que tudo indicava nem se mexeu durante o sono. Ela está bem, e a aventura da noite parece não tê-la perturbado. Pelo contrário, esta manhã ela parece melhor do que tem estado há semanas. Infelizmente, percebi que feri seu pescoço com o alfinete. Na verdade, meu descuido poderia ter sido grave, pois a pele está furada. Devo ter espetado a pele e atravessado, pois há dois pontos vermelhos, como furos de agulha, e havia uma gota de sangue na gola da camisola. Quando lhe pedi desculpas e me mostrei preocupada, ela riu, pôs a mão em meu ombro e disse que nem havia sentido. Mas acredito que não vá ficar cicatriz, pois os furos são minúsculos.

Mesmo dia, à noite — Passamos bem o dia. O sol estava brilhante e havia uma brisa fresca no ar límpido. Levamos nosso almoço para Mulgrava Woods. A Sra. Westenra foi de carruagem pela estrada e nós caminhamos pela trilha que contorna o parque e a encontramos na entrada. Eu estava um pouco aborrecida. Meu prazer teria sido completo se Jonathan estivesse comigo. Mas tenho de ter paciência. À noite, fomos ao Casino Terrace, ouvimos boa música, do repertório de Sphor[*] e Mackenzie,[†] e nos deitamos cedo. Lucy parece mais disposta do que nos últimos tempos e não demorou para pegar no sono. Vou fechar a porta e guardar a chave, embora não espere nenhum problema esta noite.

---

[*] Louis Sphor foi um compositor alemão. Era violinista, regente e professor de música.
[†] Alexander Mackenzie foi um compositor e violinista escocês.

12 de agosto — Enganei-me em minhas expectativas. Acordei duas vezes durante a noite com a movimentação de Lucy querendo sair. Mesmo dormindo, ela parecia muito contrariada ao encontrar a porta trancada e voltava para a cama sob protestos.

Acordei ao amanhecer, ouvindo o canto dos pássaros do lado de fora da janela. Lucy acordou também, e fiquei contente ao ver que estava ainda melhor do que na manhã anterior. Toda sua alegria e graça de antes pareciam ter voltado, e ela se aproximou, aconchegando-se ao meu lado, contando-me tudo sobre Arthur. Confessei como estava preocupada com Jonathan e ela tentou me consolar. Bem, acho que consegui. Embora a solidariedade não possa alterar os fatos, pode torná-los mais suportáveis.

13 de agosto — Outro dia calmo. Fui dormir novamente com a chave amarrada no punho. Tornei a acordar durante a noite e encontrei Lucy sentada na cama, apontando para a janela, ainda dormindo. Levantei-me e abri a cortina. O luar estava maravilhoso, e o suave efeito da luz sobre o mar e o céu — mesclados em um magnífico e silencioso mistério — era de uma beleza indescritível. Entre mim e o luar, um grande morcego voava em círculos, e uma ou duas vezes aproximou-se, mas acho que teve medo de mim e fugiu, batendo as asas pelo porto em direção à abadia. Quando me afastei da janela, Lucy tinha se deitado, e dormiu tranquilamente o restante da noite.

14 de agosto — Passei o dia em West Cliff, lendo e escrevendo. Lucy parece ter se apaixonado por este lugar, assim como eu, e não é fácil convencê-la a ir para casa na hora das refeições. Ela fez um comentário estranho esta tarde, quando voltávamos para casa e paramos para observar a paisagem no topo da escada do Píer Oeste, como sempre fazíamos. O sol poente estava bem baixo no céu, quase escondido atrás de Kettleness. Uma luz avermelhada encobria o penhasco, projetando na abadia um fulgor rosáceo. Ficamos caladas por um tempo, e então subitamente Lucy murmurou:

— Aqueles olhos vermelhos de novo! Iguais aos dele.

Foi uma observação tão insólita e sem propósito que me deixou perturbada. Afastei-me um pouco, para poder enxergar bem o rosto de Lucy sem encará-la, e percebi que parecia estar sonhando acordada. Ela tinha uma expressão estranha, indecifrável; então não falei nada, mas acompanhei a direção do olhar dela. Ela parecia estar olhando para nosso banco favorito, e lá havia um vulto escuro de alguém sentado sozinho. Por um momento, tive um sobressalto, pois o desconhecido parecia ter olhos grandes que ardiam em chamas; mas, olhando com atenção, tudo não pareceu passar de uma ilusão. Nas janelas da igreja de St. Mary, a luz do sol poente brilhava avermelhada, bem atrás do nosso banco, dando uma impressão de chamas em movimento. Mostrei a Lucy o efeito interessante e ela logo voltou a si, assustada, mas parecia muito triste ainda. Pode ser que estivesse se lembrando daquela noite terrível aqui no alto. Nunca falamos sobre isso, e desta vez também fiquei quieta, então voltamos para casa, pois era quase hora do jantar. Lucy ficou com dor de cabeça e foi para a cama cedo. Assim que ela dormiu, saí para fazer um passeio até os rochedos em direção ao oeste, triste, com saudade de Jonathan.

Voltei para casa sob um luar tão bonito e tão claro que, apesar de parte de The Crescent estar tão escura, dava para ver tudo. Olhei de relance para a nossa janela e vi Lucy debruçada para fora. Pensei que estivesse me procurando, então abri o lenço, acenando. Ela, porém, não pareceu notar. Nesse mesmo instante, a luz da lua iluminou a janela da casa. Lucy parecia estar dormindo com a cabeça encostada no peitoril, e ao seu lado havia alguma coisa que se parecia com uma ave grande. Com medo de que ela pegasse um resfriado, corri escada acima e entrei no quarto. Lucy voltava para a cama, ainda adormecida, arquejante e com a mão no pescoço, como se tentasse protegê-lo do frio.

Não quis despertá-la, então apenas ajeitei suas cobertas e fechei a porta e a janela com cuidado. Ela parece tão linda enquanto dorme! Mas achei que estava mais pálida do que de costume, e há uma aparência de cansaço sob seus olhos que não gostei de ver. Receio que algo a aflija. Como eu gostaria de saber o que é!

15 de agosto — Levantamos mais tarde que de costume. Lucy mostrava-se lânguida e cansada, e ficou na cama depois de terem nos chamado. Durante o café da manhã, tivemos uma boa surpresa. Chegou uma carta de Arthur. O pai dele está melhor e deseja que o casamento se realize o mais depressa possível. Lucy está tomada por uma alegria tranquila, e a mãe ficou feliz e triste ao mesmo tempo. Mais tarde ela me contou o motivo. Sente muito por perder Lucy como filha, mas está alegre porque em breve ela terá alguém para protegê-la. Pobre dama! Ela me confidenciou que está à beira da morte. Não contou a Lucy e me fez jurar segredo. O médico lhe disse que ela tem, no máximo, alguns meses de vida, pois seu coração está cada vez mais fraco. A qualquer momento, até mesmo agora, um choque súbito certamente seria fatal. Fomos prudentes em não contar sobre a terrível noite de sonambulismo de Lucy.

17 de agosto — Não tive ânimo para escrever durante dois dias. A casa está triste. Não tenho notícia alguma de Jonathan. Também não compreendo o que acontece com Lucy, que come e dorme bem, mas está ficando cada dia mais fraca e pálida, enquanto sua mãe parece estar chegando ao fim de seus dias. Não consigo entender por que Lucy está assim. Não tem saído mais, dorme e se alimenta bem; no entanto, a cor de seu rosto está gradativamente sumindo, e ela parece cada dia mais fraca e lânguida. À noite, eu a ouço ofegante, e percebo que tem dificuldade para respirar. Continuo amarrando a chave no pulso à noite, mas ela se levanta, anda pelo quarto e senta-se diante da janela aberta. Noite passada, encontrei-a debruçada para fora; tentei acordá-la, mas ela estava desmaiada. Tive muito trabalho para fazê-la recuperar os sentidos. Chorava e respirava com dificuldade.

Perguntei-lhe como havia chegado até a janela, mas ela apenas balançou a cabeça e se virou de costas para mim. Espero que não esteja doente assim por causa do acidente com o alfinete. Depois que ela voltou a dormir, fiquei observando-a e notei que os pequenos ferimentos no pescoço não cicatrizaram. Pareciam mesmo ter aumentado. São pequenos pontos brancos com os centros avermelhados. Se aquilo não melhorar dentro de um ou dois dias, vou chamar o médico.

CARTA DE SAMUEL F. BILLINGTON & FILHO, PROCURADORES DE WHITBY, AOS SENHORES CARTER, PATERSON & CIA., DE LONDRES

17 de agosto

Prezados senhores,

Enviamos fatura anexa das mercadorias embarcadas pela Great Northern Railway, que devem ser entregues em Carfax, perto de Purfleet, logo depois de desembarcadas na estação King's Cross. A casa está vazia no momento, mas enviamos as chaves juntamente com todas as respectivas etiquetas de identificação.

Pedimos o favor de depositar os caixotes, cinquenta, ao todo, na parte do prédio parcialmente em ruínas e marcada com um "A" na planta inclusa. Será fácil para o funcionário reconhecer o lugar, pois se trata da antiga capela da mansão. A mercadoria sairá hoje à noite, no trem das nove e meia, e chegará no trem das quatro e meia da tarde de amanhã, na estação King's Cross. Como nosso cliente deseja que a entrega seja feita prontamente, agradecemos se puder deixar sua equipe a postos na estação no horário especificado, de modo a transportar a mercadoria dali para seu destino. Para evitar eventuais atrasos devido a requerimentos de rotina quanto a pagamentos de seus serviços, enviamos um cheque de dez libras (£ 10) para as despesas e pedimos que confirmem o recebimento. Se o custo for inferior a esse valor, pedimos que a diferença seja devolvida e, se for superior, enviaremos um cheque com o valor da diferença assim que formos informados a respeito. Os senhores devem deixar as chaves no saguão principal da casa, onde o proprietário as encontrará, quando entrar com a cópia da chave que já está em seu poder.

Esperamos não ter ultrapassado os limites da cordialidade ao insistir, de todas as maneiras possíveis, que os senhores apliquem toda a presteza possível nesse caso.

Atenciosamente,
Samuel F. Billington & Filho

CARTA DOS SENHORES CARTER, PATERSON & COMPANHIA, DE LONDRES, AOS SENHORES BILLINGTON & FILHO, DE WHITBY

21 de agosto

Prezados senhores,

Acusamos recebimento de dez libras e enviamos cheque no valor de uma libra, dezessete xelins e nove pence referente ao troco, conforme o comprovante de recibo anexo. As mercadorias foram entregues exatamente de acordo com as instruções, e as chaves foram deixadas em um envelope no saguão principal, conforme orientação. Seguimos, caros senhores, à disposição.

Respeitosamente,
em nome de Carter, Paterson & Companhia

DIÁRIO DE MINA MURRAY

18 de agosto — Estou feliz hoje, e escrevo sentada no banco do cemitério da capela. Lucy está muito melhor. Ela dormiu muito a noite passada inteira e não me incomodou em um único momento. A cor parece estar voltando a seu rosto, embora ela ainda esteja tristemente pálida e abatida. Eu até entenderia sua palidez se ela estivesse anêmica, mas não se trata disso. Está cheia de vida e alegria; aquela hesitação sombria é agora coisa do passado, e acabou de me lembrar, como se fosse possível eu ter me esquecido, *daquela* noite, em que a encontrei aqui, em meio a um ataque de sonambulismo neste mesmo banco. Enquanto falava, alegremente, bateu com o salto da bota na lápide e disse:

— Até que meus pobres pés não foram muito barulhentos naquela noite. O infeliz Sr. Swales teria dito que é porque eu não queria acordar Geordie.

Como ela parecia muito alegre, perguntei se havia sonhado naquela noite. Antes de responder, ela assumiu uma expressão doce e terna, como sempre; o olhar que Arthur — falo Arthur por influência dela — diz amar, e tenho certeza de que ama de fato. Em seguida, respondeu com ar meio distante, como se estivesse tentando se lembrar.

— Não foi bem um sonho, pois tudo parecia tão real. Tudo o que eu queria era estar aqui, mas não sei o motivo, pois sentia medo de algo que não sei definir. Apesar de imaginar que estivesse dormindo, lembro-me de ter andado pelas ruas e pela ponte. Vi um peixe saltar e inclinei-me para ver. Ouvi cães uivarem ao subir a escadaria. Parecia que a cidade inteira estava cheia de cães uivando ao mesmo tempo. Tenho uma vaga lembrança de algo comprido, escuro e de olhos vermelhos, como os que vimos no pôr do sol. Lembro-me também de ter sentido algo doce e ao mesmo tempo amargo em volta de mim. Subitamente, senti-me afundando em uma profunda água verde, e havia um canto em meus ouvidos, como dizem que acontece com os afogados, e tudo parecia estar se afastando de mim. Era como se minha alma tivesse saído do meu corpo e flutuasse. Em certo momento, lembro-me de ter visto o farol oeste lá embaixo e de ter sentido uma agonia, como se eu estivesse no meio de um terremoto. Quando voltei a mim, vi que você me sacudia e então senti você me tocando.

Em seguida, ela começou a rir, mas me soou quase sobrenatural, e eu ouvi aquilo prendendo a respiração. Não gostei do que ouvi e achei melhor distraí-la daquele assunto. Assim, passamos a conversar sobre outras coisas, e Lucy voltou a ser como sempre foi. Quando chegamos em casa, a brisa fresca tinha surtido efeito sobre ela, e seu rosto pálido estava realmente mais corado. A mãe ficou exultante ao vê-la, e passamos as três uma noite muito feliz juntas.

19 de agosto — Alegria, alegria, alegria! Embora incompleta. Finalmente recebi notícias de Jonathan. Estava doente, por isso não me escrevia. Não quero mais pensar nem falar sobre isso, agora que sei o que aconteceu. O Sr. Hawkins, sempre gentil, escreveu-me e mandou para mim a carta que recebera de Jonathan. Irei amanhã cedo encontrar Jonathan, e posso eu mesma cuidar dele e tentar trazê-lo para casa. O Sr. Hawkins sugeriu que nos casássemos por lá. Chorei ao ler a carta da freira que o acolheu até sentir a folha úmida contra o peito, onde a guardei. São notícias de Jonathan, e o lugar dele é no meu coração. Já planejei toda a viagem e fiz a mala. Levarei apenas uma muda de roupas. Lucy vai levar meu baú para Londres e ficar com ele até eu conseguir buscá-lo, pois pode ser que... Vou parar de escrever. Guardarei minhas palavras para Jonathan, meu marido. Essa carta, vista e tocada por ele, me servirá de consolo até nosso encontro.

CARTA DA IRMÃ AGATHA, HOSPITAL DE SÃO JOSÉ E SANTA MARIA, EM BUDAPESTE, À SRTA. WILHELMINA MURRAY

12 de agosto

Prezada senhorita,

Escrevo a pedido do Sr. Jonathan Harker, que não tem forças suficientes para isso, embora esteja cada vez melhor, graças a Deus, a São José e a Santa Maria. O Sr. Harker está sob nossos cuidados há quase seis semanas, sofrendo de violenta febre cerebral. Ele pede que enviemos seu amor e que digamos, nesta carta que escrevo em seu nome, para o Sr. Peter Hawkins, de Exeter, com o devido respeito, que lamenta o atraso e que todo o serviço está completo. Ele solicita algumas semanas para repousar em nosso hospital nas montanhas, mas depois retornará. Por fim, pede-me que a avise que não tem dinheiro suficiente para pagar sua estada aqui, ajudando, assim, os que mais precisam, para que não fiquem desamparados.

Creia-me,
Às suas ordens, com solidariedade e todas as bênçãos,
Irmã Agatha

P.S.: Aproveito que meu paciente adormeceu para abrir a carta e contar um pouco mais sobre os acontecimentos. O Sr. Harker contou-me tudo sobre a senhorita, que em breve passará a ser sua esposa. Deus abençoe os dois! Segundo nosso médico, ele sofreu um choque preocupante e, durante o período em que delirava, as coisas que disse foram assustadoras. Falou sobre lobos, veneno e sangue, fantasmas e demônios; tenho até medo de prosseguir. Por um bom tempo ainda, tome cuidado para que nada o agite dessa forma. Os vestígios de uma doença como a dele não desaparecem facilmente. Devíamos ter escrito antes, mas não sabíamos a quem, e ele não tinha consigo nada que indicasse algo. Chegou de trem de Clausemburgo, e o guarda foi informado pelo chefe da estação de que ele a invadira aos berros, pedindo uma passagem para casa. Percebendo, pelo comportamento violento, que era inglês, deram-lhe um bilhete para a última parada.

Pode ter certeza de que seu noivo está sendo bem tratado. O Sr. Harker conquistou o coração de todos aqui com sua doçura e gentileza. Está mesmo cada vez melhor, e não tenho dúvidas de que em poucas semanas voltará a ser o que era. Mas peço que tome cuidado, por segurança. Que vocês tenham muitos e muitos anos de felicidade é o que peço a Deus, a São José e a Santa Maria.

DIÁRIO DO DR. SEWARD

19 de agosto — Mudança repentina na conduta de Renfield. Ontem, mais ou menos às 20 horas, ficou agitado e começou a farejar como um cão que encontra as pegadas do dono. Ao ser interrogado pelo enfermeiro, que sabe de meu interesse por esse paciente, o louco, que é sempre cortês com ele, mostrou-se arrogante e não condescendeu em responder. Apenas o que disse foi:

— Não quero conversar com você. Agora você não conta mais. Estou esperando o Mestre.

O enfermeiro estava convencido de que se trata de uma súbita forma de mania religiosa. Em tal caso, será conveniente redobrar a vigilância. Não pode haver algo mais perigoso que um homicida com idolatria religiosa. Às nove da noite, fui vê-lo. A forma como agiu comigo foi a mesma que apresentara ao enfermeiro, pois não conseguia enxergar diferença entre nós no estado em que estava. Parece mesmo uma mania religiosa, e logo ele pensará que é Deus, pois a onipotência leva o ser a não distinguir entre um homem e outro. Como esses loucos se entregam! O Deus de verdade cuida até para que um único pardal não caia do ninho se não for a hora certa. O Deus criado pela vaidade humana não sabe diferenciar um pardal de uma águia. Ah, se os homens soubessem!

Por mais de meia hora, Renfield foi ficando cada vez mais agitado. Não falei abertamente que o estava vigiando, mas o mantive sob absoluta observação. De súbito, ele apresentou aquele olhar alterado que os loucos têm quando lhes ocorre uma ideia, dando início àquele movimento suspeito da cabeça e das costas que os enfermeiros tanto conhecem. Acalmou-se, foi sentar-se na beira da cama, resignado, e passou a olhar para o nada com olhos sem brilho. Para verificar se tal indiferença era simulada ou não, procurei puxar assunto falando a respeito dos bichos, algo que nunca falhou em chamar sua atenção. Ele a princípio não respondeu; depois disse, com maus modos:

— Não me amole! Não me importo nem um pouco com eles!

— Como? — exclamei, surpreendido. — Já não se interessa pelas aranhas?

(Seu passatempo no momento são as aranhas, e ele anota pequenos números em colunas no caderno.)

A resposta foi enigmática:

— As damas de honra causam regozijo aos olhos de quem espera a noiva, mas, quando a noiva aparece, as outras perdem o brilho.

Não quis dar mais explicações. Manteve-se, então, em um silêncio obstinado.

Estou cansado e deprimido hoje. Não posso deixar de pensar em Lucy. Se não conseguir dormir, recorrerei ao cloral, o Morfeu da modernidade: $C_2HCl_3O + H_2O$. Não. Preciso ter cuidado para que não se torne um hábito, por isso não tomarei hoje. Pensei em Lucy, e não vou desonrá-la misturando os dois. Se for preciso, passarei a noite em claro...

Mais tarde — Fico feliz por ter tomado tal resolução; mais feliz ainda por ter conseguido segui-la. Fiquei me revirando na cama. Às duas da madrugada, o vigia da noite, enviado pela enfermaria, veio me avisar que Renfield tinha fugido. Vesti-me e saí apressadamente; o paciente é muito perigoso para ficar à solta. Suas ideias podem causar efeitos perigosos em estranhos. O enfermeiro estava me esperando, e afirmou que, dez minutos antes, tinha espiado Renfield pela abertura de observação da porta e ele estava em seu leito dormindo. O ruído semelhante a uma janela sendo arrancada foi o alerta. Correu justamente para ver o louco desaparecer pela janela e mandou me chamar imediatamente. Ele estava apenas de pijamas e não poderia ter ido muito longe. O enfermeiro achou que seria melhor ficar ali, para ver em que direção

Renfield iria, do que tentar segui-lo e perdê-lo de vista enquanto alcançava a saída do edifício. Ele é robusto, por isso não pôde passar pela janela. Como sou magro, consegui, passando primeiro os pés. A janela fica poucos metros acima do solo, e não me machuquei com o pulo. O enfermeiro me disse que o paciente havia ido para a esquerda e seguido em linha reta, por isso corri o mais rápido possível. Ao atravessar a fileira de árvores, vi um vulto branco escalando o alto muro que separa o terreno do hospício do terreno da casa abandonada.

Voltei imediatamente e dei ordem ao vigia que arranjasse três ou quatro homens para me acompanharem à propriedade de Carfax, caso o louco se mostrasse perigoso. Arranjei uma escada e, depois de subir o muro, pulei para o outro lado. Consegui avistar Renfield justamente quando ele estava sumindo no canto da casa e corri atrás dele. Encontrei-o apertado contra a velha porta de ferro e carvalho da capela, do outro lado da construção. Segundo parecia, estava conversando com alguém, mas não me atrevi a me aproximar para escutar o que dizia, temendo assustá-lo ou que fugisse. Perseguir um enxame de abelhas não é nada comparado a correr atrás de um louco de pijamas em pleno surto! Um pouco depois, contudo, vi que ele não parecia entender o que ocorria ao seu redor, então arrisquei chegar mais perto, até porque meus homens já tinham pulado o muro e estavam prestes a cercá-lo.

— Aqui estou para cumprir suas ordens, Mestre — ouvi-o dizer. — Sou seu escravo e o Senhor recompensar-me-á, pois o servirei fielmente. Adoro-o há muito tempo a distância e, agora que está perto, aguardo suas ordens. Sei que o Senhor não se esquecerá de mim na realização dos favores aos seus servos.

Tenho agora a certeza de que ele é um pedinte irrecuperável. Mesmo acreditando estar diante de uma Presença Real, só pensa em pão e peixe.* Suas manias são uma combinação perturbadora. Quando o cercamos, lutou como um tigre. Parecia mais uma fera que um ser humano, tamanha a força. Nunca tinha visto um lunático tão furioso, e espero não tornar a ver. Foi sorte termos descoberto sua força e o perigo

---

* Referência ao milagre bíblico da multiplicação dos pães e dos peixes realizado por Jesus.

que representa ainda a tempo. Com tamanho vigor e determinação, ele poderia ter cometido muitas atrocidades antes de ser preso. Agora está seguro em todos os sentidos. Nem o próprio Jack Sheppard* conseguiria se livrar da camisa de força colocada nele. Está acorrentado à parede da sala acolchoada. Seus gritos são pavorosos, mas os silêncios que os intercalam são ainda piores, mudos como a morte; cada feição e movimento revelam sua intenção assassina.

Em seguida, disse palavras coerentes pela primeira vez:

— Terei paciência, Mestre. Está chegando! Está chegando!

Aproveitei para voltar ao meu quarto. Não conseguia dormir de tanta excitação, mas o diário me acalmou e acho que vou conseguir descansar um pouco esta noite.

---

* Ladrão inglês famoso por suas fugas da prisão.

IX

CARTA DE MINA HARKER A LUCY WESTENRA

Budapeste, 24 de agosto

Minha querida Lucy,

Sei que você deve estar ansiosa para saber notícias minhas desde que parti de Whitby. Cheguei à noite, sem novidades, a Hull, e ali tomei o navio para Hamburgo, e por fim o trem para cá. Não me lembro bem da viagem, exceto que eu sabia que me aproximava de Jonathan e, como provavelmente teria que cuidar dele, devia aproveitar para dormir o máximo possível... Encontrei meu querido muito magro e pálido, parecendo bem debilitado. Toda a resolução parecia ter se esvaído de seus adoráveis olhos, e aquela dignidade silenciosa da qual lhe falei tinha sumido de seu rosto. Ele está apenas a sombra do que era, e não se lembra de nada do que lhe aconteceu por um longo período. Pelo menos é o que parece estar querendo me fazer acreditar ser verdade. Resolvi não insistir. Sofreu um terrível choque e tenho medo de afetar ainda mais seu cérebro ao tentar fazer com que se lembre dos fatos. A Irmã Agatha, que é uma ótima pessoa e uma enfermeira maravilhosa, contou-me que seu delírio foi muito grave. Pedi que me contasse tudo o que ele tinha falado. Contudo, ela persignou-se e nada quis dizer; limitou-se a comentar que os desvarios de um doente são um segredo de Deus e, caso uma enfermeira chegue a ouvi-los, deve respeitar essa confidencialidade. Ela é uma alma boa e meiga. No dia seguinte, ao ver que eu continuava perturbada com o assunto, disse-me:

— Ele não cometeu pecado algum, minha cara, e não há motivo para que você, futura esposa dele, se preocupe. Ele não esqueceu a senhorita e nem as promessas que lhe fez. O medo relatado por ele era relacionado a coisas grandiosas e horríveis, que não podem ser abordadas por simples mortais.

Creio que a boa senhora tenha inferido que eu estava com ciúmes ou receio de que Jonathan tivesse se apaixonado por outra senhorita. Ciúmes de Jonathan! Contudo, minha cara, confesso num sussurro que estremeci de alegria ao certificar-me de que não havia outra mulher por trás do que ocorreu a ele. Agora, estou sentada à cabeceira da cama dele, contemplando seu semblante enquanto dorme. Ele está acordando!

Quando acordou, Jonathan me pediu o paletó, pois queria pegar algo no bolso. Pedi à Irmã Agatha, que trouxe tudo prontamente. Entre os pertences, vi seu caderno de notas, e fiz menção de lhe pedir que me deixasse lê-lo, pois poderia haver ali alguma pista sobre os acontecimentos, mas imagino que Jonathan tenha percebido esse desejo em meus olhos, pois me pediu que eu fosse até a janela, dizendo que queria ficar sozinho por algum tempo. Depois, chamou-me novamente e disse em tom solene:

— Wilhelmina... — Compreendi que era algo muito importante, afinal só me chamou assim no dia em que me pediu em casamento. — Você sabe o que penso sobre confiança mútua entre marido e mulher. Não deve haver segredos. Tive um forte choque nervoso, e quando tento me lembrar do que houve, sinto a cabeça girar; não sei ao certo se foi real ou o delírio de um louco. A febre cerebral que me acometeu não deixa de ser uma espécie de loucura. Você poderá conhecer o segredo que envolve as circunstâncias. O segredo está aqui e não quero mais saber dele. Quero começar a vida agora com o nosso casamento. — Isso porque, minha querida, nós decidimos nos casar assim que as formalidades fossem resolvidas. — Está disposta, Wilhelmina, a compartilhar da minha ignorância? Eis o diário. Fique com ele, leia-o, se quiser, mas jamais fale comigo a respeito disso. A não ser que, de fato, algum dever solene recaia sobre mim, forçando-me a retornar, adormecido ou acordado, são ou ensandecido, às horas amargas registradas aqui.

Caiu, exausto, no travesseiro. Pus o diário embaixo de seu travesseiro e o beijei. Pedi à Irmã Agatha que implorasse à madre superiora permissão para realizarmos nosso casamento esta mesma tarde e estou esperando a resposta.

Ela acaba de me dizer que o capelão da missão da Igreja Anglicana está à nossa disposição. Vamos nos casar dentro de uma hora, assim que Jonathan acordar...

Lucy, deu tudo certo. Mal posso falar. Sinto-me muito solene, mas estou tão feliz! Jonathan acordou um pouco mais tarde e estava tudo pronto. Ele se sentou na cama e o escoramos em alguns travesseiros. Ele disse "sim" de forma forte e firme. Eu mal consegui pronunciar, pois sentia o coração tão cheio que as palavras pareciam me sufocar. As queridas irmãs foram todas muito gentis. Peço a Deus que jamais as esqueça, nem com a morte, nem com as doces responsabilidades que recaíram sobre mim. Tenho que lhe contar sobre meu presente de casamento. Quando o capelão e as irmãs me deixaram sozinha com meu marido (é a primeira vez, Lucy, que escrevo as palavras "meu marido"), peguei o diário debaixo de seu travesseiro, embrulhei-o em um papel branco, amarrei-o com a fita azul que estava em meu pescoço e selei-o com cera em cima do nó, carimbando-o com meu anel de noivado. Então beijei o pacote e o mostrei ao meu marido, e prometi que aquele diário continuaria lacrado, como um símbolo para nós ao longo de nossas vidas, de que confiávamos um no outro, e que eu jamais romperia o lacre senão em caso de extrema necessidade, para o bem dele ou devido a um grave dever. Em seguida, ele pegou a minha mão e, Lucy, foi a primeira vez que pegou a mão da esposa e disse que ela era a coisa mais importante no mundo todo e que reviveria todo o passado para conquistá-la, se fosse preciso. O coitadinho quis dizer que reviveria uma parte do passado, mas não consegue pensar direito ainda em relação ao tempo, não me surpreende se misturar meses e até anos por enquanto.

Bem, minha cara, o que eu poderia dizer? Só consegui assegurar-lhe que eu era a mulher mais feliz do mundo e que tudo o que poderia dar a ele era eu mesma, minha vida e minha confiança, e, com isso, meu amor e meus deveres o resto da minha vida. Minha cara, quando ele me beijou e me trouxe para junto de si com as fracas mãos, foi como se tivéssemos selado um voto solene entre nós...

Sabe por que estou lhe contando tudo isso? Não só por ser tudo lindo, mas porque você é, e sempre foi, muito importante para mim. Foi um privilégio ter sido sua amiga e orientadora após a sua saída da escola para se preparar para o mundo. Quero que você veja aonde o dever me levou, e assim, em sua própria vida de casada, possa ser tão feliz como eu. Por Deus, sua vida pode ser tudo o que promete:

um longo dia ensolarado, com ventos amenos, deveres cumpridos e sem desconfiança. Desejo que nunca haja dor e espero que você seja sempre tão feliz como me sinto agora. Adeus, querida. Enviarei esta carta imediatamente, e talvez lhe escreva de novo em breve. Jonathan está acordando. Cuidarei de meu marido!

Sua amiga eterna,
Mina Harker

CARTA DE LUCY WESTENRA A MINA HARKER

Whitby, 30 de agosto

Minha querida Mina,

Todo o amor do mundo e milhões de beijos, e que você possa logo estar de volta com seu marido. Queria que você voltasse a tempo de ficar mais um pouco aqui conosco. O ar de Whitby faria Jonathan se recuperar mais rapidamente. Eu me recuperei muito bem. Meu apetite está maravilhoso, sinto-me cheia de vida e estou dormindo bem. Você ficará feliz em saber que parei completamente com o sonambulismo. Creio que há uma semana não saio da cama, isto é, enquanto estou dormindo. Arthur disse que engordei. Por falar nisso, esqueci de contar que Arthur está aqui. Passeamos e caminhamos, remamos, jogamos tênis e pescamos juntos. Estou mais apaixonada do que nunca. Ele diz que me ama mais agora, mas duvido, pois, a princípio, disse-me que não poderia me amar mais do que me amava antes. Mas isso não passa de bobagem. Lá vem ele, está me chamando. Então, por enquanto, isso é tudo o que tenho para lhe dizer. Da sua amiga,

Lucy

P.S.: Mamãe mandou lembranças. Ela parece estar melhor, pobrezinha.
P.P.S.: Vamos nos casar dia 28 de setembro.

DIÁRIO DO DR. SEWARD

20 de agosto — O caso Renfield está cada vez mais empolgante. Ele está mais calmo agora, mas alterna com momentos bem letárgicos.

Durante uma semana, mostrou-se furioso; depois, certa noite, quando a lua acabava de surgir, acalmou-se de repente e murmurou para si mesmo:

— Agora posso esperar. Agora posso esperar.

O enfermeiro veio me comunicar essa mudança, então fui imediatamente vê-lo. Ele ainda estava usando camisa de força no quarto acolchoado, mas o olhar vago tinha desaparecido, e aquele ar suplicante e submisso retornara. Fiquei satisfeito ao ver isso e dei ordem para deixá-lo mais à vontade. Os atendentes hesitaram, mas obedeceram. Interessante o humor demonstrado pelo paciente em relação à desconfiança dos homens. Ele se aproximou de mim e sussurrou, olhando furtivamente para eles:

— Eles acham que *eu* poderia machucar o *senho*r! Imagine isso! Imbecis!

Percebi com alívio que o pobre louco me difere dos demais, mas não consigo entender sua forma de pensar. Devo presumir que haja algum elo comum entre nós a fim de que estejamos juntos? Ou será que ele necessita do meu bem-estar para receber de mim algum extraordinário benefício? Vou tentar descobrir isso depois. Hoje à noite, Renfield não vai revelar nada. Nem se lhe oferecesse um gatinho ou mesmo um gato adulto. Com certeza ele apenas diria: "Posso esperar, posso esperar. Não coleciono gatos. Tenho outras coisas para pensar".

Depois de um tempo, retirei-me. Conforme relato do enfermeiro, ele esteve tranquilo até pouco antes do alvorecer, e então foi ficando inquieto, até terminar tomado por uma crise de fúria, à qual se seguiu uma espécie de coma.

Há três dias acontece a mesma coisa. Violência durante o dia, e então calma, desde o nascer da lua até o nascer do sol. Queria ter alguma hipótese da causa. Parece que há uma influência instável. Uma brilhante ideia me ocorreu! Esta noite, vamos fazer o jogo de sãos contra loucos. Outro dia, ele fugiu sem nossa ajuda. Hoje fugirá com ela. Vou dar-lhe uma oportunidade, e meus homens prontamente o seguirão, em caso de necessidade.

23 de agosto — "O inesperado sempre acontece." Disraeli[*] era um sábio em relação à vida. Nosso passarinho não voou quando viu que a gaiola estava aberta, e todos os nossos planos sutis foram em vão. Ao menos provamos que os surtos de letargia duram tempo considerável. No futuro, poderemos soltar suas amarras por algumas horas todos os dias. Dei ordens ao enfermeiro da noite para simplesmente deixá-lo trancado na sala acolchoada, depois que ele se acalmar até uma hora antes de o sol nascer. O pobre corpo gostará de ter certo alívio, ainda que sua mente não saiba apreciá-lo. O inesperado ocorreu uma vez mais! Fui chamado novamente. O paciente fugiu de novo.

Mais tarde — Outra aventura noturna. Renfield teve a artimanha de esperar o enfermeiro entrar na sala para examiná-lo. Então escapou correndo e atravessou o corredor. Mandei os enfermeiros irem atrás dele. Mais uma vez invadiu o terreno da casa abandonada, e o encontramos no mesmo lugar, encostado à porta da antiga capela. Quando me viu, ficou furioso. Se os homens não o tivessem agarrado, teria me atacado e tentado me matar. Já estava detido quando uma coisa estranha aconteceu. Subitamente, Renfield redobrou as forças, para em seguida tornar a se acalmar de uma hora para outra. Olhei para os lados instintivamente, mas não enxerguei nada. Então acompanhei o olhar do paciente, e não vi coisa alguma no céu enluarado, exceto um grande morcego, que batia as asas fantasmagóricas em silêncio rumo ao oeste. Morcegos em geral voam em círculos, mas aquele parecia seguir em linha reta, como se soubesse aonde estava indo ou tivesse uma intenção própria. No mesmo instante, o paciente ficou calmo e disse:

— Não precisa me amarrar. Irei pacificamente!

Voltamos para casa sem qualquer transtorno. Sinto que há certo mau agouro em sua calma e não me esquecerei do que aconteceu esta noite...

---

[*] Frase de Benjamin Disraeli, primeiro-ministro britânico. "Aquilo pelo que ansiamos raramente acontece; o que menos esperamos geralmente acontece".

DIÁRIO DE LUCY WESTENRA

Hillingham, 24 de agosto — Resolvi fazer como Mina e escrever um diário. Dessa forma, conseguirei me lembrar de tudo que quero lhe contar quando ela voltar. Queria que ela estivesse aqui comigo de novo, pois me sinto muito infeliz. Na noite passada, tive a impressão de estar sonhando de novo, como acontecia em Whitby. Talvez tenha sido a mudança do ar ou o fato de estar em casa de novo. Tudo é sombrio e horrível para mim. Não me lembro de nada, mas sinto-me vítima de um temor indistinto, e estou fraca e abatida. Quando Arthur apareceu para almoçar, ficou visivelmente impressionado ao me ver e não consegui mostrar-me animada. Vou ver se durmo no quarto de minha mãe esta noite. Inventarei uma desculpa para isso.

25 de agosto — Mais uma noite desagradável. Minha mãe não se mostrou entusiasmada com a minha proposta. Naturalmente, como não está passando bem, receia me deixar preocupada. Tentei ficar acordada até mais tarde, mas acabei adormecendo, pois, quando soaram as doze badaladas, fui despertada de um cochilo. Ouvi uma espécie de arranhar ou de bater de asas na janela, mas não fui ver o que era, e como não me lembro de mais nada, acho que devo ter adormecido. Tive mais pesadelos, mas não consigo me lembrar dos sonhos.

Hoje amanheci muito fraca e pálida, e meu pescoço dói muito. Devo estar com alguma coisa no pulmão, porque respiro com dificuldade. Preciso mostrar-me animada durante o almoço, para não preocupar Arthur.

CARTA DE ARTHUR HOLMWOOD AO DR. SEWARD

Albemarle Hotel,
31 de agosto

Meu caro Jack,

Desejo um favor seu. Lucy não está passando bem. Não é uma doença em específico, mas está piorando a cada dia. Perguntei a ela se existe algum motivo, e não me atrevo a conversar sobre isso com a mãe dela, cujo estado de saúde é grave. A Sra. Westenra me confessou que sofre do coração e Lucy ainda não sabe disso. Há algo que consome os pensamentos da minha amada e sinto dor ao vê-la assim. Disse a ela que lhe pediria que a examinasse, e ela relutou no começo — sei bem o motivo, meu amigo —, mas acabou concordando. Sei que será penoso para você, meu amigo, mas não hesito em pedir, para o bem *dela*, e sei que você vai aceitar. Venha almoçar amanhã aqui em Hillingham, às duas, assim a Sra. Westenra não desconfiará de nada, e depois do almoço Lucy terá oportunidade de ficar a sós com você. Eu chegarei para o chá e poderemos partir de lá juntos. Estou muito aflito e quero conversar com você logo que a tiver examinado. Não deixe de vir!

Arthur

TELEGRAMA DE ARTHUR HOLMWOOD A SEWARD

1º de setembro

Fui chamado para ver meu pai, que piorou. Escreva-me tudo hoje à noite para Ring. Telegrafe-me, se for necessário.

CARTA DO DR. SEWARD A ARTHUR HOLMWOOD

2 de setembro

Meu caro amigo,

No que diz respeito à saúde da Srta. Westenra, apresso-me em dizer-lhe que, na minha opinião, não há distúrbio funcional ou moléstia. Ao mesmo tempo, seu estado preocupa-me, pois mudou muito desde a última vez que a vi. Claro que você deve ter em mente o fato de que não tive oportunidade de examiná-la plenamente como gostaria. Nossa amizade cria certa dificuldade que nem a ciência médica nem os costumes podem superar. Seria melhor contar exatamente o que aconteceu para que você não tire as próprias conclusões. Vou relatar o que fiz e o que considero que deve ser feito.

Encontrei a Srta. Westenra aparentemente alegre. A mãe estava presente, e, em poucos segundos, concluí que a filha fazia tudo o que podia para enganá-la e evitar que ficasse preocupada. Se ela ainda não sabe o que ocorre com a mãe, ao menos imagina que o caso da Sra. Westenra exija tal precaução. Almoçamos, esforçando-nos em demonstrar animação, e conseguimos, como que em recompensa por nossos esforços, sentir um entusiasmo genuíno por alguns momentos. Então a Sra. Westenra foi se deitar, e Lucy ficou sozinha comigo.

Fomos até seu quarto, e até chegarmos ali o entusiasmo persistiu, pois havia criados passando. Assim que a porta se fechou, a máscara caiu de seu rosto e ela afundou na cadeira com um longo suspiro, escondendo os olhos com as mãos. Quando vi o entusiasmo passar, tirei logo vantagem da reação em busca de um diagnóstico. Ela me disse com toda suavidade:

— Nem sei dizer como odeio falar sobre mim mesma.

Garanti-lhe que o sigilo médico era sagrado, mas que você estava preocupado e angustiado por causa dela.

A Srta. Westenra entendeu imediatamente o que eu queria dizer e resumiu a situação:

— Conte a Arthur tudo o que quiser. Não me importo comigo, apenas com ele!

Então me sinto confortável para fazer isso. Percebi facilmente que sofria de carência sanguínea, mas não consegui identificar os sinais mais comuns de anemia, e somente por acaso pude testar uma amostra do sangue dela. Ao abrir uma janela emperrada, uma corda se rompeu e ela cortou de leve a mão em um caco de vidro. Não foi nada grave, mas tive a oportunidade de coletar algumas gotas para examiná-las. A análise qualitativa indica condição normal e demonstra saúde vigorosa. Quanto aos aspectos físicos, fiquei bastante satisfeito por não haver motivo para preocupações, mas, como parece existir alguma outra causa, concluí que possa ser mental. Suas queixas são dificuldade de respirar e sono pesado e letárgico em alguns momentos, além dos sonhos assustadores dos quais não consegue se lembrar. Disse que, quando era menina, costumava andar dormindo, e que esse costume voltou em Whitby; lá, saiu à noite certa vez, e foi até o East Cliff, sendo encontrada pela Srta. Murray.

Mas garantiu que o hábito não voltou a se manifestar ultimamente. Fiquei em dúvida, então fiz o melhor que podia, segundo meus conhecimentos. Depois de muita reflexão, resolvi escrever ao meu velho amigo e mestre, o Professor Van Helsing, de Amsterdã, que conhece mais a respeito de enfermidades obscuras que qualquer outra pessoa do mundo. Pedi que viesse examinar a Srta. Westenra e expliquei a minha interferência e os seus laços com ela. Fiz isso, caro colega, para obedecer à sua solicitação, pois estou orgulhoso e feliz por fazer o possível por ela. Sei que, por uma questão pessoal, Van Helsing faria qualquer coisa por mim, então, independentemente do motivo de sua vinda, é prudente acatar seus desejos. Ele é um homem esquisito, arbitrário, porque sabe muito bem o que diz. É um filósofo, um metafísico, um dos mais avançados cientistas de nossos dias. Estou convencido de sua mentalidade totalmente aberta. Ele tem temperamento frio como o gelo, uma determinação indomável, autocontrole e tolerância. Suas virtudes comparam-se até mesmo a bênçãos, pois tem o coração mais generoso que conheço. Essas são as armas usadas na nobre tarefa desempenhada para a humanidade, de forma prática e teórica. Suas opiniões são tão abrangentes quanto sua simpatia. Estou lhe contando tudo isso para que entenda o quanto confio nele. Pedi ao professor que viesse o quanto antes, e amanhã voltarei a examinar a Srta. Westenra. Ela vai se encontrar comigo nas lojas, para não alarmar a mãe com outra visita minha.

Seu amigo,
John Seward

CARTA DE ABRAHAM VAN HELSING, DOUTOR EM MEDICINA, DOUTOR EM FILOSOFIA, DOUTOR EM LETRAS ETC. ETC. AO DR. SEWARD

2 de setembro

Meu bom amigo,
Acabo de receber sua carta e já estou indo ao seu encontro. Felizmente, consigo partir imediatamente, sem prejudicar ninguém que conte comigo. Mesmo que não pudesse, seria uma pena para os que

aqui precisassem de mim, pois partiria ao seu chamado para ajudar as pessoas que você ama. Diga ao seu amigo que, quando você, com tanta habilidade, sugou de minha ferida o veneno da gangrena daquela faca que nosso outro colega, nervoso demais, deixou escapar, fez mais por ele, que agora precisa de minha ajuda, do que toda a grande fortuna de sua família poderia fazer.

Contudo, ajudar seu amigo traz-me um prazer adicional. É por você que vou. Arranje-me um quarto no Great Eastern Hotel para que eu possa ficar próximo, e, por favor, deixe combinado o encontro com a jovem dama amanhã, não muito tarde. É provável que eu precise voltar a Amsterdã amanhã mesmo à noite. Se for necessário, posso retornar em três dias e ficar mais. Até breve, adeus, meu estimado John.

Van Helsing

CARTA DO DR. SEWARD PARA ARTHUR HOLMWOOD

3 de setembro

Meu caro Art,

Van Helsing veio e já voltou. Foi comigo até Hillingham para ver Lucy e, graças às providências dela, a mãe estava almoçando fora e ele conseguiu examiná-la demoradamente. Vai me informar a respeito, porque, naturalmente, não estive presente o tempo todo. Confesso que o achei preocupado, mas me disse que tem de refletir sobre o caso. Quando lhe contei sobre a nossa amizade e a forma como você me confiou o caso, ele pontuou:

— Você deve dizer a ele tudo o que você pensa. Se quiser, diga a ele o que eu acho, se conseguir adivinhar. Não, eu não estou brincando. Isso não é brincadeira, mas uma questão de vida ou morte, talvez mais — disse-me ele.

Eu perguntei o que ele queria dizer, pois seu tom era muito sério, mas ele não apresentou novos esclarecimentos. Conversamos quando já tínhamos voltado para a cidade, e ele tomava uma xícara de chá antes de voltar para Amsterdã. Não fique aborrecido comigo, Art, porque a própria reticência de Van Helsing é uma prova de que seu cérebro está trabalhando intensamente para o bem da Srta. Westenra. Ele dará sua opinião quando julgar oportuno. Comentei com ele que simplesmente escreveria um relato da consulta, como se estivesse fazendo um artigo especial para o *Daily Telegraph*. Aparentemente, o professor não me ouviu, mas observou que a fuligem em Londres não era tão ruim quanto na época em que viveu aqui como estudante. Receberei seu relatório amanhã, se ele conseguir terminá-lo. Em todo caso, Van Helsing escreverá uma carta.

Quanto à consulta, Lucy mostrou-se mais animada e certamente parecia ter melhorado desde o primeiro dia em que a vi. Perdeu um pouco da palidez macabra que o deixara preocupado e a respiração estava normal. Foi muito meiga com o professor (como sempre) e tentou deixá-lo à vontade, embora eu tenha notado que a pobrezinha estava se esforçando bastante para isso. Acredito que Van Helsing também tenha percebido. Sob as suas sobrancelhas espessas, notei um olhar de relance que conheço muito bem. Ele então começou a comentar sobre diversos assuntos, exceto sobre nós mesmos e sobre doenças, com tamanha desenvoltura e simpatia que vi a animação fingida de Lucy tornar-se realidade. Em seguida, sem qualquer mudança aparente, o professor passou a falar delicadamente sobre sua visita e acrescentou, com gentileza:

— Minha querida senhorita, é para mim um prazer muito grande. A senhorita é muito amada. Isso já é muita coisa, minha cara, ainda que houvesse algo mais, que não vejo. Eles disseram que a senhorita estava desanimada, com uma palidez macabra. O que tenho a dizer a eles? "Tolice". — E estalou os dedos na minha direção, antes de continuar: — A senhorita e eu mostraremos a eles como estão enganados. Como ele — e apontou para mim com o olhar e o gesto que usava na sala de aula, e mesmo depois, em uma ocasião específica que nunca me deixa esquecer — poderia saber alguma coisa sobre jovens senhoritas? Ele tem os seus loucos para brincar e fazer que eles e seus entes queridos se sintam felizes. É muito trabalho, mas há recompensas na restauração da felicidade. Entretanto, jovens senhoritas! Ele não tem esposa, nem filha, e as moças não se abrem para os jovens, apenas para os velhos, como eu, que já viram muitas tristezas e seus motivos. Dessa forma, minha cara, vamos mandá-lo agora sair para fumar um cigarro no jardim, enquanto você e eu ficamos aqui jogando conversa fora.

Entendi a sugestão e saí para um passeio, até que o professor apareceu na janela e me convidou a entrar. Ele parecia preocupado, mas disse:

— Fiz um exame cuidadoso e não há nenhum problema fisiológico. Concordo com você que tenha havido perda de sangue. Houve, porém não há mais. No entanto, nada nela indica se tratar de anemia. Pedi que chamasse a empregada para lhe fazer uma ou duas perguntas e não deixasse escapar nada. Sei bem o que ela vai me dizer. E, de fato, há uma causa, sempre há uma causa para tudo. Preciso voltar para casa e pensar. Envie-me um telegrama por dia, e, se houver alguma alteração, voltarei. A doença, pois não estar bem é uma doença, interessa-me, e a meiga e querida moça me interessa também. Ela me encanta e voltaria por ela, mesmo que não fosse por você nem pela doença.

Conforme expliquei antes, ele não disse mais nada, nem mesmo quando ficamos a sós. E então agora, Art, você sabe tudo o que sei. Ficarei zelosamente atento. Espero que seu pai esteja melhor. Sei como você se sente preocupado com duas pessoas que ama tanto. Sei que o dever o prende junto a seu pai, mas, se houver necessidade, o avisarei imediatamente para ver Lucy. Sendo assim, não se angustie e aguarde as minhas notícias.

DIÁRIO DO DR. SEWARD

4 de setembro — O paciente zoófago continua a nos interessar. Teve apenas um outro surto ontem, em horário incomum. Pouco antes do meio-dia, começou a ficar agitado. O enfermeiro reconheceu os sintomas e pediu ajuda imediatamente. Por sorte, os homens vieram correndo e chegaram a tempo. Ao meio-dia em ponto, Renfield ficou tão violento que precisaram de todas as forças para contê-lo. Cerca de cinco minutos depois, no entanto, voltou a se acalmar e, por fim, entrou em uma espécie de melancolia, estado em que está até agora.

O enfermeiro relatou que os gritos durante a convulsão foram realmente apavorantes. Eu estava ocupado na hora, atendendo outros pacientes, que ficaram assustados por causa dele. Na verdade, posso entender muito bem o efeito. Os sons perturbaram até a mim, mesmo a certa distância. Agora está na hora do jantar dos pacientes, e Renfield resmunga sozinho em um canto, com uma expressão aparvalhada, grave, contrita, que parece mais sugerir do que demonstrar qualquer coisa específica. Não consigo entender exatamente o que ele sente.

Mais tarde no mesmo dia — Outra alteração em meu paciente. Às cinco horas, fui visitá-lo e o encontrei aparentemente alegre e contente como costumava ser. Estava caçando suas moscas e as engolindo, e anotava cada captura fazendo marcas na porta, entre as placas almofadadas. Ao me ver, aproximou-se, desculpou-se pelo mau comportamento e me pediu de modo humilde e constrangido para ser levado de volta ao próprio quarto e que lhe devolvessem seu caderno. Achei que seria bom satisfazê-lo, então o paciente foi transferido para o antigo quarto com a janela aberta. Renfield espalhou o açúcar do chá no parapeito da janela e vem conseguindo coletar um bocado de moscas. Agora não as come mais; guarda todas em uma caixa, como fazia antes, e já está examinando os cantos do quarto em busca de uma aranha. Tentei fazê-lo falar sobre os últimos dias, pois qualquer indício de seus pensamentos me seria extremamente útil, mas ele não disse mais nada. Por um ou dois momentos, pareceu-me muito triste e seu tom era distante, como se falasse consigo mesmo e não comigo.

— Tudo acabado! Está tudo acabado! Ele me abandonou. Não há esperança para mim a não ser que eu mesmo o faça! — Então virou-se para mim, subitamente decidido, e disse: — Doutor, o senhor faria a gentileza de me trazer um pouco mais de açúcar? Creio que seria muito bom para mim.

— E as moscas? — perguntei.

— Isso! As moscas também gostam, e eu gosto das moscas; portanto, também gosto de açúcar.

E ainda existem pessoas tão desavisadas que pensam que os loucos não raciocinam. Trouxe-lhe um suprimento duplo de açúcar e imagino ter feito dele o homem mais feliz do mundo. Quem dera pudesse sondar sua mente.

Meia-noite — Outra alteração. Eu tinha acabado de retornar de uma visita à Srta. Westenra, que apresenta considerável melhora, e estava de pé junto ao portão olhando o sol se pôr, quando ouvi Renfield gritar outra vez. Como o quarto dele fica naquele lado da casa, pude ouvi-lo melhor do que pela manhã. Para mim, foi um choque deixar a maravilhosa beleza da bruma do pôr do sol sobre Londres, com suas luzes distintas, sombras fortes e todas os tons magníficos que se formam tanto nas nuvens poluídas quanto na água poluída, e notar a severidade sombria de meu edifício de pedra fria com sua aura de angústia ofegante, só com meu próprio coração desolado a suportar tudo. Cheguei ao quarto dele quando o sol já desaparecia e, de sua janela, vi o disco vermelho terminar de descer. Conforme sumia, Renfield foi ficando cada vez menos agitado, e quando a noite chegou ele fraquejou nas mãos que o detinham, feito uma massa inerte caindo no chão. É magnífico, contudo, o poder de recuperação dos lunáticos; alguns minutos depois, levantou-se bastante sereno e olhou ao redor. Fiz sinal para que os enfermeiros não o detivessem, afinal, estava ansioso para ver o que Renfield faria. Foi direto para a janela e tirou o restante de açúcar do parapeito. Então pegou a caixa de moscas e a esvaziou do lado de fora da janela, jogando-a fora em seguida. Depois, fechou a janela e, atravessando o quarto, sentou-se na cama. Tudo aquilo me surpreendeu, então perguntei:

— Você não vai mais colecionar moscas?

— Não — respondeu ele. — Estou farto de todo esse lixo!

Certamente se trata de um caso maravilhosamente interessante. Gostaria de ter um vislumbre de sua mente ou do motivo de suas paixões súbitas. Um momento... Se conseguirmos descobrir por que seus ataques ocorreram hoje ao meio-dia e ao entardecer, talvez encontremos uma pista finalmente. Será que existe alguma influência maligna do sol em períodos específicos, que afetam determinadas naturezas, como a lua faz com outras? Vamos ver!

TELEGRAMA DE SEWARD, LONDRES, PARA VAN HELSING, AMSTERDÃ

4 de setembro

Paciente continua melhor.

TELEGRAMA DE SEWARD, LONDRES, PARA VAN HELSING, AMSTERDÃ

5 de setembro

Paciente muito melhor. Com apetite; dorme naturalmente; animada; cores voltando.

TELEGRAMA DE SEWARD, LONDRES, PARA VAN HELSING, AMSTERDÃ

6 de setembro

Terrível mudança para pior. Venha imediatamente. Não espere nem mais uma hora. Vou aguardar sua chegada para telegrafar para Holmwood.

X

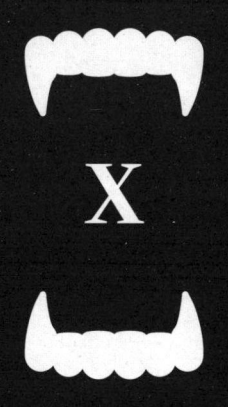

CARTA DO DR. SEWARD PARA ARTHUR HOLMWOOD

6 de setembro

Meu caro Art,

As notícias de hoje não são boas. Lucy não está passando bem. Mas há males que vêm para bem. A Sra. Westenra ficou aflita por causa da filha e consultou-me como médico. Aproveitei a oportunidade e disse-lhe que meu velho mestre, o grande especialista Van Helsing, vem me visitar e que Lucy ficaria sob nossos cuidados. Desse modo, podemos ir e vir sem alarmá-la, pois um choque pode resultar em sua morte súbita, o que pode ser prejudicial a Lucy, fraca como está. Há dificuldades por todos os lados, caro amigo, mas elas serão superadas. Escreverei se preciso for, caso não receba notícias minhas é porque não há novidades. Desculpe-me a pressa.

Seu sempre amigo,
John Seward

DIÁRIO DO DR. SEWARD

7 de setembro — A primeira coisa que Van Helsing me perguntou quando nos encontramos em Liverpool Street, foi:

— Contou alguma coisa ao seu jovem amigo, o namorado dela?

— Não — respondi. — Estava esperando o senhor chegar, como disse no telegrama. Apenas escrevi dizendo que o senhor viria, pois a Srta. Westenra não estava passando muito bem, e o manteria informado, se necessário.

— Fez muito bem, meu amigo! — disse ele. — É preferível ele não saber de nada por enquanto, e talvez nunca venha a saber. Rezo para que isso aconteça, mas contaremos tudo a ele se for necessário. Deixe-me avisá-lo, amigo John. Você trata loucos. Todos os homens são loucos, de uma forma ou de outra, então use o mesmo discernimento que você tem para cuidar dos seus loucos com os loucos de Deus, o restante do mundo. Seus pacientes não sabem o que você faz e nem por que o faz. Você não conta a eles o que está pensando. Dessa forma, que o conhecimento permaneça no lugar em que possa dar frutos, juntamente a outros conhecimentos. Vamos manter o que sabemos aqui entre nós por enquanto. — Ele disse isso e tocou-me no coração e na testa e depois tocou a si próprio nos mesmos lugares. — Mais tarde, contarei tudo o que penso. A princípio são apenas ideias.

— Por que não me conta agora? Pode ser útil, e quem sabe cheguemos a uma conclusão juntos.

Ele olhou em meus olhos e disse:

— Meu amigo, quando o milho cresce, antes mesmo de estar pronto para ser colhido, e a seiva da Mãe Terra está dentro dele, quando ainda está alto e o sol não começou a pintá-lo com seu ouro, o chefe de família pega uma espiga, esfrega-a nas mãos calejadas e sopra a palha verde para longe, dizendo: "Olhe, o milho está bom e dará uma boa safra na hora certa".

Disse que não entendi a ligação com o caso e ele puxou a minha orelha em tom de brincadeira, como fazia nos tempos em que era meu professor, e disse:

— O chefe de família é o único que sabe o momento certo de dizer o que disse. Você nunca verá um chefe de família desenterrar o milho plantado para verificar seu crescimento. Apenas uma criança que brinca de ser chefe de família faria isso, e não quem considera aquilo o trabalho de sua vida. Consegue entender agora, amigo John? Meu milho foi semeado, e cabe à natureza fazê-lo brotar. Se brotar, será promissor, e esperarei até a espiga começar a crescer.

Ao perceber que eu havia entendido, Van Helsing parou de falar, mas acrescentou em tom solene:

— Você sempre foi um aluno esforçado, e o seu caderno era o mais completo da classe. Você era apenas um estudante na época, mas agora é o mestre, e espero que tenha mantido esse hábito. O conhecimento é mais forte que a memória. Não se esqueça disso, meu amigo. Não devemos confiar no mais fraco. Mesmo que você não conserve mais o hábito de escrever um diário, o caso da sua querida Srta. Lucy pode vir a ser, e atenção para o fato de eu ter dito "vir a ser", de tal interesse que os demais casos poderão ser deixados de lado. Anote tudo o que puder. Qualquer detalhe é precioso. Eu o aconselho a registrar até mesmo suas dúvidas e hipóteses. Pode ser que seja interessante confrontar a verdade de suas suposições. Aprendemos com o fracasso, e não com o sucesso!

Quando descrevi os sintomas de Lucy — os mesmos de antes, porém muito mais acentuados —, ele se mostrou muito sério, mas nada disse. Levou uma maleta com vários instrumentos e remédios, que ele certa vez, em uma aula, chamou de "parafernália macabra do nosso ofício benevolente". Quando chegamos, a Sra. Westenra veio nos receber. Ela estava alarmada, mas não tanto quanto eu esperava. A natureza, em sua sabedoria, determinou que até mesmo a morte tivesse um antídoto para seu próprio terror. No caso dela, em que qualquer choque poderia ser fatal, as coisas se ordenaram de tal forma que, por um motivo ou por outro, tudo o que não seja pessoal — até mesmo a terrível mudança na filha, a quem é tão apegada — não parece atingi-la. Parece similar à maneira como a natureza envolve um corpo estranho em uma capa de tecido insensível, evitando que faça mal ao organismo por meio do contato. Se isso significa uma forma de vaidade deliberada, temos de pensar muito bem antes de condenar alguém por egoísmo, pois pode haver motivos que ignoramos.

A partir de meus conhecimentos dessa fase da patologia espiritual, concluí que a Sra. Westenra não deveria ficar próxima da filha e nem pensar muito em sua doença mais do que o absolutamente necessário. Ela concordou tão rapidamente que mais uma vez vi a ação da natureza na luta pela vida.

Van Helsing e eu fomos conduzidos ao quarto de Lucy. Se fiquei chocado com o aspecto dela ontem, a visão de hoje me deixou horrorizado. Estava com uma palidez mortal. Toda a cor desaparecera, até mesmo dos lábios e das gengivas, e os ossos da face pareciam prestes a furar a pele. Respirava com grande dificuldade e, ao que parecia, dolorosamente. Van Helsing não escondeu a profunda preocupação, e a observou com a expressão rígida como mármore e as sobrancelhas arqueadas. Lucy estava sem forças para falar e assim, por alguns minutos, ficamos todos em silêncio. Por fim, Van Helsing fez um sinal para mim, e saímos cuidadosamente do quarto. No instante em que fechei a porta, ele caminhou apressado pelo corredor até o quarto seguinte, que estava aberto, então me puxou depressa para dentro e fechou a porta.

— Meu Deus! Isso é terrível! Não há tempo a perder. Ela vai morrer por pura falta de sangue para manter o funcionamento do coração. Precisamos fazer uma transfusão imediatamente. Quem fornecerá o sangue? Você ou eu?

— Sou mais jovem e mais forte, professor. Eu me proponho a fornecer.

— Então, esteja pronto para isso. Vou buscar minha valise. Já vim preparado.

Fomos descendo ao andar térreo e, enquanto isso, ouvimos alguém bater à porta de entrada. Quando chegamos ao saguão, a criada tinha acabado de abrir a porta, e Arthur entrou às pressas. Veio até mim e disse num sussurro ansioso:

— Jack, estou morrendo de aflição. Eu entendi o que se passa nas entrelinhas de sua carta, e isso me assustou terrivelmente. Como meu pai melhorou um pouco, tomei o primeiro trem. Este cavalheiro é o dr. Van Helsing? Sou-lhe muito grato por ter vindo, doutor.

O professor ficou irritado com a interrupção no começo, mas assim que percebeu a força e a virilidade de Arthur, seus olhos brilharam. Ele estendeu a mão e comentou:

— Chegou a tempo, meu caro. Sua querida senhorita não está nada bem. Não, meu rapaz, não fique assim.

Arthur empalideceu e sentou-se em uma cadeira, quase a ponto de desmaiar.

— Você vai ajudá-la. Você consegue fazer mais do que qualquer um de nós, e a coragem é sua melhor aliada.

— Que devo fazer? — perguntou Arthur. — Diga-me, e eu o farei. Minha vida pertence a ela e por ela darei, de boa vontade, até a última gota do meu sangue.

O professor tem um forte senso de humor e, conhecendo-o como o conheço, percebi um traço de humor na resposta.

— Meu jovem, eu não lhe pediria tanto. Não precisaremos da última gota!

— O que devo fazer?

Os olhos de Arthur brilhavam, e suas narinas abertas estremeciam de determinação. Van Helsing colocou a mão em seu ombro.

— Venha. Você é homem, e precisamos de um homem aqui. Você é melhor do que eu e melhor do que meu amigo John.

Arthur pareceu intrigado e o professor explicou gentilmente:

— A senhorita está mal, muito mal. Precisa de sangue para não morrer. Meu amigo John e eu já íamos fazer o que chamamos de uma transfusão de sangue, ou seja, transferir de veias cheias para alguém com as veias vazias. John tinha se oferecido para doar o dele, mas acho que o seu será muito melhor.

Arthur pegou a minha mão e a apertou com força, sem dizer nada, e o professor continuou:

— Agora você está aqui e é melhor do que nós, que estamos muito comprometidos com o mundo do pensamento. Não temos nervos tão calmos nem sangue de cor tão viva quanto o seu!

— Se o senhor soubesse como eu, de bom grado, sou capaz de morrer por ela, entenderia... — disse Arthur com a voz embargada.

— Muito bem! — disse Van Helsing. — Logo ficará contente por saber que fez tudo o que podia por seu amor. Venha e fique em silêncio. Pode beijá-la antes de iniciarmos, mas, ao meu sinal, deverá sair. Não conte nada à Sra. Westenra. Ela não está nada bem, por isso não pode se abalar, e saber o que está acontecendo aqui pode ser um choque para ela. Venha!

Subimos então até o quarto de Lucy, e Van Helsing pediu a Arthur que não entrasse. Lucy virou a cabeça e olhou para nós sem dizer nada. Não estava dormindo. Sentia apenas muita fraqueza para falar. Mas seu olhar falava por ela, e isso bastava. Van Helsing tirou da valise alguns itens, depositando-os numa mesinha longe do alcance da vista da paciente. Em seguida, preparou um narcótico e aproximou-se da cama.

— Aqui está o seu remédio, mocinha. Seja uma boa menina e tome tudo isso. Vou levantar sua cabeça para ficar mais fácil de engolir — disse a Lucy jovialmente.

Ela conseguiu beber com esforço. Fiquei espantado com a demora para a droga fazer efeito, o que indicava quão fraca Lucy estava. O tempo pareceu infinito até o sono começar a pesar em suas pálpebras e por fim o narcótico fazer efeito. Van Helsing se deu por satisfeito, então chamou Arthur e o mandou tirar o casaco, dizendo:

— Agora pode beijá-la enquanto arrumo a mesa. John, meu amigo, venha me ajudar!

Assim, nenhum de nós estava olhando quando ele se inclinou para beijar a noiva.

Van Helsing virou-se para mim e sussurrou:

— Ele é jovem e forte, e tem sangue tão puro que não precisaremos desfibrinar.*

Van Helsing realizou a operação com destreza e metodologia. Durante a transfusão, a face de Lucy pareceu recobrar as cores e a vitalidade, e sob a gradativa palidez, o rosto de Arthur reluzia em absoluta alegria. Fui ficando agoniado, pois, apesar do vigor de meu amigo, a perda sanguínea estava lhe fazendo mal. Deu para ter uma ideia de como o sistema de Lucy sofria dificuldades. O que a estava deixando apenas parcialmente recuperada enfraquecia sobremaneira o seu noivo. Com a expressão impassível, o professor permaneceu em pé, com o relógio nas mãos e os olhos fixos na paciente. De vez em quando, voltava-se para Arthur. Eu conseguia ouvir as batidas do meu coração.

— Já basta! — disse Van Helsing em tom brando. — Cuide dele, que tomarei conta dela.

Quando a transfusão foi finalizada, Arthur estava visivelmente enfraquecido. Eu enfaixei o ferimento e o amparei pelo braço para levá-lo dali. Van Helsing, que deve ter olhos na nuca, disse sem se virar:

— Creio que o corajoso namorado mereça agora outro beijo.

Depois de ter feito o curativo, ajeitou o travesseiro sob a cabeça de Lucy. Quando a moveu, a tira de veludo preto que ela sempre usava no pescoço, presa por um broche de diamantes que ganhara do namorado, saiu do lugar, deixando à vista um pequeno ferimento. Arthur não o notou, mas observei que Van Helsing respirou fundo, o que é um de seus modos de demonstrar emoção. Ele não fez comentário algum, apenas se virou para mim.

— Agora, leve para fora o valente namorado — disse-me ele como se fosse uma ordem. — Dê-lhe um cálice de vinho do Porto e faça-o se deitar por algum tempo. Depois, ele deve ir para casa, comer e dormir

---

* Processo que retira a fibrina, coagulante, do sangue.

bastante, para se recuperar do que doou ao seu amor. Não deve ficar aqui. Por favor, não me interrompa, sei que está ansioso para saber o resultado. De forma geral, a operação foi um sucesso. A vida dessa jovem foi salva e agora você pode ir descansar em casa com a consciência tranquila de que fez tudo o que podia. Quando ela melhorar, direi tudo a ela. Ela jamais deixará de amá-lo por tudo o que você fez. Adeus.

Quando Arthur se retirou, voltei para o quarto. Lucy dormia tranquilamente, mas respirava mais forte e dava para ver o peito arfando pelo movimento das cobertas. Van Helsing, sentado ao lado da cama, observava-a atentamente. A fita de veludo cobria novamente a marca vermelha. Perguntei ao professor num sussurro:

— O que acha desse ferimento no pescoço?

— O que você acha?

— Ainda não o examinei — respondi.

Tratei então de afrouxar a tira de veludo. Um pouquinho acima da veia jugular havia duas incisões não muito grandes, mas de aspecto estranho. Não havia sinal de doença, mas as beiradas estavam brancas e desgastadas, como se tivessem sofrido atrito. Imaginei que talvez aquilo explicasse a perda de sangue, mas logo abandonei a ideia, pois toda a cama estaria encharcada de sangue com a quantidade de sangue que a moça devia ter perdido, considerando o quanto estava pálida antes da transfusão.

— E então? — insistiu Van Helsing.

— Não compreendo.

O professor se levantou.

— Tenho de voltar para Amsterdã hoje à noite — disse ele. — Preciso de certos livros e outras coisas de lá. Você deve ficar aqui a noite toda, sem tirar os olhos dela um só instante.

— Seria o caso de chamar uma enfermeira? — sugeri.

— Você e eu somos melhores que enfermeiras. Vigie-a a noite toda; providencie para que ela se alimente bem e ninguém a importune. Passe a noite acordado. Descansaremos depois. Regressarei assim que possível. E então podemos começar.

— Podemos começar? O que quer dizer com isso?

— Você verá — respondeu ele, saindo às pressas.

Então voltou segundos depois, enfiou a cabeça pelo vão da porta e advertiu, com o dedo em riste.

— Lembre-se, ela está sob seus cuidados. Se você a abandonar e ela tiver uma recaída, sentir-se-á culpado para sempre.

DIÁRIO DO DR. SEWARD
(continuação)

8 de setembro — Fiquei sentado a noite inteira ao lado de Lucy. A ação do opiáceo durou muitas horas, e ela despertou naturalmente ao anoitecer. Parecia outra pessoa. Estava bem disposta e cheia de vivacidade, mas o sofrimento que a abatera ainda era evidente. A Sra. Westenra não concordou com as instruções do dr. Van Helsing, mas eu me mostrei muito firme. Enquanto a criada a preparava para dormir, fiz a ceia, e então entrei no quarto e sentei-me ao lado da cama. Lucy não fez objeções; na verdade, fitava-me com gratidão sempre que nos entreolhávamos. Depois de um longo intervalo, percebi que ela estava prestes a adormecer, mas fez um esforço para se recompor e espantar o sono. O fato se repetiu diversas vezes, sempre com muito esforço e com intervalos cada vez menores à medida que o tempo passava. Parecia que ela não queria dormir, então achei que devia falar a respeito.

— Você não quer dormir?

— Não. Estou com medo.

— Medo de dormir! Mas por quê? É o prêmio pelo qual todos ansiamos.

— Não para alguém em meu estado, cujo sono é um presságio do horror!

— Um presságio do horror! O que você quer dizer com isso?

— Não sei. Oh, eu não sei. E isso é o que mais me atormenta. Toda essa fraqueza vem no sono. Fico apavorada só de pensar.

— Minha menina, hoje você pode dormir. Estarei aqui vigiando-a, e prometo que nada vai lhe acontecer.

— Então confiarei em você! — disse ela.

Aproveitei a oportunidade e acrescentei:

— Juro que, a qualquer sinal de pesadelo, acordo-a imediatamente.

— Jura? Vai mesmo me acordar? Você está sendo muito bom para mim. Então vou dormir! — E imediatamente após ter dito isso, soltou um profundo suspiro de alívio, recostou-se e adormeceu.

Fiquei a noite inteira ao lado dela. Lucy nem se mexeu, dormiu longamente. Um sono profundo, revigorante, restaurador. Os lábios ligeiramente entreabertos, o peito ofegante, subindo e descendo como se fosse um pêndulo. Havia um sorriso em seu rosto, deixando claro que nenhum pesadelo lhe perturbava a paz de espírito.

Na manhã seguinte, a criada entrou cedo no quarto. Deixei-a cuidando de Lucy e fui para casa, pois estava aflito por causa de muitas coisas. Enviei um breve telegrama a Van Helsing e outro a Arthur, informando que o resultado da transfusão havia sido excelente. O trabalho, com suas muitas obrigações, tomou-me o dia inteiro, e quando consegui perguntar pelo paciente zoófago, já tinha escurecido. O relatório foi bom. Renfield ficou calmo boa parte do dia e da noite anterior. Durante o jantar, chegou um telegrama de Van Helsing, de Amsterdã, sugerindo que eu fosse a Hillingham à noite, pois eu poderia ser útil, e dizendo que ele partiria com o correio noturno e me encontraria bem cedo pela manhã.

9 de setembro — Cheguei a Hillingham extremamente cansado. Há duas noites que não durmo e sinto os efeitos da exaustão cerebral. Lucy estava acordada e bem-disposta. Quando me cumprimentou, apertou minha mão e me olhou seriamente.

— Nada de passar a noite em claro de novo. Você está esgotado. Já estou bem agora. Estou mesmo. E se um de nós tiver de velar o sono do outro, sou eu quem velará o seu.

Não quis discutir a questão e fui fazer a ceia. Lucy me acompanhou e, entusiasmado por sua presença encantadora, fiz uma excelente refeição e bebi dois cálices de um excelente vinho do Porto. Então Lucy foi comigo até o segundo andar e mostrou-me um quarto ao lado do dela, onde havia uma aconchegante lareira acesa.

— Bem — anunciou ela —, você dormirá aqui. Vou deixar esta porta aberta e a minha também. Deite-se no sofá; sei que nada faria um médico usar uma cama quando há um paciente por perto. Eu chamo, caso precise de alguma coisa, e você pode vir no mesmo instante.

Só o que me restava era consentir, acabado do jeito que estava, pois não conseguiria me manter acordado mais uma noite, mesmo que quisesse. E assim, após Lucy me fazer uma nova promessa de que me chamaria, caso precisasse de algo, deitei-me no sofá e me esqueci de tudo.

DIÁRIO DE LUCY WESTENRA

9 de setembro — Estou muito feliz hoje. Estive tão miseravelmente fraca que conseguir pensar e me movimentar novamente pela casa é como sentir a luz do sol após uma longa rajada de vento leste em um céu cinzento. De alguma forma, Arthur parece agora muito mais próximo de mim. Sinto como se pudesse sentir sua presença mais calorosa ao meu redor. Imagino que a doença e a fraqueza sejam coisas egoístas que voltam o olhar e a simpatia para o nosso próprio íntimo, ao passo que a saúde e a força dão rédeas ao amor e, em pensamento e em sentimento, ele nos leva para onde quisermos. Sei onde meus pensamentos estão agora. Se ao menos Arthur também soubesse! Meu querido, meu querido, seus ouvidos devem arder enquanto você dorme, como os meus ardem quando estou acordada. Abençoado repouso da noite passada! Como dormi bem, com o querido e bom dr. Seward a me velar o sono. E hoje à noite não terei medo de adormecer, sabendo que ele está por perto e posso chamá-lo. Obrigada a todos por serem tão bons para mim. Graças a Deus! Boa noite, Arthur.

DIÁRIO DO DR. SEWARD

10 de setembro — Senti a mão do professor na minha cabeça e acordei imediatamente. Aprendi a agir assim no hospício.

— E a nossa paciente? — perguntou ele.

— Estava bem quando a deixei, ou melhor, quando ela me deixou ontem.

— Vamos vê-la então — disse ele. E entramos juntos no quarto.

A cortina estava fechada, então fui abri-la com cuidado, enquanto Van Helsing se aproximava do leito com suaves passos de gato. Assim que abri a cortina e a luz da manhã penetrou o cômodo, ouvi o sussurro severo do professor e, como sabia o quão rara era aquela reação, um medo mortal perpassou-me o coração. Quando me aproximei, ele recuou, e sua exclamação de horror — *Gott in Himmel!** — nem precisou do reforço da expressão agoniada. Van Helsing apontou para a cama. Seu rosto de ferro estava pálido, lívido. Senti as pernas fraquejarem. Ali na cama, aparentemente em transe, jazia a pobre Lucy, mais horrivelmente pálida e anêmica do que nunca. Até os lábios estavam brancos, e as gengivas pareciam haver se retraído, expondo os dentes, como ocorre às vezes em um cadáver após longa enfermidade. Van Helsing ergueu a perna, prestes a bater o pé no chão, com raiva, mas sua natureza contida e os longos anos de bons hábitos o acalmaram, e ele baixou o pé suavemente.

— Depressa! — exclamou ele. — Traga o brandy.

Corri até a sala de jantar e voltei com a garrafa. Ele colocou algumas gotas nos lábios de Lucy e, juntos, esfregamos a palma das mãos, os pulsos e o coração dela. Van Helsing auscultou o coração e, depois de alguns momentos de angústia, exclamou:

— Não é tarde demais. O coração ainda está batendo, embora fracamente. Temos de começar tudo de novo. O jovem Arthur não está aqui. Desta vez, terei de recorrer a você mesmo, amigo John.

Enquanto falava, ele ia pegando na maleta os instrumentos para a transfusão. Eu havia tirado o paletó e arregaçado a manga da camisa. Não havia como usar um opiáceo naquele momento, e nem necessidade disso, por isso começamos a transfusão imediatamente. Após algum tempo, que pareceu interminável, porque ter o sangue drenado, mesmo que cuidadosamente, causa um grande mal-estar, Van Helsing levantou o dedo como sinal de alerta:

— Não se mexa — advertiu. — Receio que, recuperando as forças, ela possa acordar, e isso seria realmente um enorme perigo. Mas devo me precaver. Vou aplicar uma injeção hipodérmica de morfina nela.

---

* "Deus do céu!", em alemão.

Então, com destreza e agilidade, ele realizou o procedimento. O efeito sobre Lucy não foi ruim, pois o transe tornou-se sutilmente um sono narcótico. Foi com uma sensação de orgulho que pude ver um discreto rubor retornando às faces e aos lábios pálidos. Só quem tem a experiência de ter o próprio sangue drenado para as veias da mulher amada sabe o que é essa sensação. O professor me olhava com expressão crítica.

— Já basta — anunciou.

— Já? — retruquei. — O senhor tirou muito mais de Art.

Ele abriu uma espécie de sorriso triste.

— Ele é o namorado dela, o *noivo*. Você tem muito trabalho pela frente, muito mais a fazer por ela e por outros, então, por enquanto, isso foi o bastante.

Terminada a transfusão, ele tratou de Lucy enquanto eu aplicava pressão com os dedos sobre a incisão. Deitei-me, aguardando que ele viesse cuidar de mim, pois estava tonto e sentia náuseas. Quando pôde, ele fez um curativo no local ferido pela agulha e me mandou buscar uma taça de vinho para tomar. Quando eu estava saindo do quarto, Van Helsing se aproximou e me disse num sussurro:

— Lembre-se de que nada disso deve ser comentado. Se o namorado aparecer inesperadamente, como da outra vez, não conte a ele. O rapaz ficaria ao mesmo tempo apavorado e com ciúmes. Não queremos que nenhuma das duas coisas aconteça, certo?

Quando voltei, ele me olhou atentamente e disse:

— Você não está mais tão abatido. Entre no quarto e deite-se no sofá para descansar um pouco, depois tome um bom café da manhã e volte aqui para me ajudar.

Acatei suas ordens. Sabia que era o certo e o mais prudente a se fazer. Tinha feito a minha parte, e agora minha próxima tarefa era me fortalecer. Estava muito fraco e, na fraqueza, não me sentia mais tão deslumbrado com o que havia acontecido. Adormeci no sofá; no entanto, minha mente ficou processando incessantemente como Lucy poderia ter sofrido aquele retrocesso e como seria possível ter perdido tanto sangue sem que houvesse indício algum dessa perda. Creio que continuei a me fazer tais perguntas em meus sonhos. Dormindo ou acordado, meus pensamentos sempre voltavam às duas pequenas perfurações no pescoço e à aparência gasta das bordas, por minúsculas que fossem.

Lucy dormiu até mais tarde e, quando acordou, estava muito bem e forte, embora nem tanto quanto na véspera. Depois de a ter examinado, Van Helsing saiu para dar uma volta e me deixou encarregado de cuidar dela, com instruções específicas de que eu não a deixasse sozinha nem por um momento. Ouvi sua voz no saguão, perguntando o caminho até o posto telegráfico mais próximo.

Lucy conversou comigo com desenvoltura e parecia não ter ideia alguma do que havia acontecido. Tentei mantê-la entretida e interessada. Quando a mãe subiu para vê-la, não pareceu perceber qualquer mudança na filha, mas me disse agradecida:

— Somos muito gratas, dr. Seward, por tudo o que tem feito, mas agora o senhor realmente precisa ficar atento para não trabalhar demais. O senhor também está pálido. Precisa de uma esposa para cuidar do senhor, isso sim!

Lucy enrubesceu, ainda que apenas momentaneamente, pois suas pobres veias não poderiam suportar muito tempo o sangue subindo-lhe à cabeça. Excessivamente pálida, ela me fitava com olhos suplicantes. Sorri e assenti com a cabeça, pousando o indicador sobre os lábios. Com um suspiro, ela voltou a se recostar entre os travesseiros.

Duas horas depois, Van Helsing voltou.

— Agora, vá para casa, coma e beba bastante, pois precisa se restabelecer. Eu ficarei aqui vigiando a nossa mocinha. Você e eu precisamos estar atentos ao caso dela e não podemos deixar mais ninguém saber. Tenho motivos fortes para isso. Não me pergunte quais são. Pense o que quiser. Pode até mesmo imaginar a causa mais improvável. Boa noite.

Na saída, duas criadas vieram me perguntar se ambas, ou pelo menos uma delas, poderiam passar a noite com a Srta. Lucy. Imploraram que eu deixasse, e quando respondi que era o desejo do dr. Van Helsing que apenas ele ou eu ficássemos com ela, pediram de forma suplicante para que eu intercedesse junto ao "cavalheiro estrangeiro". Fiquei muito comovido. Já vi muitas e muitas vezes a generosidade feminina em circunstâncias similares, mas, talvez por estar fraco naquele momento, ou porque era o bem-estar de Lucy que estava em jogo, a devoção das duas me tocou. Voltei para cá a tempo de jantar e cumprir minhas obrigações. Está tudo bem, e escrevo esperando o sono. Está chegando.

11 de setembro — À tarde, fui a Hillingham. Encontrei Van Helsing bem-humorado e Lucy muito melhor. Pouco depois, chegou uma encomenda procedente do estrangeiro destinada ao professor. Ele abriu o embrulho simulando importância e tirou de dentro um buquê de flores brancas.

— É para a Srta. Lucy — disse ele.

— Para mim, dr. Van Helsing?

— É, sim, mas não é para se distrair. É um remédio. — Lucy assumiu uma expressão contrariada. — E não precisa fazer essa cara, prometo que não terá de beber coisa alguma, de modo que a senhorita não precisa torcer esse nariz encantador, senão eu conto tudo ao meu amigo Arthur, e receio que ele não suportará ver sua beleza distorcida por caretas. Ah, bela mocinha, isso mesmo! Agora seu lindo nariz voltou ao normal. São flores medicinais, mas a senhorita nem imagina como usá-las. Com estas flores, farei uma guirlanda para colocar em torno de seu pescoço e na janela. Sim! São como as flores de lótus, que afastam os males e fazem os problemas serem esquecidos. Têm um aroma muito parecido com o das águas do Lete e daquela fonte da juventude procurada pelos Conquistadores nas Flóridas, porém encontrada tarde demais.*

Enquanto Van Helsing falava, Lucy observou as flores e sentiu seu aroma. Então jogou-as no chão e exclamou, ao mesmo tempo rindo e com nojo:

— O senhor deve estar brincando. Essas flores são apenas alho comum.

Para minha surpresa, Van Helsing levantou-se, com a rígida mandíbula retraída e as sobrancelhas unidas.

— Não costumo brincar! — retrucou, implacável. — Há um propósito severo em tudo o que eu faço; e devo adverti-la de que não deve tentar me impedir. Tome cuidado, se não por seu próprio bem, então pelo dos outros.

---

* Referência à *Odisseia* de Homero.

Em seguida, vendo que havia assustado a pobre Lucy, como era de se imaginar, ele assumiu um tom mais gentil:

— Ah, senhorita, minha querida, não tenha medo de mim. Faço isso pelo seu bem. Precisa acreditar em mim quando digo que essas flores terão um efeito benéfico sobre sua saúde. Eu mesmo vou fazer a guirlanda e, além disso, espalharei as flores pelo quarto. Mas é segredo! Não tem que contar nada a quem ficar lhe fazendo perguntas. É preciso obedecer; o silêncio faz parte da obediência, e a obediência levará a senhorita de volta aos braços daquele que tanto a ama e que aguarda seu restabelecimento. Agora fique aqui sentada um momento. Venha, amigo John, ajude-me a enfeitar o quarto com meus alhos-silvestres, que, a propósito, vieram de Haarlem, onde meu amigo Vanderpool os cultiva em estufas durante o ano. Foi preciso enviar um telegrama ontem para que chegassem hoje.

Entramos no quarto, levando as flores conosco. O procedimento do professor foi muito estranho, sem dúvida, pois não estava prescrito em nenhum protocolo conhecido. Primeiro, ele fechou cuidadosamente as janelas e as trancou; depois, esfregou as flores de alho-silvestre em todos os caixilhos, para que assim, imagino, o ar que entrasse no aposento ficasse impregnado com seu cheiro. Fez a mesma coisa na porta e na lareira. Tudo aquilo me pareceu grotesco.

— Bem, professor, sei que o senhor tem um motivo para fazer o que está fazendo, mas isso não deixa de me intrigar — observei. — Que bom que não há um cético aqui, pois ele diria que o senhor está fazendo feitiços para afastar algum mau espírito.

— Talvez esteja mesmo! — respondeu ele, enquanto começava a fazer o cordão que Lucy deveria usar durante a noite.

Esperamos Lucy fazer sua toalete e, quando ela se deitou, o próprio Van Helsing colocou a guirlanda de flores de alho em torno de seu pescoço. Suas últimas palavras foram:

— Tenha cuidado para não deixar a guirlanda se soltar. E, mesmo que o quarto fique abafado, não abra a janela nem a porta.

— Prometo — disse Lucy. — E agradeço mil vezes a vocês por sua bondade comigo! O que será que fiz para ser abençoada com amigos assim?

Deixamos a casa e partimos em meu cabriolé, que nos aguardava.

— Esta noite, posso dormir tranquilo — disse Van Helsing quando entramos. — Depois de duas noites de viagem, um dia de muita leitura entre elas, muita ansiedade no dia seguinte e mais uma noite acordado, preciso realmente dormir. Vá me buscar amanhã bem cedo, e viremos juntos ver como está a jovem senhorita. Ela estará mais forte por causa do meu "feitiço". Ha, ha!

Aquela confiança me fez lembrar de minha própria, duas noites antes, e do funesto resultado disso. Não pude deixar de sentir certo pavor. Talvez por causa do meu estado de fraqueza, hesitei em comentar isso com meu amigo, mas era impossível reprimir a sensação, semelhante a um choro contido.

XI

DIÁRIO DE LUCY WESTENRA

12 de setembro — Todos estão sendo muitos bondosos comigo. Adoro o querido dr. Van Helsing. Não sei por que ficou tão angustiado com as flores. Ficou tão bravo que me deixou assustada de fato. Mas ele deve ter razão, pois já me sinto melhor com elas ao meu redor. De alguma forma, não me assusta mais a ideia de passar a noite sozinha, e vou poder dormir sem medo. Não deixarei que o barulho de asas batendo do lado de fora da janela me perturbe. Que esforços terríveis tive de fazer ultimamente contra o sono, a dor da insônia, a dor do medo de dormir e ter de enfrentar os horrores desconhecidos que se apresentam para mim! Benditos aqueles cujas vidas seguem sem medos ou pavores, para quem o sono é uma bênção que chega com a noite, trazendo apenas bons sonhos. Bem, aqui estou hoje à noite, torcendo para adormecer, deitada como Ofélia na peça, com "grinaldas de virgem" e "braçadas de flores brancas".* Nunca gostei de alho, mas agora estou achando uma delícia! Existe uma paz neste aroma. Sinto o sono chegando. Boa noite a todos.

DIÁRIO DO DR. SEWARD

13 de setembro — Encontrei com Van Helsing em Berkeley e ele foi pontual como sempre. A carruagem pedida no hotel nos aguardava. O professor pegou a valise da qual nunca se separa.

Vou relatar tudo exatamente como aconteceu. Chegamos, Van Helsing e eu, a Hillingham às oito horas da manhã. O sol brilhava e o frescor do outono dava completude ao trabalho que a Natureza fazia todos os anos. As folhas ainda não caíam das árvores e tinham todos os tons das cores da estação. Quando entramos, a Sra. Westenra saía de seu quarto. Ela sempre acorda cedo. Cumprimentou-nos afetuosamente e disse:

— Lucy ainda está dormindo. Não quis acordá-la. Os senhores ficarão felizes ao ver como ela está bem. Abri a porta do quarto e a vi, mas preferi não entrar, para não a acordar.

O professor sorriu e esfregou as mãos, parecendo bastante contente.

---

* Referência a Ofélia, de *Hamlet*.

— Pelo que vejo, meu diagnóstico estava certo, uma vez que o tratamento está dando bom resultado — observou ele.

— Não deve atribuir todo o crédito a si mesmo, doutor. O estado de Lucy esta manhã se deve, em parte, a mim.

— O que está querendo dizer, minha senhora? — perguntou o professor.

— Esta noite, fiquei um pouco nervosa por causa de minha filha e fui vê-la. Ela estava dormindo profundamente, tanto que nem minha entrada a despertou, mas havia um cheiro nauseante no quarto, que estava completamente fechado. Também, não era para menos, pois estava cheio daquelas flores horríveis por toda a parte, até em torno do pescoço dela. Fiquei com receio de que aquele fedor fizesse mal à coitadinha, então tirei tudo e abri a janela, para que entrasse um pouco de ar fresco. Com certeza ela melhorou muito, vocês vão ver.

A Sra. Westenra se retirou para seu toucador, onde costumava tomar o café da manhã. Enquanto ela relatava o fato, observei o rosto do professor e notei como ele ia perdendo a cor. Ele conseguiu manter o controle na presença da pobre senhora, pois sabia de sua condição, e que um abalo emocional lhe seria terrível. Chegou até a sorrir enquanto segurava a porta para ela passar. Mas, assim que a mãe de Lucy desapareceu, Van Helsing me puxou para a sala de jantar, brusca e subitamente, e fechou a porta.

Então, pela primeira vez na vida, eu o vi desabar. Levou as mãos à cabeça, em uma espécie de desespero mudo, e então bateu as palmas como um sinal de desolação. Depois, sentou-se em uma poltrona, cobriu o rosto com as mãos e começou a soluçar alto. Aqueles soluços secos pareciam vir do fundo de seu coração. Por fim, ergueu os braços novamente, como se suplicasse ao universo inteiro.

— Deus! Deus! Deus! — exclamou. — O que fizemos, o que essa pobre criatura fez para merecer sofrer tanto assim? Será que existe ainda uma maldição contra nós, vinda desde o antigo mundo pagão, para que essas coisas aconteçam, e dessa maneira? Por melhor que seja a intenção dessa pobre mãe, que ignora completamente o que se passa, sua atitude está causando a perdição do corpo e da alma da filha, e não podemos lhe contar nada. Não podemos alarmá-la, pois isso poderia ser a causa de sua morte, e assim morreriam as duas. Tanta maldição recaindo sobre nós! Como é possível todas as forças demoníacas estarem contra nós? — Ele se levantou de repente. — Venha, precisamos examiná-la e agir. Com ou sem demônios, ou com todos os demônios juntos, não importa. Precisamos combatê-los com todos os meios de que dispusermos.

Ele foi até a porta da entrada, em busca da maleta, e então subimos até o quarto de Lucy. Como anteriormente, abri as cortinas, enquanto Van Helsing se aproximava do leito. Dessa vez, ele não se espantou ao ver no pobre rosto a mesma palidez intensa e pavorosa. A expressão em seu olhar foi de tristeza sincera e infinita compaixão.

— Como eu esperava — murmurou, soltando aquele chiado cheio de significado para mim.

Sem dizer mais nada, foi até a porta e trancou-a, então começou a organizar sobre a mesinha os instrumentos para outra transfusão de sangue. Eu já havia percebido a necessidade do procedimento e comecei a tirar o paletó, mas o professor me deteve com a mão em riste.

— Não! — anunciou. — Hoje você conduz a operação. Eu serei o doador. Você já está enfraquecido. — Enquanto falava, tirou o paletó e arregaçou a manga da camisa.

Outra transfusão. De novo, o narcótico. De novo, a volta do rubor nas faces acinzentadas e a respiração regular do sono saudável. Dessa vez, fiquei vigiando Lucy no leito enquanto Van Helsing se recompunha e descansava.

Por fim, ele aproveitou o ensejo para dizer à Sra. Westenra que não retirasse nada do quarto da filha sem consultá-lo, que aquelas flores tinham valor medicinal e que respirar seu aroma fazia parte do processo de cura. Então assumiu o caso sozinho, dizendo que ficaria acordado aquela noite e na seguinte, e que mandaria me chamar quando precisasse.

Depois de uma hora, Lucy despertou de seu sono, revigorada, radiante e aparentemente recuperada de sua terrível provação.

Qual o significado de tudo isso? Estou começando a me perguntar se o costume de viver entre os insanos não estaria afetando meu próprio cérebro.

DIÁRIO DE LUCY WESTENRA

17 de setembro — Quatro dias e quatro noites de paz. Estou ficando outra vez tão forte que mal me reconheço. É como se tivesse vivido um longo pesadelo e acabado de acordar para ver a beleza do sol e sentir o frescor do ar da manhã ao meu redor. Tenho uma vaga lembrança de longos momentos de angústia e temor, de uma escuridão em que não havia sequer a dor da esperança para tornar a aflição mais pungente. E então longos períodos de esquecimento, e a volta à vida, como que emergindo de um mergulho profundo sob enorme pressão. Mas, desde que o dr. Van Helsing veio ficar comigo, todos esses sonhos ruins se dissiparam. Os ruídos que costumavam me apavorar e até me tirar do sério, o barulho de asas batendo nas janelas, as vozes distantes que pareciam soar tão perto de mim, os sons ásperos que vinham não sei de onde, ordenando-me fazer coisas das quais não me lembro, tudo isso ficou para trás. Vou para a cama agora sem medo de dormir. Nem tento me manter acordada. Acabei me acostumando ao alho e até gostando dele, e todos os dias chega um carregamento novo de Haarlem. O dr. Van Helsing vai embora hoje, porque precisa passar um dia em Amsterdã. Mas não preciso mais de alguém aqui comigo. Estou bem o suficiente para dormir sozinha. Graças a Deus, à mamãe, ao querido Arthur e a todos os nossos amigos que têm sido tão bons! Nem vou sentir a diferença, pois ontem à noite o dr. Van Helsing dormiu na poltrona por um bom tempo. Encontrei-o duas vezes cochilando quando acordei. Mas não tive medo de voltar a pegar no sono, mesmo com os galhos de árvore, ou os morcegos, ou qualquer outra coisa arranhando minha janela com raiva.

THE PALL MALL GAZETTE

18 de setembro

UM LOBO FUGIU
Uma perigosa aventura do repórter

Entrevista com o zelador do zoológico

Após muitas tentativas e recusas, sempre usando as palavras *Pall Mall Gazette* como uma espécie de amuleto, consegui localizar o zelador do setor do zoológico em que ficam os lobos. Thomas Bilder reside em um dos chalés do terreno, atrás da jaula do elefante, e se preparava para o chá da tarde quando o encontrei. Thomas e a esposa são um casal de idosos sem filhos. Eles são pessoas tão acolhedoras que, se a hospitalidade que me ofereceram for uma regra, devem levar uma vida bastante confortável. O zelador não respondeu às minhas perguntas até terminarmos a refeição e estarmos todos satisfeitos. Quando a mesa foi retirada, acendeu o cachimbo e anunciou:

— Agora o senhor pode me perguntar o que quiser. O senhor me perdoe não falar de assuntos profissionais antes da refeição. Também alimento os lobos, os chacais e as hienas do nosso setor antes de fazer qualquer pergunta a eles.

— Como assim, fazer perguntas a eles? — indaguei, tentando deixá-lo de bom humor.

— Bater um porrete na cabeça dos bichos é uma forma; ou coçar a orelha deles, quando um cavalheiro endinheirado quer se exibir para as moças. Não me incomodo de bater com o porrete antes de dar o jantar, mas costumo esperar que eles tenham tomado o licor e o café, digamos assim, antes de lhes coçar a orelha. Se o senhor me permite — acrescentou, filosoficamente —, existe uma mesma natureza nos animais e nos humanos. O senhor vem aqui me fazer perguntas sobre o meu assunto, e eu, como sou muito teimoso, não fosse por essa sua meia libra, preferiria ver a sua caveira a responder a qualquer coisa. Nem quando o senhor me perguntou com sarcasmo se eu preferiria que o senhor verificasse com o superintendente se poderia me entrevistar. Sem ofensa, mas por acaso eu mandei o senhor para o inferno?

— Mandou.

— E quando o senhor disse que ia me denunciar por usar linguagem obscena, isso me doeu como um porrete na cabeça. Mas a meia libra deixou tudo em ordem. Eu não ia discutir, então esperei a comida, e dei meu uivo, como fazem os lobos, os leões e os tigres. Mas, bendita seja, agora que a velha me encheu de bolo e me lavou por dentro com um bule de chá, e eu acendi o cachimbo, o senhor pode coçar as minhas orelhas o quanto quiser que não vou rosnar. Pode vir com suas perguntas. Sei o que quer, é por causa do lobo que escapou.

— Exatamente. Gostaria do seu ponto de vista sobre o caso. Só me diga o que aconteceu. Assim que eu souber de todos os detalhes, vou querer também a sua opinião sobre o motivo para a fuga, e como o senhor acha que o caso terminará.

— Certo, patrão. A história, praticamente, é que o lobo, que aqui chamamos de Bersicker, era um dos três cinzentos que vieram da Noruega para o Jamrach,* e nós o compramos dele há quatro anos. Era um bom lobo, muito comportado, nunca deu trabalho, que eu me lembre. Fiquei espantado por ter sido ele quem fugiu, e não qualquer outro animal daqui. Mas aí é que está: não se pode confiar nem em lobo, nem em mulher.

— Não o leve a mal, senhor! — interveio a esposa com uma gargalhada. — Ele cuida dos animais há tanto tempo que fico surpresa por ainda não ter virado lobo! Mas meu marido não faz por mal.

— Então, senhor, ontem, mais ou menos duas horas depois de ter alimentado os animais, ouvi uma confusão. Eu estava preparando um leito na jaula do macaco para o jovem puma que adoeceu e ouvi gemidos e uivos. Saí correndo para ver. Lá estava Bersicker, forçando a grade feito um louco, como se quisesse sair. Não tinha muita gente no zoológico ontem, apenas um sujeito alto, magro, de nariz adunco e barba pontiaguda, com alguns pelos brancos. Tinha uma expressão dura e fria, e olhos vermelhos. Eu não simpatizei com ele; parecia estar irritando os animais. Ele usava luvas brancas, e apontou para a jaula. "Zelador, esses lobos parecem perturbados com alguma coisa." "Talvez seja com o senhor", respondi, pois não gostei nem um pouco daquela arrogância. Ele pareceu não se importar com o que eu disse, como achei que iria. Mostrou apenas um sorriso insolente, com uma boca cheia de dentes brancos afiados. "Não, eles não gostariam de mim", disse. "Sim, eles gostariam, sim", retruquei, imitando-o. "Eles sempre gostam de um ossinho para roer e palitar os dentes na hora do chá, coisa que o senhor tem de sobra." Bem, foi uma coisa esquisita. Quando os animais viram a gente conversando, eles se deitaram, e quando fui até Bersicker, ele me deixou fazer carinho em suas orelhas, como

---

* Charles Jamrach, famoso negociante de animais.

sempre. Então o sujeito veio, e também passou a mão pela grade e fez carinho nas orelhas do velho lobo! Eu lhe disse que tomasse cuidado, pois Bersicker era um lobo ligeiro, e ele me disse que não me preocupasse, pois estava acostumado. Perguntei a ele se também trabalhava na área, tirando o chapéu, pois um homem que também trabalha com lobos, e coisa e tal, pode ser uma boa amizade para um zelador. Ele disse que não, mas que já havia tido muitos lobos de estimação. Ele tirou o chapéu como um nobre e foi se afastando. O velho Bersicker ficou olhando até ele sumir de vista, depois voltou a se deitar em um canto e não saiu mais a tarde inteira. Na noite passada, assim que a lua apareceu, todos os lobos aqui começaram a uivar. Não havia motivo para aquilo. Não tinha ninguém por perto, só uma pessoa chamando um cachorro no fundo de um jardim na rua do parque. Saí uma ou duas vezes para ver se estava tudo bem, e os uivos pararam. Pouco antes da meia-noite, fui fazer uma última ronda, antes de dormir e, juro para o senhor, quando cheguei em frente à jaula do velho Bersicker, vi as barras quebradas e retorcidas e a jaula vazia. E isso é tudo o que sei com certeza.

— Alguém mais pode ter visto alguma coisa?

— Um dos nossos jardineiros estava voltando de uma noitada nessa hora e viu um grande cão cinzento saindo pelo jardim. Ao menos foi o que ele disse, mas eu mesmo não acredito, pois ele não falou nada à esposa quando chegou em casa, e só depois que a fuga do lobo foi divulgada, e passamos a noite fazendo buscas no parque atrás de Bersicker, foi que ele se lembrou de ter visto alguma coisa. Minha opinião é que a noitada subiu à cabeça dele.

— Certo, Sr. Bilder, e o senhor tem alguma explicação para a fuga do lobo?

— Então, senhor — respondeu ele, com certa modéstia desconfiada —, eu diria que sim, mas não sei se o senhor vai ficar satisfeito com a minha teoria.

— Claro que vou. Se alguém como o senhor, que tem experiência com animais, não puder arriscar uma boa teoria, quem mais poderia?

— Pois bem, senhor, ao que parece, acredito que o lobo fugiu... porque queria sair.

Pela gargalhada que Thomas e a esposa deram, percebi que a piada já havia sido usada antes, e que toda aquela explicação era apenas um ardil elaborado. Eu não poderia competir com o digno Thomas em matéria de galhofa, mas julguei conhecer um caminho mais seguro e direto para o seu coração.

— Caro Sr. Bilder, consideremos que a primeira moeda tenha cumprido sua missão, e que a irmã dela aqui esteja esperando que o senhor me diga o que acha que vai acontecer.

— Tem razão, senhor — respondeu ele, bruscamente. — Sei que vai me desculpar pela brincadeira, mas a minha senhora aqui piscou para mim, e isso me incentivou a continuar brincando.

— Eu não! — exclamou a velha senhora.

— Minha opinião é a seguinte: o lobo está escondido em algum canto. O jardineiro, que antes não se lembrava de nada, depois acabou contando que o lobo correu para o norte, galopando mais depressa que um cavalo, mas não acredito nele porque, o senhor sabe, lobo não galopa nem corre mais do que um cão. Não foi feito para isso. Lobos são criaturas muito bonitas nos livros de história, e ouso dizer que, quando se juntam e caçam algo que tenha medo deles, fazem um som diabólico e destroçam o outro bicho, independentemente de qual seja. Deus me perdoe, mas, na realidade, o lobo é só uma criatura inferior, não tem metade da esperteza e da coragem de um bom cão, e menos de um quarto da ferocidade. Este que fugiu não está acostumado a caçar nem a se alimentar sozinho, e é mais provável que ele esteja aí pelo parque, escondido e tremendo de medo e, se for capaz de pensar, está imaginando onde vai arranjar seu café da manhã. Ou talvez tenha ido um pouco mais longe e se enfiado em algum porão de carvão. Imagina o susto da cozinheira ao dar com os olhos verdes do bicho brilhando para ela no escuro! Se ele não conseguir comida, vai ter de procurar sozinho, e pode dar sorte de achar um açougue. Se não encontrar, e uma babá sair para passear com o namorado, deixando o bebê no carrinho... bem, então não vou me surpreender se o censo registrar um bebê a menos. Só isso.

Eu estava prestes a lhe dar a outra meia libra, quando alguma coisa passou perto da janela, e o rosto do Sr. Bilder se transformou de surpresa.

— Deus me perdoe! — exclamou. — Se não é o velho Bersicker voltando sozinho!

O zelador foi até a porta e a abriu, procedimento que me pareceu inteiramente desnecessário. Sempre considerei o animal selvagem mais bonito quando existe um obstáculo intransponível entre nós. Depois de uma experiência pessoal, intensifico essa convicção em vez de diminuí-la.

Mas nada como o costume, afinal, pois Bilder e a esposa não tinham mais preocupação pelos lobos do que eu pelos cães. O animal era tão pacífico e bem-comportado como o pai de todos os lobos de livros infantis: o ex-amigo da Chapeuzinho Vermelho quando estava conquistando a confiança da menina.

A cena foi uma perfeita mistura de comédia e paixão. O lobo mau, que durante metade de um dia havia paralisado Londres e deixado todas as crianças da cidade tremendo, estava ali feito um penitente arrependido e foi recebido e acariciado como uma espécie de filho pródigo lupino. O velho Bilder examinou-o com terna solicitude e, depois de terminar a avaliação do penitente, concluiu:

— Pois aí está, sabia que o velho camarada acabaria arranjando problemas. Eu não disse? Veja, está com a cabeça toda cortada e cheia de cacos de vidro. Deve ter pulado algum muro. É um absurdo que as pessoas ponham garrafas quebradas no alto dos muros. É isso que acontece. Venha, Bersicker.

O zelador levou o lobo, trancou-o em uma jaula com um pedaço de carne que satisfaria, em quantidade, as condições elementares do animal e foi avisar o chefe.

Também fui embora, para relatar com exclusividade a única informação que se tem hoje sobre a estranha fuga do zoológico.

DIÁRIO DO DR. SEWARD

17 de setembro — Após o jantar, eu estava ocupado em meu escritório, colocando em dia minha contabilidade que, devido à pressão de outros afazeres e às muitas visitas a Lucy, infelizmente estava atrasada. De repente, a porta foi aberta bruscamente e meu paciente entrou correndo, com uma expressão desfigurada de emoção. Levei um susto; um paciente sozinho invadir o escritório do superintendente é algo praticamente inédito para mim. Veio resoluto na minha direção, segurando uma faca. Avaliando o perigo daquilo, tentei manter a escrivaninha entre nós. Mas ele foi rápido e era forte demais para mim, então, antes que eu conseguisse me equilibrar, atacou-me e cortou gravemente meu pulso esquerdo. Contudo, antes de ter a chance de me ferir de novo, acertei-o com a mão direita, e ele caiu de costas no chão. Meu pulso sangrava, formando uma pequena poça no tapete. Vi que o paciente não pretendia mais me atacar e tratei de fazer um curativo no pulso, vigiando atentamente a figura prostrada. Quando os enfermeiros entraram e voltamos nossas atenções para ele, sua atitude deixou-me nauseado. Estava no chão, deitado de barriga para baixo, lambendo feito um cão o sangue que havia escorrido de minha ferida. Foi imobilizado com facilidade e, para minha surpresa, saiu placidamente com os enfermeiros, repetindo apenas:

— Sangue é vida! Sangue é vida!

Não posso me dar ao luxo de perder mais sangue neste momento. Já perdi sangue além do limite para manter meu bem-estar e estou sentindo o peso do mal-estar físico e da tensão prolongada decorrente da doença de Lucy. Estou agitado e exausto ao mesmo tempo. Preciso muito de descanso. Felizmente, Van Helsing não me chamou, então poderei dormir. Não conseguiria passar mais uma noite em claro.

TELEGRAMA DE VAN HELSING, ANTUÉRPIA, A SEWARD, CARFAX

(Enviado para Carfax, Sussex, pois o Condado não fora mencionado; entregue com atraso de 22 horas)

17 de setembro

Vá a Hillingham hoje, sem falta. Se não puder fazer vigília a noite toda, visite com frequência e veja se as flores estão no lugar; é muito importante, não falhe. Estarei com você o mais breve possível, assim que chegar.

DIÁRIO DO DR. SEWARD

18 de setembro — Prestes a tomar o trem para Londres. O telegrama de Van Helsing deixou-me desolado. Uma noite inteira perdida, e sei, por amarga experiência, o que pode acontecer em uma noite. É possível que esteja tudo bem, mas o que pode ter acontecido? Sem dúvida, uma maldição horrível paira sobre nós para que todo tipo de acidente possível frustre qualquer coisa que tentemos fazer. Vou levar este cilindro comigo para completar o registro no fonógrafo de Lucy.

MEMORANDO DEIXADO POR LUCY WESTENRA

17 de setembro, à noite — Faço este registro e vou deixar bem à mostra, para que ninguém acabe ficando em dificuldade por minha causa. Este é um registro exato do que ocorreu esta noite. Estou morrendo de fraqueza, mal tenho forças para escrever, mas preciso fazer isso, mesmo que eu morra sobre o papel.

Fui me deitar como de costume nestes últimos dias, depois de verificar se as flores estavam colocadas de acordo com as instruções do dr. Van Helsing, e não tardei a dormir.

Fui acordada pelo roçar de asas contra a vidraça, que começou desde o dia em que caminhei dormindo até o rochedo de Whitby e fui salva por Mina. Somente agora começo a conhecê-lo bem. Não tive medo, mas gostaria de saber se o dr. Seward está no quarto ao lado, como o dr. Van Helsing disse que estaria. Fiz um esforço para dormir de novo, mas não consegui e fui dominada pelo medo. Perversamente, o sono resolveu aparecer quando eu não queria mais, então abri a porta e perguntei:

— Tem alguém aí?

Como ninguém respondeu e eu tive receio de acordar minha mãe, tornei a fechar a porta. Então, ouvi um uivo, que parecia o de um cão, porém mais alto e forte, vindo das sebes lá de fora. Aproximei-me da janela e vi, do outro lado da vidraça, um imenso morcego. Naturalmente é ele que bate as asas de encontro à vidraça. Voltei para a cama, mas disposta a não dormir. Logo depois, a porta se abriu e minha mãe apareceu. Percebendo pela minha movimentação que eu não estava dormindo, entrou e se sentou ao meu lado.

— Estava preocupada com você, minha filha, e vim ver se está tudo bem — disse ela, mais meiga e suave que de costume.

Com medo de que ela se resfriasse sentada ali, pedi-lhe que se deitasse na cama comigo. Ela se ajeitou ao meu lado sem tirar o penhoar, pois pretendia ficar só um pouco e voltar logo para o seu quarto.

Enquanto estava deitada ali, abraçada comigo, o bater e o roçar das asas na janela recomeçaram. Mamãe levou um susto.

— O que foi isso? — perguntou, apavorada.

Tranquilizei-a e ela se aquietou, mas senti seu coração batendo acelerado. Algum tempo depois, ouvi novamente o uivo, e então algo se chocando contra a janela. Cacos de vidro caíram no chão do quarto, e a veneziana se escancarou com a força do vento; então, por entre a vidraça quebrada, surgiu a cabeça de um imenso lobo cinzento. Minha mãe gritou, horrorizada, e sentou-se desajeitadamente na cama, tentando instintivamente agarrar qualquer coisa ao redor com que pudesse se proteger. Em sua aflição, arrancou a guirlanda que o dr. Van Helsing colocara em meu pescoço. Por um ou dois segundos ela ficou ali sentada, emitindo um estranho som gutural, enquanto apontava para o lobo. Com um gemido, ela caiu para trás, como se tivesse sido atingida por um raio, e bateu com a cabeça em minha testa. Completamente tonta, tive a impressão de que tudo girava ao redor. Continuei olhando fixamente para a janela, mas o lobo havia recuado, e uma miríade de pequenos pontinhos esvoaçou por entre os vidros quadrados e ficou rodopiando em espirais, como a coluna de poeira descrita pelos viajantes que atravessam o deserto. Tentei me mexer, mas estava de certa forma enfeitiçada, e o corpo de minha mãe, que parecia já estar frio, pois seu coração cessara de bater, pesava sobre o meu. Não me lembro do que aconteceu durante certo tempo depois disso.

O tempo até que eu recuperasse a consciência foi breve, mas muito terrível. Um sino tocava nas vizinhanças. Os cães uivavam nas redondezas, e ali fora, na sebe, um rouxinol gorjeava. Eu estava totalmente confusa, dominada pelo sofrimento, pelo terror e pela fraqueza, mas o canto do rouxinol parecia a voz de minha mãe me reconfortando. O barulho deve ter acordado as criadas, pois ouvi o ruído de seus passos descalços do lado de fora do quarto. Chamei-as e elas entraram.

Quando viram o que acontecera, e o corpo inerte de minha mãe sobre mim, puseram-se a gritar. O vento invadiu o quarto pela vidraça quebrada, empurrando a porta. As criadas tiraram o corpo de minha mãe e eu pude me levantar. Elas o colocaram na cama e o cobriram com um lençol. Estavam tão estarrecidas com os acontecimentos que as mandei ir até a sala de jantar tomar uma taça de vinho. Coloquei todas as flores de alho-silvestre que ainda tinha comigo sobre o corpo de minha querida mãe. Enquanto elas ainda estavam na sala, eu me lembrei da recomendação do dr. Van Helsing, mas não quis mexer nas flores; além do mais, teria algumas criadas para passar a noite comigo. Estranhei estarem demorando para voltar. Chamei-as, mas ninguém respondeu, então fui procurá-las na sala.

Meu coração quase parou quando vi o que havia acontecido. Encontrei as quatro caídas no chão, respirando com dificuldade. A garrafa de xerez estava aberta sobre a mesa, pela metade, e havia um estranho cheiro acre no ar. Desconfiada, examinei a garrafa, e identifiquei o cheiro de láudano. E, de fato, vi sobre o aparador o frasco vazio do láudano que o médico receitara para a minha mãe, e que ela não usará mais. O que fazer? O que fazer? Voltei para o quarto e fiquei junto da minha mãe. Não posso deixá-la. Estou sozinha, exceto pelas criadas desacordadas, que alguém drogou. Sozinha com os mortos! Não ouso sair daqui, pois tudo o que ouço é o uivo do lobo pela vidraça quebrada.

O ar parece cheio de manchas flutuantes, rodopiando no vão da janela, e as luzes empalidecem. O que vou fazer? Que Deus me ajude e me proteja dos perigos desta noite. Guardarei este papel junto ao peito, para que o encontrem quando vierem preparar meu corpo para o funeral. Minha mãe morreu. Sinto que irei também. Adeus, Arthur, se eu não sobreviver a esta noite. Que Deus me ajude! Fique com Deus, meu amor!

XII

DIÁRIO DO DR. SEWARD

18 de setembro — Tomei uma carruagem e cheguei cedo a Hillingham. Pedi ao cocheiro que me aguardasse no portão e subi a pé até a entrada. Bati com cuidado à porta e toquei a sineta o mais discretamente que pude, para não acordar Lucy nem a mãe, esperando que apenas a criada viesse abrir. Como não fui atendido, bati com mais força várias vezes, mas em vão. Dei a volta na casa, na esperança de encontrar algum meio de entrar. Amaldiçoei a preguiça das criadas, por estarem dormindo até aquela hora, pois já eram dez da manhã, então tornei a chamar e bater à porta, mais impaciente. Ainda sem resposta. Seria esta desolação apenas outro elo na corrente de desgraças que parecia se abater sobre nós? Será que estavam todas mortas e eu teria chegado tarde demais? Eu sabia que qualquer atraso, minutos que fossem, poderia ser fatal para Lucy se ela tivesse uma recaída. Todas as portas e janelas estavam fechadas. Voltei para a varanda, justamente quando Van Helsing chegava.

— Então é você, e pelo visto acabou de chegar. Como ela está? É tarde demais? Não recebeu meu telegrama?

Respondi o mais depressa e da forma mais coerente que recebera o telegrama apenas naquela manhã e que havia chegado naquele minuto, e até aquele momento ninguém de dentro da casa tinha ouvido meus chamados. O professor parou e ergueu o chapéu, anunciando solenemente:

— Então receio que tenhamos chegado tarde demais. Seja o que Deus quiser! — Com sua energia de sempre recuperada, prosseguiu: — Vamos. Se não há entrada, talvez precisemos criar uma. Agora, tempo é tudo para nós.

Contornamos a casa até os fundos, onde havia uma janela na cozinha. O professor tirou da maleta uma pequena serra cirúrgica e a estendeu para mim, apontando para as barras de ferro da janela. Logo consegui cortar três barras. Então, com uma faca comprida e fina, empurramos o trinco e abrimos a janela. Ajudei o professor a entrar e o segui para dentro da casa. Não havia ninguém na cozinha nem nos aposentos das criadas, que eram contíguos. Fomos avançando, procurando em todos os cômodos, e ao chegarmos à sala de jantar, iluminada apenas pelos raios de luz das frestas da janela, encontramos quatro criadas caídas no chão. Não estavam mortas, pois o cheiro acre de láudano e a respiração estertorosa delas não deixavam dúvidas sobre o que ocorrera. Van Helsing e eu nos entreolhamos e, enquanto nos afastávamos, ele disse:

— Podemos cuidar delas mais tarde.

Subimos até o quarto de Lucy. Por um instante, paramos à porta, tentando ouvir alguma coisa, mas estava tudo silencioso lá dentro. Com o rosto pálido e as mãos trêmulas, abrimos a porta com gentileza e entramos no quarto.

Como descrever o que vimos ali? Na cama jaziam duas mulheres: Lucy e a mãe. A última, deitada mais fundo na cama e coberta por um lençol branco, cujas bordas tinham sido sopradas para trás pelo vento que entrava pela janela, deixando à mostra o rosto branco e esgotado, com uma expressão fixa de terror; a seu lado, Lucy, mortalmente pálida. As flores que tinham sido colocadas em torno de seu pescoço estavam no peito da mãe, e os dois pequenos ferimentos que eu notara antes estavam visíveis e com um aspecto horrível.

Sem uma palavra, o professor curvou-se sobre o leito, quase encostando a cabeça no seio da pobre Lucy; em seguida, ele virou a cabeça rapidamente, como se tivesse ouvido alguma coisa, e, levantando-se de um pulo, gritou para mim.

— Ainda temos chance! — exclamou. — Depressa! Depressa! Busque o conhaque!

Precipitei-me até o andar de baixo e voltei com o conhaque. Fui cuidadoso o suficiente para sentir o cheiro e o gosto da bebida, para ter certeza de que não estava alterada, como a garrafa de xerez que encontrei sobre o aparador. As criadas pareciam respirar mais depressa, e isso indicava que o sedativo estava perdendo o efeito. Tão logo me certifiquei, fui até Van Helsing. Como da outra vez, ele esfregou a bebida nos lábios, nas gengivas, nos pulsos e palmas das mãos de Lucy. Enquanto fazia isso, anunciou:

— É a única coisa que posso fazer por enquanto. Vá acordar aquelas criadas. Esfregue o rosto delas com uma toalha, com bastante força. Ordene-lhes que acendam a lareira e preparem uma banheira com água quente. Antes de mais nada, temos que aquecer esta infeliz, que está tão fria quanto a outra ao seu lado.

Não tive dificuldade em despertar três das mulheres. A quarta, que era apenas uma garota, estava pior, então a deixei no sofá, dormindo. As outras estavam meio tontas a princípio, mas, conforme a lembrança lhes voltava, choravam e soluçavam em histeria. Fui enérgico com elas, dizendo que, se não trabalhassem com presteza, sacrificariam a vida da Srta. Lucy. Chorando e desculpando-se, puseram-se a trabalhar, semivestidas como estavam, e prepararam o fogo e a água. Felizmente, a caldeira e o fogão estavam acesos, e havia bastante água quente.

Levamos Lucy para outro quarto que lhe fora preparado e enfiamos, à força, algumas gotas de conhaque em sua boca. Colocamo-la em uma banheira e esfregamos seus braços e pernas.

Quando estávamos entregues a essa tarefa, ouvimos batidas à porta. Uma das criadas saiu às pressas, recompôs-se e foi atender. Então voltou anunciando que aparecera ali um cavalheiro com um recado do Sr. Holmwood. Eu apenas pedi que o avisasse que teria de esperar. Não podíamos ver ninguém naquele momento. Quando ela saiu, ficamos absortos em nosso trabalho e logo me esqueci do homem.

Em todo o tempo que o conheço, nunca vi o professor trabalhar com aquela seriedade mortal. Assim como ele, eu sabia que estávamos lutando contra a morte. Falei-lhe sobre isso e ele respondeu de uma forma que não compreendi:

— Se fosse só isso, eu pararia por aqui e a deixaria descansar em paz. Não vejo luz no horizonte. — E voltou a trabalhar, com ainda mais afinco e dedicação.

Aos poucos, percebemos que o calor estava ajudando. O batimento cardíaco de Lucy podia ser ouvido pelo estetoscópio e seus pulmões reagiam. A face de Van Helsing ostentava alívio quando ele a retirou da banheira e a enrolou em um lençol aquecido.

— A primeira luta está ganha. Colocamos o rei em xeque!

Nós levamos Lucy para o outro quarto, que já estava preparado, a deitamos na cama e a forçamos a beber algumas gotas de conhaque. Percebi que Van Helsing amarrou um lenço macio de seda em seu pescoço. Ela continuava inconsciente. Estava pior do que nunca.

O professor chamou uma das criadas e a orientou a não sair do lado da senhorita, depois me conduziu para fora do quarto.

— Precisamos conversar sobre o que fazer — ele me disse ao descermos as escadas.

No corredor, ele abriu a porta da sala de jantar, nós entramos e ele a fechou cuidadosamente em seguida. A janela estava aberta, mas a cortina permanecia fechada em sinal de luto, algo que as mulheres inglesas de classes inferiores seguem à risca. A luz ali, portanto, era fraca, mas suficiente para o que precisávamos. Algo passava pela mente de Van Helsing, eu podia ver em sua expressão.

— O que faremos agora? Onde buscaremos ajuda? Precisamos fazer outra transfusão na jovem. Você está exausto e eu também. Eu temo confiar naquelas criadas, mesmo que tivessem coragem de se submeter a isso. O que teremos de fazer para que alguém nos permita abrir-lhe as próprias veias?

— Por que não eu? — alguém perguntou do sofá, do outro lado da sala.

A voz de Quincey Morris me trouxe um grande alívio e alegria. Van Helsing fechou a cara ao ouvi-lo, mas logo mudou de atitude quando me viu receber a visita efusivamente.

— Quincey Morris! O que o trouxe aqui? — perguntei, quando nos cumprimentamos.

— Acho que foi Art — disse ele, entregando-me o seguinte telegrama:

> Seward não me manda notícias há três dias, e estou muito aflito. Não posso partir. Meu pai no mesmo estado. Comunique-me como Lucy está. Não demore. Holmwood.

— Creio que cheguei no momento oportuno. Basta dizer o que devo fazer — disse o americano.

— O sangue de um homem corajoso é a melhor coisa que existe para uma mulher em dificuldades — disse Van Helsing. — O senhor é um homem de fato, é evidente. O diabo pode trabalhar contra nós com tudo de quanto dispõe, mas Deus nos envia ajuda quando mais precisamos.

E novamente executamos a tenebrosa transfusão. Não tenho coragem de descrever os pormenores. O choque sofrido por Lucy havia sido terrível, e as consequências foram mais graves que anteriormente. Mesmo com a enorme quantidade de sangue entrando em seu corpo, Lucy não reagiu ao tratamento como das outras vezes. O esforço feito para recobrar a vida era algo pavoroso de ser visto e ouvido. Contudo, coração e pulmão pareceram melhorar, e Van Helsing aplicou-lhe uma injeção de morfina, que teve o mesmo bom efeito que das outras vezes, e ela caiu em um sono profundo. O professor ficou ao lado dela enquanto conduzi Quincey Morris para fora do quarto. Ordenei a uma das criadas que pagasse o cocheiro que aguardava, ofereci um cálice de vinho do Porto a Quincey e o deixei descansando, então disse à cozinheira que preparasse um bom desjejum. Em seguida, um pensamento me ocorreu, e subi imediatamente ao quarto em que Lucy estava. Encontrei Van Helsing segurando duas folhas de papel. Evidentemente, havia lido, e estava sentado, com uma das mãos na testa, refletindo a respeito. Havia um olhar de satisfação sombria em seu rosto, como o de alguém que teve uma dúvida resolvida. Por fim, estendeu-me o papel, dizendo apenas:

— Caíram do colo de Lucy quando a levamos para a banheira.

Quando terminei de ler, levantei os olhos para o professor e, depois de um momento, perguntei:

— Por Deus, o que significa tudo isso? Ela estava ou está doida, ou que perigo horrível está correndo?

Fiquei tão desnorteado que não sabia mais o que dizer. Van Helsing estendeu a mão e pegou os papéis, dizendo:

— Esqueça-se disso por enquanto — respondeu Van Helsing. — Saberá oportunamente. É melhor manter a concentração no momento presente. O que você veio me dizer?

Aquilo me trouxe de volta aos fatos e ao meu estado de antes.

— É melhor conversarmos sobre a certidão de óbito. Se não agirmos corretamente e com prudência, pode haver um inquérito, e vamos ter de mostrar este papel. Espero que não haja necessidade de uma investigação, pois, se houver, isso certamente mataria a pobre Lucy, se ela não morrer antes. Eu sei, o senhor sabe e o outro médico que cuidava da Sra. Westenra sabe que ela sofria de uma doença cardíaca, e podemos provar que morreu disso. Vamos expedir a certidão logo, e eu mesmo a levarei ao cartório e de lá para o agente funerário.

— Muito bem, meu amigo John! Bem pensado! É certo que a Srta. Lucy, se está triste pelos inimigos que a afligem, pelo menos pode ficar feliz pelos amigos que a amam. Um, dois, três, todos abriram suas veias por ela, além deste velho aqui. Sim, eu percebi, amigo John. Não sou cego! Gosto ainda mais de você por isso! Agora, pode ir.

No saguão, encontrei Quincey Morris com um telegrama para Arthur, no qual explicava que a Sra. Westenra havia morrido, que Lucy estava mal, mas se recuperando, e que Van Helsing e eu estávamos com ela. Expliquei-lhe aonde ia, e ele me apressou, mas quando já estava de saída, perguntou:

— Será que podemos trocar duas palavras em particular quando você voltar, Jack?

Assenti em resposta e parti. Não houve problemas no cartório, e combinei que o agente funerário do bairro viesse à noite tirar as medidas para o caixão e acertar os detalhes do enterro.

Quando voltei, Quincey estava me esperando. Disse que falaria com ele assim que soubesse como Lucy estava e subi até o quarto dela. Ainda dormia, e o professor parecia não ter saído de sua cabeceira. Ele levou o indicador aos lábios, e entendi que esperava que ela acordasse a qualquer momento, e não queria apressar a natureza. Então desci para falar com Quincey e o levei até a copa, que, por estar com as cortinas abertas, me pareceu um lugar mais alegre, ou menos soturno, do que os outros cômodos da casa. Quando estávamos a sós, ele me disse:

— Jack Seward, não quero me meter onde não sou chamado, mas esta não se trata de uma situação comum. Você sabe que eu adoro essa garota e queria me casar com ela, mas, embora isso tudo seja passado, não consigo evitar de me sentir angustiado da mesma forma. O que está acontecendo com ela, afinal? Esse holandês... e vi que é um senhor simpático, seu velho amigo... disse, quando vocês estavam na sala de jantar, que precisavam fazer *outra* transfusão de sangue, e que vocês dois estavam exaustos. Sei que médicos conversam em segredo, e que ninguém pode querer saber o que dizem em particular, mas, seja o que for, não se trata de uma situação comum, e eu fiz a minha parte. Não fiz?

— Fez — concordei, e ele continuou:

— Suponho que você e Van Helsing já fizeram o que fiz hoje. Não fizeram?

— Fizemos.

— E imagino que Art também tenha feito. Quando o encontrei na casa dele, há quatro dias, ele estava estranho. Nunca vi nada assim acontecer tão depressa desde uma vez quando eu estava nos Pampas e uma égua de que eu gostava muito bateu as botas da noite para o dia. Um daqueles morcegos grandes que eles chamam de vampiro atacou minha égua à noite, e com o que bebeu e a veia deixada aberta, pela manhã, não havia sangue suficiente para fazê-la se manter nas quatro patas, e precisei meter uma bala em sua cabeça. Jack, se você puder me contar sem trair a confiança de alguém, me diga: Arthur foi o primeiro a doar sangue, não foi?

Enquanto falava, o pobre rapaz parecia terrivelmente aflito. Torturado pelo suspense em relação à mulher que amava, e sua total ignorância quanto ao terrível mistério que a envolvia só intensificava a dor que sentia. Seu coração sangrava, e precisou de toda a sua virilidade, que não era pouca, para não desabar. Fiz uma pausa antes de responder, pois não queria trair o que o professor desejava manter em segredo. Mas Quincey já sabia de tantas coisas e intuíra tantas outras, que não havia motivo para não responder, portanto o fiz de forma sucinta.

— Foi.

— E quando isso começou?

— Há dez dias.

— Dez dias! Então, Jack Seward, imagino que a pobre e linda criatura que todos adoramos recebeu em suas veias o sangue de quatro homens fortes. Rapaz, nem caberia tanto sangue no corpo dela. — Aproximando-se de mim, acrescentou com um sussurro feroz: — Como esse sangue todo saiu?

Balancei a cabeça.

— Esse é o problema — respondi. — Van Helsing está simplesmente desesperado, e eu não sei o que pensar. Não consigo nem arriscar uma suposição. Uma série de pequenas circunstâncias jogou por terra todos os nossos cálculos de que Lucy estaria sendo vigiada adequadamente. Mas isso não acontecerá de novo. Aqui ficaremos até que tudo esteja bem, ou mal.

Quincey estendeu a mão.

— Conte comigo — afirmou. — Basta você e o holandês me dizerem o que fazer, e eu farei.

Quando Lucy acordou, no meio da tarde, seu primeiro movimento foi apalpar o colo e, para a minha surpresa, tirar o papel que Van Helsing me dera para ler. O cuidadoso professor o havia recolocado no lugar para que, ao despertar, ela não ficasse preocupada. Seus olhos se iluminaram e se alegraram quando ela nos viu. Em seguida, ela observou o quarto, e, reparando onde estava, estremeceu. Gritando, a pobre jovem cobriu o rosto pálido com as mãos finas. Ambos entendemos que havia se dado conta da morte da mãe. Então fizemos o que podíamos para consolá-la. Sem dúvida, a solidariedade diminuiu-lhe um pouco a dor, mas Lucy estava muito triste e debilitada, e chorou calada, fraca, por um longo tempo. Garantimos que um de nós ou os dois ficaríamos com ela o tempo todo, e isso pareceu consolá-la.

Ao cair da noite, ela adormeceu. Foi então que uma coisa estranha aconteceu. Enquanto dormia, tirou do colo o papel e o rasgou. Van Helsing se aproximou e pegou os pedaços de sua mão. Mesmo assim, ela continuou o movimento de rasgá-los, como se ainda os segurasse; por fim, estendeu as mãos e as abriu, como se tentasse espalhar os fragmentos. Van Helsing pareceu surpreso, e suas sobrancelhas se juntaram como que movidas por um pensamento, que guardou para si.

19 de setembro — Lucy dormiu um sono entrecortado a noite toda; tinha sempre medo de adormecer e acordou bem fraca. Eu e o professor nos revezamos nos cuidados com ela, que não ficou sozinha nem por um minuto. Quincey Morris não falou nada sobre o que pretendia, mas sei que ficou de guarda do lado de fora da casa a noite toda.

Sob a luz do raiar do dia, percebemos como a saúde de Lucy estava fragilizada. Ela mal conseguia virar a cabeça, e o pouco que comeu não pareceu lhe fazer bem. Dormia de vez em quando, e parecia mais forte durante o sono, embora abatida, e sua respiração se mostrava mais suave. A boca entreaberta exibia as gengivas brancas afastadas dos dentes que, assim, pareciam maiores e mais afiados que habitualmente; quando acordava, a expressão de seus olhos adoçava-lhe a fisionomia, que parecia mais suave, mas, ao mesmo tempo, a de uma moribunda. Ao meio-dia, perguntou por Arthur e telegrafamos chamando-o. Quincey foi esperá-lo na estação.

Quando ele chegou, eram quase 18 horas, e o sol estava se pondo esplendorosamente, a luz vermelha infiltrando-se pela janela e dando mais cor às faces pálidas de Lucy. Ao ver a noiva, Arthur ficou mudo de emoção, e nenhum de nós conseguiu dizer coisa alguma. Nas horas que se seguiram, ela parecia ficar por muito mais tempo no estado de coma que costumava mergulhar, e os momentos em que a conversa era possível passaram a ser menores. A presença de Arthur, contudo, pareceu agir como um estimulante. Lucy aquietou-se um pouco e conversou com ele melhor do que fizera desde que tínhamos chegado. Ele procurou controlar as emoções e conversou com ela da forma mais animada que conseguiu.

É quase 1 hora da manhã e Arthur e Van Helsing estão sentados ao lado de Lucy. Vou rendê-los dentro de um quarto de hora, e estou gravando este diário no fonógrafo de Lucy. Eles tentarão descansar até as seis horas. Receio que amanhã nossa vigília termine, pois o choque foi grande demais. Deus nos ajude, pois a pobre alma não está mais conseguindo reagir.

CARTA DE MINA HARKER A LUCY WESTENRA
(jamais aberta pela destinatária)

17 de setembro

Querida Lucy,

Há muito tempo que você não me escreve, mas está perdoada. Você também, estou certa, vai desculpar meu silêncio, ao saber o que sucedeu. Trouxe meu marido de volta. Em Exeter, havia uma carruagem nos esperando, e nela o Sr. Hawkins, apesar de ter tido um ataque de gota. Levou-nos para sua casa, onde tinha preparado para nós dois belos e confortáveis quartos. Jantamos juntos, e depois o Sr. Hawkins disse:

— Meus caros, quero beber à sua saúde e prosperidade. Conheço-os desde crianças e os vi crescer com amor e orgulho. Quero que fiquem aqui nesta casa comigo. Não tenho esposa e nem filhos, está tudo acabado para mim, então deixei todos os meus bens para vocês em testamento.

Confesso que chorei quando Jonathan e o bom velho apertaram as mãos. Passamos uma noite muito agradável.

Então estamos instalados nesta magnífica mansão. A vista é linda do meu quarto, e da sala de estar posso ver os enormes olmos da catedral, com os imensos galhos negros contra as pedras de tom amarelo e antigo do muro, ouço também o grito das gralhas e o tagarelar das pessoas. Não é preciso dizer que tenho estado muito ocupada com os cuidados da casa. Jonathan e o Sr. Hawkins andam atarefados o dia todo. Agora que Jonathan é seu sócio, o Sr. Hawkins quer que ele fique bem informado sobre todos os clientes.

Como vai sua querida mãe? Queria passar pela cidade e ficar aí um ou dois dias para vê-la, mas agora não posso, com tantas responsabilidades, e Jonathan ainda inspira cuidados. Ele voltou a ganhar peso, mas estava terrivelmente fraco depois do longo padecimento. Até hoje, por vezes, agita-se no sono e acorda de repente, todo trêmulo, até que eu o acalme e ele volte à habitual placidez. Seja como for, graças a Deus, com o passar dos dias essas ocasiões têm sido menos frequentes, e espero que com o tempo desapareçam de vez. Agora que lhe contei todas as minhas novidades, quero saber de você. Quando e onde vai se casar, quem fará a cerimônia, o que vai vestir, será um casamento público ou privado? Conte-me tudo, querida, conte-me tudo, não há nada do seu interesse que não seja importante para mim também. Jonathan pediu que lhe mandasse os seus "respeitos", mas não acho que seja o suficiente de um sócio minoritário da importante firma Hawkins & Harker. Assim sendo, como você me adora, e ele a adora, e eu a adoro conjugando todo o adorar, envio da parte dele simplesmente "amor" em vez de respeitos. Adeus, queridíssima Lucy, e todas as bênçãos.

De sua amiga,
Mina Harker

RELATÓRIO DE PATRICK HENNESSEY, DOUTOR EM MEDICINA, MEMBRO DO COLÉGIO REAL DE CIRURGIÕES, LICENCIADO PELO COLÉGIO DE MÉDICOS DO REI E DA RAINHA, NA IRLANDA ETC. ETC. PARA JOHN SEWARD, DOUTOR EM MEDICINA

20 de setembro

Prezado senhor,

De acordo com suas instruções, envio relatório referente a tudo que foi deixado sob meus cuidados. No que diz respeito ao paciente Renfield, há mais a dizer. Teve ele uma nova crise, que poderia ter sérias consequências, o que, felizmente, não ocorreu.

Hoje à tarde, passou diante do hospício uma carroça com dois homens, com destino à casa vizinha — aquela para onde o paciente já fugiu duas vezes, como o senhor há de se lembrar. Os dois homens pararam diante da porta do hospício, a fim de pedir informações sobre o caminho, que não conheciam muito bem. Na ocasião, eu estava à janela do escritório, fumando após o jantar, e vi um dos homens entrar no hospício. Quando passou diante da janela do quarto de Renfield, o paciente começou a injuriá-lo grosseiramente. O rapaz, que parecia ser boa pessoa, apenas o mandou "calar aquela boca suja de mendigo", e o paciente o acusou de roubo e de ter vindo aqui para assassiná-lo. Disse que não se entregaria sem luta. Eu abri a janela e fiz sinal ao homem para que não se importasse com aquilo. Então, ele se contentou depois de examinar ao redor e perceber que tipo de lugar era aquele, dizendo:

— Deus me livre, senhor, eu que não vou me incomodar com as palavras de um louco que está internado aqui. Deus tenha piedade do senhor e do meu patrão que vivem aqui, perto de um animal selvagem desses.

Em seguida, perguntou polidamente o caminho, e eu lhe expliquei onde ficava o portão da casa abandonada. Ele então foi embora, acompanhado pelas ameaças, pragas e maldições do nosso paciente. Eu fui investigar o que havia despertado aquela raiva em Renfield, já que ele costuma ser sempre educado, e, com exceção de seus surtos violentos, nada do gênero havia ocorrido antes. Fiquei surpreso ao ver que ele se mostrava bastante tranquilo. Quando lhe falei a respeito do incidente, desconversou, fingindo não entender. Sinto muito, porém, ter de informar que esse comportamento era apenas outra amostra de sua esperteza, pois meia hora depois ele fugiu, pulando a janela. Saí em sua perseguição, acompanhado de dois enfermeiros, com receio de que estivesse com más intenções. Quando vi a mesma carroça que havia descido a rua mais cedo, trazendo pesados caixotes de madeira, meu medo se justificou. Os dois homens estavam em cima da carroça, limpando o suor do rosto. Antes que pudéssemos impedir, Renfield atirou-se contra os homens e, puxando um deles para fora da carroça, começou a bater sua cabeça no chão. Creio que o teria matado se eu não o tivesse agarrado. O outro homem saltou da carroça e desfechou terrível pancada na cabeça do louco com o cabo de um chicote que trazia na mão, mas ele pareceu não dar importância e o agarrou também, lutando contra nós três, arrastando-nos de um lado para o outro como se fôssemos três gatinhos. O senhor sabe que não sou pequeno, e os outros dois também eram robustos. A princípio, Renfield lutou calado, mas quando finalmente o dominamos e o colocamos em uma camisa de força, ele começou a gritar furiosamente coisas como: "Impedirei que façam isso! Não me roubarão! Não me matarão aos poucos! Lutarei por meu Amo e Senhor!", e toda sorte de incoerências. Conseguimos trazê-lo para casa com muita dificuldade e o trancamos em uma cela acolchoada. Hardy, um dos enfermeiros, teve o dedo quebrado. Já foi atendido e está bem.

Os dois homens, a princípio, ameaçaram apresentar queixa e denunciar-nos à justiça, mas as ameaças eram mais uma desculpa por terem sido derrotados por um louco frágil. Disseram que estavam cansados depois de terem carregado os pesados caixotes na carroça, senão teriam dominado o doente. Mencionaram ainda como motivo para a derrota a natureza árida de sua ocupação e a imperdoável distância que estavam de um local de diversão pública. Entendi aonde queriam chegar, e tudo foi resolvido com um gole de aguardente e uma libra em cada bolso. Disseram que havia loucos piores e que voltariam qualquer dia para ter o prazer de encontrar alguém tão bom quanto este que lhe escreve. Tomei nota de seus nomes, para o caso de necessidade. São Jack Smollet, de Dudding's Rent, King George's Road, em Great Walworth, e Thomas Snelling, de Peter Farley's Row, Guide Court, em Bethnal Green, e trabalham ambos para a Companhia de Transportes e Navegação Harris & Filhos, localizada em Orange Master's Yard, no Soho.

Comunicarei ao senhor qualquer assunto de interesse e telegrafarei, caso ocorra alguma novidade importante.

Atenciosamente,
Patrick Hennessey

CARTA DE MINA HARKER A LUCY WESTENRA
(jamais aberta pela destinatária)

18 de setembro

Minha querida Lucy,

Fomos atingidos por um rude golpe. O Sr. Hawkins morreu repentinamente. Pode haver quem pense que não temos motivo para sentir muito, mas a verdade é que o estimávamos tanto que, para nós, é quase como ter perdido um pai. Não tive pai nem mãe, e a morte de um senhor tão querido foi algo muito duro para mim. Jonathan está muito abatido. Além de sentir muito pela perda do bom homem que foi seu amigo a vida toda, e que agora no fim o tratou como seu próprio filho, deixando-lhe uma fortuna que, para pessoas de criação modesta, como a nossa, é uma riqueza muito além de qualquer sonho, ainda está sofrendo por outro motivo. Diz ele também que a responsabilidade que recai sobre seus ombros o deixa nervoso. Está começando a duvidar de si mesmo. Felizmente, eu acredito nele e isso o ajuda a ter mais confiança em si. Mas a verdade é que o grande choque por que passou o afetou profundamente nesse sentido. Ah, é difícil ver alguém com uma índole tão meiga, simples, nobre e forte como a dele — uma índole que o elevou, auxiliado por nosso caro amigo, da posição de assistente para a de mestre em poucos anos — tão ferida, a ponto de a própria essência de sua força ter desaparecido. Perdoe-me, querida, se eu a preocupo com meus problemas em meio à sua felicidade; mas, querida Lucy, eu tenho que contar isso a alguém, pois o esforço de manter uma aparência corajosa e alegre para Jonathan me cansa, e eu não tenho aqui ninguém que possa ouvir minhas confidências. Não acho nada agradável a perspectiva de ir a Londres depois de amanhã, pois o Sr. Hawkins, em seu testamento, disse que queria ser enterrado no mesmo túmulo que o pai. Como ele não deixou parentes, Jonathan terá de fazer as honras. Vou fazer de tudo para ir vê-la, meu bem, nem que seja apenas por alguns minutos. Perdoe-me por preocupá-la. Com todas as minhas bênçãos,

Sua amiga afetuosa,
Mina Harker

DIÁRIO DO DR. SEWARD

20 de setembro — O registro de hoje é fruto do costume e da determinação. Estou angustiado, desanimado e cansado de tudo, até mesmo da própria vida, e nem me importaria se ouvisse as asas do anjo da morte baterem para mim. E ele tem batido as nefastas asas com força ultimamente: a mãe de Lucy, o pai de Arthur e agora... Deixe-me seguir adiante com meu trabalho.

Rendi Van Helsing na vigília de Lucy. Foi com grande dificuldade que conseguimos fazer Arthur sair de perto dela para descansar um pouco. Ele só aceitou quando enfatizamos que sua ajuda seria necessária no decorrer do dia e que não podíamos nos render ao cansaço, pelo bem de Lucy. Van Helsing disse gentilmente:

— Venha, meu caro. Você está doente e fraco, e passou por muito sofrimento e dores mentais; sabemos que isso tudo vai além de suas forças. Não deve ficar sozinho, pois isso pode significar ser dominado pelo medo e pela inquietação. Vamos para a sala de estar, perto da lareira, onde há dois sofás. Você se deitará em um e eu ficarei no outro, e consolaremos um ao outro com nossa companhia, mesmo que em silêncio e dormindo.

Arthur acompanhou o professor e olhou uma vez mais para o rosto de Lucy, quase tão branco quanto os lençóis. Ela estava praticamente imóvel. Verifiquei cuidadosamente o quarto, para conferir se tudo estava sob controle. Notei que o professor havia colocado alho no quarto todo, assim como fez com o outro. Havia alho na janela e em volta do pescoço de Lucy, sobre o lenço de seda que Van Helsing a obrigara a usar. As feições da pobre moça estavam piores do que nunca e ela respirava agonizante, com a boca entreaberta, deixando à mostra as gengivas pálidas. Na penumbra, sob aquela luz tênue, seus dentes pareciam mais compridos e pontiagudos do que pela manhã. Particularmente os caninos, que, talvez por algum tipo de impressão causada pela iluminação, pareciam maiores e mais afiados que os demais. Sentei-me ao lado da cama, e Lucy pareceu inquieta. No mesmo instante, ouvi um bater de asas que pareciam pancadas na janela. Aproximei-me cuidadosamente e olhei pela fresta. A lua estava cheia e havia um morcego voando em círculos. Atraído pela luz, mesmo que fraca, do quarto, ele batia as asas contra a janela vez ou outra. Ao voltar para a poltrona, vi que Lucy havia se movido discretamente e arrancara as flores do pescoço. Recoloquei a guirlanda no lugar e sentei-me ao lado dela.

Ela acordou pouco depois e a alimentei de acordo com as orientações do dr. Van Helsing. Comeu bem pouco, desanimada. Parecia que não lutava mais pela vida e pela recuperação das forças, como fazia antes. Pareceu-me curioso o fato de que, assim que acordou, ela apertou as flores contra o peito. Sempre que entrava naquele estado letárgico, com a respiração estertorada, ela afastava as flores de alho-silvestre, e quando acordava, agarrava-as e as trazia para perto de si. Não havia como não notar ou ter dúvidas quanto a isso: nas longas horas que se seguiram, ela repetiu esse movimento inúmeras vezes enquanto revezava os períodos de despertar e de sono.

Às seis da manhã, Van Helsing veio me render. Deixou Arthur dormindo, por pena do rapaz, pois ele havia acabado de cochilar. Quando viu o rosto de Lucy, inspirou fundo, de forma ciciante, e sussurrou rispidamente:

— Abra a cortina; preciso de luz!

Obedeci, e ele se curvou sobre Lucy, examinando-lhe o pescoço com atenção. Quando retirou as flores de alho-silvestre e levantou o lenço de seda do pescoço dela, exclamou *"Mein Gott"*, recuando. Aproximei-me para observar também o pescoço de Lucy, e senti um arrepio percorrer-me o corpo todo.

Os ferimentos tinham desaparecido inteiramente.

Durante cinco minutos, Van Helsing ficou olhando para Lucy com a expressão mais severa que eu já tinha visto, depois anunciou calmamente:

— Vai morrer dentro de pouco tempo. Haverá uma grande diferença, guarde o que estou dizendo, se ela morrer acordada ou dormindo. Vá chamar o pobre Arthur, para que a veja uma última vez. Ele confiou em nós, e prometemos que o avisaríamos.

Eu desci até a sala e o acordei. Ele ficou confuso por um tempo, e então sobressaltou-se ao ver o sol entrando pelas frestas da janela, pois pensou que seria tarde demais. Garanti que Lucy dormia, mas lhe disse da melhor forma possível que Van Helsing e eu temíamos que o fim dela estivesse próximo. Ele cobriu o rosto com as mãos, ajoelhou-se perto do sofá e ficou ali, talvez durante um minuto, com a cabeça abaixada, rezando, e eu observei seus ombros estremecerem com a tristeza que o tomava. Peguei-o pela mão e o levantei, dizendo:

— Vamos, amigo, reúna suas forças e venha. Assim será melhor e mais fácil para ela.

Quando entramos no quarto, observei que Van Helsing, com sua habitual previdência, tinha arrumado tudo para deixar o cômodo o mais agradável possível, inclusive escovado os cabelos de Lucy, que agora se espalhavam pelo travesseiro com as ondulações que pareciam raios de sol. Assim que entramos, ela abriu os olhos e, vendo o noivo, murmurou:

— Arthur! Meu amor, estou tão alegre por você ter vindo!

Arthur aproximou-se dela para beijá-la, mas Van Helsing fez-lhe um sinal para que recuasse.

— Ainda não! — sussurrou. — Segure a mão dela. Isso a deixará mais confortada.

Arthur ajoelhou-se junto do leito segurando a mão de Lucy, e ela se mostrou em sua melhor forma, com todos os seus contornos suaves acentuados pela beleza angelical de seus olhos. Aos poucos, ela foi fechando os olhos e logo adormeceu. Por algum tempo, seu peito subiu e desceu suavemente, a respiração lembrando a de uma criança cansada.

E, então, imperceptivelmente, ocorreu a estranha mudança que eu observara durante a noite. A respiração de Lucy se tornou ofegante e ela entreabriu a boca, deixando à mostra as gengivas brancas, que fizeram os dentes parecerem mais compridos e aguçados. Em uma espécie de sonambulismo vago e inconsciente, ela abriu os olhos, agora vidrados, e murmurou, com uma voz voluptuosa que eu nunca ouvira antes:

— Arthur! Meu amor, estou tão alegre por você ter vindo! Beije-me!

Arthur debruçou-se sofregamente na direção dela, mas Van Helsing — que, assim como eu, se espantara com a voz dela — precipitou-se sobre ele, afastando-o do leito e empurrando-o para longe com uma força inédita para mim.

— Por sua vida, por sua alma e pela alma dela, não! — exclamou.

E posicionou-se entre os dois, como um leão defendendo a presa.

Perplexo, Arthur ficou por um momento sem saber o que dizer. Antes que algum impulso violento pudesse dominá-lo, ele se deu conta do local e da situação em que se encontrava e ficou em silêncio, aguardando.

Eu tinha os olhos fixos em Lucy, do mesmo modo que Van Helsing, e vi uma expressão de fúria em seu rosto. Ela rangeu os dentes afiados com um ruído perceptível, fechou os olhos e respirou pesadamente.

Logo depois, ela tornou a abrir os olhos com toda a sua graciosidade, estendeu a mão magra e pálida, pegou a imensa mão de Van Helsing e a beijou:

— Meu verdadeiro amigo — disse, com voz muito fraca, mas tomada por uma paixão indizível. — Meu amigo verdadeiro e amigo dele também! Proteja-o e me dê a paz!

— Eu prometo! — disse Van Helsing solenemente, ajoelhando-se junto ao leito e segurando a mão dela, como quem faz um juramento.

Depois, voltou-se para Arthur:

— Venha, meu filho. Pegue a mão dela e beije-a na fronte, apenas uma vez.

Os dois amantes entreolharam-se, e foi assim que se despediram.

Os olhos de Lucy se fecharam. Van Helsing segurou Arthur pelo braço e o afastou.

A respiração de Lucy tornou-se ofegante de novo, e parou em seguida.

— Acabou — disse Van Helsing. — Ela está morta.

Segurei Arthur pelo braço e o conduzi à sala de estar. Ele se sentou, cobriu o rosto com as mãos e começou a soluçar, tão intensamente que quase não consegui me conter também.

Voltei para o quarto. Van Helsing examinava a pobre Lucy com a expressão mais grave do que nunca. Parecia ter havido uma mudança no corpo dela. A morte trouxe de volta parte de sua beleza, pois a fronte e a face haviam recuperado os contornos delicados. Os lábios não mais apresentavam a palidez mortal. Parecia que o sangue, agora desnecessário para o funcionamento de seu coração, tivesse suavizado ao máximo a rigidez cruel da morte.

"Pensamos que ela morria, mas ela dormia,
e que estava dormindo, quando estava morta."*

Parei ao lado de Van Helsing e exclamei:

— Pobre moça! Afinal alcançou a paz! É o fim!

Ele voltou-se para mim e disse com solenidade rígida:

— Infelizmente, não é bem assim. Isso é apenas o começo!

Quando perguntei o que ele quis dizer, ele apenas balançou a cabeça.

— Por enquanto, nada podemos fazer. Esperemos.

---

* Versos do poema *The Death Bed*, de Thomas Hood.

XIII

DIÁRIO DO DR. SEWARD
(continuação)

O enterro foi marcado para o dia seguinte, a fim de que Lucy e a mãe pudessem ser enterradas juntas. Cuidei de todas as formalidades fúnebres, e a equipe da funerária nos tratou com muita cortesia e delicadeza. A senhora que cuidava dos preparativos fúnebres comentou comigo em segredo, de colega para colega de profissão, ao sair da câmara funerária:

— Que belo cadáver o dessa jovem, senhor. Que privilégio podermos cuidar dela. É sem exagero algum que digo que ela trará prestígio ao nosso estabelecimento.

Notei que Van Helsing não se afastou do corpo em momento algum. A casa estava em absoluta desordem. Elas não tinham parentes próximos e, como Arthur precisou voltar no dia seguinte para cuidar do enterro do pai, não pudemos avisar ninguém que pudesse vir para a cerimônia. Devido às circunstâncias, Van Helsing e eu cuidamos de toda a parte burocrática. Ele insistiu em cuidar de todos os documentos de Lucy pessoalmente. Perguntei o motivo de ele fazer tanta questão disso, pois receava que deixasse passar alguma exigência da lei britânica, uma vez que era estrangeiro, e isso viesse a trazer algum problema desnecessário. O professor respondeu:

— Você se esquece de que, além de médico, sou advogado. Contudo, não se trata de lei. Senão teríamos chamado o legista. Além disso, não se trata de apenas de evitar a presença do legista. Trata-se de procurar outros papéis como este aqui.

Enquanto falava, tirou de dentro do caderno de anotações o papel que estivera escondido no colo de Lucy, e que ela rasgara durante o sono agitado.

— Quando você descobrir quem é o procurador da Sra. Westenra, sele todos os documentos e escreva para ele. Quanto a mim, ficarei aqui neste quarto e no antigo quarto da srta. Lucy a noite toda, vendo o que há. Não convém que os pensamentos dela caiam nas mãos de estranhos.

Realizei minha tarefa e, meia hora depois, já estava com o endereço do procurador da Sra. Westenra e uma carta redigida para ele. Os papéis da boa senhora estavam todos em ordem e havia orientações diretas em relação ao enterro. Tinha acabado de selar o envelope quando fui surpreendido com a entrada de Van Helsing.

— Como posso ajudá-lo, amigo John? Estou livre agora, e à sua disposição, se puder ser útil em alguma coisa.

— O senhor encontrou o que procurava?

— Não havia algo específico a ser procurado. Procurei e encontrei algumas cartas, algumas anotações e um diário que ela havia acabado de começar. Está tudo aqui, e é melhor não comentarmos com ninguém sobre isso. Visitarei o pobre noivo amanhã e pedirei sua autorização para estudar o material.

Quando terminamos, o professor disse:

— Amigo John, creio que podemos descansar. Precisamos dormir para recuperar as forças. Amanhã teremos muito o que fazer, mas por ora nossa ajuda não é necessária.

Antes de nos recolhermos, fomos ver a pobre Lucy. O agente funerário tinha feito um excelente trabalho, pois o quarto havia se transformado em uma capela mortuária, decorado com toda sorte de belas flores brancas, deixando a morte o menos repulsiva possível. O rosto dela estava coberto por uma mortalha, e, quando o professor retirou o pano, ficamos admirados com sua beleza. Havia velas acesas para fornecer luz suficiente para dar destaque a ela. Todo o encanto da beleza de Lucy havia voltado com a morte, e o tempo passado, em vez de deixar os traços dos "dedos aniquiladores da Decadência",* devolveram-lhe a beleza da vida, tanto que eu nem conseguia acreditar que estava diante de um cadáver. O professor estava profundamente solene. Não entendi as lágrimas em seus olhos, pois ele não a amava como eu.

— Fique aqui até eu voltar — pediu ele, e saiu do quarto.

Voltou trazendo uma braçada de alhos-silvestres que retirou de uma caixa que estava no vestíbulo, mas que não tinha sido aberta, e espalhou as flores sobre o corpo e em torno do leito. Depois, tirou do próprio pescoço, por dentro do colarinho, um pequeno crucifixo

---

* Verso do poema *The Giaour, a Fragment of a Turkish Tale*, de Lorde Byron.

de ouro e colocou-o sobre os lábios de Lucy. Em seguida, desceu a mortalha sobre o rosto de Lucy e nós nos retiramos.

Eu estava me trocando em meu quarto quando, com uma batida à porta, ele entrou.

— Amanhã, quero que me traga, antes do anoitecer, um jogo de bisturis para necropsia.

— Teremos de fazer uma necropsia? — perguntei.

— Sim e não. Quero fazer uma operação, mas não é o que você está pensando. Agora posso contar, mas não diga uma só palavra a ninguém. Quero cortar a cabeça e retirar o coração dela. Mas você, um cirurgião, não deve ficar tão chocado! Você, que já vi fazer operações tão difíceis! Oh, mas eu não deveria esquecer, meu caro amigo John, que você a amava; e não esqueci, e é por isso que farei essa operação sozinho, e você não vai me ajudar. Eu preferiria fazer a operação esta noite, mas não posso, por causa de Arthur. Ele ficará livre depois do enterro do pai, amanhã, e vai querer vê-la. Depois que ela estiver fechada no caixão para o dia seguinte, nós o abriremos, faremos a operação e tornaremos a lacrar o caixão, sem que ninguém saiba.

— Mas para que mutilar o corpo da infeliz sem necessidade? É monstruoso! Se não há necessidade de autópsia, nem a ciência nem o conhecimento ganharão com isso — repliquei.

Ele colocou a mão no meu ombro e disse, com uma ternura infinita:

— Amigo John, me compadeço de seu coração dilacerado, e gosto de você ainda mais por saber que está sofrendo assim. Se eu pudesse, carregaria eu mesmo o peso que está carregando. Mas há coisas que você não sabe, porém tem de saber, e deve dar graças a Deus porque as sei, embora não sejam coisas agradáveis. Você me conhece há tanto tempo! Já me viu fazer alguma coisa sem um motivo justo? Posso errar, mas acredito no que faço. Não foi por isso que me chamou quando os problemas começaram? Sim! Você não ficou espantado, ou talvez mesmo horrorizado, quando não deixei Arthur beijá-la, embora ela estivesse morrendo, e eu o puxei para longe dela com toda a força? Sim! No entanto, viu que ela me agradeceu, e beijou minha velha mão áspera, e me abençoou? Viu que fiz uma promessa a ela, jurei, até ela fechar os olhos agradecida? Tenho bons motivos para fazer o que pretendo. Terá confiança em mim? Nas últimas semanas aconteceram coisas estranhas, e você tem todos os motivos para ficar em dúvida, mas preciso que acredite em mim. Se não confia em mim, então devo lhe contar o que tenho em mente, e isso não será muito bom. Vou ter de agir de qualquer forma, com ou sem a sua confiança. Garanto que meu coração estará pesado e me sentirei muito sozinho, justamente quando precisarei de toda ajuda e toda coragem com que puder contar! — Ele ficou em silêncio por um momento, e então prosseguiu solenemente: — Amigo John, temos dias estranhos e ruins pela frente. Precisamos trabalhar juntos com o mesmo objetivo. Você consegue confiar em mim?

Apertei-lhe a mão, garantindo que confiava. Segurei a porta do quarto para ele sair e fiquei observando-o entrar em seu quarto e fechar a porta. Antes de fechar a minha porta, vi uma das criadas passar em silêncio pelo corredor — daquele ângulo, ela não podia me ver — e entrar no quarto em que Lucy estava. Fiquei comovido. Devoção é algo raro, e é natural sentir gratidão aos que a demonstram espontaneamente por aqueles a quem amamos. Aquela pobre menina venceu o medo que certamente deveria ter dos terrores da morte para velar sozinha a patroa que tanto adorava, de modo que o pobre barro não ficasse solitário antes de ir para o repouso eterno...

Devo ter dormido profundamente, pois já era dia claro quando Van Helsing entrou no quarto para me acordar.

— Não precisa mais se preocupar com os bisturis — disse ele. — Não vamos mais fazer o que eu pretendia.

— Por que não? — perguntei. Sua solenidade na noite anterior havia me deixado muito impressionado.

— Porque é tarde demais, ou muito cedo — respondeu. — Veja! — acrescentou, mostrando o pequeno crucifixo de ouro. — Isto foi roubado ontem à noite.

— Roubado? Então como está com ele?

— Porque o tomei da inútil que o roubou de uma morta e dos vivos. Seu castigo virá, mas não por meu intermédio. Ela não sabia o que estava fazendo, foi um simples furto. Mas agora temos de esperar.

Van Helsing saiu, deixando-me às voltas com um novo mistério.

O procurador da família apareceu ao meio-dia. Era o Sr. Marquand, da Wholeman, Sons, Marquand & Lidderdale. Mostrou-se grato pelas providências que tínhamos tomado e se encarregou de tomar as que fossem necessárias dali por diante. Durante o almoço, contou-nos que a Sra. Westenra vinha esperando, desde algum tempo, morrer de repente, por isso tinha deixado todos os seus negócios em ordem. Com exceção de alguns bens vinculados em morgadio* deixados pelo pai de Lucy, que, agora, na ausência de um herdeiro direto, teriam de ser herdados por parentes afastados, todos os bens, imóveis e pessoais, caberiam a Arthur Holmwood.

— Sinceramente, fizemos todo o possível para evitar essa disposição do testamento, e apontamos situações que poderiam deixar a filha totalmente sem recursos financeiros ou sem liberdade no caso de um matrimônio. De fato, insistimos muito no assunto, e quase houve um conflito, pois ela foi incisiva ao dizer que suas vontades deveriam ser realizadas. Nossa única alternativa foi aceitar. Sei que estávamos certos em nossa opinião; contudo, a situação atual mostra que qualquer outra disposição não tornaria possível que os desejos da senhora fossem satisfeitos. Como ela morreu antes da filha, a filha teria herdado todas as propriedades, mas, mesmo que tivesse falecido cinco minutos após a mãe, falecer sem testamento torna praticamente impossível a confecção de um testamento em tais circunstâncias, pois suas propriedades seriam consideradas sucessão intestada.† Assim, lorde Godalming não teria direito à herança, apesar de ser próximo da família. Mesmo distantes, dificilmente herdeiros teriam aberto mão de seu direito para uma pessoa desconhecida, ainda mais por razões sentimentais. Garanto-lhes que o resultado foi perfeito e sinto-me extremamente satisfeito.

---

* O morgado ou morgadio é uma forma de organização familiar que cria uma linhagem, bem como um código para designar os seus sucessores, estatutos e comportamentos.

† Sucessão sem testamento.

Era um bom homem, mas demonstrar satisfação com a ínfima parte da história em que realmente mantinha algum interesse em meio a uma tragédia daquelas foi um excelente exemplo dos limites de compaixão.

Ele ficou pouco tempo e disse que voltaria mais tarde para falar com lorde Godalming. Sentimos certo alívio com sua chegada, contudo, pois isso nos deu a garantia de que não seríamos criticados por nossas decisões. Arthur chegaria às cinco horas, e fomos antes disso para a câmara mortuária, que agora abrigava mãe e filha. O agente funerário tinha arrumado tudo da melhor forma possível, e a atmosfera fúnebre do ambiente nos deixou absolutamente desolados. Van Helsing determinou que tudo deveria voltar para a arrumação anterior, pois seria menos chocante a lorde Godalming ver apenas os restos mortais de sua noiva. O agente funerário ficou envergonhado com a própria estupidez e fez o maior esforço para deixar tudo exatamente como estava na noite anterior, e assim Arthur não ficaria tão abalado.

Pobre Arthur! Estava extremamente triste e abatido. O esforço das emoções do momento tinha feito diminuir até mesmo sua virilidade. Sempre havia sido muito dedicado ao pai, e perdê-lo bem naquele momento fora um duro golpe. Foi carinhoso comigo, como sempre, e cortês com Van Helsing. Mas senti certa restrição em relação a ele. O professor também percebeu, e pediu que eu o acompanhasse até o quarto. Pensei que quisesse ficar sozinho com ela, então parei na porta do quarto, mas Arthur pegou em meu braço e me levou para dentro, sussurrando gravemente:

— Você também a amava, meu caro. Ela me contou tudo, e nenhum outro amigo ocupava um lugar tão distinto no coração de Lucy quanto você. Não sei como agradecer tudo o que fez por ela. Ainda não consigo imaginar...

E assim caiu no choro, abriu os braços sobre os meus ombros, deitou a cabeça em meu peito e exclamou:

— O que farei agora, John? Minha vida parece ter acabado subitamente, nada mais faz sentido para mim.

Procurei consolá-lo da melhor forma que consegui. Homens não têm necessidade de falar tanto em casos como esses. Um aperto de mão e um abraço firme são manifestações caríssimas de solidariedade. Permaneci em silêncio e imóvel enquanto ele soluçava, então disse com carinho:

— Venha vê-la.

Levei-o ao quarto onde estava o corpo e levantei o lençol de seu rosto. Meu Deus, como estava bonita! Parecia estar ficando mais linda conforme as horas se passavam. Aquilo me deixou um tanto assustado e espantado. Arthur começou a tremer e a delirar, contrariado, como se estivesse com febre. Então, depois de uma longa pausa, perguntou-me, quase sem voz:

— Jack, ela está mesmo morta?

Assegurei-lhe que, infelizmente, essa era a verdade, e que era comum o rosto da pessoa morta restabelecer a beleza da juventude, principalmente quando a morte é causada por um sofrimento extremo e prolongado. Meu comentário acabou com qualquer dúvida que ele pudesse ter. Ele se ajoelhou ao lado dela e a olhou com amor, demoradamente. Avisei que devia se despedir dela, pois o caixão tinha de ser preparado, então ele se voltou para a noiva, segurou-lhe a mão morta e a beijou, em seguida se debruçou sobre ela e a beijou na testa. Quando foi saindo, olhou afetuosamente para ela por sobre o ombro.

Deixei-o na sala de estar e avisei Van Helsing que ele já tinha se despedido da noiva, então o professor foi até a cozinha dizer ao agente funerário que poderia dar seguimento ao ritual e fechar o caixão. Quando voltou, mencionei a dúvida de Arthur e ele comentou:

— Não estou surpreso. Tive a mesma dúvida por um momento!

Jantamos juntos, e percebi que o pobre Art esforçava-se para amenizar a situação. Van Helsing manteve-se calado o jantar todo; só falou quando acendemos os charutos.

— Lorde...

Arthur o interrompeu.

— Não, não, absolutamente não! Pelo amor de Deus! Perdoe-me, senhor. Não tive a intenção de ofendê-lo, é que minha perda é muito recente.

O professor respondeu em tom brando:

— Usei o título porque não posso chamá-lo de "senhor", e passei a gostar muito de você, meu caro rapaz. Sim, eu aprendi a amá-lo como Arthur.

Arthur estendeu a mão e apertou calorosamente a do professor.

— Pode me chamar como quiser. O título que desejo ter para sempre é apenas o de amigo. Não tenho palavras para agradecer toda a sua bondade com a minha amada. — Ele parou de falar por um momento, depois continuou: — Tenho certeza de que Lucy sentiu a sua bondade ainda mais do que eu. E peço perdão por ter sido rude de alguma forma quando o senhor agiu tão... o senhor sabe... — O professor assentiu. — Por favor, perdoe-me.

— Sei que não foi fácil confiar em mim naquele momento — disse o professor, com polidez e ar sério. — É preciso muito discernimento para entender tal violência. Compreendo que ainda não confie em mim, pois ainda não sabe do que se trata. Pode ser que eu ainda precise de sua confiança, mesmo que você não consiga, não queira e não possa entender tudo. Um dia você terá de confiar totalmente em mim, ou passará a entender este caso com a clareza necessária. E vai me agradecer por tudo, pelo seu bem e pelo bem dos demais e de nossa querida, a quem jurei proteger.

Arthur concordou afetuosamente.

— Senhor, não tenho dúvidas disso. Sempre confiarei no senhor. Tenho certeza e creio que o senhor tem um coração nobre demais, é amigo de Jack e era amigo dela. O senhor fará tudo da forma como considerar melhor.

O professor pigarreou algumas vezes, como se fosse falar, e, por fim, acrescentou:

— Posso lhe fazer uma pergunta?

— Certamente.

— Sabe que a Sra. Westenra lhe deixou todos os seus bens?

— Não, pobre querida. Jamais imaginei essa possibilidade.

— E, como tudo é seu, o senhor tem direito de fazer o que quiser. Queria que me desse permissão de ler todos os papéis e cartas da Srta. Lucy. Creia-me, não se trata de mera curiosidade. É para o bem de Lucy. Tenho certeza de que ela aprovaria meus motivos. Coletei todos os documentos antes de saber que você era o herdeiro, para que não parassem em mãos de estranhos. Se concordar, ficarei com eles. Neste momento, nem mesmo você poderá vê-los, mas tenha certeza de que estarão seguros comigo. Vou examinar cada uma das palavras, e os devolverei assim que possível. Sei que não é um pedido fácil, mas, pelo bem de Lucy, você me daria sua permissão?

— Dr. Van Helsing — exclamou Arthur, com o modo franco que lhe era peculiar —, pode fazer como achar melhor. Sinto que, ao dizer isto, estou fazendo algo que minha querida Lucy teria aprovado. Não o importunarei com perguntas até chegar o momento certo.

O velho professor levantou-se e anunciou com solenidade:

— E tem razão. Haverá sofrimento para todos nós, mas nem tudo será apenas dor, tampouco a dor será eterna. Nós e você, sobretudo você, meu rapaz, precisaremos transpor águas amargas para alcançar as águas doces.* Mas devemos ser corajosos e abnegados para cumprir nosso dever.

Nessa noite, dormi em um sofá no quarto de Arthur. Van Helsing passou a noite em claro, andando de um lado para o outro, como se estivesse patrulhando a casa, sem perder de vista o cômodo onde estava Lucy em seu caixão, rodeada de flores de alho-silvestre, que emanavam um odor pesado e intenso pela noite, sobrepondo-se ao dos lírios e das rosas.

DIÁRIO DE MINA HARKER

22 de setembro — No trem para Exeter. Jonathan está dormindo. Parece que foi ontem que escrevi neste diário pela última vez, e quanta coisa já aconteceu de lá para cá. Em Whitby, com o mundo inteiro diante de mim, Jonathan longe e sem dar notícias, e agora eu casada com Jonathan, e ele rico e dono do próprio negócio, e o Sr. Hawkins morto e enterrado, e Jonathan sofrendo outro surto que pode deixar sequelas. Pode ser que ele me pergunte a respeito, por isso

---

* Cf. Êxodo 15:23-27.

vou deixar tudo anotado. Faz tempo que não taquigrafo, uma consequência da prosperidade inesperada, e poderei usar o exercício para relembrar.

A cerimônia fúnebre foi muito simples. Estávamos apenas nós, os criados, um ou dois velhos amigos de Exeter, seu agente em Londres e um representante do senhor John Paxton, o presidente da Incorporated Law Society. Jonathan e eu ficamos de mãos dadas e lamentamos a perda do nosso amigo tão querido...

Saindo do enterro, voltamos em silêncio para o centro da cidade, tomando uma condução até Hyde Park Corner, onde estivemos durante algum tempo. Jonathan achou que eu gostaria de pegar um trecho da Row, então nos sentamos, mas havia pouca gente e nos sentimos muito tristes ao ver tantos assentos vazios, pois lembramos da poltrona vazia em nossa casa. Assim, saímos do parque e caminhamos a pé pela Piccadilly. Jonathan me segurava pelo braço, como costumava fazer nos velhos tempos, antes de eu ir para a escola. Considerei inadequado, porque é impossível ensinar etiqueta e decoro a outras garotas durante anos sem que um pouco do pedantismo disso acabe nos afetando; mas Jonathan é meu marido, e não conhecíamos as pessoas que nos olhavam, portanto continuamos caminhando. Havia uma moça muito bonita, com um chapéu largo de passeio, sentada em uma carruagem vitoriana em frente à Giuliano's, e Jonathan exclamou, de repente, apertando-me o braço:

— Meu Deus!

Estou sempre aflita com Jonathan, pois temo que qualquer colapso nervoso possa abalá-lo, então me voltei, depressa para ele e perguntei o que estava acontecendo.

Ele estava lívido. Acompanhando a direção do seu olhar, percebi que olhava para um cavalheiro alto e magro, de nariz aquilino, bigode preto e cavanhaque, que, por sua vez, também olhava para a linda moça. Fitava-a com tanta intensidade que não notou nossa presença, e por isso pude observá-lo por um bom tempo. Seu rosto não refletia nada de bom: era duro, cruel e sensual, e os dentes, que pareciam mais brancos por causa dos lábios muito vermelhos, eram pontiagudos como os de um animal. Jonathan não tirava os olhos dele, e tive receio de que o homem pudesse notar nossa presença. Meu medo era de que ele nos levasse a mal, pois tinha uma aparência brutal e cruel. Perguntei ao meu marido o que estava acontecendo e ele respondeu, evidentemente pensando que eu sabia a mesma coisa que ele:

— Está vendo quem é?

— Não, querido — respondi. — Quem é? Não o conheço.

Sua resposta me chocou, pois parecia que não era comigo que ele estava falando:

— É ele, em pessoa!

Evidentemente, era presa de terrível emoção; parecia apavorado, e creio que teria caído se eu não estivesse ali para sustentá-lo. Continuava a fitar o sujeito. Um homem saiu da loja com um embrulhinho e o entregou à dama, que então partiu. O homem sombrio, sem tirar os olhos da moça que passava em uma carruagem, fez sinal a um carro que passava e, quando a carruagem subiu a Piccadilly, ele seguiu na mesma direção. Jonathan o seguiu com os olhos e disse, como que para si mesmo:

— Acredito que seja o conde, mas está mais jovem. Como isso é possível, meu Deus? Se eu soubesse! Se eu soubesse!

Estava tão preocupado que tive receio de manter sua atenção perguntando-lhe por mais detalhes, então fiquei em silêncio. Puxei-o discretamente para que prosseguíssemos, e ele, segurando meu braço, acompanhou-me.

Caminhamos mais um pouco e fomos ao Green Park. Estava bem quente para um dia de outono, e nos sentamos em um banco confortável à sombra. Depois de alguns minutos, Jonathan fechou os olhos e adormeceu com a cabeça em meu ombro. Achei que seria bom ele dormir um pouco, então não o incomodei. Cerca de vinte minutos depois, acordou e disse jovialmente:

— Que coisa, Mina! Acabei dormindo! Desculpe-me por ter sido tão rude. Venha. Vamos tomar um chá em algum lugar.

Sem dúvida, tinha se esquecido do sujeito. Não me atrevi a perguntar-lhe, mas não gostei do lapso de memória. Isso pode fazer com que algo se agrave em seu cérebro. Preciso saber o que aconteceu com ele naquela viagem sem ter de lhe perguntar, pois isso pode lhe causar ainda mais danos. Acho que chegou a hora de romper o lacre do diário e saber o que foi registrado nele. Querido Jonathan, sei que há de me perdoar, mas é pelo seu bem!

Mais tarde no mesmo dia — Foi muito triste, sob todos os aspectos, voltar para aquela casa, agora vazia sem a presença do querido Sr. Hawkins, que foi tão bondoso conosco! Jonathan ainda está pálido e abatido, e agora recebemos um telegrama de Van Helsing, que não sei quem é, dizendo:

> Lamento comunicar-lhe que a Sra. Westenra morreu há cinco dias e que Lucy morreu anteontem. Ambas foram sepultadas hoje.

Quanta tristeza em tão poucas palavras! Pobre Sra. Westenra! Pobre Lucy! Partiram para sempre, nunca mais voltarão! E pobre, pobre Arthur, perder tamanha doçura na vida! Deus nos ajude a suportar tanta atribulação.

DIÁRIO DO DR. SEWARD

22 de setembro — Tudo terminou. Arthur regressou a Ring, em companhia de Quincey Morris. Quincey é um bom amigo. Acho que está sentindo tanto a morte de Lucy como qualquer um de nós, mas comportou-se como um viking moral. Se a América continuar a produzir homens como ele, certamente vai se tornar uma potência mundial. Van Helsing está descansando um pouco para a viagem. Vai esta noite para Amsterdã fazer alguns arranjos que só podem ser feitos pessoalmente, mas disse que voltará amanhã à noite. Disse que tem negócios a tratar em Londres que o reterão durante algum tempo. Que pena do meu velho amigo! As últimas semanas afetaram a sua saúde, antes inabalável. Percebi que passou o enterro inteiro tentando controlar as emoções. No final, Arthur falava da transfusão de seu sangue para as veias de Lucy. Van Helsing empalideceu e enrubesceu alternadamente. Arthur dizia que se sentia casado com ela desde aquele momento e que ela era sua esposa aos olhos de Deus. Nenhum de nós fez nenhum comentário sobre as demais transfusões, e jamais faremos. Arthur e Quincey seguiram juntos para a estação, e Van Helsing e eu viemos para cá. Assim que ficamos a sós na carruagem, ele teve um ataque histérico. Mais tarde, negou que fosse histeria e insistiu que tinha sido apenas seu senso de humor se afirmando sob condições terríveis. Riu até as lágrimas, e eu precisei fechar as cortinas, para não correr o risco de alguém o ver e o interpretar mal. Depois chorou e tornou a rir, e então riu e chorou ao mesmo tempo, como as mulheres muitas vezes fazem. Tentei falar sério com ele, como se faz com uma mulher nessa situação, mas não tive sucesso. Homens e mulheres são tão diferentes na manifestação da força e da fraqueza dos nervos! Finalmente, quando sua expressão assumiu o ar grave e sério de sempre, eu o interroguei sobre onde estaria a graça num momento como aquele. Sua resposta foi de certa forma característica dele: lógica, assertiva e misteriosa.

— Você não entende, amigo John. Estou triste, apesar do riso. Eu chorei, mesmo engasgado com a gargalhada. Mas não pense que lamento quando choro, pois também estou gargalhando. O riso que bate à porta e pede licença para entrar não é verdadeiro. Não! Nunca se esqueça de que o riso é um rei que vem quando e como quer. Não pede licença e não escolhe a hora. Simplesmente chega. Estou de luto por aquela menina tão jovem e tão doce. Dei meu sangue por ela, mesmo estando velho e cansado. Doei meu tempo, meus conhecimentos e meu sono. Deixei outros pacientes sem nada para dar tudo a ela. No entanto, agora rio em sua sepultura, rio ao ver a pá do coveiro jogar terra sobre o seu caixão e bater em meu coração, tum, tum, até sentir o sangue voltar à minha face. Meu coração sangrou por aquele pobre garoto, que tem a idade que meu filho teria se tivesse tido a benção de sobreviver, o mesmo cabelo e os mesmos olhos, e é por isso que gosto tanto dele. E mesmo assim, quando ele diz coisas que tocam meu coração de marido e fazem meu coração de pai sentir mais saudade dele do que jamais senti por outro homem... nem mesmo de você, amigo John. Somos muito mais parecidos em nossa experiência do que como pai e filho e, mesmo nessa hora, o

Rei Riso vem e grita e berra em meu ouvido, anunciando sua chegada, fazendo o sangue ferver em meu rosto. Amigo John, o mundo é estranho e triste demais, cheio de desgraças, dores e problemas. E mesmo assim, quando chega, o Rei Riso faz tudo isso dançar de acordo com a música que ele toca. Corações sangrando, ossos secos no cemitério e lágrimas ardentes, tudo passa a fazer parte da dança e da música que o riso faz com a boca que não sorri. Pode acreditar, amigo John, que se trata de um rei bom e generoso, e que somos todos como cordas retesadas por uma força que nos puxa para direções diferentes. Como a chuva, as lágrimas vêm para molhar as cordas e contraí-las até que a força seja extrema e se rompa. O Rei Riso vem como um raio de sol para aliviar a tensão, e assim continuamos nossas tarefas, quaisquer que sejam.

Não quis ofendê-lo fingindo não compreender seu ponto de vista, mas como ainda não conseguia entender o motivo de tanto riso, perguntei-lhe qual era. Ele assumiu uma expressão séria enquanto respondia, e mudou totalmente o tom de voz.

— Foi por causa de toda a ironia da situação. A jovem adorável com a guirlanda de flores, tão bela que chegamos ao ponto de nos perguntarmos se estaria mesmo morta, deitada na capela de mármore no solitário cemitério da igreja, onde jazem tantas pessoas de sua linhagem, como a mãe que tanto a amava e a quem ela tanto amava. E aquele sino sagrado batendo de forma lenta e melancólica. E aqueles homens santos, com túnicas brancas de anjo, fingindo ler os livros e o tempo todo se perdendo nas páginas. E nós ali, de cabeça baixa. E por que tudo isso? Ela está morta, é isso! Não é?

— Juro por tudo que é mais sagrado que ainda não consigo entender o motivo das gargalhadas. Sua explicação deixa-me ainda mais sem resposta do que antes. Mesmo que houvesse graça na cerimônia, e o coitado do Art e sua tristeza? Ele estava inconsolável.

— Justamente. E ele não disse que a transfusão de seu sangue para as veias dela a tornara sua esposa?

— Sim, e foi uma ideia que trouxe consolo para ele.

— É verdade, mas é aí que vejo o dilema. E os outros doadores? Ah! Ah! Quantos maridos teria a pobre dama? Até eu, com minha pobre esposa, morta em meu entendimento, mas viva pela lei da Igreja, apesar de ter perdido a razão, seria bígamo. Até mesmo eu, que sou fiel à minha esposa ausente, seria bígamo.

— Também não vejo graça nisso — retruquei, pois não gostei das coisas que estava ouvindo. O professor se desculpou, tocando meu braço.

— Amigo John, perdoe-me se isso o ofende — disse Van Helsing. — Não demonstrei meus sentimentos para os outros, pois sabia que os magoaria, apenas para você, meu velho amigo, em quem posso confiar. Se você pudesse ter visto o interior do meu coração no momento em que quis rir, se pudesse tê-lo feito quando a risada chegou, se pudesse ver agora, quando o Rei Riso já guardou sua coroa e tudo o que lhe pertence e se afasta de mim, e que permaneça longe por muito tempo, teria mais compaixão por mim do que por todos os outros.

Fiquei comovido com o tom de sua voz e perguntei por quê.

— Porque eu sei! — disse ele.

Agora nos separamos; e por muitos e longos dias, a solidão pousará em nossos telhados com suas asas melancólicas. Lucy jaz na tumba de seus ancestrais, em uma nobre capela no cemitério solitário de uma igreja, longe da agitação londrina, onde o ar é fresco, e o sol nasce atrás de Hampstead Hill, e onde as flores silvestres crescem livremente.

E assim posso encerrar este diário, e só Deus sabe se um dia começarei outro. Se o fizer, ou mesmo se retomar este, será para tratar de outras pessoas e outros assuntos, pois aqui, no final, onde o romance de minha vida está contado, antes de retomar o trabalho de minha vida, digo, infeliz e sem esperança:

FINIS

THE WESTMINSTER GAZETTE

25 de setembro
MISTÉRIO EM HAMPSTEAD

Está ocorrendo, nos arredores de Hampstead, uma série de acontecimentos que se assemelham àqueles que figuraram em manchetes como "Terror em Kensington", "A Mulher do Punhal" ou "A Mulher de Preto". Nos últimos dois ou três dias, houve vários casos de crianças perdidas ou que não voltaram para casa depois de terem brincado em Hampstead Heath. Todas eram pequenas demais para conseguirem fazer um relato adequado sobre onde tinham estado, mas foram unânimes ao contar que tinham estado com uma "dama de branco".* Todas desapareceram à noite, e duas delas só foram encontradas na manhã seguinte. Os moradores do bairro supõem que a primeira criança encontrada inventou que a dama de branco a convidara para um passeio, e as outras a imitaram, o que parece natural, já que a esperteza dos pequenos não tem limites quando querem fazer brincadeiras. Um correspondente nos escreveu comentando que é muito divertido ver os pequenos imitando a "dama de branco". Ele sugere ainda que nossos caricaturistas deveriam aprender algo sobre a ironia do grotesco ao comparar realidade e imagem. De acordo com os princípios gerais da natureza humana, a "dama de branco" deveria ser um papel popular nas apresentações ao ar livre. Esse mesmo leitor acrescentou, ingenuamente, que nem mesmo Ellen Terry† se mostraria tão sedutora quanto muitas das crianças de rosto sujo fingem ser.

Há, contudo, um aspecto do caso que parece sério, pois algumas das crianças desaparecidas apresentam ligeiros ferimentos no pescoço. Os ferimentos parecem ter sido provocados por um rato ou cão de tamanho pequeno e, embora não tenham muita importância por si mesmos, parecem indicar que o animal que os produz tem um certo método. A polícia recebeu instruções para ter o máximo cuidado com crianças encontradas sozinhas em toda a região de Hampstead Heath, especialmente as muito pequenas, e com qualquer cão solto pelas ruas.

---

* No original "bloofer lady", possivelmente o termo usado por Charles Dickens em *Our Mutual Friend*. "Bloofer" é uma forma infantil de dizer "beautiful".

† Famosa atriz inglesa da época.

THE WESTMINSTER GAZETTE

25 de setembro

Edição especial
HORROR EM HAMPSTEAD
OUTRA CRIANÇA FERIDA
A "Dama de Branco"

Acabamos de ser informados de que outra criança, desaparecida durante a noite passada, só foi encontrada às últimas horas da manhã de hoje, em um matagal de Hampstead Heath, ao lado do monte Shooter, um lugar meio deserto. A criança tinha o mesmo ferimento no pescoço observado nos outros casos. Estava em estado de grande fraqueza e muito pálida. Quando melhorou, contou a mesma história, dizendo ter sido atraída pela "dama de branco".

XIV

DIÁRIO DE MINA HARKER

23 de setembro — Jonathan está melhor, depois de ter passado mal à noite. Estou satisfeita porque ele tem bastante trabalho a fazer, de modo que pode se esquecer um pouco daquelas coisas terríveis. Fico muito feliz por ele não mais se sentir sobrecarregado em sua nova posição. É muito bom ver que ele tem levado bem o ritmo de trabalho e cumprido todos os seus deveres. Hoje ele vai ficar fora até tarde, e disse que não vai poder almoçar em casa. Já arrumei a casa, então vou poder fechar-me em um quarto para ler o diário que escreveu no estrangeiro.

24 de setembro — Não tive ânimo de escrever ontem à noite. Aquelas coisas horríveis registradas por Jonathan me abalaram muito! Coitado! Como deve ter sofrido, quer seja verdade, quer seja mera imaginação! Haverá alguma verdade em tudo isso? Aquelas coisas terríveis que ele escreveu seriam delírios decorrentes da febre ou houve mesmo um motivo para aquilo tudo? Creio que jamais saberei, pois não ousarei tocar no assunto com ele. Aquele homem que vimos ontem. Jonathan parecia bastante convicto... Coitado! Acho que ficou muito nervoso com o enterro e isso fez sua mente voltar no tempo... Mas o fato é que acredita em tudo. Eu me recordo como, no dia de nosso casamento, ele disse: "A não ser que algum dever solene recaia sobre mim, forçando-me a retornar às horas amargas, adormecido ou acordado, são ou ensandecido". Parece haver em tudo isso certa continuidade... Aquele horrível conde estava vindo para Londres. Se isso for verdade, e ele estiver na cidade, com seus milhões de habitantes... Poderia haver um dever solene; caso exista, não devemos nos esquivar dele... Preciso estar preparada. Vou começar a datilografar o diário imediatamente. Dessa forma, estaremos prontos se outras pessoas precisarem lê-lo. Caso seja preciso, se eu puder, e Jonathan não se incomodar, serei a voz dele, e assim evitarei qualquer tipo de perturbação. Se Jonathan vencer o nervosismo, pode querer me contar tudo, e eu poderei lhe fazer perguntas e esclarecer muita coisa, e saber como posso confortá-lo.

CARTA DE VAN HELSING À SENHORA HARKER

24 de setembro
(confidencial)

Prezada Senhora,

Peço perdão por tomar a liberdade de escrever-lhe novamente, pois sou o amigo distante que lhe comunicou a triste notícia da morte da Srta. Lucy Westenra. Por bondade de lorde Godalming, li as cartas e os documentos deixados por Lucy e estou muito preocupado com certas questões de grande importância. Entre os documentos, encontrei cartas suas, e notei como eram grandes amigas e como a senhora a amava. Imploro-lhe, madame Mina, que me ajude, para que sejam redimidos grandes males e evitadas muitas dificuldades que podem ser muito maiores do que a senhora imagina. Poderei vê-la? Pode confiar em mim. Sou amigo do dr. John Seward, de lorde Godalming (que era o Arthur da Srta. Lucy). Por enquanto, isso deve permanecer estritamente entre nós. Vou a Exeter para vê-la, imediatamente, se me permitir. Pelas cartas de Lucy, sei o quanto a senhora é boa e o quanto seu marido sofre; peço-lhe, portanto, se for possível, que não lhe conte nada, a fim de não o aborrecer. Peço novamente que me perdoe.

Van Helsing

TELEGRAMA DA SENHORA HARKER A VAN HELSING

25 de setembro

Venha hoje no trem das dez e quinze, se puder tomá-lo. Posso vê-lo a qualquer hora.

Wilhelmina Harker

DIÁRIO DE MINA HARKER

25 de setembro — Espero ansiosa a visita do dr. Van Helsing. Talvez ele possa esclarecer um pouco as tristes experiências de Jonathan. Como assistiu aos últimos momentos da pobre Lucy, poderá me falar a respeito dela. É por isso que vem. É porque está preocupado com Lucy e seu sonambulismo, e não por causa de Jonathan. Jamais saberei o que realmente aconteceu! Como sou tola! Esse horroroso diário dominou meus pensamentos e tudo parece sombrio para mim. Claro que o doutor vem falar sobre Lucy. O sonambulismo deve ter voltado, e a pobrezinha padeceu por causa daquela noite horrível no penhasco. Fiquei tão absorta em meus próprios problemas que quase me esqueci de como ela ficou doente depois daquele dia. Lucy deve ter contado a ele sobre o que passou no penhasco; deve ter falado ainda que eu estava com ela, e agora ele quer saber de todos os detalhes daquela noite. Espero que a decisão de não ter contado nada para a Sra. Westenra tenha sido adequada. Nunca poderei me perdoar se minha atitude, ou minha omissão, tiver causado algum mal à adorada Lucy. Tomara que o dr. Van Helsing não me culpe por isso. Tenho sofrido tanto que não sei se será possível suportar mais angústias no momento.

Talvez seja bom chorar, pode limpar o ar, como faz a chuva. Creio que a leitura do diário tenha me deixado perturbada. Jonathan saiu hoje cedo e só volta amanhã. É a primeira vez que nos separamos depois do casamento. Espero que meu amado se cuide e que nada o deixe nervoso. Agora são duas horas, e o dr. Van Helsing deve chegar em breve. Não vou lhe dizer nada sobre o diário de Jonathan, a não ser que ele me pergunte. Felizmente, datilografei meu próprio diário e poderei mostrar-lhe, no caso de ele perguntar a respeito de Lucy.

Mais tarde no mesmo dia — O doutor veio e já foi embora. O encontro foi um acontecimento tão estranho que sinto a cabeça girando; parece que tudo não passou de um sonho. Será que alguma coisa é verdade? Será que eu aceitaria as suposições se não tivesse lido o diário de Jonathan? Pobre, pobre e amado Jonathan! Deus permita que nunca mais passe por uma provação dessas. Tentarei protegê-lo, mas talvez até lhe sirva de consolo, por mais que as consequências sejam terríveis, saber que não foi enganado pelos olhos, ouvidos e a mente. É tudo verdade. Talvez a dúvida o esteja assombrando. E talvez, quando não houver mais dúvida, e a verdade, independentemente de qual seja — sonho ou realidade —, for provada, ele fique mais satisfeito e talvez consiga superar melhor o choque. O dr. Van Helsing parece um bom homem, e é certamente muito inteligente, pois é amigo de Arthur e do dr. Seward, que o trouxeram da Holanda só para cuidar de Lucy. Ao observá-lo, sinto que ele *é* bom e generoso, além de ter uma natureza nobre. Vou perguntar sobre Jonathan quando ele voltar amanhã; e então, com o favor de Deus, toda essa tristeza e ansiedade podem ser levadas a um bom fim. Antes eu achava que gostaria de entrevistar pessoas. O amigo de Jonathan que trabalha no *Exeter News* disse que a maior ferramenta para essa tarefa é ter boa memória e saber transcrever exatamente tudo o que for dito, mesmo que seja preciso filtrar um pouco as conclusões. Vou tentar então anotar tudo o que foi falado no peculiar encontro de ontem.

Eram duas e meia quando bateram à porta. Tomei coragem, a *deux mains**, e aguardei. Minutos depois, Mary abriu a porta e anunciou:

— O dr. Van Helsing.

Levantei-me e fiz uma mesura. Ele veio na minha direção. É um homem de porte mediano, forte, com os ombros eretos sobre o peito largo, e o pescoço bem equilibrado no tronco, assim como a cabeça sobre o pescoço. A postura da cabeça me impressionou muito, pois indicava tanto inteligência quanto força. A cabeça é nobre, de bom tamanho, grande atrás das orelhas. No rosto bem escanhoado, sobressaem-se o queixo rígido, quadrado, a boca grande e resoluta, flexível, e um nariz considerável, reto, mas com narinas ágeis e sensíveis, que se dilatam quando as grossas sobrancelhas descem e a boca se contrai. A testa é larga e bem talhada, erguendo-se a princípio quase linearmente, e então se curvando para trás, no alto de duas calosidades ou protuberâncias bem afastadas. Os cabelos ruivos, que não cobrem a testa, caem naturalmente para trás e pelos lados. Os grandes olhos azul-escuros são bem afastados e se alternam entre vivazes, ternos e austeros, conforme os humores do homem.

— Sra. Harker, não? — perguntou-me ele.

Assenti.

— Seu nome era Mina Murray?

Assenti novamente.

— É Mina Murray quem venho visitar, a amiga da pobre e querida Lucy Westenra. Madame Mina, venho por causa da falecida.

---

* Com as duas mãos, em francês.

— Senhor — respondi —, a melhor recomendação que tenho é que o senhor foi amigo e benfeitor de Lucy Westenra. — Estendi-lhe a mão.

Ele tomou minha mão na dele e disse com ternura:

— Madame Mina, sabia que a amiga da pobre Lucy devia ser boa pessoa, mas eu precisava ver com meus próprios olhos... — E fez uma mesura cortês.

Perguntei sobre o que o trazia aqui, e ele começou sem rodeios.

— Li as cartas que enviou para a Srta. Lucy. Perdão, mas eu precisava começar a investigar por algum ponto, e não havia ninguém a quem perguntar. Sei que a senhora esteve com ela em Whitby. Lucy começou a escrever um diário... não se assuste, madame Mina, isso foi depois que a senhora foi embora, e foi uma imitação do seu hábito de escrever... Nesse diário, ela faz inferências a respeito de certas coisas durante um episódio de sonambulismo, das quais, segundo ela, a senhora a salvou. É com grande perplexidade, portanto, que venho aqui perguntar se a senhora faria a gentileza de me contar o que puder lembrar a respeito disso.

— Creio, dr. Van Helsing, que posso lhe contar tudo.

— Então a senhora tem boa memória para os fatos, para os detalhes? Isso não é muito comum entre as jovens damas.

— Não, doutor, mas deixei tudo registrado na ocasião. Posso lhe mostrar, se o senhor quiser.

— Madame Mina, ficarei muito grato. Seria um grande favor.

Não resisti à tentação de brincar com ele um pouco — imagino que seja um resquício da maçã original que permanece em nossa boca —, de modo que lhe entreguei o diário em taquigrafia. Ele o segurou, fazendo uma grande mesura, e perguntou:

— Posso ler?

— Se o senhor quiser — respondi, da forma mais humilde que consegui.

Ele abriu o diário e, por um instante, ficou espantado. Levantou-se e fez novamente uma ampla mesura.

— Mas que mulher inteligente! — exclamou. — Eu já sabia que o Sr. Jonathan era um homem de muitos méritos, mas a esposa tem muitos atributos. A senhora me faria a honra de ler para mim? Infelizmente, não sei taquigrafia.

Àquela altura, a graça havia passado, e me senti quase envergonhada. Então peguei a cópia datilografada em minha pasta de trabalho e a entreguei para ele.

— Perdão. Não consegui evitar. Imaginei que o senhor gostaria de fazer perguntas sobre a querida Lucy, e que talvez não tivesse tempo para esperar, não por mim, mas porque sei que seu tempo é precioso, por isso transcrevi à máquina para o senhor.

Ele pegou as folhas e seus olhos brilharam.

— A senhora é muito generosa — disse. — Posso ler agora? Talvez queira lhe fazer algumas perguntas quando terminar.

— Será um prazer — respondi. — Leia enquanto peço o almoço, e então o senhor poderá me fazer suas perguntas enquanto comemos.

Ele fez um gesto de agradecimento, sentou-se em uma poltrona, de costas para a luz, e ficou absorto nos papéis, enquanto saí para providenciar o almoço e garantir que nada o interrompesse. Quando voltei, encontrei-o andando apressado de um lado para o outro na sala, o rosto vermelho de excitação. Correu até mim e segurou-me as mãos.

— Madame Mina — exclamou —, como retribuir tudo o que lhe devo? Este papel é como a luz do sol. Ele abriu um portal para mim. Estou deslumbrado, ofuscado por tanta luz, e, no entanto, as nuvens ainda a ofuscam a todo instante. Mas isso a senhora não compreende, nem poderia compreender. Como sou grato à senhora, que mulher inteligente! Madame — acrescentou, muito solene —, se algum dia Abraham van Helsing puder fazer qualquer coisa pela senhora ou pelos seus, quero que me diga. Será um prazer e uma honra poder servi-la como amigo. E como amigo lhe digo que tudo o que aprendi, tudo o que puder fazer, será pela senhora e por aqueles a quem a senhora quer bem. Existem trevas na vida, e existe a luz. A senhora é uma dessas luzes. A senhora terá uma vida feliz, uma vida boa, e o seu marido dará graças pela sua companhia.

— Mas, doutor, o senhor está me elogiando tanto, e nem me conhece.

— Como não a conheço? Eu, que sou um velho, eu que estudei os homens e as mulheres a vida inteira, que me especializei no cérebro e em tudo o que diz respeito a ele ou que dele decorre! Que li o diário que a senhora tão gentilmente transcreveu para mim, verdadeiro em cada linha. E que li a carta tão meiga que escreveu para a pobre Lucy, contando de seu casamento e de sua confiança. Como poderia não a conhecer? Madame Mina, mulheres sinceras contam suas vidas inteiras, dia a dia, hora a hora e minuto a minuto, coisas que os anjos podem captar. E nós, homens que desejamos aprender, temos olhos de anjos. Seu marido é de natureza nobre, e a senhora também, pois confia, e não existe confiança em naturezas perversas. E quanto a seu marido, conte-me sobre ele. Está bem? A febre já passou? Ele já recuperou as forças e o vigor?

Percebi uma brecha para lhe perguntar sobre Jonathan, então comentei:

— Estava quase recuperado, mas ficou muito abalado com a morte do Sr. Hawkins.

Ele interrompeu:

— Sim. Eu sei. Eu sei. Eu li as duas últimas cartas da senhora.

— Imagino que isso o tenha perturbado — prossegui —, pois, quando estávamos na cidade, na quinta-feira passada, ele teve outra espécie de choque.

— Um choque, logo depois de uma febre! Isso não é bom. Que tipo de choque foi esse?

— Pensou ter visto alguém que lhe fez lembrar de algo terrível, algo que deve ter provocado a febre.

E então tudo aquilo subitamente se abateu sobre mim. A aflição por Jonathan, o horror por que ele passou, todo o mistério assustador registrado no diário e o medo que se agitava em mim desde então, tudo me arrebatou convulsivamente. Imagino que tenha ficado histérica, pois me atirei de joelhos no chão, ergui os braços e implorei que fizesse meu marido ficar bom de novo. O doutor segurou minhas mãos e me levantou, em seguida me levou até o sofá e sentou-se ao meu lado. Tomando minha mão na sua, disse com uma doçura infinita:

— Minha vida é amarga, solitária e tão repleta de afazeres que não tive muito tempo para amizades, mas, desde que fui chamado por meu amigo John Seward, conheci tantas pessoas boas, e vi tamanha nobreza nelas, que sinto, mais do que nunca, a solidão de minha vida... E isso só tem aumentado com o passar dos anos. Acredite, portanto, que venho aqui cheio de respeito pela senhora, e a senhora me dá esperança. Não quero dizer esperança no que estou procurando, mas de que ainda existem mulheres sinceras que tornam a vida feliz, mulheres boas, cujas vidas e cujas verdades podem servir de lições valiosas para as crianças que ainda virão. Estou contente por perceber que posso ser de alguma utilidade para a senhora. Seu marido está sofrendo, e é em decorrência de algo dentro do meu espectro de estudo e experiência. Prometo que farei com prazer *tudo* o que puder por ele, tudo para que ele volte a ser forte e viril, e a senhora volte a ser feliz. Agora, a senhora precisa comer. A senhora está sobrecarregada e talvez angustiada demais. Seu marido Jonathan não gostaria de vê-la tão pálida, muito menos lhe fará bem ver desgosto em sua expressão. Portanto, pelo bem dele, a senhora precisa se alimentar e sorrir. A senhora já me contou sobre Lucy, então não vamos mais falar nisso, para evitar aflição. Vou passar esta noite em Exeter, pois preciso pensar muito no que a senhora me contou, e depois de refletir a respeito vou lhe fazer algumas perguntas, se me permitir. E então a senhora também vai me explicar o máximo que puder sobre os problemas de seu marido Jonathan. Agora, coma, depois me conte tudo.

Terminado o almoço, voltamos à sala de estar, e ele me pediu:

— Agora quero saber tudo sobre ele.

Quando chegou o momento de falar com aquele grande erudito, fiquei com medo de que ele me julgasse uma tola, uma fraca, e Jonathan, um louco — aquele diário era tão estranho —, e hesitei em prosseguir. Mas o doutor foi muito amável e gentil. Havia prometido me ajudar, e confiei nele.

— Dr. Van Helsing, o que tenho a dizer é tão estranho que tenho receio de que o senhor ria de mim ou de meu marido. Desde ontem, estou em uma espécie de estado febril, com tantas dúvidas me assolando. O senhor precisa ser bondoso e não me julgar uma tola por, de certa forma, acreditar em coisas tão inusitadas.

Ele me tranquilizou com gestos e palavras.

— Minha cara, se a senhora soubesse como é estranho o assunto por causa do qual estou aqui, seria a senhora a rir. Aprendi a não desdenhar das crenças de ninguém, por mais inusitadas que pareçam. Tento manter a mente aberta. As coisas comuns da vida não haverão de fechá-la, e sim as peculiares, as extraordinárias, as que nos fazem duvidar da própria sanidade.

— Obrigada, mil vezes obrigada! O senhor tirou um peso de minha consciência. Se me permite, vou lhe mostrar um documento, e peço que o leia. É extenso, mas está datilografado. Isso explica o meu problema e o de Jonathan. É uma cópia dos diários dele enquanto esteve no estrangeiro, com o relato de tudo o que lhe aconteceu. Não arrisco dizer nada a respeito. Leia e faça o senhor mesmo seu julgamento. E então, quando nos encontrarmos, talvez o senhor possa fazer a gentileza de me dizer o que pensa.

— Prometo — jurou ele, quando lhe entreguei os papéis. — Se me permite, virei visitar a senhora e o seu marido pela manhã, o mais cedo que puder.

— Jonathan vai chegar às 11h30 da manhã. O senhor pode almoçar aqui conosco. E depois pode tomar o trem expresso das 15h34, que vai deixá-lo em Paddington antes das 8 horas da noite.

O dr. Van Helsing ficou surpreso com o quanto eu sabia sobre os horários, mas é porque não sabe que estudei todos os trens que chegam e partem de Exeter, para ajudar Jonathan caso haja alguma urgência.

E assim ele partiu, levando os papéis consigo. E estou sentada aqui, pensando... pensando em nem sei o quê.

CARTA DO DR. VAN HELSING A SRA. HARKER
(manuscrita)

25 de setembro, 6 horas

Prezada madame Mina,

Li o formidável diário de seu marido. Pode dormir sabendo que, por mais estranho e terrível que pareça, é verdade! Juro pela minha própria vida! Pode ser pior para outros, mas para ele e a senhora não há nada a temer. Seu marido é um homem nobre. Pela minha experiência no trato com os homens, permita-me elogiar o que ele fez. Escalar aquela parede, e depois entrar naquela câmara, mais de uma vez, não seria a atitude de um homem suscetível a ficar definitivamente inutilizado por um choque. O cérebro e o coração dele estão perfeitos. Posso jurar isso até mesmo sem vê-lo, a fim de tranquilizar a senhora. Tenho muitas perguntas a lhe fazer. Agradeço imensamente por ter me recebido hoje, pois fiz tantas descobertas que estou pasmo.

Atenciosamente
Abraham van Helsing

CARTA DA SRA. HARKER A VAN HELSING

25 de setembro, 6h30 da tarde

Prezado dr. Van Helsing

Mil vezes agradecida por sua carta, que me livrou de uma grande preocupação. Mas, se for verdade, que coisas terríveis existem no mundo, e que coisa horrível se aquele monstro está realmente em Londres! Tenho pavor só em pensar. Recebi um telegrama de Jonathan, dizendo que partirá hoje de Launceston e estará aqui às 10h18 da noite de hoje, portanto não terei medo. Assim, em vez de vir almoçar, não poderá o senhor vir tomar café conosco, às oito da manhã, se não for muito cedo? Se estiver com pressa, poderá partir no trem das 10h30, que o deixará em Paddington às 2h35 da tarde. Caso o senhor não responda a esta carta, saberei que virá para o café da manhã, portanto, não se preocupe em me escrever de volta.

Muito grata,
Mina Harker

DIÁRIO DE JONATHAN HARKER

26 de setembro — Pensei que nunca mais escreveria neste diário de novo, mas o momento chegou. Ontem, depois que cheguei e que ceamos, Mina contou-me sobre a visita de Van Helsing, e que havia dado a ele os dois diários copiados, manifestando sua apreensão a meu respeito. Mostrou-me a carta do médico, dizendo que tudo o que escrevi era verdade. Isso me transformou em um novo homem. Era a dúvida sobre a veracidade de tudo o que eu vivi que estava me derrubando. Sentia-me o tempo todo impotente, perdido e desconfiado. Agora que *sei*, não tenho mais medo, nem mesmo do conde. Ele finalmente conseguiu chegar a Londres, portanto foi ele mesmo que eu vi na rua. Mas rejuvenesceu, como é possível? Se Van Helsing for mesmo o que Mina diz, é a pessoa certa para desmascará-lo e persegui-lo. Ficamos acordados até tarde, conversando sobre isso. Mina está se trocando, e daqui a pouco passarei no hotel para pegá-lo.

Ele me pareceu surpreso ao me ver. Quando entrei em seu quarto e me apresentei, tomou-me pelos ombros, aproximou meu rosto da luz e disse, após um olhar atento:

— Madame Mina me disse que o senhor estava muito mal, que havia sofrido um choque!

Foi engraçado ouvir aquele velho robusto e de fisionomia bondosa chamar minha mulher de "madame Mina".

— Eu *estive* doente, mas já estou curado — respondi-lhe. — O senhor me curou.

— Como?

— Com a carta que enviou a Mina ontem à noite. Eu estava em dúvida, e tudo tinha um aspecto tão irreal que não sabia no que acreditar, nem mesmo na evidência de meus próprios sentidos. Sem saber no que acreditar, não sabia o que fazer, e simplesmente continuei trabalhando naquilo que até então era a minha rotina. Mas logo a rotina deixou de ser suficiente, e passei a duvidar de mim mesmo. Doutor, o senhor não sabe o que é duvidar de tudo, até de si mesmo. Não, o senhor não sabe, e nem poderia, com sobrancelhas como essas.

Ele pareceu contente.

— Você é um fisionomista — riu ele. — Aprendo mais a cada momento que passo com vocês. Será um grande prazer tomar o café da manhã na sua companhia. Meu jovem, perdoe os elogios deste velho, mas a sua esposa é uma verdadeira bênção.

Eu poderia ficar um dia inteiro ouvindo-o elogiar Mina, por isso simplesmente assenti com a cabeça e fiquei em silêncio.

— Ela é uma das mulheres de Deus, feita pelas mãos Dele para nos mostrar, aos homens e às outras mulheres, que há um Céu onde podemos entrar, e que a luz de lá pode existir aqui na terra. Tão sincera, tão meiga, tão nobre e altruísta, numa época como esta, cética e egoísta...

E você... Li todas as cartas que ela escreveu à pobre Srta. Lucy, e algumas delas falam de você, de modo que o conheci há alguns dias, quando conheci os outros, mas só consegui desvendá-lo verdadeiramente ontem à noite. Você me daria sua mão, não? E sejamos amigos pelo resto da vida.

Nós nos cumprimentamos, e ele se mostrou tão franco e gentil que fiquei com a voz embargada.

— E agora — prosseguiu —, posso lhe pedir uma ajuda? Tenho uma grande tarefa pela frente, e para começar eu preciso saber de uma coisa. Você vai poder me ajudar nisso. Pode me contar o que aconteceu antes de sua ida à Transilvânia? Mais adiante, posso precisar de mais ajuda, de outro tipo de ajuda, mas a princípio isso me basta.

— Veja bem, senhor, o que precisa fazer está relacionado ao conde? — perguntei.

— Sim, está — respondeu em tom solene.

— Sendo assim, estou com o senhor de corpo e alma. Vou lhe entregar todos os papéis, mas, como o seu trem parte às 10h30, o senhor não vai ter tempo de ler. Pode levá-los consigo e examiná-los durante a viagem.

Depois que terminamos o café da manhã, levei-o até a estação.

— Você viria à cidade se eu o chamasse, e traria também madame Mina? — perguntou Van Helsing, ao se despedir.

— Ambos iremos quando o senhor quiser — garanti.

Eu havia comprado os jornais matinais para ele, e os vespertinos de Londres, da tarde anterior. Enquanto conversávamos junto à janela do trem, esperando a partida, ele correu os olhos pelos periódicos. E de repente deparou com alguma notícia, na *Westminster Gazette*, supus, ao reparar na cor do papel. Pálido, Van Helsing leu a notícia absorto, resmungando consigo mesmo:

— *Mein Gott! Mein Gott!* Mas já!? Tão cedo!

Não creio que estivesse falando comigo naquele momento. Então o apito anunciou a partida, e o trem foi seguindo. Ele voltou a si, esticou-se para fora da janela e acenou.

— Minhas recomendações à madame Mina. Escrevo assim que puder.

DIÁRIO DO DR. SEWARD

26 de setembro — De fato, não era realmente o fim. Há menos de uma semana escrevi a palavra "Finis" em meu diário, mas agora começo um novo, para dar continuidade aos meus registros. Não tinha motivos para pensar no que ocorrera, até esta tarde. Renfield parece ter recuperado a sanidade de antes, dentro do possível. Está com uma boa coleção de moscas e começou a reunir aranhas também, e assim não me dá trabalho. Recebi uma carta de Arthur, escrita no domingo, em que dizia que está reagindo maravilhosamente bem. Quincey Morris está com ele, e isso lhe tem sido de grande ajuda, pois é um poço borbulhante de entusiasmo. Quincey também me escreveu, dizendo que Arthur já recuperou um pouco o ânimo. Quanto a mim, estava retomando a rotina do trabalho com o entusiasmo que costumava sentir, de modo que poderia dizer que a ferida deixada em mim pela pobre Lucy estava cicatrizando. Entretanto, essas feridas foram agora reabertas; para que, só Deus sabe. Creio que Van Helsing também saiba, mas só expõe um pouco de cada vez, apenas o suficiente para atiçar a curiosidade. Hoje, Van Helsing, que estava em Exeter, entrou precipitadamente em meu gabinete às 5h30 e entregou-me um exemplar da *Westminster Gazette* de ontem.

— O que me diz disso? — perguntou, ali parado de braços cruzados.

Olhei para o jornal, pois realmente não entendi a que ele se referia, mas o professor tomou-o de minhas mãos e indicou um parágrafo sobre crianças desaparecidas em Hampstead. Não me interessou muito, até que cheguei ao parágrafo que falava a respeito de pequenos ferimentos no pescoço. Estremeci, e uma ideia me ocorreu, então olhei para cima.

— Então? — perguntou ele.

— É como a pobre Lucy! — exclamei.

— E que deduz disso?

— Que há uma causa comum em todos esses casos. O que quer que tenha ferido o pescoço dela, também feriu essas crianças.

— Isso é uma verdade indireta.

— O que está querendo dizer, professor? — perguntei. — Não sei o que pensar.

Ia fazer uma brincadeira mencionando seu tom sério, pois quatro dias de descanso e o fato de não estar mais vivendo aquela angústia sufocante foram suficientes para restabelecer meu humor. Mas desisti ao ver a expressão no rosto dele. Nunca vi sua expressão tão austera, nem quando ele estava no auge do desespero por causa de Lucy.

— Conte, por favor. Não quero arriscar palpites. Não sei o que pensar e nem tenho informações suficientes para formular hipóteses.

— Está querendo dizer, amigo John, que não desconfia da causa da morte da desventurada Lucy? Nem mesmo depois de todos os fatos, de todas as pistas que dei?

— Ela morreu em decorrência de uma prostração nervosa, seguida por uma grande perda de sangue.

— E a perda de sangue? Foi causada pelo quê?

Balancei a cabeça. Ele se aproximou e sentou-se ao meu lado.

— Você é inteligente, meu amigo; raciocina bem, e sua inteligência é ousada; mas tem muitos preconceitos. Não permite que seus olhos vejam ou seus ouvidos escutem, e o que está fora de sua vida diária não conta para você. Não acredita que há coisas que não podemos compreender, mas que mesmo assim existem? Que algumas pessoas veem coisas que os outros não podem ver? Existem coisas velhas e novas que não podem ser contempladas pelos olhos humanos, porque muitas pessoas conhecem algumas coisas que os outros lhes disseram. A ciência não pode explicá-las, então simplesmente diz que não há nada a ser explicado. Há novas crenças se desenvolvendo a cada dia, mas, na verdade, não passam de velhas crenças fingindo-se de novas, como as damas elegantes na ópera. Creio que você não acredita em transferência corporal. Não? Nem em materialização. Não? Nem em corpo astral. Não? Muito menos em leitura de pensamento. Não? Ou hipnose...

— Acredito. A hipnose foi perfeitamente provada por Charcot[*] — observei.

— Quer dizer que você está satisfeito quanto a isso — disse Van Helsing, sorrindo. — Correto? Então você obviamente sabe como ela funciona, e pode acompanhar a mente do grande Charcot (pena que ele já

---

[*] Jean-Martin Charcot foi um neurologista que desenvolveu técnicas de hipnose para tratamento de histeria.

não está mais entre nós!) até a própria alma do paciente que ele influencia. Não é assim? Então, caro John, devo supor que você simplesmente aceita os fatos e fica satisfeito ao permitir que a conclusão de uma premissa fique em branco? Não? Então me diga, pois sou um estudioso do cérebro, por que aceita a hipnose e não acredita na leitura do pensamento? Vivemos rodeados de mistérios. Quero lembrar-lhe que existem coisas feitas hoje na ciência elétrica que teriam sido consideradas profanas pelos próprios descobridores da eletricidade, os quais, por sua vez, teriam sido outrora queimados como feiticeiros. Por que será que Matusalém viveu novecentos anos e Old Parr, cento e sessenta e nove, mas a pobre Lucy, com o sangue de quatro homens nas veias, não conseguiu sobreviver mais um único dia? Se tivesse sobrevivido mais um dia, teríamos conseguido salvá-la. Ninguém descobriu ainda o mistério da vida e da morte. Você sabe toda a anatomia comparada e consegue me dizer por que algumas qualidades animais aparecem em certos homens e não em outros? Sabe me dizer por que há aranhas que morrem pequenas, muito cedo, e há aquela que viveu séculos no alto da torre da antiga igreja espanhola, e que cresceu tanto que bebia o óleo de todas as lâmpadas ao descer pela teia? Por que será que nos Pampas há morcegos que saem durante a noite e abrem as veias do gado e dos cavalos para sugar-lhes o sangue? Por que em certas ilhas dos mares do Ocidente há morcegos pendurados em árvores o dia inteiro, comendo nozes ou enormes sementes, atacando os marinheiros que dormem no convés? Sabia que, quando são encontrados na manhã seguinte, esses marinheiros mortos estão pálidos como a Srta. Lucy?

— Deus do céu, professor! O senhor está dizendo que Lucy foi mordida por um morcego e que esse morcego está em Londres, em pleno século XIX?

Van Helsing fez um gesto com a mão, pedindo silêncio.

— Sabe me dizer por que a tartaruga vive muito mais do que o homem, por que o elefante vive até formar dinastias e o papagaio nunca morre, a não ser que seja mordido por um gato, cachorro ou similares? Por que será que, em todas as eras e todos os lugares, há pessoas que acreditam na existência de seres imortais? Sabemos o que a ciência nos disse, que há sapos presos em rochas há milhares de anos, e estão em buracos tão minúsculos que só cabem os próprios sapos, desde o começo do mundo. Sabe me dizer como o faquir indiano conseguiu se fingir de morto, ser enterrado com a sepultura lacrada, e trigo semeado por cima, e ficar ali até o trigo crescer, e então, quando a sepultura foi aberta depois da colheita, estar vivo, andando e falando como antes?

Eu o interrompi naquele momento, pois estava ficando atordoado. O professor havia enchido tanto a minha cabeça com sua lista de excentricidades da natureza e impossibilidades possíveis que minha imaginação disparou. Percebi que ele queria me ensinar uma lição, como fazia em Amsterdã quando eu ainda era seu aluno. Mas naquela época ele sempre me dizia qual era a questão e eu a mantinha na mente enquanto o ouvia. Desta vez, eu não estava conseguindo acompanhar seu raciocínio.

— Professor, deixe-me ser seu aluno favorito novamente. Explique-me sua tese para que eu possa aplicar os conhecimentos conforme o senhor for prosseguindo. Estou desnorteado, tentando seguir sua linha de pensamento. Sinto-me um novato preso em um pântano em meio ao nevoeiro, tentando me equilibrar em trechos firmes no chão, num esforço cego de avançar sem saber para onde.

— Mas que ótima imagem — comentou ele. — Bem, vou lhe dizer. Minha tese é a seguinte: desejo que você acredite.

— Em quê?

— Nas coisas em que não consegue acreditar. Por exemplo: certa vez, um americano definiu a fé como "a faculdade que nos permite acreditar em coisas que sabemos não serem verdadeiras". Concordo com ele. Devemos manter a mente aberta, sem deixar que uma pequena verdade entre no caminho de uma verdade maior, como uma pedrinha nos trilhos de um trem. Alcançamos uma verdade pequena primeiro. Muito bem! Assim a mantemos e a valorizamos, mas não pensamos que ela se trata da verdade total do universo.

— Veja se entendi a lição: não devo permitir que convicções prévias impeçam que minha mente se abra para assuntos estranhos.

— Viu? Você ainda é meu aluno favorito. Vale a pena ensiná-lo. Agora que está disposto a entender, deu o primeiro passo rumo à compreensão.

Acredita então que as perfurações no pescoço das crianças foram feitos por quem causou as perfurações no pescoço da Srta. Lucy?

— Suponho que sim.

— Então está redondamente enganado. Antes fosse isso. É pior, muito, muito pior que isso.

— Em nome de Deus, professor Van Helsing! O que está querendo dizer?

Com um gesto de desespero, escondendo o rosto com as mãos, ele respondeu:

— As perfurações no pescoço das crianças foram feitas pela Srta. Lucy!

XV

aquela doce jovem. E não espero que acredite em mim. A aceitação definitiva de uma verdade abstrata é muito difícil quando sempre acreditamos exatamente que o oposto é verdade. É pior ainda aceitar uma verdade concreta tão triste sobre uma pessoa como a Srta. Lucy. Esta noite, poderei provar que, infelizmente, é a verdade. Tem coragem de vir comigo?

Fiquei desconcertado. Com exceção de Byron, por ciúme, ninguém jamais gostaria de provar tais verdades.

"Provar a si mesmo a verdade que mais abomina."*

O professor percebeu minha hesitação.

— Se não for verdade, a prova será um alívio; na pior hipótese, não fará mal. Contudo, se for verdade, a situação será pavorosa, mas o pavor pode ser usado a nosso favor, pois no medo existe a necessidade da crença. Venha, vou lhe dizer o que pretendo fazer. Primeiramente, vamos visitar aquela criança no hospital. O dr. Vincent, do Hospital do Norte, é meu amigo, e acho que seu também, já que vocês foram colegas de classe em Amsterdã. É lá que a criança está, conforme mencionado no jornal. Vincent certamente deixaria dois cientistas examinarem o caso, ou, senão, dois amigos. Não lhe diremos nada, apenas que desejamos aprender. E então...

---

* Referência a *Don Juan*, de Byron.

— E então?

Ele tirou uma chave do bolso.

— Então, você e eu passaremos a noite no cemitério onde Lucy está. Esta é a chave de seu túmulo. O homem da empresa funerária me pediu que a entregasse a Arthur.

Senti o coração apertar no peito com a terrível prova que teríamos pela frente. Mas tomei coragem e disse que era melhor irmos logo, pois a tarde já ia avançada.

Encontramos a criança acordada e o dr. Vincent nos mostrou o ferimento no pescoço. Era o mesmo padrão de perfuração que eu observara no pescoço de Lucy, apenas era menor e parecia mais recente.

Perguntamos a Vincent a que ele atribuía o ferimento e ele respondeu que devia ser a dentada de algum animal, talvez um rato, mas que, de sua parte, estava inclinado a acreditar que fosse algum morcego, muito comum na zona norte de Londres.

— Entre tantos morcegos inofensivos, pode haver algum de outra espécie, mais selvagem e maligna, vinda do sul; ou pode ter sido trazido por um marinheiro e conseguiu escapar; pode até ser um morcego jovem que fugiu do Jardim Zoológico, ou um que tenha sido criado em cativeiro a partir de um morcego vampiro — disse ele. — Essas coisas acontecem. Há dez dias, um lobo fugiu e foi capturado naquela direção. As crianças só falavam em brincar de Chapeuzinho Vermelho em Hampstead Heath a semana toda, até aparecer a tal "dama de branco". Esse pequenino, por exemplo, acordou perguntando se poderia ir para casa. A enfermeira quis saber o motivo, e ele disse que queria brincar com a "dama de branco".

— Espero que, quando mandar a criança para casa, alerte os pais dele para que tomem muito cuidado — disse Van Helsing, antes de sair. — Essas fugas podem ser perigosas, e se a criança passar outra noite na rua, pode ser fatal. Contudo, creio que ele ainda não terá alta, não é mesmo?

— Sim. Ele ficará aqui mais um tempo. Uma semana, no mínimo. Temos que esperar as feridas cicatrizarem.

Quando saímos do hospital, estava anoitecendo.

— Não precisamos correr — disse Van Helsing. — É mais tarde do que eu imaginava. Vamos comer alguma coisa e depois seguiremos o caminho.

Jantamos no Jack Straw's Castle, um lugar repleto de ciclistas e outros frequentadores simpaticamente ruidosos. Quando saímos da taverna, mais ou menos às dez horas, já estava bem escuro, e os poucos lampiões intensificavam a escuridão quando nos afastávamos dos focos isolados de luz. Percebi que o professor havia estudado todo o percurso, pois seguia o caminho sem hesitar. Eu estava bem confuso quanto à nossa localização. O bairro ia ficando cada vez mais vazio conforme avançávamos, e ficamos surpresos ao nos deparar com o cavalo da polícia montada fazendo sua ronda noturna.

Quando chegamos ao cemitério, escalamos o muro e, com alguma dificuldade, devido à escuridão, encontramos o jazigo da família Westenra. Van Helsing pegou a chave e destrancou o portão de ferro, que abriu rangendo, então recuou e muito cordialmente convidou-me a entrar primeiro. A oferta era irônica devido à cortesia de me dar a preferência de entrada em uma situação tão macabra. Ele seguiu-me apressado e fechou cuidadosamente o portão, depois de verificar que só podia ser trancado com a chave, e não com uma mola — caso em que poderíamos estar em apuros. Então vasculhou a valise e tirou de lá fósforos e uma vela, que acendeu em seguida. Aquele jazigo enfeitado com flores frescas, que me parecera lúgubre alguns dias antes, era horrível à noite. As flores pendiam murchas, com as pétalas amareladas e o cabo marrom, as aranhas e os besouros reiniciavam seu trabalho, a pedra estava escurecida pelo tempo, a argamassa craquelada e as grades enferrujadas. E a luz tênue da vela quase se apagando refletindo na opacidade dos objetos de prata e latão causava um efeito de angústia e sordidez jamais imaginado. A cena passava a ideia de que a vida animal não era a única coisa passível de terminar.

Levantando a vela para poder ler as placas dos caixões, Van Helsing verificou os nomes nas lápides, para ter certeza de que aquela era a de Lucy e, depois de ter prendido a vela no chão sobre um pouco de cera quente, tirou da valise uma chave de fenda.

— O que vai fazer? — perguntei.

— Abrir o caixão. Você precisa se convencer.

Imediatamente, ele começou a tirar os parafusos. Logo levantou a tampa, e o féretro de chumbo apareceu embaixo. Aquilo foi demais para mim. Pareceu-me que seria para a morta uma profanação igual à que teria sido desnudá-la em vida durante o sono. Cheguei a segurar a mão de Van Helsing, tentando detê-lo.

— Você vai ver — disse ele.

E, depois de vasculhar novamente a valise, tirou dali uma pequena serra. Com um movimento brusco, fez um pequeno furo no caixão de chumbo com a chave de fenda, o suficiente para passar a ponta da serra. Fiquei preparado para sentir o jato de gás que o cadáver emanaria. Quem é médico precisa conhecer os riscos do ofício, e estamos habituados a essas coisas, por isso me afastei e fui mais para perto da porta. O professor não parou. Serrou quase meio metro na lateral do caixão e depois atravessou por cima, até o outro lado. Levantou a tampa, dobrando-a para trás, e foi até o pé do caixão. Segurando a vela na abertura, mandou que eu olhasse.

Aproximei-me e olhei. O caixão estava vazio.

Fiquei surpreso e chocado. Van Helsing manteve-se impassível e totalmente seguro de si, e prosseguiu em sua tarefa, agora mais à vontade.

— Está convencido agora, amigo John? — perguntou-me o professor.

— Estou convencido de que o corpo de Lucy não está aí dentro — respondi, sentindo despertar a minha natureza obstinadamente contestadora. — Mas isso só prova uma coisa.

— E que coisa é essa, amigo John?

— Que o corpo não está aí.

— A lógica é boa — considerou ele —, até certo ponto. Mas como você explica o fato de não estar aí?

— Alguém pode tê-lo retirado. Um funcionário da funerária pode ter roubado o corpo.

Tive a sensação de estar falando asneiras, mas não consegui pensar em outra coisa.

— Precisamos de outras provas — disse o professor, dando um suspiro. — Venha comigo.

Ele tornou a fechar o caixão, então reuniu todos os seus objetos e os colocou na valise, inclusive a vela apagada. Depois que saímos do jazigo e ele fechou a porta pelo lado de fora, ofereceu-me a chave.

— Quer ficar com ela? — disse. — Assim, terá mais confiança.

Eu ri sem muita alegria e gesticulei para que ele ficasse com a chave.

— Uma chave não significa nada — retruquei. — Pode haver uma cópia, e essa fechadura não deve ser difícil de abrir.

Sem nada dizer, Van Helsing pôs a chave no bolso, depois me disse para vigiar de um lado do cemitério, enquanto ele vigiaria do outro.

Escondi-me atrás de um cipreste e vi o vulto de Van Helsing caminhando por entre as árvores e os túmulos até desaparecer.

Esperei muito tempo. Ouvi um relógio distante bater meia-noite, depois uma hora, duas horas da manhã. Sentia frio e estava furioso com o professor, por ter me arrastado àquela situação, e comigo mesmo, por ter aceitado. O frio e o cansaço não me deixavam observar com atenção, mas o sono não era suficiente para trair a confiança que ele depositara em mim, de modo que, no geral, foram horas terríveis e angustiantes.

De súbito, tive a impressão de ter visto um vulto branco movendo-se por entre duas árvores escuras do outro lado do cemitério, na parte mais afastada do jazigo; ao mesmo tempo, vi um vulto negro mover-se do lado onde estava o professor e se encaminhar rapidamente rumo ao primeiro. Avancei também, tropeçando nos túmulos. O céu estava encoberto pelas nuvens e um galo cantou ao longe. Um pouco ao lado, ao longo de uma fileira de ciprestes que margeava o caminho da igreja, um vulto tênue e esbranquiçado avançava em direção ao jazigo, que estava escondido pelas árvores, de modo que não vi onde o vulto desapareceu. Ouvi um rumor de movimento onde eu tinha visto o vulto branco pela primeira vez. Corri naquela direção e encontrei o professor com uma criancinha nos braços. Ao me ver, ele mostrou-me seu fardo e disse:

— Está convencido agora?

— Não! — respondi agressivamente.

— Não está vendo a criança?

— Estou. Mas quem a trouxe aqui? Está ferida?

— Vamos ver — disse ele.

Depois de nos afastarmos um pouco, passamos sob algumas árvores e acendemos um fósforo para examinar o pescoço da criança. Não havia o menor sinal.

— Está vendo? — exclamei, triunfante.

— Chegamos bem a tempo — disse o professor, satisfeito.

Tínhamos de resolver o que faríamos com a criança. Não podíamos levá-la a uma delegacia de polícia, senão seríamos interrogados e teríamos de prestar contas de nossos movimentos naquela noite ou, no mínimo, contar como a havíamos encontrado. Resolvemos, portanto, levá-la a Hampstead Heath e, quando víssemos um policial, a deixaríamos de tal modo que ele não pudesse deixar de encontrá-la. Então iríamos para casa o mais depressa possível. Deu tudo certo. Chegando ao parque, logo ouvimos os passos de um policial. Deixamos a criança no caminho e nos escondemos, observando seus movimentos, até que ele a viu e moveu a lanterna de um lado para o outro. Ouvimos sua exclamação de espanto e saímos sem ser vistos. Por sorte, encontramos um carro de aluguel perto do Spaniards* e voltamos para o centro da cidade.

Não consegui dormir até agora, por isso escrevo. Mas preciso tentar dormir algumas horas, pois Van Helsing vem aqui ao meio-dia. Faz questão que eu o acompanhe em outra expedição.

27 de setembro — Somente às duas horas da tarde conseguimos uma oportunidade para nossa tentativa. O enterro realizado ao meio-dia tinha acabado, e as últimas pessoas que ainda estavam por lá caminhavam sem pressa, mas vimos o coveiro trancando o portão. Sabíamos que teríamos até a manhã seguinte para fazer o que quiséssemos, mas o professor me disse que não seria necessário mais de uma hora. Voltamos ao jazigo. Tive uma sensação horrível da realidade dos fatos e percebi como nosso trabalho estava próximo de um sacrilégio. Eu realmente via apenas grande inutilidade em tudo aquilo. Considerei um ultraje termos violado o caixão da recém-falecida para ter certeza de que estava mesmo morta e agora tinha a certeza de que estávamos à beira da loucura, prestes a abrir novamente o caixão, já sabendo que

---

*   Hospedaria famosa de propriedade de dois irmãos espanhóis.

estava vazio. Não comentei minha opinião com Van Helsing, pois ele sempre fazia as coisas a seu modo, mesmo sob protestos. Ele pegou a chave, abriu o mausoléu e convidou-me cordialmente a entrar na frente. O lugar era menos lúgubre que à noite, mas era um espetáculo insuportável de ser visto, mesmo iluminado pelo sol. Van Helsing aproximou-se do caixão de Lucy e eu o segui. Ele se inclinou sobre o ataúde e forçou a borda de chumbo, e eu fiquei em choque, dominado por terrível surpresa e desolação.

Lá estava Lucy, exatamente como a tínhamos visto na noite da véspera do enterro. Parecia mais bela do que nunca, tornando impossível de acreditar que estivesse morta. Os lábios estavam vermelhos, mais vermelhos do que antes, e, nas faces, havia um rubor delicado.

— Está convencido agora? — perguntou Van Helsing. Ele estendeu a mão e levantou os lábios da morta, e eu tive um arrepio de horror. — Veja, os dentes estão ainda mais aguçados do que antes. É com estes caninos que as criancinhas são mordidas. Acredita agora, amigo John?

E novamente a hostilidade contestadora irrompeu em mim. Eu não podia aceitar uma realidade tão terrível.

— Ela pode ter sido colocada aí depois desta madrugada — murmurei, e imediatamente fiquei envergonhado com aquela péssima tentativa de argumentação.

— Acha mesmo? Se foi, por quem seria? — retrucou Van Helsing. — Mesmo que fosse isso, ela está morta há uma semana. Depois de tanto tempo, os mortos não têm este aspecto.

Não encontrei argumentos para refutá-lo. Ele não pareceu notar meu silêncio e não demonstrou reação, nem de tristeza, nem de vitória. Olhava atentamente o rosto da morta, levantando as pálpebras e analisando mais uma vez os dentes.

— É um caso diferente de todos os outros de que se tem notícia — observou ele. — Trata-se de uma dupla vida, que não é o caso comum. Foi mordida pelo vampiro quando estava em transe, em estado de sonambulismo. Morreu em transe, e é nesse estado também que é uma morta-viva. É nisso que se difere de todos os outros. Habitualmente, quando um morto-vivo dorme em casa — e fez um gesto sugestivo para mostrar o que é a "casa" de um vampiro —, seu rosto mostra o que ele é; mas esta, quando deixa de ser morta-viva, volta para os mortos comuns. Não há maldade aqui, percebe? Por isso, será para mim uma tarefa penosa ter de matá-la em seu sono.

Senti meu sangue gelar, mas refleti que, se ela estava realmente morta, por que a ideia de matá-la me causava horror? Van Helsing, é claro, notou a minha expressão e perguntou, quase jovialmente:

— Está acreditando agora?

— Não me force a aceitar tudo ao mesmo tempo — respondi. — Estou disposto a acreditar. Como fará o seu sangrento trabalho?

— Vou cortar a cabeça fora, encher a boca de alho e atravessar-lhe o corpo com uma estaca.

Senti um arrepio de horror à ideia de mutilar o corpo da mulher que amava, mas não tão intenso quanto eu esperava. A ideia da morta-viva fazia-me estremecer ainda mais, e começava a odiá-la. Será que pode haver objetividade na subjetividade do amor?

Aguardei por um tempo considerável que Van Helsing fizesse o que pretendia, mas ele permaneceu parado, absorto em pensamentos. Então fechou a valise subitamente.

— Cheguei a uma conclusão sobre o melhor a ser feito. Se eu simplesmente seguisse minha inclinação, acabaria com tudo agora mesmo. Mas existem outras coisas a serem consideradas, mil vezes mais difíceis, a respeito das quais nada sabemos. É muito simples. Ela ainda não tirou nenhuma vida, embora seja uma questão de tempo, e agir agora evitaria esse perigo para sempre. Mas há o Arthur, e pode ser que precisemos dele mais tarde. Se você, que viu os ferimentos no pescoço de Lucy e da criança, que viu o caixão vazio ontem e hoje com o corpo dela, intacto, mais corado e belo do que há uma semana, você que viu a mulher de branco trazendo a criança para o cemitério, custou a acreditar, imagine ele. Como posso querer que ele acredite se nem mesmo sabe de todas essas coisas? Ele teve dúvidas quanto ao meu comportamento quando o impedi de beijá-la no leito de morte. Perdoou-me por considerar que eu tenha me enganado, por isso fiz algo que o impediu de se despedir dela como queria. Seria uma deslealdade fazer isso sem ele saber. Temos de explicar-lhe tudo, ou ele poderá pensar que cometemos outro engano e a enterramos viva, ou, por um engano maior ainda, que a matamos. Então pode argumentar que fomos nós, os equivocados, que a assassinamos, por causa de nossas ideias. Isso o deixará infeliz para sempre. No entanto, jamais vai ter certeza, e isso é o pior de tudo. Em alguns momentos, vai imaginar que sua amada foi enterrada viva, e isso vai manchar seus sonhos, imaginando todos os horrores que ela deve ter sofrido; em outros, vai considerar que poderíamos estar certos, e que sua amada era, afinal, uma morta-viva. Não! Já fiz isso com ele uma vez e, de lá para cá, aprendi bastante. Agora que eu sei que é tudo verdade, estou cem mil vezes mais convencido de que ele deve passar pelas águas amargas para chegar à água doce. Pobre sujeito, a provação que terá de enfrentar vai fazer a própria face do céu lhe parecer negra. Só então poderemos agir de uma vez por todas e lhe dar a paz que merece. Já tomei a minha decisão. Você voltará ao hospício, para garantir que tudo esteja bem. Eu passarei a noite aqui no cemitério, sozinho. Amanhã à noite, você vai me procurar no Berkeley Hotel, às dez da noite. Mandarei chamar também Arthur e aquele simpático americano que doou seu sangue. Mais tarde, teremos todos que agir. Vou acompanhá-lo até Piccadilly e jantar por lá, pois devo estar de volta aqui antes que o sol se ponha.

E, assim, fechamos o jazigo, pulamos o muro do cemitério e voltamos a Piccadilly.

BILHETE DEIXADO PELO DR. VAN HELSING NO BERKELEY HOTEL E ENDEREÇADO AO DR. JOHN SEWARD
(não entregue)

27 de setembro

Amigo John,

Escrevo para o caso de acontecer alguma coisa. Vou sozinho vigiar aquele cemitério. Quero que a morta-viva, a Srta. Lucy, não saia esta noite, para amanhã à noite estar mais faminta, e por isso mais ansiosa para sair. Então, vou levar algumas coisas de que ela não gosta — alho e um crucifixo —, e assim selar a porta do túmulo. Ela é morta-viva há pouco tempo, e se aquietará. Passarei a noite em claro, assim poderei descobrir coisas que ainda não sei, se for o caso. Não temo quanto a ela. Mas o outro que aqui está, e que a tornou morta-viva, tem o poder de encontrar seu túmulo e lá achar abrigo. Ele é astucioso e forte, como sei pelo relato do sr. Jonathan e pelo modo como nos enganou o tempo todo ao brincar com a vida da srta. Lucy, e nós perdemos. Mortos-vivos são fortes em muitos aspectos. Esse sempre tem em suas mãos a força de vinte homens, e mesmo nós quatro tendo passado nossa força para a Srta. Lucy, passamos de certa forma para ele também, e não poderemos com sua força. Além disso, ele pode convocar seu lobo e outras coisas. Assim, se ele aparecer esta noite, me encontrará, mas apenas a mim. Mas, possivelmente, não tentará ir lá. Não existe motivo para que vá; sua área de caça é mais abrangente do que o cemitério onde a morta-viva repousa e o velho vigia.

Escrevo, portanto, caso aconteça alguma coisa. Tome os papéis que estão guardados com este, o diário de Harker e o restante, leia-os, depois procure esse grande morto-vivo e corte-lhe a cabeça e enfie uma estaca em seu coração, para que o mundo fique livre dele.

Se assim for, adeus.
Van Helsing

DIÁRIO DO DR. SEWARD

28 de setembro — É maravilhoso o que uma boa noite de sono pode fazer por uma pessoa. Ontem estive prestes a aceitar as ideias monstruosas de Van Helsing, mas agora elas parecem brotar furtivamente diante de mim como ultrajes ao bom senso. Não tenho dúvida de que ele acredita naquilo tudo. Pergunto-me se seu cérebro não estaria começando a vacilar de alguma forma. Tem de haver alguma explicação racional para todas essas coisas misteriosas. Será possível que o próprio professor tenha feito tudo isso ele mesmo? É tão anormalmente inteligente que, caso tenha enlouquecido, seria capaz de levar a cabo seu intento no que diz respeito a alguma ideia fixa de modo assombroso. Odeio pensar nisso e, a bem da verdade, descobrir que Van Helsing está ficando louco seria um espanto tão grande quanto aceitar sua teoria. De qualquer forma, vou observar atentamente suas atitudes. Talvez consiga lançar alguma luz nesse mistério.

29 de setembro, de manhã — Ontem à noite, um pouco antes das dez da noite, Arthur e Quincey vieram até o quarto de Van Helsing, e ele nos explicou o que queria, mas dirigindo-se especialmente a Arthur, como se todos os nossos desejos se concentrassem nele. Começou dizendo que esperava que todos nós o acompanhássemos.

— Porque há uma tarefa grave* que devemos cumprir. O senhor ficou surpreso com a minha carta? — perguntou, dirigindo-se a lorde Godalming.

— Sim. Ela me preocupou, de fato. Passei por tantas atribulações nos últimos tempos que não precisaria disso, mas fiquei curioso quanto ao que o senhor quis dizer. Quincey e eu conversamos sobre o assunto, e quanto mais ponderávamos, mais intrigados ficávamos, a ponto de não vermos mais sentido em nada disso.

— Concordo — comentou Quincey Morris.

— Bem, então os senhores estão mais próximos do entendimento do que nosso amigo John. Para ele, é preciso percorrer um longo caminho até chegar ao menos no início.

Van Helsing evidentemente percebeu que minhas dúvidas anteriores haviam retornado, sem eu ter feito qualquer comentário. Ele voltou-se para os outros dois, com a expressão séria, carregada de intensidade.

— Quero a permissão dos senhores para fazer o que julgar ser o melhor esta noite. É, eu sei, pedir muito; e quando vocês souberem o que me proponho a fazer, saberão, e só então, o quanto é esse muito. E quero que me prometam isso sem saber do que se trata, para que, mais tarde, embora os senhores possam ficar com raiva de mim durante algum tempo, e não devo esconder de mim mesmo a possibilidade de que isso pode acontecer, não fiquem com remorso de coisa alguma.

— Gosto de sua franqueza, senhor! — exclamou Quincey. — Respondo ao professor. Nem imagino de que se trata, mas sou capaz de jurar que é honesto. E isso é o bastante para mim.

— Agradeço-lhe, senhor — disse Van Helsing. — Sinto-me honrado em ter o senhor entre meus mais caros amigos, e essa consideração me é muito valiosa.

---

* No original, "grave duty", trocadilho com a palavra "grave", que significa tanto "sepultura" como "grave".

Ele estendeu a mão, e Quincey a apertou.

— Dr. Van Helsing — disse Arthur, em tom muito sério —, se o senhor me garantir que o que vou lhe prometer não afeta minha honra de cavalheiro ou minha fé de cristão, darei meu consentimento imediatamente.

— Aceito sua reserva — disse Van Helsing —, e tudo o que lhe peço é que, se achar necessário condenar qualquer ato meu, primeiro o considere bem e se assegure de que não viola suas reservas.

— Certo — concordou Arthur. — Nada mais justo. Agora que o falatório terminou, posso perguntar o que temos de fazer?

— Muito bem. Gostaria que os senhores me acompanhassem até o cemitério em Kingstead.

Arthur o olhou com uma expressão de espanto.

— Onde Lucy está enterrada?

O professor fez que sim, e Arthur prosseguiu:

— E quando chegarmos lá?

— Vamos entrar no mausoléu!

Arthur levantou-se de súbito.

— Professor, o senhor está falando sério ou isso é alguma brincadeira monstruosa? Perdão, pelo visto o senhor fala sério. — Ele voltou a se sentar, mas reparei que assumiu uma postura mais ereta e altiva, como se tivessem ferido seu orgulho. Fez-se um silêncio, até que ele voltou a perguntar: — E quando estivermos dentro do mausoléu?

— Vamos abrir o caixão.

— Assim já é demais! — vociferou ele, irritado, voltando a se levantar. — Estou disposto a ter paciência em tudo o que for razoável, mas isso, essa profanação do túmulo, de alguém que... — Quase se engasgou de indignação.

O professor o fitou, compadecido.

— Se pudesse poupá-lo dessa dor, meu pobre amigo — disse ele —, Deus sabe que o faria. Mas hoje à noite nossos pés deverão trilhar caminhos penosos; caso contrário, mais tarde e para sempre, os pés que o senhor ama trilharão chamas eternas!

Lívido, Arthur o encarou.

— Cuidado, senhor, muito cuidado com o que fala! — alertou ele.

— Não seria melhor ouvir o que tenho a dizer? — perguntou Van Helsing. — Assim, pelo menos, o senhor vai entender o limite de minha proposta. Devo prosseguir?

— Parece justo — interveio Morris.

Depois de uma pausa, Van Helsing continuou, evidentemente procurando palavras.

— A Srta. Lucy morreu, não é mesmo? Sim! Portanto não é possível lhe causar mal algum. Mas... se ela não estiver morta...

Arthur se pôs de pé, sobressaltado:

— Santo Deus! — exclamou. — O que o senhor quer dizer com isso? Houve algum engano e ela foi enterrada viva? — Ele emitiu um gemido de angústia que nenhuma esperança poderia atenuar.

— Eu não disse que ela está viva, meu filho. Nem pensei nisso. Quero apenas dizer que ela pode ser uma morta-viva.

— Morta-viva! Mas não viva! O que o senhor está tentando dizer? Isso é tudo um pesadelo ou o quê?

— Existem mistérios sobre os quais os homens podem apenas formular hipóteses e que, ao longo das eras, serão solucionados apenas em parte. Acredite, estamos agora diante de um desses mistérios. Mas eu ainda não terminei. Posso cortar fora a cabeça da falecida Srta. Lucy?

— Por Deus, não! — gritou Arthur, arrebatado pela emoção. — Por nada neste mundo consentirei com a mutilação do cadáver dela. Dr. Van Helsing, o senhor está me provocando além dos limites. O que fiz para o senhor me torturar assim? O que essa pobre e meiga menina pode ter feito para que o senhor queira causar tamanha desonra em sua própria sepultura? É o senhor que está louco por dizer essas coisas, ou o louco sou eu por lhe dar ouvidos? Nem ouse pensar nessa profanação. O senhor não tem o meu consentimento para nada. Tenho o dever de proteger o túmulo de Lucy contra qualquer ultraje e, por Deus, é o que vou fazer!

Van Helsing levantou-se do lugar em que estivera sentado o tempo todo e disse, grave e austero:

— Meu lorde Godalming, também tenho um dever com os outros, com o senhor e com a falecida. E, por Deus, vou cumprir esse dever! Tudo o que quero por enquanto é que venha comigo, que observe e escute. Se, mais tarde, quando eu lhe pedir o mesmo que pedi agora, o senhor não se mostrar mais ávido do que eu por agir nesse sentido, então... Então vou cumprir o meu dever, qualquer que seja. E, nesse momento, se for esse o desejo de lorde Godalming, estarei à disposição para prestar contas a Vossa Senhoria, basta o senhor dizer onde e quando.

Sua voz embargou, e ele prosseguiu, com um tom cheio de compaixão:

— Mas, eu imploro, não fique com raiva de mim. Em minha longa vida de atos nem sempre muito agradáveis, que algumas vezes tive de desempenhar com dor no coração, jamais tive tarefa tão pesada quanto essa agora. Acredite, se em algum momento o senhor mudar de ideia a meu respeito, basta um olhar seu para esquecermos esta hora triste, pois eu faria o que fosse preciso para poupá-lo da tristeza. Pense bem. O que me faria procurar tanto trabalho e tanta tristeza? Saí de minha terra e vim para cá fazer todo o bem que podia, a princípio para satisfazer a um pedido de meu amigo John, e depois para ajudar uma doce e meiga dama a quem também vim a amar. Por ela, envergonho-me até de dizer, mas digo de bom grado, dei o mesmo que o senhor, o sangue de minhas veias. Doei, eu que nem era, como o senhor, seu namorado, mas apenas seu médico e amigo. Doei também minhas noites e meus dias, antes e depois da morte. E se a minha própria morte puder lhe fazer algum bem, mesmo agora que é uma morta-viva, é o que ela vai ter de mim, de boa vontade.

O professor disse isso com um orgulho grave e gentil, e Arthur ficou muito emocionado. Apertou a mão do velho e respondeu com a voz embargada:

— É difícil pensar nisso, não consigo entender, mas pelo menos vou com o senhor, e aguardarei.

XVI

DIÁRIO DO DR. SEWARD
(continuação)

Faltavam exatamente quinze minutos para a meia-noite quando entramos no cemitério pelo muro baixo. A noite estava escura, e só de vez em quando a luz da lua irrompia através das pesadas nuvens. Ficamos todos juntos, com Van Helsing liderando o caminho alguns passos adiante. O professor abriu a porta e, notando uma natural hesitação em todos nós, entrou primeiro. Quando chegamos perto do mausoléu, olhei para Arthur, pois tinha receio de que a proximidade de um lugar que trazia lembranças tão tristes pudesse afetá-lo, mas ele parecia estar suportando bem. O próprio mistério de toda aquela missão parecia agir como uma espécie de antídoto contra o luto. O professor destrancou a porta, e, vendo uma hesitação natural entre nós por vários motivos, resolveu a dificuldade entrando primeiro ele mesmo. O resto de nós o seguiu e ele fechou a porta. Ele então acendeu uma lanterna escura e apontou para o caixão. Arthur deu um passo à frente, hesitante; Van Helsing me disse:

— Você esteve aqui ontem. O corpo da Srta. Lucy estava neste caixão?

— Estava — respondi.

O professor olhou para os demais e disse:

— Os senhores ouviram o mesmo que eu e ainda não acreditam em mim.

Ele pegou a chave de fenda e desaparafusou a tampa do caixão. Arthur olhava, pálido, mas não dizia nada. Deu mais um passo à frente assim que a tampa foi removida. Não sabia que havia um caixão de chumbo por dentro, ou não se lembrava disso. Mas sentiu o sangue ferver assim que viu a avaria no chumbo, e controlou-se mais uma vez, sem dizer nada; apenas permaneceu com a palidez macabra. Van Helsing abriu o esquife e todos olhamos para dentro, recuando subitamente.

Estava vazio!

Durante vários minutos ninguém disse nada. O silêncio foi interrompido por Quincey Morris:

— Eu já concordei, professor. Só quero sua palavra. Eu nem faria uma pergunta dessas, jamais cometeria a desonra da suspeita, mas isso é um enigma que extrapola a honra e a desonra. Foi o senhor que fez isto?

— Juro por tudo quanto é mais sagrado que não toquei nela, muito menos a removi — respondeu Van Helsing. — Vou contar o que houve. Há duas noites, meu amigo Seward e eu viemos aqui com a melhor das intenções. Abri o caixão, que estava lacrado, e verificamos que estava vazio, como agora. Esperamos e vimos um vulto branco passar pelas árvores. No dia seguinte, voltamos no decorrer do dia, e ela estava aí dentro, deitada. Não estava, amigo John?

— Estava.

— Na primeira noite, conseguimos chegar bem a tempo. Havia outra criança desaparecida e nós a encontramos aqui, com a graça de Deus, no meio dos túmulos. Nada havia lhe acontecido. Ontem, vim para cá antes do escurecer, pois os mortos-vivos saem ao sol poente; esperei a noite toda, mas não vi nada. Provavelmente porque a impedi de sair, pois coloquei flores de alho-silvestre em torno da sepultura, que os mortos-vivos não toleram, e outras coisas que eles detestam. Hoje, antes de o sol se pôr, tirei o alho e as outras coisas. E por isso encontramos o caixão vazio. Mas esperem comigo lá fora. Se ficarmos escondidos e quietos, veremos coisas muito mais estranhas. Vamos sair daqui.

O professor abriu a porta e nós saímos. Ele ficou por último, e trancou a porta do mausoléu atrás de si. Que agradável sentir o ar fresco e puro da noite depois de um tempo naquele mausoléu abafado. Ver a suavidade das nuvens passando rapidamente pelo céu, os clarões do luar em meio ao movimento das nuvens cerradas, como a alegria e a tristeza na vida de um homem. Era ótimo poder respirar ar fresco, sem sentir o odor da morte e da decrepitude. Cada um de nós, a seu modo, estava solene, dominado pelas emoções. Soturno, Arthur tentava de todas as formas, pelo que observei, encontrar um propósito e significado naquele mistério. Eu mesmo estava de certa forma paciente, e quase inclinado a deixar de lado minhas dúvidas e acatar as conclusões de Van Helsing. Quincey Morris mostrava-se fleumático, como um homem que aceita todas as coisas como elas são, enxergando tudo sob o prisma da bravura fria, colocando em jogo tudo o que ele tinha. Por não poder fumar na tocaia, ele cortou um bom pedaço de tabaco e passou a mascá-lo. Van Helsing movimentava-se mais. Primeiro, tirou da valise uma hóstia enrolada em um guardanapo, depois uma espécie de massa, e, esmigalhando a hóstia, misturou-a com a massa, com a qual começou a encher as fendas entre a porta e seu encaixe no jazigo. Arthur e Quincey olhavam, curiosos, e eu, não contendo a curiosidade, perguntei-lhe o que estava fazendo.

— Estou fechando o túmulo, para que a morta-viva não possa entrar.

— E o que é isso? — perguntou Arthur.

Van Helsing tirou o chapéu ao responder:

— A Hóstia Sagrada. Trouxe-a de Amsterdã. Tenho uma Indulgência.

A resposta aterrorizou até o mais cético de nós. Sentimos que um propósito para o qual o professor usava daquele jeito o que havia de mais sagrado para ele se tornava inquestionável. E, em um silêncio respeitoso, cada um tomou seu lugar. Tive pena dos outros dois, principalmente de Arthur. Nas outras visitas, eu já havia sofrido o terror da vigília; ainda assim, eu, que até uma hora atrás ainda rejeitava as provas do professor, sentia o coração apertado. As sepulturas pareciam mais brancas e macabras. Os ciprestes, os teixos e os juníperos pareciam emanar uma funesta melancolia. O vento nas copas das árvores ou na relva nunca tinha sido tão agourento. O galho rachado representava um mistério e o uivo distante de cães denotava um presságio doloroso noite afora.

A demora nos pareceu interminável. Por fim, o professor apontou, e na aleia de ciprestes surgiu um vulto branco, carregando uma pequena forma escura. O vulto parou, e um raio da lua, passando pelas nuvens, iluminou uma mulher de cabelos escuros, vestida com uma mortalha. Não pudemos ver-lhe o rosto, pois estava voltado para baixo, inclinado para a criança loura em seus braços. Ouviu-se um gritinho, como as crianças costumam dar dormindo e, instintivamente, demos um passo adiante, mas Van Helsing nos fez um sinal para que parássemos. A figura esbranquiçada avançou de novo, e tornou-se bem visível ao luar. Senti um frio no coração e vi a expressão de horror estampada no rosto de Arthur quando reconheceu as feições de Lucy Westenra. Sim, era ela, mas como estava mudada! A doçura de sua fisionomia transformou-se em uma expressão de dura crueldade, e a pureza, em uma expressão de luxúria. Obedecendo a um gesto de Van Helsing, avançamos, e nós quatro nos colocamos em linha diante da porta do jazigo. Van Helsing levantou a lanterna e fez a luz incidir no rosto de Lucy, e pudemos ver que os lábios dela estavam vermelhos de sangue fresco, que lhe escorria pelo queixo e manchava a mortalha branca que a envolvia.

Estremecemos de horror. Dava para ver que até os nervos de aço de Van Helsing estavam abalados. Tive que segurar Arthur para que ele não caísse.

Quando Lucy — foi assim que decidi chamar a criatura, pois mantinha a sua forma — nos viu, recuou com um rosnado agressivo, como uma gata surpreendida. Seus olhos tinham a forma e a cor dos olhos originais, mas, no lugar dos globos delicados e puros que conhecemos um dia, havia globos impuros e repletos do fogo do inferno. O amor que me restava transformou-se em ódio e repulsa. Eu a mataria com prazer brutal se fosse preciso. E meu horror cresceu quando vi seus olhos arderem com uma luz pecaminosa e um sorriso voluptuoso perpassar-lhe os lábios. Com um gesto descuidado, largou a criança, que caiu no chão, gemendo. A mesma criança que até então agarrava junto ao corpo, rosnando feito um cachorro com seu osso. Arthur não conteve um grito ao ver tamanho sangue-frio; e, quando ela avançou na direção dele, de braços estendidos, recuou e escondeu o rosto nas mãos. Mas ela continuou se aproximando dele, chamando-o com toda a sua volúpia.

— Venha, Arthur! Deixe-os aí e venha comigo. Venha, e poderemos descansar juntos. Venha, meu marido, venha! Meus braços estão ávidos por você.

Havia uma meiguice diabólica no tom da voz dela. Parecia um tilintar de copos que ressoava em nossas mentes, apesar de as palavras terem sido dirigidas a outro homem. Arthur parecia dominado por um encantamento e, tirando as mãos do rosto, abriu os braços. De um pulo, Van Helsing se interpôs entre os dois, mostrando o pequeno crucifixo. Lucy recuou, com uma expressão de ódio no rosto, e fez menção de entrar no jazigo.

A um passo ou dois de distância, porém, parou, como que detida por uma força irresistível. Ela se virou, e seu rosto, iluminado pelo feixe da lanterna, revelou a perversidade frustrada em uma expressão que espero jamais presenciar novamente. A cor deu lugar à lividez, os olhos soltavam faíscas do fogo do inferno e as sobrancelhas se arqueavam como se fossem as escamas das serpentes da Medusa. A boca manchada de sangue transformou-se em uma abertura quadrada, como a das máscaras das paixões dos gregos e dos japoneses. Presenciamos, naquele momento, uma expressão de desejo assassino, um olhar capaz de provocar a morte. E, durante meio minuto, que pareceu uma eternidade, ela ficou entre o crucifixo e a entrada do jazigo. Van Helsing rompeu o silêncio, perguntando a Arthur:

— Diga-me, meu amigo, devo continuar com o meu trabalho?

Caindo de joelhos e escondendo o rosto nas mãos, Arthur respondeu:

— Faça o que quiser, meu amigo. Um horror como este não pode mais existir.

Abatido, soluçou involuntariamente. Quincey e eu nos movemos ao mesmo tempo na direção dele e o seguramos pelos braços. Ouvimos o clique da lanterna se fechando quando Van Helsing a colocou no chão. Aproximando-se do túmulo, o professor retirou o símbolo sagrado que havia colocado na entrada. Quando recuou, nós todos contemplamos, horrorizados, a mulher, cujo corpo era tão real naquele momento quanto os nossos, entrar pela fenda onde mal teria passado a lâmina de uma faca. Ficamos todos aliviados quando o professor repôs calmamente a massa nas frestas da porta.

O professor apanhou a criança no chão e disse:

— Vamos, meus amigos. Não poderemos fazer mais nada até amanhã. Haverá outro enterro aqui ao meio-dia, e nós voltaremos um pouco depois disso. Até as duas da tarde, o cortejo já deverá ter saído, então, quando o coveiro trancar o portão, estaremos aqui dentro. Teremos muito a fazer, mas serão coisas diferentes das de hoje. Quanto ao estado desta criança, não me parece muito grave, e amanhã à noite ela deve estar bem. Devemos deixá-la em algum lugar onde a polícia a encontre, como fizemos da outra vez, e voltar para casa.

E acrescentou, ao aproximar-se de Arthur:

— Meu amigo Arthur, você passou por uma dolorida provação, mas um dia, quando olhar para trás, verá como foi necessário passar por isso. Agora você está no inferno, meu filho. Mas amanhã, a esta hora, se Deus quiser, já terá passado por ele e estará no céu. Portanto, não se lamente demais. Até lá, não pedirei seu perdão.

Depois de termos deixado a criança em segurança, Arthur e Quincey vieram para casa comigo, e tentamos animar um ao outro durante o caminho. Estávamos cansados, então caímos num sono mais ou menos profundo.

29 de setembro, à noite — Um pouco antes do meio-dia, Arthur, Quincey Morris e eu fomos procurar o professor. Foi interessante notar que estávamos todos de preto, sem combinação prévia. Arthur por causa do luto, claro, mas nós o fizemos por instinto. Chegamos ao cemitério à 1h30 e agimos de tal maneira que, quando os coveiros terminaram sua tarefa e saíram, fechando o portão e pensando que não havia mais ninguém, colocamo-nos em posição. Van Helsing, em vez da pequena valise preta, trazia consigo uma bolsa comprida de couro, semelhante a uma sacola de críquete e evidentemente muito pesada.

Quando não havia mais ninguém por ali e ouvimos sumir o som dos últimos passos na rua, acompanhamos em silêncio o professor até o jazigo, como se estivéssemos obedecendo a ordens. Van Helsing abriu a porta e a fechou por dentro assim que entramos, então tirou da maleta a lanterna e a acendeu, e depois duas velas de cera, que também acendeu e colocou sobre outros esquifes, para iluminar bem o interior do túmulo. Arthur estava muito trêmulo. Quando o caixão de Lucy foi aberto, vimos que o cadáver lá estava, resplandecendo toda a beleza da morta. Mas não havia mais amor em meu coração, nada além da aversão pela Coisa impura que havia se apossado da forma de Lucy sem sua alma. A expressão no rosto de Arthur foi endurecendo à medida que ele olhava para ela.

— É realmente o corpo de Lucy ou algum demônio sob sua forma? — perguntou Arthur com esforço.

— É o corpo dela, e ao mesmo tempo não é — respondeu Van Helsing. — Mas espere um pouco e vai vê-la como era, e como é.

Ela parecia o fantasma de um pesadelo de Lucy ali deitada, com os dentes pontiagudos e as manchas de sangue na boca voluptuosa, que dava calafrios só de olhar; toda a aparência carnal e sem espírito, como uma zombaria demoníaca da doce pureza de Lucy. Com seu método habitual, Van Helsing começou a retirar vários objetos da maleta. Primeiro, um ferro de soldagem e um pouco de chumbo; em seguida, uma pequena lanterna a óleo que, ao ser acesa num canto da tumba, emitiu uma chama azul feroz; depois os bisturis e, finalmente, uma comprida estaca de pau com cerca de sete ou oito centímetros de espessura e quase um metro de comprimento, com uma das extremidades bastante afiada e endurecida no fogo. Depois, tirou ainda um martelo, desses usados para quebrar carvão. Para mim, em qualquer operação, os preparativos de um médico são sempre estimulantes e demandam muita concentração; para Arthur e Quincey, no entanto, aquilo causou certa preocupação. Mas ambos se mantiveram corajosos e permaneceram calados e serenos.

Quando estava tudo pronto, o professor exclamou:

— Antes de mais nada, quero explicar o que isso significa. Tudo isso vem da experiência e do conhecimento dos antigos e de todos que têm estudado o poder dos mortos-vivos. Quando se transformam nisso, com a mudança vem a maldição da imortalidade; eles não podem morrer, e devem continuar pelos anos afora acrescentando novas vítimas e multiplicando os males do mundo, pois todos os que morrem como vítimas dos mortos-vivos tornam-se, eles próprios, mortos-vivos. E assim o círculo vai se propagando, como a ondulação da pedra atirada na água. É o que lhe aconteceria, amigo Arthur, se a pobre Lucy o tivesse beijado antes de falecer, ou ontem à noite, quando abriu os braços para ela: também teria se tornado um nosferatu[*] após a sua morte, como se diz na Europa Oriental, e passaria a produzir para sempre mais desses mortos-vivos que nos enchem de horror. A carreira da desventurada menina mal começou.

---

[*] Espírito imundo.

Aquelas crianças cujo sangue ela sugou ainda não constituem coisa grave, mas, se ela continuar vivendo como morta-viva, elas perderão sangue cada vez mais e irão procurá-la, pelo poder que ela exercerá. Mas, se ela morrer de verdade, tudo isso cessará. As minúsculas feridas no pescoço das crianças vão desaparecer e elas voltarão a brincar sem nunca saber o que se passou com elas. Contudo, a maior bênção de todas será quando a morta-viva descansar na verdadeira morte, pois a alma da pobre dama que todos amamos estará livre novamente. Em vez de fazer o mal durante a noite, ela tomará seu lugar entre os outros anjos. Assim, meu amigo, será abençoada a mão que desfechar o golpe que a libertará. Estou disposto a isso, mas não há, entre vocês, alguém com mais direito do que eu? Não será uma alegria pensar depois, no silêncio da noite, enquanto o sono não vem, que foi a sua mão que a levou para o céu? Foi a mão de quem ela mais amou, a mão daquele com quem ela ficaria, se pudesse escolher? Há alguém assim entre nós?

Nós todos olhamos para Arthur. E ele também entendeu a infinita bondade da sugestão. Sabia que era sua tarefa devolver Lucy à nossa lembrança sagrada, apagando a profana. Pálido como a neve e com as mãos trêmulas, ele disse, contudo, com a voz firme:

— Meu verdadeiro amigo, agradeço-lhe do fundo de meu coração amargurado. Diga-me o que tenho de fazer e não hesitarei!

— Muito bem, valente rapaz! — disse Van Helsing, pousando a mão em seu ombro. — Um momento de coragem e tudo estará terminado. É preciso atravessá-la com esta estaca. Será uma provação horrível, não vou negar, mas o tempo será curto, e depois você poderá regozijar-se. Sairá desta tumba sombria caminhando nas nuvens. Mas não deve fraquejar quando tiver começado. Lembre apenas que nós, seus amigos verdadeiros, estamos ao seu redor, rezando por você o tempo todo. Segure a estaca com a mão esquerda, pronto a colocá-la bem sobre o coração, e o martelo na mão direita. Depois, quando começarmos a rezar a Oração dos Mortos, conforme o livro de rezas que eu trouxe, crave a estaca, em nome de Deus, para que tudo fique bem com a morta que amamos e a morta-viva desapareça.

Arthur segurou a estaca e o martelo, e depois que estava concentrado na tarefa que teria de executar, não tremeu nem hesitou. Van Helsing abriu o missal e começou a ler, e eu e Quincey o acompanhamos o melhor que conseguimos. Arthur posicionou a ponta da estaca sobre o coração, e, olhando de perto, percebi a cavidade formada na pele branca. Então ele martelou com toda a força.

A Coisa se contorceu no caixão, e um grito horrível, de gelar o sangue, foi emitido de seus lábios vermelhos. Ela sacudiu o corpo e estremeceu, contorcendo-se selvagemente. Os dentes brancos e pontiagudos cravaram-se nos lábios e a boca se cobriu de uma espuma escarlate. Mas Arthur não fraquejou. Parecia a encarnação de Thor, com o braço firme subindo e descendo, batendo cada vez mais fundo na estaca da misericórdia. O sangue do coração perfurado jorrava abundante. O rosto impassível de Arthur expressava a sensação de um dever cumprido. Essa visão trouxe coragem a todos nós, e nossas vozes ecoaram dentro do pequeno mausoléu. E então, o tremor e as contorções do corpo foram diminuindo; os dentes soltaram a carne, relaxando a face. Finalmente, o corpo se imobilizou. A terrível tarefa estava terminada.

Arthur largou o martelo e teria caído se não o tivéssemos sustentado. Ele estava ofegante, com pesadas gotas de suor pingando da testa. Havia de fato sido um esforço atroz, e, se não tivesse sido obrigado a tal tarefa por considerações sobre-humanas, jamais teria tido forças para executá-la. Durante algum tempo, nem tivemos coragem de olhar para o caixão. Quando o fizemos, contudo, não pudemos conter uma exclamação de surpresa. Fitávamos o caixão tão ávidos que Arthur se levantou do chão e se aproximou para ver o que era. Uma luz estranha de satisfação surgiu em seu rosto e arrefeceu de uma vez a sombra de horror que obscurecia sua face.

No caixão já não mais estava a Coisa obscena que tanto tememos e odiamos, a ponto de o ato de destruí-la ter sido concedido como um privilégio ao mais merecedor dentre nós. Em vez disso, era Lucy, com a mesma expressão de doçura e pureza que tinha em vida, marcada, é verdade, também pelo sofrimento. Mas mesmo isso era importante, pois trazia marcas que confirmavam o que sabíamos.

Todos entendemos que a serenidade sagrada que pairava como a luz do sol sobre o corpo devastado era apenas um sinal e um símbolo terreno da serenidade que reinaria para sempre.

Van Helsing se aproximou e colocou a mão no ombro de Arthur.

— E agora, Arthur, meu amigo, meu caro rapaz, estou perdoado?

A reação àquele esforço terrível veio quando ele apertou a mão do velho e, puxando-a para perto dos lábios, beijou-a.

— Está perdoado! Deus abençoe o senhor por devolver à minha amada sua alma e me trazer a paz.

Ele pôs as mãos nos ombros do professor e, deitando a cabeça em seu peito, chorou por um tempo. E nós permanecemos ali, imóveis. Quando Arthur afastou a cabeça, Van Helsing lhe disse:

— Agora, meu filho, pode beijá-la. Beije seus lábios mortos, se quiser, como Lucy faria nos seus, se pudesse. Pois ela não é mais um diabo sorridente, não será mais uma Coisa vil por toda a eternidade. Agora, está morta de verdade, e sua alma está com Deus!

Arthur se inclinou sobre o caixão e a beijou; em seguida pedimos que ele e Quincey saíssem do jazigo. O professor e eu serramos a parte de cima da estaca, deixando a ponta cravada no corpo de Lucy. Em seguida, cortamos a cabeça dela e enchemos sua boca de alho. Soldamos o caixão de chumbo, aparafusamos a tampa do ataúde, recolhemos nossos pertences e nos retiramos. O professor trancou a porta e entregou a Arthur a chave do jazigo.

Ao chegarmos ao lado de fora, vendo o sol brilhar e ouvindo os pássaros, pareceu-nos que toda a natureza tinha se modificado. Havia contentamento, alegria e paz por toda parte, e ficamos felizes, embora fosse um júbilo contido. Antes de irmos embora, Van Helsing nos advertiu:

— Ainda não terminamos nossa tarefa. Temos de descobrir o autor de todos esses males e eliminá-lo. Estão dispostos a me ajudar? Tenho pistas que podemos seguir, mas será uma tarefa longa e difícil, e envolverá perigos e muito sofrimento. Posso contar com a ajuda de vocês? Todos aprendemos a acreditar, não é mesmo? Dessa forma, sabemos qual é o nosso dever, não sabemos? Sim! E não é verdade que prometemos continuar até o amargo fim?

Um de cada vez, apertamos a mão de Van Helsing, para selar nossa promessa.

— Daqui a dois dias, vamos jantar juntos, às sete da noite, na casa do amigo John. Vou apresentar-lhes duas outras pessoas que ainda não conhecem, e estarei pronto para mostrar todo o nosso trabalho e desvendar nossos planos. Amigo John, venha comigo para casa, pois temos muito que conversar e você poderá me ajudar. Hoje à noite parto para Amsterdã, mas devo estar de volta amanhã à noite. E então nossa grande busca vai começar. Mas, antes, devo lhes explicar tudo, para que vocês possam saber o que fazer e o que temer. Então, vamos repetir nossas promessas. Temos uma tarefa terrível pela frente e, depois que a iniciarmos, não poderemos voltar atrás.

XVII

DIÁRIO DO DR. SEWARD
(continuação)

Quando chegamos ao Berkeley Hotel, Van Helsing encontrou um telegrama que havia chegado em sua ausência:

> Chegarei por estrada de ferro. Jonathan em Whitby. Importante notícia. Mina Harker.

O professor ficou muito satisfeito.

— Madame Mina é uma pérola! — disse ele. — Mas não posso esperá-la. Você deve ir recebê-la na estação e levá-la para sua casa, amigo John. Mande-lhe um telegrama, avisando que esteja preparada.

Depois de enviar o telegrama, tomamos uma xícara de chá. Em seguida, o professor me deu cópias de um diário escrito por Jonathan Harker no estrangeiro e de um diário que a Sra. Harker mantinha em Whitby.

— Leia estes papéis e analise-os bem — disse-me ele. — Quando eu voltar, você estará bem a par desses assuntos e poderemos tomar as providências necessárias. Mantenha os papéis bem seguros, pois são um tesouro. Você vai precisar de toda a sua fé, mesmo tendo passado por uma experiência como a de hoje. O que está escrito aqui — e, ao falar, colocou a mão pesada sobre os papéis — pode ser o princípio do fim para você, para mim e para muitos outros, ou pode ser o alerta fúnebre do morto-vivo que anda pela terra. Rogo que leia com a mente aberta, e se puder acrescentar alguma coisa à história aqui, faça isso, pois tudo é importante. Você escreveu um diário sobre todas essas coisas estranhas, não escreveu? Então! Vamos verificar todos eles juntos quando nos encontrarmos.

Ele se preparou para partir e pegou uma carruagem até Liverpool Street. Segui para Paddington e cheguei cerca de quinze minutos antes de o trem da Sra. Harker parar na estação. Após a agitação do desembarque nas plataformas, a multidão se dispersou, e eu já estava começando a ficar preocupado de ter me desencontrado da convidada, quando uma jovem de rosto meigo e aparência delicada aproximou-se de mim e, após nos olharmos brevemente, indagou:

— O senhor é o dr. Seward, não é?

— A senhora deve ser a Sra. Harker! — respondi prontamente, e ela estendeu a mão para mim.

— Reconheci-o pela descrição que a pobre Lucy um dia fez do senhor.

Ela corou ao dizer aquilo, mas eu também corei, e essa situação constrangedora pareceu nos deixar mais à vontade, como uma resposta tácita a ela própria. Peguei a bagagem dela, que incluía uma máquina de escrever, e, depois que enviei um telegrama pedindo à minha criada que preparasse uma sala e um quarto para recebermos a Sra. Harker, pegamos o metrô até Fenchurch Street.

Pouco depois, chegávamos ao hospício. É claro que a Sra. Harker sabia para onde iríamos, mas percebi que não conseguiu conter um tremor ao entrarmos. Ela me disse que, se possível, gostaria de visitar minha sala, pois tinha muitas coisas a me dizer. Então aqui encerro este registro diário em meu fonógrafo enquanto a espero. Ainda não consegui ler os papéis que Van Helsing deixou comigo, embora estejam bem na minha frente. Devo entretê-la com alguma coisa para que eu tenha a oportunidade de ler. Ela não sabe como o tempo é precioso, nem o tipo de tarefa que teremos pela frente. Devo tomar cuidado para não a deixar apavorada. Aí vem ela!

DIÁRIO DE MINA HARKER

29 de setembro — Depois de ter me aprontado, fui ao gabinete do dr. Seward. Parei por um momento junto à porta, pois tive a impressão de que falava com alguém. Bati à porta e ele me mandou entrar.

Fiquei surpresa ao encontrá-lo sozinho. Na mesa, a sua frente, havia um aparelho, que, por descrições que já ouvira, reconheci como um fonógrafo. Olhei com interesse para aquele objeto que eu nunca vira antes.

— Espero não tê-lo feito esperar muito — desculpei-me. — Eu ouvi sua voz antes de entrar e pensei que estivesse com alguém aqui.

— Oh — respondeu ele, sorrindo —, só estava fazendo um registro no meu diário.

— Seu diário?

— Sim. Gravo aqui nesta máquina.

Fiquei entusiasmada.

— Isso supera até a taquigrafia!

Pedi que me deixasse ouvir alguma coisa.

— Claro — respondeu, animado, e se levantou para fazer o aparelho funcionar. Então hesitou, parecendo perturbado. — A verdade é que... — começou, constrangido — só tenho meu diário gravado aqui, e como registro exclusivamente... ou quase exclusivamente... meus casos médicos, pode ser constrangedor, quero dizer...

Ele fez uma pausa, e tentei tirá-lo daquele constrangimento.

— O senhor cuidou de Lucy até a sua morte. Gostaria de saber como ela morreu. Ficaria muito grata por qualquer coisa que souber a respeito dela. Ela era muito querida para mim.

Fiquei surpresa novamente com a reação dele.

— Contar-lhe sobre a morte dela? Por nada neste mundo! — disse ele, horrorizado.

— Mas por que não? — insisti, com um pressentimento horrível.

Ele fez outra pausa, evidentemente tentando achar uma desculpa.

— Na verdade, não sei como escolher um trecho específico do diário — gaguejou ele, constrangido. Enquanto ele falava, percebi que uma ideia lhe ocorria, e, numa simplicidade inconsciente, com a voz diferente agora e uma ingenuidade juvenil, ele disse: — É verdade, juro pela minha honra. Palavra de índio.*

Sorri, e ele franziu o cenho.

— Dessa vez eu me entreguei! Mas saiba que, apesar de ter feito registros durante meses, nunca pensei sobre como faria para encontrar um caso específico se o quisesse consultar mais tarde.

Àquela altura, eu estava convencida de que o diário de um médico que acompanhou Lucy poderia ter algo a acrescentar a tudo que sabíamos sobre aquele Ser terrível, portanto fui ousada e arrisquei:

— Então, será melhor o senhor me deixar transcrever o diário à máquina — propus.

---

* No original, "Honest Indian", uma expressão idiomática que ficou famosa a partir dos romances de Mark Twain, como *As aventuras de Tom Sawyer* (1876) e *As aventuras de Huckleberry Finn* (1885). É uma alusão ao fato de que os nativos norte-americanos não teriam o costume de mentir.

— Não, não! — protestou ele, denotando uma palidez mortal. — De maneira alguma! Não a deixaria ficar sabendo daquele caso horrível!

Então tinha sido mesmo terrível. Minha intuição estava certa! Pensei por um momento, examinando inconscientemente o escritório, em busca de alguma coisa ou uma oportunidade que pudesse me ajudar. Deparei com uma grossa pilha de folhas datilografadas sobre a mesa. O dr. Seward fixou os olhos em mim, e intuitivamente seguiu a direção do meu olhar. Quando percebeu os papéis, entendeu o que eu queria dizer.

— O senhor não me conhece — repliquei. — Quando tiver lido os diários do meu marido e meu, que datilografei, vai me conhecer melhor. Dediquei todos os meus pensamentos e o meu coração a essa causa. Mas, é claro, o senhor não me conhece... ainda. Portanto, não devo esperar que confie em mim de imediato.

Indubitavelmente, o dr. Seward é um homem de natureza nobre. A pobre Lucy estava certa em relação ao seu caráter. Ele se levantou e abriu uma gaveta, onde havia vários cilindros de metal recobertos de cera escura.

— Tem razão — disse ele. — Não confiei na senhora porque não nos conhecíamos, mas agora isso mudou. Sei que Lucy falou de mim para a senhora. Ela também comentava coisas a seu respeito. Deixe-me fazer a única reparação possível. Leve este material e o escute. Os seis primeiros são muito pessoais e não deverão horrorizá-la. Mas farão a senhora compreender melhor quem eu sou. Quando terminar, o jantar será servido. Enquanto isso, vou ler esses documentos para poder entender melhor certas coisas.

Ele mesmo levou o fonógrafo para a minha sala e o preparou para mim. Sei que ficarei sabendo de coisas agradáveis. Vou descobrir a outra parte de uma história de amor verdadeiro sobre a qual só conheço um dos lados por enquanto.

DIÁRIO DO DR. SEWARD

29 de setembro — Fiquei tão absorto com a leitura dos diários de Jonathan Harker e de sua esposa que nem percebi o tempo passar. A Sra.

Harker ainda não havia descido para o jantar quando a criada veio me chamar.

— Deve estar cansada. Vamos adiar o jantar para daqui a uma hora. — E continuei com a leitura.

Eu terminei a leitura do diário no exato momento em que ela entrou. Estava elegante, porém muito triste, e com os olhos vermelhos de tanto chorar. Fiquei comovido. Deus sabe quantos motivos para chorar tenho tido ultimamente! Mas nem posso me dar ao luxo de derramar lágrimas. Olhei para aqueles olhos meigos, iluminados por lágrimas recentes, com o coração apertado.

— Lamento ter lhe causado esse sofrimento — desculpei-me, no tom mais brando que consegui.

— Não me causou sofrimento algum — disse ela. — Mas não consigo nem expressar o quão comovida fiquei com sua tristeza. É um aparelho maravilhoso, mas cruelmente verdadeiro. Ele me revelou, com sua própria entonação, a angústia de seu coração. Como uma alma clamando a Deus Todo-Poderoso. Que ninguém mais precise ouvir suas palavras novamente! Por isso resolvi datilografar o diário, para que os outros possam lê-lo, em vez de ouvi-lo. Agora ninguém mais precisa ouvir o seu coração batendo como eu ouvi.

— Ninguém precisa saber... ninguém jamais deve saber... — sussurrei.

Ela pôs a mão na minha e contestou, muito gravemente:

— As pessoas precisam saber, sim!

— Precisam? Por quê? — perguntei.

— Porque isso faz parte de uma história terrível, faz parte da morte da pobre Lucy e de tudo o que levou a esse triste fim. Porque, na luta que temos diante de nós para destruir esse monstro horrível, vamos precisar de todo o conhecimento e de toda a ajuda que conseguirmos. Creio que esses cilindros contêm mais do que o senhor pretendia que eu soubesse. Mas há muitas luzes para esse mistério sombrio em seus registros. Posso contar com a sua ajuda? Já sei de tudo até certo ponto e, embora tenha chegado apenas até o dia 7 de setembro em seu diário, entendo como a pobre Lucy sofreu e que destino terrível se abateu sobre ela. Jonathan e eu temos trabalhado noite e dia desde que o professor Van Helsing foi nos visitar. Ele foi a Whitby para obter mais informações e estará aqui amanhã para nos ajudar. Não precisa haver segredos entre nós. Trabalhando juntos e com total confiança, certamente seremos mais fortes do que se algum de nós não soubesse de tudo abertamente.

Ela olhou para mim com tanta doçura no olhar, e ao mesmo tempo com uma expressão de coragem e decisão, que acabei concordando com suas ideias.

— Tem razão, faça como julgar melhor — concordei. — Deus me perdoe se eu estiver cometendo algum engano! Ainda há coisas terríveis que nos serão reveladas, mas se a senhora veio até aqui para saber da história da morte da pobre Lucy, sei que não ficará satisfeita enquanto não souber de tudo. Não, talvez o fim verdadeiro possa trazer paz a todos nós. Mas, agora, venha jantar. Precisamos nos manter fortes, para executar a tarefa que temos pela frente. Depois, a senhora vai saber tudo o que deseja. Responderei a qualquer pergunta que me fizer caso haja algo que não tenha entendido, mas que tenha sido evidente para nós, que presenciamos tudo.

DIÁRIO DE MINA HARKER

29 de setembro — Depois do jantar, fui com o dr. Seward para o escritório. Ele trouxe o fonógrafo que estava na minha sala, e eu, a máquina de escrever. Ele me deu as instruções necessárias, e foi gentil o bastante para pegar uma cadeira e ficar de costas para mim, deixando-me o mais à vontade possível, e começou a ler. Eu aproximei o cone de metal para perto dos ouvidos e escutei. Quando a terrível história da morte de Lucy e de tudo o que aconteceu depois dela terminou, recostei-me, impotente, na poltrona. Ainda bem que não sou predisposta a desmaios. Assim que me viu, o dr. Seward levantou-se subitamente da cadeira e, com uma expressão de pavor, pegou rapidamente uma garrafa no armário e serviu-me uma dose de conhaque, e assim consegui me recompor em poucos minutos. Sentia a cabeça rodar; e se, depois daquela imensidão de horrores, não houvesse por fim um raio sagrado de luz ao saber que minha querida Lucy alcançara a paz, seria impossível suportar tudo aquilo e certamente eu teria tido um colapso.

Era tudo tão louco, misterioso e estranho que, se eu não soubesse do que se passara com Jonathan na Transilvânia, não acreditaria na horrível história da morte de Lucy. Mesmo depois disso eu mal sabia no que acreditar, então voltei minha atenção para outra coisa. Tirei a capa da minha máquina de escrever e disse ao dr. Seward:

— Vou tratar de escrever tudo, para que esteja pronto quando o dr. Van Helsing chegar. Telegrafei a Jonathan dizendo-lhe que viesse para cá quando chegasse a Londres, voltando de Whitby. As datas são primordiais neste caso, e sinto que, se conseguirmos preparar esse material e conseguirmos colocar os eventos em ordem cronológica, será um grande avanço. O senhor me disse que lorde Godalming e o Sr. Morris também virão. Será bom podermos contar tudo a eles quando chegarem.

O dr. Seward ajustou o fonógrafo para reproduzir em velocidade reduzida e eu comecei a transcrever o diário a partir do décimo sétimo cilindro. Usei papel-carbono e produzi três cópias do diário, assim como havia feito com o restante do material.

Já era tarde quando terminei, mas o dr. Seward havia saído para visitar os pacientes. Quando retornou, veio sentar-se perto de mim e ficou lendo. Não me senti sozinha enquanto datilografava. Ele é muito bom e atencioso. O mundo parece estar cheio de homens bons, ainda que existam monstros também. Antes de sair da sala, lembrei do que havia lido no diário de Jonathan sobre a inquietação do professor ao ler algo no jornal de Londres, na estação de Exeter. Vi que o dr. Seward havia guardado esses jornais, peguei emprestadas as edições da *Westminster Gazette* e da *Pall Mall Gazette* e as levei para o meu quarto. Lembrei-me de quanto os recortes do *Dailygraph* e da *Whitby Gazette* nos ajudaram a entender os terríveis acontecimentos em Whitby, quando o Conde Drácula aportou, por isso vou ler todos esses jornais desde aquela data; quem sabe as notícias poderão trazer alguma luz para o caso. Estou sem sono, e o trabalho vai me ajudar a ficar tranquila.

DIÁRIO DO DR. SEWARD

30 de setembro — O Sr. Harker chegou às nove horas. Tinha recebido o telegrama da esposa pouco antes de sair. É um homem de inteligência rara, a julgar por sua aparência. Percebi que tem muita energia também. Se o diário dele for verdadeiro — e, a julgar pelas experiências extraordinárias dos últimos tempos, deve ser —, é também um homem de grande coragem. A sua segunda descida à cripta foi uma prova de ousadia notável. Depois de ter lido seu diário, esperava encontrar um homem intrépido e viril, em vez do recatado cavalheiro com ar executivo que chegou em minha casa.

Mais tarde — Depois do almoço, Harker e a esposa foram para o quarto deles. Passei por lá há alguns minutos e ouvi as batidas das teclas da máquina de escrever. Estão extremamente empenhados no caso. A Sra. Harker contou que estão organizando em ordem cronológica cada evidência. Harker conseguiu as cartas trocadas entre o destinatário das caixas em Whitby e a transportadora de Londres responsável por elas. Agora está lendo a transcrição que a esposa fez do meu diário. Queria saber o que estão achando dele.

É estranho nunca ter me ocorrido que a casa ao lado pudesse ser o esconderijo do conde! Deus sabe que tivemos muitas pistas, como a conduta do paciente Renfield, por exemplo. A pilha de cartas associadas à compra da casa veio junto com a transcrição. Se ao menos tivéssemos lido esses documentos antes, talvez pudéssemos ter salvado a pobre Lucy... Pare! Isso vai me enlouquecer! O Sr. Harker voltou e está novamente compilando o material. Diz que até a hora do jantar vão poder apresentar uma narrativa coesa. Ele acha que, nesse ínterim, seria bom visitar a cela de Renfield, pois até então ele tem sido uma espécie de marcador das idas e vindas do conde. Ainda não consigo entender claramente, mas quando puder conferir os dias exatos, imagino que vá conseguir. Que bom que a Sra. Harker transcreveu meus cilindros! De outro modo, não teríamos como localizar as datas.

Encontrei Renfield sentado com toda tranquilidade em seu quarto, com as mãos entrelaçadas e um sorriso tranquilo. Naquele momento, pareceu-me são como qualquer outra pessoa sã que já vi. Sentei-me e conversei com ele sobre vários assuntos, temas que o paciente tratou com naturalidade. Ele voluntariamente tocou no assunto de ir embora para casa, algo que, até onde sei, jamais havia sugerido durante todo o seu período de internação. Na verdade, falou com bastante segurança sobre receber alta imediatamente. Creio que, se não tivesse conversado antes com Harker e lido as cartas e as datas das crises, estaria pronto para assinar sua alta após um breve período de observação. Agora já não sei, tenho suspeitas obscuras. Todos os surtos foram associados de alguma forma à proximidade do conde. O que explicaria então a absoluta placidez? Será que ele estaria instintivamente satisfeito com o triunfo final do vampiro? O paciente é zoófago e, em seus ataques diante da porta da capela da casa abandonada, falava em um "mestre". Isso tudo parece confirmar nossa ideia. De todo modo, pouco depois fui embora. Meu amigo parece muito sensato no momento para instigá-lo demais com questões profundas. Ele pode começar a pensar, e então... Achei prudente sair. Desconfio desse humor pacato, por isso pedi ao enfermeiro que ficasse de olho nele e que deixasse uma camisa de força preparada, caso fosse necessário.

DIÁRIO DE JONATHAN HARKER

29 de setembro, no trem, em viagem para Londres — Quando recebi a atenciosa carta do Sr. Billington, prontificando-se a me dar qualquer informação, pensei que o melhor seria ir a Whitby, assim poderia fazer pessoalmente quantas perguntas quisesse.

Meu primeiro objetivo é descobrir para onde foi a horrível carga do conde. O filho do Sr. Billington, um moço simpático, apanhou-me na estação e me levou à casa do pai. Eles decidiram que seria melhor eu passar a noite lá. São hospitaleiros, verdadeiros anfitriões de Yorkshire, portanto oferecem tudo ao hóspede e o deixam completamente à vontade. Sabiam que eu estava ocupado e que minha estada seria breve. O Sr. Billington pôs à minha disposição todas as cartas relativas à consignação de caixotes. Tudo fora preparado com precisão. Revi de passagem uma das cartas que tinha visto na mesa do conde antes de saber de seus planos diabólicos. Tudo havia sido pensado meticulosamente, e feito com metodologia e precisão. Ele parecia estar preparado para qualquer tipo de obstáculo que precisasse enfrentar. Não estava disposto a correr qualquer risco, e a absoluta minúcia com que suas instruções foram levadas a cabo era simplesmente o resultado lógico de suas precauções. Vi a nota fiscal e anotei a discriminação da mercadoria: "Cinquenta caixotes de terra comum destinados a experiências". Também copiei a carta à firma de Carter Paterson e a resposta. Essa era toda a informação que o sr. Billington poderia me oferecer, então desci até o porto, onde encontrei a guarda-costeira, os funcionários da Alfândega e o comandante da Capitania dos Portos. Todos tinham algo a dizer sobre a estranha chegada do navio ao porto, que já figurava na tradição local, mas ninguém tinha mais nada a acrescentar, somente que tinham chegado "cinquenta caixas de terra comum". Em seguida, conversei com o chefe da estação, que gentilmente me pôs em contato com os homens que haviam efetivamente recebido as caixas. A quantidade descrita por eles conferia com a da nota fiscal, e eles não tinham mais nada a dizer, exceto que as caixas eram "enormes e mortalmente pesadas" e que carregá-las tinha sido um trabalho difícil. Um deles acrescentou que o pior foi não haver nenhum cavalheiro "como o senhor, doutor", para demonstrar satisfação por seus esforços. Outro comentou em tom de brincadeira que tinha ficado com tanta sede que ainda não tinha passado completamente até aquele dia. Não foi necessário dizer que, antes de partir, fiz questão de aplacar suas reclamações de forma definitiva e apropriada.

30 de setembro — O chefe da estação de Whitby foi gentil e escreveu ao chefe de King's Cross, seu velho amigo. Assim, quando cheguei de manhã, já fiz as perguntas sobre as caixas. Ele me pôs em contato com os funcionários determinados para aquela função e confirmei que a quantidade recebida por eles também estava de acordo com a nota original. As chances de sentir uma sede anormal eram mais limitadas nesse caso. No entanto, foi feito um bom uso da oportunidade, e, mais uma vez, me vi obrigado a lidar com o assunto de forma *ex post facto*.*

---

* Depois de ocorridos os fatos, em latim.

De lá, fui ao escritório central de Carter Paterson, que me recebeu com muita cordialidade. Eles verificaram a transação nos diários e registros de correspondência e telefonaram imediatamente para o escritório de King's Cross, a fim de obter mais detalhes. Felizmente, os homens que fizeram parte da equipe de carregamento estavam por lá, aguardando trabalho, e o funcionário os encaminhou na mesma hora, enviando por um deles o recibo e todos os papéis referentes à entrega das caixas em Carfax. Novamente, o total estava de acordo com o descrito na nota fiscal original. Os carregadores forneceram os detalhes que eu não conseguia encontrar nas anotações. Rapidamente descobri que eram quase unicamente associados à natureza sombria do serviço e à consequente sede gerada nos trabalhadores. Uma moeda de meia libra foi o suficiente para abrandar qualquer mal sofrido e serviu para um dos homens se animar a fazer um comentário.

— Aquela casa, doutor, é o lugar mais estranho em que já estive. Amaldiçoada! Faz cem anos que ninguém entra lá. A camada de pó era tão grossa que dava para dormir em cima sem machucar os ossos. E o lugar estava tão abandonado que dava para sentir o cheiro da velha Jerusalém lá dentro. A antiga capela era o pior lugar de todos! Eu e meu amigo saímos o mais depressa possível daquele lugar. Deus do céu! Não ficaria ali até anoitecer nem por uma libra.

Conhecendo o local, acreditei nele, mas, se soubesse o que sei, tenho certeza de que teria aumentado o preço.

Depois de várias indagações, cheguei pelo menos a uma conclusão: todas as caixas vindas pelo *Demeter* foram colocadas na velha capela de Carfax. Deve haver ali cinquenta caixas, a não ser que alguma tenha sido removida, como receio que tenha ocorrido, pelo que li no diário do dr. Seward.

Preciso procurar o transportador que levou as caixas de Carfax quando Renfield atacou os homens. Seguindo essa pista, poderemos descobrir muita coisa.

Mais tarde — Mina e eu trabalhamos o dia inteiro e pusemos todos os papéis em ordem.

DIÁRIO DE MINA HARKER

30 de setembro — Estou tão feliz que mal consigo me conter. Imagino que seja uma reação ao medo assombroso que senti de que este caso terrível pudesse reabrir a antiga ferida de Jonathan, agindo contra ele. Vi quando ele partiu rumo a Whitby: havia coragem em seu semblante, mas passei mal de tanta apreensão. O esforço, contudo, fez bem a ele. Nunca o vi tão decidido, tão forte e cheio de energia como está agora. Justamente como o querido e bom professor Van Helsing disse, Jonathan é um homem de fibra e está melhorando com essa pressão, que teria matado uma criatura mais fraca. Voltou cheio de vida, esperança e determinação. Deixamos tudo em ordem para hoje à noite. Sinto-me eufórica de empolgação. Imagino que devêssemos sentir pena de alguém tão perseguido quanto o conde. A questão é justamente esta: aquela Coisa não é humana, nem mesmo chega a ser um bicho. Ler o relato do dr. Seward sobre a morte da pobre Lucy e o que se seguiu a ela é o bastante para secar as fontes de compaixão no peito de qualquer um.

Mais tarde — Lorde Godalming e o Sr. Morris chegaram mais cedo do que esperávamos. O dr. Seward tinha saído com Jonathan, de maneira que tive de recebê-los. Foi um encontro penoso, pela lembrança de Lucy. Claro que os dois já tinham ouvido Lucy falar de mim, e parece que o dr. Van Helsing também havia "elevado a minha moral", como disse o Sr. Morris.

Pobres rapazes, nenhum deles tem consciência de que sei tudo sobre as propostas de cada um a Lucy. Ficaram sem saber o que dizer ou fazer, pois ignoravam meu conhecimento sobre isso. Dessa forma, nossa conversa foi absolutamente neutra. De todo modo, tudo aquilo fazia parte do passado, e concluí que o melhor a fazer seria atualizá-los sobre o caso. Sabia, pelo diário do dr. Seward, que os dois estiveram presentes na hora da morte definitiva de Lucy, portanto não precisava temer revelar algum segredo antes da hora. Expliquei, da melhor maneira possível, que havia lido todos os papéis e diários, e que, depois de ter datilografado tudo, meu marido e eu havíamos acabado de colocá-los em ordem cronológica. Dei a cada um deles uma cópia dos diários, para que lessem na biblioteca.

Quando lorde Godalming recebeu a sua cópia e a folheou — era uma pilha e tanto —, perguntou-me:

— A senhora datilografou tudo isso, Sra. Harker? — Assenti, e ele prosseguiu: — Não consigo entender qual é o propósito de tudo isso, mas vocês são pessoas tão boas e generosas, e têm trabalhado com tanto afinco e honestidade, que tudo o que posso fazer é acatar cegamente suas ideias e tentar ajudá-los. Já tive uma lição sobre aceitar os fatos que tornaria um homem humilde até o último minuto de sua vida. Além do mais, sei que você amava minha Lucy... — Ele se virou e cobriu o rosto com as mãos.

Pude perceber as lágrimas contidas em sua voz. O Sr. Morris, com instintiva delicadeza, apenas pousou a mão no ombro do amigo por um momento e saiu em silêncio da sala. Imagino que exista algo na natureza da mulher que permita a um homem desabar diante dela e expressar seus sentimentos mais ternos ou delicados sem com isso comprometer sua virilidade, pois, quando percebeu que estava sozinho comigo, lorde Godalming sentou-se no sofá e ruiu completamente. Sentei-me ao lado dele e tomei-lhe a mão. Espero que não tenha considerado um gesto ousado de minha parte, e que essa ideia nunca passe por sua cabeça, caso reflita sobre esse momento. Que insulto o meu, *sei* que jamais vai pensar uma coisa dessas. Trata-se de um cavalheiro legítimo.

— Eu amava a querida Lucy, e sei o que ela significava para você e o que você significava para ela — eu disse a ele, pois pude ver o quanto seu coração estava partido. — Éramos como irmãs, e, agora que ela se foi, você permitiria que eu fosse como uma irmã para você em sua aflição? Sei as tristezas por que você passou, embora não possa avaliar a profundidade delas. Se piedade e compaixão puderem diminuir sua aflição, você permitiria que eu lhe oferecesse isso, em nome de Lucy?

No instante seguinte, o pobre e querido rapaz estava arrasado de tristeza, e tudo o que tinha sofrido calado nos últimos dias extravasou abruptamente. Quase histérico, ergueu as mãos abertas para o céu, na perfeita agonia do luto. Depois, levantou-se, e então se sentou de novo, com lágrimas escorrendo pelo rosto. Infinitamente compadecida daquele homem, eu abri os braços sem pensar. Com um soluço, ele deitou a cabeça em meu ombro e chorou feito uma criança exausta, trêmulo de emoção.

Nós, mulheres, temos algo de mãe que nos faz suplantar problemas menores quando o espírito materno é invocado. Senti aquela cabeça grande de um homem triste descansando em mim como se fosse a do bebê que um dia poderá vir a deitar em meu colo, e fiz carinho em seus cabelos como se ele fosse meu filho. Na hora, nem pensei em como tudo aquilo era estranho.

Pouco depois, seus soluços cessaram, e ele se levantou e pediu desculpas, embora não disfarçasse a emoção. Disse que fazia dias e noites — dias exaustivos e noites insones — que não conseguia falar com ninguém do modo como um homem deve fazer em um momento de tristeza. Não havia nenhuma mulher com cuja solidariedade pudesse contar ou com quem, devido à terrível circunstância de sua tristeza, ele pudesse falar abertamente.

— Agora sei como sofri — disse, enxugando os olhos —, mas ainda não entendo, e ninguém jamais poderá entender, o alívio que foi a sua doce compaixão comigo hoje. Logo vou compreender melhor, e, acredite, embora já seja muito grato à senhora, minha gratidão aumentará com essa compreensão. Podemos ser irmãos, por toda a vida, em nome da querida Lucy?

— Por nossa querida Lucy — prometi, e nos demos as mãos.

— Sim, e por você também — acrescentou ele —, pois, se a estima e a gratidão de um homem são dignas de se conquistar, hoje você conquistou a minha. Se um dia, no futuro, você precisar de ajuda, creia, basta me chamar. Deus queira que isso nunca aconteça e que nada apague a luz da sua vida, mas, caso um dia isso aconteça, prometa que vai me avisar.

Ele foi tão franco, e sua tristeza era tão atroz, que achei que aquilo iria consolá-lo, então assegurei-lhe:

— Prometo.

Quando saí para o corredor, vi o Sr. Morris olhando pela janela. Ele se virou ao ouvir os meus passos e perguntou:

— Como Art está? — Então, observando meus olhos vermelhos, prosseguiu: — Vejo que a senhora o estava consolando. Pobre rapaz! Ele bem que precisa. Ninguém melhor do que uma mulher para ajudar um homem com problemas sentimentais. Ele não tem ninguém para consolá-lo.

Suportava a própria dor com tamanha bravura que meu coração sangrou por ele. Vi o manuscrito em sua mão e entendi que, quando o lesse, ficaria sabendo o quanto eu já sabia.

— Quem dera eu pudesse consolar todo aquele que sofre por problemas sentimentais. Você me aceita como sua amiga e promete que virá me procurar quando precisar de consolo? Mais tarde vai entender o que quero dizer.

Ele viu que eu falava sério, então aproximou-se, pegou minha mão, ergueu-a até os lábios e a beijou. Parecia pouco consolo a alguém tão corajoso e altruísta, e, impulsivamente, inclinei-me e o beijei. As lágrimas lhe vieram aos olhos, e pude notar que um nó se formou momentaneamente em sua garganta. Ele disse com toda calma:

— Menina, enquanto viver, você jamais vai se lamentar por essa bondade em seu coração! — E entrou no escritório do amigo.

"Menina"! A mesma palavra com que se referia a Lucy, e que bom amigo ele se mostrou ser!

XVIII

DIÁRIO DO DR. SEWARD

30 de setembro — Cheguei em casa às cinco horas e vi que Godalming e Morris não só já haviam chegado como já estavam com todos os papéis que Harker e sua encantadora esposa organizaram. Harker ainda não havia retornado de sua visita aos transportadores, a respeito dos quais o dr. Hennessey me escrevera. A Sra. Harker nos ofereceu uma xícara de chá, e posso dizer honestamente que, pela primeira vez desde que me mudei para cá, minha velha casa parecia um lar.

— Posso lhe pedir um favor? — perguntou a Sra. Harker quando terminamos o chá. — Queria ver seu paciente. O que o senhor disse a respeito dele no diário me interessa muito.

Ela estava tão atraente e bonita que não pude recusar. Fui ao quarto de Renfield levando-a comigo. Quando entrei, disse-lhe que uma senhora queria vê-lo.

— Por quê? — retrucou ele simplesmente.

— Está visitando a casa e quer ver todos aqui — respondi.

— Está bem, então — concordou ele. — Pode trazê-la. Mas espere um minuto, para que eu possa arrumar um pouco o quarto.

Seu método de arrumação era bem original: engoliu todas as moscas e aranhas das caixinhas antes que eu o pudesse impedir. Ficou bem evidente que ele temia alguma interferência. Quando terminou sua repulsiva tarefa, anunciou, jovialmente:

— Pode mandar a dama entrar.

Sentou-se na cama, de cabeça baixa, mas com os olhos levantados, para conseguir vê-la entrar. Por um momento, tive receio de que estivesse com intenções homicidas, pois me lembrei de como ficara calado pouco antes de me atacar no escritório, então tomei a precaução de ficar perto dele, pronto para agir, se fosse preciso.

A Sra. Harker entrou com uma graça e um desembaraço que conquistariam o respeito de qualquer lunático, pois o desembaraço é uma das qualidades mais respeitadas pelos loucos. Ela foi até ele, sorrindo simpaticamente, e lhe estendeu a mão.

— Boa noite, Sr. Renfield — cumprimentou-o. — Sabe, conheço o senhor, pois o dr. Seward me contou a seu respeito.

Ele não respondeu de imediato; em vez disso, olhou-a durante algum tempo com muita atenção, franzindo o cenho. Essa expressão deu lugar a uma de assombro, que cedeu à dúvida; depois exclamou, causando-me grande espanto:

— A senhora não é a moça com quem o doutor queria se casar, não é? Não pode ser, pois sei que ela está morta.

A Sra. Harker mostrou-lhe um sorriso terno.

— Não — respondeu ela. — Eu já era casada antes de conhecer o dr. Seward. Sou a Sra. Harker.

— O que está fazendo aqui?

— Meu marido e eu viemos fazer uma visita ao dr. Seward.

— Então, não demore.

— Por quê?

Achei que a conversa não devia estar agradando à Sra. Harker e interferi.

— Como você sabia que eu queria me casar com alguém?

Ele assumiu uma expressão desdenhosa e parou de falar, tirando os olhos da Sra. Harker para me fitar por um momento, antes de voltar a encará-la:

— Que pergunta idiota! — disse Renfield.

— Não acho, Sr. Renfield — discordou a Sra. Harker, vindo em minha defesa.

Renfield a tratava com cortesia e respeito na mesma medida em que demonstrava desdém por mim.

— A senhora deve compreender que, quando um homem é tão estimado e honrado como o dr. Seward, tudo quanto lhe diz respeito é de interesse de nossa pequena comunidade. O dr. Seward é estimado não apenas pelos parentes e amigos, mas também pelos pacientes, alguns dos quais, devido ao desequilíbrio mental, costumam confundir a causa com o efeito. Como eu mesmo tenho estado internado em um hospício, não posso deixar de observar que as tendências sofistas de alguns dos doentes conduzem a erros de *non causa e ignoratio elenchi*.*

---

* "Sem motivo" e "ignorância de acusação", em latim.

Fiquei espantado. Como seria possível aquele louco — o mais grave caso do tipo que jamais vi — estar falando sobre filosofia e se portando como um verdadeiro cavalheiro? Espontaneamente ou devido à influência inconsciente da Sra. Harker, o fato é que ela devia ter alguma qualidade ou poder raro que o induzia a agir daquela forma.

Continuamos a conversar e, vendo que ele parecia inteiramente razoável, a Sra. Harker se aventurou a falar sobre o assunto favorito dele, depois de me consultar com o olhar. Novamente fiquei assombrado. Ele respondeu com a imparcialidade de uma pessoa mentalmente sã, chegando a dar-se como exemplo ao mencionar certas coisas.

— Eu mesmo sou o exemplo de um homem que teve uma estranha crença. Não é de admirar que meus amigos tenham se alarmado e tratado de me colocar sob vigilância. Convenci-me de que era possível prolongar indefinidamente a vida consumindo uma multidão de seres vivos, por mais baixos que fossem na escala da criação. Algumas vezes, acreditei com tanta convicção nisso que cheguei a tentar tirar uma vida humana. O doutor pode confirmar que, certa vez, tentei matá-lo, a fim de aumentar minhas forças vitais pela assimilação de sua vida através do sangue, baseando-me, naturalmente, na frase das Escrituras "Pois o sangue é a vida". Na verdade, o vendedor de certas panaceias vulgarizou esse dito até o ponto de se tornar desprezível, não é mesmo, doutor?

Fiz que sim com a cabeça, pois estava espantado demais para saber o que dizer ou pensar. Não podia acreditar que, havia menos de cinco minutos, aquele homem estava comendo moscas e aranhas. Consultei o relógio e vi que estava na hora de ir buscar o dr. Van Helsing na estação. Disse à Sra. Harker que precisávamos ir. Ela me acompanhou no mesmo instante, depois de dizer ao Sr. Renfield:

— Adeus, espero vê-lo mais vezes e em situações mais agradáveis para o senhor.

Ele respondeu, para o meu espanto:

— Adeus. Espero nunca mais ver seu rosto bondoso. Que Deus a abençoe e proteja!

Deixei os rapazes em casa e fui encontrar Van Helsing na estação. O pobre Art parecia mais animado do que nunca desde o início da doença de Lucy, e Quincey recobrou o entusiasmo que havia muito tempo não demonstrava.

Van Helsing saltou do vagão com a avidez descuidada de um menino. Logo me viu, veio correndo em minha direção.

— Amigo John, como vão as coisas? Bem? Certo! Andei ocupado, pois vim para cá com a intenção de ficar por bastante tempo, se preciso for. Já está tudo acertado e tenho muito o que contar. Madame Mina está com você? Sim. E o belo esposo? E Arthur e meu amigo Quincey, também? Ótimo!

No caminho de casa, relatei a ele o que havia acontecido. Quando comecei a explicar como meu diário tinha sido útil a partir da sugestão da Sra. Harker, o professor me interrompeu.

— Magnífica madame Mina! Ela tem o cérebro de um homem... um cérebro que, fosse o de um homem, faria dele uma pessoa brilhante... e o coração de uma mulher. Acredite em mim, o bom Deus tinha um propósito ao criá-la, para se valer dessa excelente combinação. Amigo John, até agora a sorte fez dessa mulher um grande auxílio para nós. Mas, depois desta noite, ela não vai mais precisar se envolver neste caso tão terrível. Não é bom que corra um risco tão grande. Nós, homens, estamos determinados a destruir esse monstro. Determinados, não; obrigados por juramento, não é mesmo? Mas isso não é tarefa para uma mulher. Mesmo que nada lhe aconteça, seu coração talvez fraqueje diante de tantos e tamanhos horrores, e ela pode vir a sofrer, tanto acordada, dos nervos, quanto dormindo, com pesadelos. Além do mais, sendo uma mulher tão jovem e recém-casada, pode ter outras coisas em que pensar, que não o agora. Você disse que ela transcreveu tudo, então devemos consultá-la; mas amanhã ela interromperá a tarefa, e seguiremos sozinhos.

Concordei veementemente com ele e contei o que havíamos descoberto em sua ausência: Drácula havia comprado uma casa vizinha da minha. O professor ficou espantado e pareceu acometido de uma grande preocupação.

— Se soubéssemos disso antes! — exclamou. — Talvez pudéssemos ter chegado a tempo de salvar a pobre Lucy. De todo modo, "não se deve chorar pelo leite derramado", como vocês dizem. Não vamos pensar nisso, vamos seguir nosso caminho até o fim.

Então mergulhou em um silêncio que durou até entrarmos pelo portão de minha casa. Antes de nos prepararmos para o jantar, dirigiu-se à Sra. Harker:

— Fiquei sabendo por meu amigo John, madame Mina, que a senhora e seu marido ordenaram cronologicamente todo o material de que dispomos até o momento.

— Até este momento, não, professor — respondeu ela, impulsivamente —, somente até hoje de manhã.

— E por que não até agora? Já tivemos boas provas de como as pequenas coisas podem dar clareza ao conjunto. Compartilhamos nossos segredos, e até agora ninguém se considerou prejudicado por isso.

A Sra. Harker ficou corada e tirou um papel do bolso.

— Dr. Van Helsing, será que o senhor poderia ler isto e me dizer se também deve fazer parte dos registros? São minhas anotações de hoje. Também senti a necessidade de escrever tudo, por mais trivial que fosse, mas há pouca coisa aqui que não seja pessoal. Penso se deveria constar...

O professor leu tudo seriamente e lhe devolveu o papel, dizendo:

— Não precisa constar se a senhora não quiser, mas espero que sim. Isso fará seu marido amar ainda mais a senhora, e todos nós, seus amigos, honrá-la ainda mais, além do quanto já a estimamos e amamos.

Ela pegou o papel, corando outra vez, e abriu um sorriso.

E assim, até este momento, todos os registros que temos estão completos e em ordem. O professor levou uma das cópias para ler depois do jantar, antes de nosso encontro, que foi marcado para as nove. O restante de nós já leu tudo, de modo que, quando nos reunirmos, estaremos informados sobre todos os fatos e poderemos traçar nosso plano de batalha contra esse inimigo terrível e misterioso.

DIÁRIO DE MINA HARKER

30 de setembro — Duas horas depois do jantar, estávamos reunidos no gabinete do dr. Seward, e sem nos dar conta formamos algo como um comitê ou diretoria. O professor Van Helsing, depois de ter sido conduzido pelo dr. Seward, assumiu a cabeceira da mesa, e pediu que eu me sentasse à sua direita, para ficar como sua secretária. Jonathan sentou-se ao meu lado. Na nossa frente estavam lorde Godalming, ao lado do professor; o dr. Seward, no centro; e o Sr. Morris.

— Creio — começou o professor — que todos estejamos familiarizados com os fatos narrados nestes documentos.

Todos concordamos, e ele prosseguiu:

— Então devo dizer algumas palavras sobre o inimigo que temos de enfrentar. Devo esclarecer algo da história desse sujeito, conforme me foi contada. Só depois poderemos discutir como agir e tomar nossas medidas segundo o que for necessário. Os vampiros existem; alguns de nós têm provas de que eles existem. Ainda que não tivéssemos a prova de nossa infeliz experiência, os ensinamentos e registros do passado fornecem provas suficientes para qualquer um em seu pleno juízo. Admito que, a princípio, fui cético. Não fosse pelos longos anos de prática para manter a mente sempre aberta, não poderia ter acreditado até que a prova trovejasse em meus ouvidos. "Ouça, ouça! Aqui estou; eu comprovo!" Ai de mim! Se eu soubesse desde o começo o que sei agora... Não, se eu tivesse ao menos suspeitado... Uma vida tão preciosa a todos nós que a amávamos teria sido poupada. Mas se fomos incapazes de salvar a desventurada Srta. Lucy, temos o dever de trabalhar para que outras almas não pereçam, quando as podemos salvar. O nosferatu não morre como a abelha quando pica alguém. Fica, ao contrário, mais forte, e por isso dotado de poder para praticar o mal. Esse vampiro que está à nossa espreita é mais forte que vinte homens; é mais astucioso que qualquer mortal, pois tem a astúcia cultivada por várias eras, e se vale, ainda, da necromancia, que é a profecia através dos mortos; além disso, todos os mortos que estiverem próximos a ele se encontram sob seu comando. Ele é bestial. Mais do que isso; demoníaco em sua crueldade, embora seu coração não seja. Pode, dentro de certas limitações, aparecer à vontade, sob qualquer das formas de que dispõe; pode, dentro de seu alcance, dirigir os elementos: a tempestade, o nevoeiro, o raio; pode dominar seres inferiores: o rato, o morcego, a coruja, a mariposa, a raposa e o lobo; pode tornar-se grande ou pequeno; e, às vezes, tem o poder de sumir e permanecer invisível. Como faremos então para começar nosso ataque? Como descobriremos seu paradeiro e, tendo descoberto, como o destruiremos? Meus amigos, é difícil; a tarefa que assumimos é terrível, e pode haver consequências que fariam até o mais bravo dos homens estremecer. Se falharmos em nossa luta, ele certamente vencerá. E se isso ocorrer, o que será de nós? A vida não é nada; eu não me importo com ela. Mas falhar nesse dever não seria apenas questão de vida ou morte; trata-se de nos tornarmos sórdidas criaturas da noite, como ele: sem coração nem consciência, vitimando os corpos e as almas daqueles que mais nos amam. Os portões do paraíso estariam fechados eternamente para nós; pois quem ousaria abri-los? Seguiríamos adiante para todo o sempre, odiados por todos; uma mácula na face deste mundo de Deus; uma lança nas costelas Daquele que morreu pela humanidade. E poderíamos recusar esse dever que temos a cumprir? Eu diria que não; mas estou velho, e pouco tenho a perder. A vida, magnífica com a luz do sol, belas paisagens, as canções de pássaros, a música e o amor, já ficou lá para trás. Mas vocês são jovens. Alguns já conheceram o sofrimento, mas ainda têm belos dias pela frente. O que me dizem?

Enquanto o doutor falava, Jonathan segurava minha mão. Quando o vi estendê-la na direção da minha, tive tanto medo de que a natureza horrível de nossos perigos o afetasse. Mas seu toque devolveu a vida ao meu corpo. Tão forte, confiante e decidido. A mão de um homem corajoso fala por si mesma, nem ao menos o amor de uma mulher é necessário para saber essa verdade.

Quando o professor terminou, meu marido e eu nos entreolhamos.

— Respondo por mim e por Mina — exclamou ele.

— Conte comigo, professor — disse Quincey Morris laconicamente.

— Estou com o senhor — disse lorde Godalming. — Por causa de Lucy, se não houvesse outro motivo.

O dr. Seward limitou-se a concordar com a cabeça.

O professor se levantou e, depois de colocar o crucifixo sobre a mesa, estendeu os braços em nossa direção. Peguei sua mão direita, e lorde Godalming, a esquerda. Jonathan pegou minha mão direita com sua esquerda e se esticou sobre a mesa para segurar a do Sr. Morris. E assim, quando todos demos as mãos, nosso pacto solene foi firmado. Senti o coração gelar, mas em momento algum pensei em voltar atrás. Retomamos nossos lugares. O dr. Van Helsing continuou, e seu entusiasmo tornava evidente que a tarefa havia começado. Era uma obrigação a ser levada a sério, como uma transação comercial ou qualquer outro negócio na vida:

— Muito bem — prosseguiu o dr. Van Helsing. — Os senhores e a senhora já sabem contra o que temos de lutar, mas também dispomos de uma forma de poder negada aos vampiros. Temos a ciência, temos liberdade de agir e raciocinar, e podemos dispor tanto das horas do dia quanto da noite. De fato, nossos poderes são ilimitados, e somos livres para usá-los. Lutamos por uma causa, por abnegação, e não pelo egoísmo. Tudo isso tem grande importância. Vejamos as limitações dos vampiros em geral e, em particular, daquele contra quem temos de lutar. Tudo o que precisamos consultar são as tradições e as superstições. Não parece muita coisa, a princípio, quando se trata de uma questão de vida ou morte, ou até mais do que de vida ou morte. Contudo, devemos ficar satisfeitos, primeiramente porque não temos escolha, pois não há mais nada que possamos usar, e também porque, no fim das contas, as tradições e as superstições representam tudo. Por acaso a crença em vampiros, apesar de infelizmente não ser o nosso caso, não se baseia exatamente nessas tradições e superstições? Um ano atrás, quem aqui aceitaria essa possibilidade, em pleno século XIX, científico, cético e prático? Chegamos a rejeitar uma crença justificada diante de nossos próprios olhos. Vamos supor que o vampiro e a crença em suas limitações e em sua cura estejam momentaneamente fundamentados no mesmo alicerce. Saibam que ele é conhecido em todos os lugares em que o homem viveu: na Grécia e na Roma antiga; e floresceu por toda a Alemanha, na França, na Índia e até no Quersoneso Dourado; e na China, local tão distante de nós em todos os sentidos. Até lá ele já esteve, e ainda hoje os povos o temem. Ele seguiu o rastro do *berseker* islandês, do huno filho do diabo, do eslavo, do saxão e do magiar. Até o momento, temos todas as informações sobre como podemos agir. E essas crenças são justificadas pelo que descobrimos em nossa infeliz experiência. O vampiro não morre com a simples passagem do tempo; ao contrário, fortalece-se, quando pode dispor do sangue dos vivos. E, mais do que isso, vemos que pode inclusive rejuvenescer. Mas não pode se fortalecer sem a dieta de sangue, pois não come outra coisa. O amigo Jonathan, que morou com ele durante semanas, jamais o viu comer. Não produz sombra, nem se reflete no espelho, como Jonathan também pôde constatar. Tem uma força prodigiosa, outra constatação de Jonathan, quando fechou a porta contra os lobos e quando o ajudou a subir na diligência. Pode se transformar em lobo, como deduzimos pela chegada do navio a Whitby, onde ele despedaçou um cão; pode se transformar em morcego, como madame Mina viu na janela em Whitby, e como John o viu voar da casa vizinha, e meu amigo Quincey observou na janela do quarto de Lucy. Pode surgir no nevoeiro que ele mesmo cria, como mostrou o capitão do navio; mas parece que esse nevoeiro é limitado e só fica em torno dele. Pode vir sob a forma de poeira, como Jonathan viu acontecer com as irmãs no castelo de Drácula. Pode se tornar minúsculo, como nós mesmos vimos quando a Srta. Lucy entrou em uma fenda diminuta para o túmulo. Uma vez que descobre o modo, é capaz de entrar em qualquer lugar ou sair dele, por mais bem vedado que seja, ainda que soldado com fogo, ou solda de estanho e chumbo, como vocês dizem. Enxerga no escuro, o que é um poder significativo, em seu mundo de sombras e trevas. Mas eu ainda não concluí. Ele pode fazer tudo isso, mas não é livre. Está mais preso que o escravo na galé ou o louco na cela. Não pode simplesmente ir aonde quiser. Não pode entrar em lugar algum pela primeira vez, a não ser que alguém da casa o convide. Depois disso, pode entrar à vontade. Seu poder, como o de todas as coisas malignas, cessa com o nascer do dia. Apenas em certas ocasiões ele tem liberdade ilimitada. Se não está em seu lugar de origem, só pode se transformar ao meio-dia ou no momento exato do nascer e do pôr do sol. Tais coisas nos foram contadas, e, a partir deste nosso registro, podemos prová-las por inferência. Então, embora possa fazer o que quiser dentro de seus limites, quando mora em seu túmulo, sua casa infernal, seu lugar desconsagrado, como vimos na cova do suicida em Whitby, em outras ocasiões só pode se transformar na oportunidade propícia. Também se diz que ele só pode cruzar um corpo de água se for água parada ou inundação.

"Existem coisas que o afligem tanto que não tem poder contra elas, como o alho, que nós conhecemos. E os objetos sagrados, como este crucifixo, que está aqui entre nós agora enquanto debatemos a questão, para ele nada significam. Mas, quando se vê na presença deles, afasta-se e mantém um silêncio respeitoso. Há ainda outras coisas, que vou mencionar caso se façam necessárias em nossa busca. Um ramo de rosa-silvestre colocado no caixão o impede de sair de lá; uma bala abençoada disparada contra seu caixão mata-o de verdade, e, quanto à estaca atravessada no coração, vocês já conhecem seu poder, assim como a cabeça cortada, que traz finalmente a paz. Fomos testemunhas disso.

"Assim, quando descobrirmos a habitação desse ex-homem, poderemos prendê-lo em seu caixão e destruí-lo, se agirmos conforme o que já sabemos. Mas ele é inteligente. Pedi ao meu amigo Arminius,* da Universidade de Budapeste, que fizesse um relatório e, usando todos os meios disponíveis, o colega me contou tudo o que ele foi. O conde, na verdade, deve ter sido o *voivode* Drácula, que ganhou renome lutando contra os turcos, perto do grande rio da fronteira sob domínio turco. Se essa teoria estiver correta, então não se trata de um homem comum, pois, naquele tempo, e por séculos depois, foi considerado o mais inteligente, o mais astuto e o mais corajoso dos filhos da "terra além da floresta". O cérebro poderoso e a determinação incansável foram com ele para a sepultura e, agora, agem contra nós. Segundo Arminius, os Drácula eram uma raça grande e nobre, embora, ocasionalmente, houvesse relatos de herdeiros que tinham feito pactos com o Demônio. Aprenderam seus segredos na Scholomance,† nas montanhas da região do lago Hermanstadt, onde o diabo exige que o décimo aluno lhe faça companhia. Nos nossos registros, aparecem palavras como *stregoica*, bruxa; *Ördög* e *pokol*, Satã e inferno; e, em um dos manuscritos, o próprio Drácula é referido como um *wampyr*, termo que podemos compreender muito bem. De seu lombo, saíram grandes homens e boas mulheres, e suas sepulturas tornam sagrada a única terra

---

* Stoker provavelmente se refere ao húngaro Arminius Vambéry (1832-1913), professor de línguas orientais da Universidade de Budapeste, com quem teve contato.

† Existe uma lenda que diz que nas montanhas cinzentas dos Cárpatos, nas profundezas do Leste Europeu, há uma Ordem de Feiticeiros. Eles estudam os meandros das magias ritualísticas, tentam desvendar os mistérios da alquimia, os segredos da necromancia e da magia negra. Eles se reúnem para compartilhar seu saber uns com os outros e, assim, um elo entre mestres e discípulos se forma, inquebrável há séculos. O nome dessa Ordem é Scholomance ou Escola de Salomão.

que esse monstro pode habitar. Um de seus grandes horrores é que essa coisa ruim tem raízes profundas em tudo o que é bom, e ele não consegue descansar em solo que não tenha memórias sagradas.

O Sr. Morris, que até então olhava atentamente para a janela, saiu do aposento. Após uma breve pausa, o professor prosseguiu:

— E, agora, vamos traçar os planos de nossa campanha. Sabemos que do castelo vieram para Whitby cinquenta caixas de terra, e todas foram entregues em Carfax; também sabemos que pelo menos algumas dessas caixas foram removidas. Parece-me que a primeira coisa que devemos fazer é verificar se o restante das caixas está na casa vizinha deste hospício ou se mais alguma foi retirada. Caso isso tenha acontecido, precisamos descobrir...

Fomos interrompidos de maneira estarrecedora. Um tiro de pistola foi disparado do lado de fora, e a vidraça da janela foi quebrada por uma bala, que, ricocheteando, acabou cravada na parede dos fundos do gabinete. Receio ser uma covarde, pois gritei desesperada. Todos os homens se puseram de pé. Lorde Godalming correu até a janela e a abriu. Ouvimos, então, a voz do Sr. Morris do lado de fora:

— Desculpem-me por tê-los assustado. Vou entrar e já lhes conto tudo.

Um minuto mais tarde, ele voltou à sala.

— Foi tolice minha, e peço-lhe mil desculpas, Sra. Harker. Receio tê-la assustado terrivelmente. Mas é que, enquanto o professor falava, um morcego enorme pousou no peitoril da janela. Por causa dessas coisas que têm acontecido, tomei tanto horror desses bichos que não pude me conter e saí para atirar nele, como agora faço sempre que vejo um morcego. Você ria de mim por causa disso, Art.

— Acertou? — perguntou o dr. Van Helsing.

— Não sei... Acho que não, pois ele fugiu para o bosque.

Tornamos a nos sentar e o professor prosseguiu:

— Precisamos descobrir aquelas caixas, e, assim que estivermos prontos, capturar ou matar aquele monstro em seu esconderijo; ou, então, por assim dizer, esterilizar a terra, de maneira que ele não possa mais procurar proteção nela. Assim, poderíamos encontrá-lo em sua forma de homem, entre o meio-dia e o pôr do sol, quando ele é mais fraco. Quanto à senhora, madame Mina, de agora em diante deve se poupar. Quando nos separarmos hoje, a senhora não deve mais fazer perguntas. No momento oportuno, nós lhe diremos tudo. A senhora é nossa estrela e nossa esperança, e queremos agir sabendo que não corre os mesmos perigos que nós.

Todos os homens, até mesmo Jonathan, ficaram aliviados, mas não me pareceu certo que enfrentassem perigos e arriscassem a própria segurança para cuidar da minha. Contudo, estavam decididos, apesar de ser uma decisão difícil para mim. Nada pude fazer, a não ser concordar.

— Como não há tempo a perder, proponho irmos imediatamente ver a casa dele — exclamou Morris. — Para combatê-lo, o fator tempo é da máxima importância. Agindo rapidamente, podemos poupar outra vítima.

Admito que senti o coração fraquejar conforme o momento da ação foi se aproximando, mas não disse nada, pois não queria ser um fardo nem um obstáculo à tarefa deles. Isso também poderia levá-los a me deixar completamente de fora das reuniões. Todos estão em Carfax agora, com tudo de que necessitam para entrar na casa. Homens típicos, mandaram-me para a cama, como se uma mulher pudesse dormir quando os que ama estão em perigo! Vou me deitar e fingir que estou dormindo para que Jonathan não fique mais angustiado por minha causa quando chegar.

DIÁRIO DO DR. SEWARD

1º de outubro, 4 horas da manhã — Justamente quando íamos sair, recebi um recado urgente de Renfield, dizendo que queria me ver imediatamente, pois tinha um comunicado importantíssimo a fazer. Mandei o enfermeiro lhe dizer que o veria na manhã seguinte.

— Ele parece muito aflito, doutor. Nunca o vi assim. Receio que tenha um acesso de fúria se o senhor não for — disse o enfermeiro.

Sabia que ele não diria aquilo sem motivo, então concordei.

— Está bem, vou agora mesmo.

Pedi aos outros que me esperassem alguns minutos, pois precisava ver meu "paciente".

— Leve-me com você, amigo John — pediu o professor. — A descrição do caso dele em seu diário me deixou muito interessado, e parece ter alguma relação com o nosso caso. Gostaria muito de vê-lo, especialmente agora que está com a mente perturbada.

— Posso ir também? — indagou lorde Godalming.

— E eu também? — disse Quincey Morris.

— E eu? — acrescentou Harker.

Assenti e fomos todos juntos pelo corredor. Encontramos Renfield em estado de considerável excitação, porém muito mais racional em seu discurso e em seus modos do que jamais o vira. Havia uma estranha compreensão de si mesmo, diferente de tudo o que eu já havia observado em um louco. E ele parecia ter certeza de que suas razões convenceriam pessoas inteiramente sãs.

Entramos os cinco no quarto, mas ninguém disse nada a princípio. Ele queria me pedir que lhe concedesse alta do manicômio e o mandasse para casa. Argumentou sobre sua completa recuperação e demonstrou a própria sanidade absoluta.

— Apelo para os seus amigos, se eles não se incomodarem de colaborar no meu julgamento — acrescentou. — A propósito: o senhor não nos apresentou.

Eu estava tão atordoado que a estranheza de apresentar um louco internado nem me passou pela cabeça no momento. Além do mais, havia uma certa dignidade no comportamento dele, como se estivesse acostumado a ser tratado de igual para igual. Fiz as apresentações. Renfield apertou a mão de cada um, dizendo:

— Lorde Godalming; professor Van Helsing; Sr. Quincey Morris, do Texas; Sr. Jonathan Harker; Sr. Renfield. — Ele apertou a mão de cada um deles e prosseguiu: — Lorde Godalming, tive a honra de conhecer seu pai em Windham; lamento saber, pelo fato de o senhor estar usando o título, que ele já não vive. Ele era amado e honrado por todos os que o conheciam. Sei que, em sua mocidade, inventou um famoso ponche de rum muito apreciado no Derby.* Sr. Morris, o senhor deve se sentir orgulhoso de seu grande estado. Sua recepção na União abriu um precedente que pode ter consequências de longo alcance, agora que o polo e os trópicos podem se aliar às Estrelas e Listras. O poder do Tratado ainda

---

* A mais famosa corrida de cavalos sem obstáculos da Inglaterra.

pode se provar um vasto mecanismo de ampliação, quando a Doutrina Monroe tomar seu verdadeiro lugar como uma fábula política. E que direi do prazer de conhecer Van Helsing? Não me desculpo por ter dispensado os prefixos cerimoniosos. Quando um indivíduo revoluciona a medicina com sua descoberta sobre a evolução contínua do cérebro, as formas convencionais tornam-se supérfluas, pois lhe imporiam o limite de uma classe. Os senhores, que pela nacionalidade, hereditariedade ou posse de dons naturais estão em condições de ocupar lugares destacados no mundo, podem ser testemunhas de que tenho o espírito tão lúcido como o de pelo menos a maioria dos homens que gozam de sua liberdade. E estou certo de que o senhor, dr. Seward, que não é somente um cientista, mas um médico humanitário e um médico-legista, sentir-se-á no dever moral de tratar-me como alguém que merece ser considerado dentro de circunstâncias especiais.

Ele fez esse último apelo com um ar cortês de convicção não de todo desprovido de charme.

Creio que todos ficaram estupefatos. Quanto a mim, fiquei convencido de que, apesar dos antecedentes, o homem tinha recuperado a razão, e tive vontade de dizer-lhe isso e anunciar que, no dia seguinte, bem cedo, tomaria as devidas providências para que ele fosse posto em liberdade. Mas, refletindo melhor, achei adequado esperar antes de dizer algo tão sério, pois conhecia as mudanças súbitas a que esse paciente em particular estava sujeito; assim, contive-me e disse apenas que, de fato, ele parecia estar melhorando muito e que, no dia seguinte, teríamos uma conversa prolongada para estudar a possibilidade de satisfazer seus desejos. Renfield não ficou satisfeito com isso.

— Dr. Seward — disse ele —, receio que o senhor não tenha entendido o que estou pedindo. Quero sair daqui agora, neste exato momento, de uma vez por todas, se possível. O tempo urge; e em nosso acordo tácito com a velha ceifadora, isso é parte essencial do contrato. Tenho certeza de que basta manifestar esse desejo tão simples, porém tão sério, a um médico tão respeitável como o senhor, dr. Seward, para garantir que seja atendido.

Ele me fitou intensamente e, vendo a negativa em meu semblante, voltou-se para os demais e os analisou de perto. Sem encontrar resposta, prosseguiu:

— Será possível que eu tenha me enganado em minha suposição?

— É possível, sim — respondi, com uma franqueza que na hora me soou brutal.

Houve uma pausa considerável, ao fim da qual ele prosseguiu lentamente:

— Então suponho que deva apenas mudar as bases de minha súplica. Permita-me que lhe peça essa concessão, esse favor, esse privilégio, como queira chamar. Estou disposto a lhe implorar, não por motivos pessoais, mas visando ao bem de terceiros. Não estou em posição de revelar a totalidade de minhas razões, mas garanto que o senhor pode acreditar que são boas, sólidas e generosas, e surgidas do mais nobre senso de dever. Se o senhor pudesse vasculhar meu coração, aprovaria plenamente os sentimentos que me animam. Não, mais do que isso, o senhor me incluiria entre os seus melhores e mais sinceros amigos.

Mais uma vez ele nos encarou de perto. Minha convicção de que aquela súbita transformação de todo o seu método intelectual não passava de outra fase de sua loucura estava cada vez mais forte, por isso decidi deixar que prosseguisse, sabendo por experiência que, mais cedo ou mais tarde, como todos os loucos, ele acabaria se traindo.

Van Helsing o encarava com a máxima intensidade, as sobrancelhas grossas quase se tocando em seu semblante rígido pela concentração. Ele se dirigiu a Renfield em um tom que não me surpreendeu na hora, apenas quando pensei na cena em retrospecto; era o tom de quem fala a um igual:

— Você não pode dizer abertamente o verdadeiro motivo de querer sair esta noite? Dou a minha palavra de que, se o revelar a mim, que sou um estrangeiro sem preconceitos e com o costume de manter a mente aberta, o dr. Seward vai lhe conceder, por seu próprio risco e sua responsabilidade, o privilégio que deseja.

Renfield negou tristemente com a cabeça, e havia uma expressão pungente de remorso em seu rosto.

— Pense bem — prosseguiu o professor. — Você reivindica o privilégio da razão no mais alto grau porque pretende nos impressionar com sua total sensatez. É você quem age assim, você, de cuja sanidade temos motivos para duvidar, já que ainda não foi liberado do tratamento médico por essa mesma condição. Se não nos ajudar em nosso esforço de escolher o melhor caminho, como vamos desempenhar o dever a que você mesmo nos obriga? Seja prudente e nos ajude, e nós também o ajudaremos a atingir seu objetivo, caso esteja ao nosso alcance.

Renfield continuou negando com a cabeça ao responder:

— Dr. Van Helsing, não tenho nada a dizer. Seu argumento é perfeito, e, se eu pudesse contar, não hesitaria um momento em fazê-lo, mas não sou senhor de mim mesmo nesse assunto. Só lhe peço que confie em mim. Se isso me for recusado, a responsabilidade não será mais minha.

Achei que era o momento de encerrarmos aquela situação, que ia se tornando comicamente solene, e fui até a porta, dizendo apenas:

— Venham, amigos, temos um trabalho a executar. Boa noite.

Contudo, conforme ia me aproximando da porta, uma nova transformação ocorreu no paciente. Ele veio na minha direção tão depressa que, por um momento, tive medo de que estivesse prestes a cometer outro ataque homicida. Meus temores, no entanto, eram infundados. Ele estendeu as mãos em súplica e repetiu seu pedido de maneira comovente. Conforme foi percebendo que o excesso de emoção militava contra ele mesmo, fazendo-nos restabelecer as antigas relações, tornou-se ainda mais expressivo. Olhei de relance para Van Helsing e vi minha convicção refletida nos olhos dele, de modo que fiquei um pouco mais irredutível em minha atitude, se não mais austero, e deixei claro que seus esforços eram inúteis. Eu já havia presenciado aquela crescente excitação nele quando tinha de fazer um pedido ao qual dava muita importância, como, por exemplo, quando quis um gato, e estava pronto para ver a mesma sombria aquiescência naquele momento.

Minha expectativa não se concretizou. Quando Renfield percebeu que seu apelo não obteria sucesso, começou a ficar frenético. Atirou-se de joelhos no chão, estendeu as mãos unidas para o céu, entrelaçando os dedos em uma súplica plangente, e despejou uma torrente de solicitações, com lágrimas escorrendo pela face. Transmitia a mais profunda emoção no rosto e no corpo inteiro.

— Deixe-me implorar de novo, dr. Seward. Eu suplico! Deixe-me sair desta casa de uma vez. Mande-me embora como quiser e para onde quiser, envie enfermeiros comigo, com chicotes e correntes, deixe que me levem na camisa de força, amarrado, agrilhoado, até mesmo em uma jaula, mas deixe-me sair deste lugar. O senhor não sabe o que faz mantendo-me aqui. Estou falando do fundo do coração, com minha própria alma. O senhor não sabe a quem está prejudicando, nem como, e não posso contar. Pobre de mim! Não posso contar. Por tudo o que for mais sagrado, por tudo o que o senhor quer bem, pelo seu amor perdido, por sua esperança ainda viva, em nome do Todo-Poderoso, tire-me daqui e salve minha alma da culpa! Homem, está me ouvindo? Não entendeu? Não vai aprender nunca? Não sabe que estou são e sincero agora, que não sou nenhum lunático em um surto de loucura, mas um homem são lutando pela própria alma? Escute o que estou dizendo! Preste atenção! Deixe-me ir embora, deixe-me ir embora!

Pensei que, quanto mais aquilo se estendesse, mais louco ele ficaria, podendo inclusive ser acometido por outro surto, então peguei-o pela mão e o levantei.

— Vamos — disse rispidamente —, pare com isso, já foi o bastante. Vá para a cama e tente se comportar.

Ele parou de súbito e me fitou com atenção por alguns momentos. Sem dizer uma palavra, levantou-se, afastou-se e sentou-se na beira da cama. Como das outras vezes, o colapso havia começado, conforme eu já esperava. Quando me aproximei da porta, o último a sair do quarto, ele me disse em tom tranquilo e educado:

— Dr. Seward, espero que depois o senhor não se esqueça de que fiz o que pude para convencê-lo esta noite.

XIX

DIÁRIO DE JONATHAN HARKER

1º de outubro, 5 horas da manhã — Saí com os outros despreocupado, pois tinha a impressão de nunca ter visto Mina tão forte e disposta. Fiquei contente por ela ter concordado em ficar e deixar que os homens se encarregassem do trabalho. De alguma forma, temia que se envolvesse em nossa empreitada horrenda, mas agora que a parte dela já estava feita e que, graças à sua energia, inteligência e intuição, toda a história tinha sido organizada de forma que cada detalhe ganhasse sentido, ela pode muito bem considerar sua participação terminada e deixar, daqui para a frente, o restante conosco.

Creio que ficamos todos um pouco perturbados com a cena do Sr. Renfield. Quando saímos do quarto, permanecemos em silêncio até voltarmos para o escritório. Então o Sr. Morris comentou com o dr. Seward:

— Jack, se aquele rapaz não estava blefando, deve ser o louco mais são que já vi na vida. Não tenho certeza, mas acho que tinha um objetivo sério, e, se tiver mesmo, foi muito duro para ele não conseguir realizá-lo.

Lorde Godalming e eu ficamos calados, mas o dr. Van Helsing observou:

— Amigo John, você entende mais de loucos do que eu, e sou grato por isso, pois receio que, se dependesse de mim, já o teria liberado antes do último surto histérico. Vivendo e aprendendo, pois, na presente tarefa, não devemos correr nenhum risco, como diria meu amigo Quincey. É melhor assim.

O dr. Seward respondeu a ambos como se estivesse em um devaneio:

— Eu não sei se concordo com vocês. Se ele fosse um louco comum, eu teria corrido o risco de confiar nele. Mas há nisso tudo alguma estranha ligação com o conde, e o caso se complica por isso. Parece perceber sua presença e tenho medo de cometer algum erro auxiliando-o em seus caprichos. Não posso me esquecer de que, certa vez, ele me implorou que lhe arranjasse um gato, quase com o mesmo fervor, e depois tentou estraçalhar meu pescoço com os dentes. Além disso, chamou o conde de "meu senhor e mestre" e pode estar querendo sair para ajudá-lo. Aquele monstro tem lobos e ratos e sua própria espécie como auxiliares, portanto creio que não seria baixo demais para ele usar um louco de respeito. Mas, sem dúvida, ele pareceu sincero. Só espero que tenhamos tomado a decisão certa. Essas coisas, acrescidas à tarefa implacável que temos em mãos, são suficientes para desencorajar qualquer um.

O professor se aproximou dele e, colocando a mão em seu ombro de forma séria e gentil, disse:

— Não tema, amigo John. Estamos tentando cumprir nosso dever em um caso triste e terrível. Só nos resta fazer o que nos parecer melhor. O que mais podemos esperar, além da piedade do bom Deus?

Naquele ponto, lorde Godalming, que tinha se afastado de nós alguns minutos antes, voltou.

— É possível que a casa abandonada esteja cheia de ratos, mas, para isso, arranjei um antídoto — anunciou ele, mostrando-nos um pequeno apito de prata.

Depois de pularmos o muro, dirigimo-nos para a casa, tendo o cuidado de nos ocultar nas sombras das árvores quando o luar aparecia. Quando chegamos à varanda, o professor abriu a valise e retirou dela vários objetos, que separou em quatro grupos, evidentemente um para cada um de nós.

— Meus amigos — disse ele —, vamos estar sob grande perigo, e por isso precisamos de vários tipos de armas. Nosso inimigo não é meramente espiritual. Lembrem-se de que é dotado de uma força prodigiosa; embora nosso pescoço seja do tipo mais comum e, portanto, quebrável ou esmagável, o dele não pode ser afetado pela simples força. Um homem mais forte, ou um grupo de homens mais fortes do que ele em tudo, pode por alguns instantes segurá-lo; mas não poderá feri-lo da mesma forma que será ferido por ele. Precisamos evitar seu contato. Ponham isto perto do coração — e entregou primeiramente a mim, por ser quem estava mais perto dele, um pequeno crucifixo de prata —, e estas flores em volta do pescoço. Para outros inimigos mais terrenos, usem este revólver e esta faca; para completar, esta pequena lanterna elétrica e, acima de tudo, isto, que não devem usar sem necessidade.

Era uma parte da Hóstia Sagrada, que ele pôs em um envelope e me entregou. Todos os outros receberam os mesmos objetos.

— Agora — prosseguiu ele —, amigo John, onde estão aquelas chaves mestras? Se pudermos abrir a porta, não precisaremos invadir a casa pela janela, como fizemos na da Srta. Lucy.

O dr. Seward experimentou uma ou duas chaves, valendo-se de sua habilidade mecânica de cirurgião, e não tardou a abrir a porta da casa, que rangeu de tão enferrujada. Foi impressionante como parecia a imagem que formei a partir do diário do dr. Seward ao descrever a abertura do mausoléu da Srta. Westenra, e percebi que todos os outros pensaram a mesma coisa, pois retraíram-se ao mesmo tempo. O professor foi o primeiro a avançar, dando um passo pela abertura da porta.

— *In manus tuas, Domine!** — exclamou, persignando-se ao passar pelo umbral.

Fechamos a porta, para que as luzes não atraíssem a atenção de alguém que porventura passasse na estrada. O professor testou a fechadura por dentro, para não corrermos o risco de não conseguir abrir a porta caso precisássemos sair às pressas, e só então acendemos as lanternas.

A luz recaiu sobre todo tipo de silhueta estranha conforme os raios se entrecruzavam, ou quando a opacidade de nossos corpos lançava grandes sombras. Por tudo o que há de mais sagrado, eu não conseguia me livrar da sensação de que havia mais alguém ali conosco. Suponho que fosse a lembrança, tão fortemente trazida à tona pelo sinistro ambiente ao redor, daquela terrível experiência na Transilvânia. Creio que essa sensação era comum a todos nós, pois notei que os outros ficavam olhando para trás a cada som e nova sombra, igual a mim.

Avançamos cautelosamente, iluminados pela luz das lanternas elétricas. Tudo estava coberto de poeira, a não ser onde havia pegadas recentes, nas quais, ao aproximar a lâmpada, notei as marcas das tachas de um solado de botas. As paredes e o teto pareciam forrados por uma crosta densa e fofa de poeira, que se avolumara nos cantos, sobre os emaranhados de teias de aranha, até ficar tão pesada que as arrebentavam em alguns pontos, fazendo-as parecer trapos esfarrapados. Em uma mesa no vestíbulo havia um grande molho de chaves, cada uma com uma etiqueta amarelada pelo tempo. Haviam sido usadas

---

* "Em tuas mãos, Senhor, entrego meu espírito" (Salmos 31:5), em latim.

várias vezes, pois a camada de poeira sobre a mesa apresentava marcas semelhantes às que surgiram quando o professor as pegou.

O professor dirigiu-se a mim:

— Você conhece a casa, Jonathan, afinal copiou muitas plantas dela. Qual é o caminho para a capela?

Indiquei o caminho por mera intuição, pois nunca havia entrado na casa e, após alguns percalços, encontramos uma porta baixa e abobadada de carvalho, contornada por frisos de ferro.

— É aqui — disse o professor, voltando a luz da lanterna de um pequeno mapa da casa, copiado do arquivo anexo à minha correspondência original sobre a aquisição da casa.

Com alguma dificuldade, encontramos a chave e abrimos a porta. Estávamos preparados para algo desagradável, pois, enquanto abríamos a porta, um leve sopro de ar fétido parecia exalar pelos vãos da porta, mas nenhum de nós esperava um odor como o que nos castigou. Nenhum dos outros havia encontrado com o conde tão de perto, e quando eu o vira, ele ainda estava na fase de jejum em seus aposentos ou, quando se regozijava no sangue fresco, estava em uma ruína ao ar livre. Ali, contudo, o lugar era pequeno e fechado, e o longo período sem uso deixara o ar estagnado e pestilento. Um cheiro intenso de terra, como se vindo de um miasma seco, dominava aquele desagradável ambiente. Quanto ao odor em si, é quase impossível descrevê-lo. Não era apenas o fato de ser composto por todos os males da mortalidade, somados ao cheiro acre e pungente de sangue; era como se a corrupção tivesse ela mesma sido corrompida. Por Deus! Fico enjoado só de pensar. Cada hálito exalado por aquele monstro parecia ter se impregnado ao local e intensificado sua repugnância.

Sob circunstâncias normais, tal fedor teria dado fim à nossa empreitada; aquele, porém, não era um caso comum, e o propósito elevado e terrível em que estávamos envolvidos nos deu uma força que se elevava além de meras considerações físicas. Depois de um estremecimento involuntário de náusea, todos passamos a trabalhar como se estivéssemos em um jardim.

— Precisamos primeiramente conferir quantas caixas ainda restam — explicou o professor, antes de começarmos a examinar minuciosamente o local. — Temos de olhar por toda a parte, cada buraco, canto e fresta, e ver se conseguimos alguma pista sobre o que teria acontecido com as outras.

Um simples olhar foi suficiente para saber quantas ainda havia ali, pois os baús de terra eram volumosos e não deixavam dúvidas. Das cinquenta caixas, restavam apenas vinte e nove!

Enquanto estávamos entregues à nossa tarefa, senti, em certo momento, um arrepio de horror: lorde Godalming virou-se de súbito e começou a olhar para a porta abobadada que dava para o escuro corredor. Olhei também, e tive a impressão de ver o rosto maligno do conde, com seus olhos vermelhos, a curva do nariz, os lábios rubros e sua palidez cadavérica. Mas foi apenas por um momento.

— Pensei ter visto um rosto, mas eram apenas sombras — disse lorde Godalming, e voltou para a capela.

Corri até o corredor; nem sinal de alguém ali. Também não havia nenhuma abertura por onde alguém, mesmo ele, pudesse ter passado. Concluí que o medo havia alimentado a minha imaginação e não disse nada.

Alguns minutos depois, Morris recuou vivamente de um canto que estava examinando. Paramos e o ficamos observando, com um certo nervosismo, cada vez mais crescente em nós, e então vimos uma massa fosforescente, que brilhava como uma constelação de estrelas. Instintivamente, todos recuamos. A capela estava se enchendo de ratos.

Durante alguns momentos, todos ficamos atordoados, exceto lorde Godalming, que estava preparado para tal emergência. Ele correu até a pesada porta de carvalho que dava para fora, colocou a chave na fechadura e a abriu. Depois, tirando o apito de prata do bolso, levou-o à boca e o soprou. De além da casa do dr. Seward vieram latidos de cães e, pouco depois, três terriers vieram correndo, contornando a casa. Instintivamente, nós todos tínhamos nos dirigido para a porta. No caminho, notei que a poeira estava muito remexida. As caixas retiradas haviam sido arrastadas por lá. O número de ratos tinha aumentado sobremaneira no último minuto, e os pequenos animais agora cobriam inteiramente o chão. Pareciam surgir de toda parte, e a luz da lâmpada que iluminava seus corpinhos escuros e refletia em seus olhos ameaçadores fez o local parecer um monte de terra coberto por vaga-lumes. Os cães avançaram, mas, no limiar da porta, pararam de súbito, rosnaram e começaram a uivar lamentosamente. Os ratos se multiplicavam aos milhares, e nós nos retiramos.

Lorde Godalming pegou um dos cães no colo e colocou-o no chão da capela. No momento em que o animal pôs as patas no chão, pareceu recuperar a coragem e investiu contra os inimigos naturais. Os ratos fugiram imediatamente, e o cão mal teve tempo de matar alguns; os outros dois cães, que tinham sido colocados ali da mesma maneira, apenas conseguiram poucas presas antes de toda a massa ter desaparecido.

Assim que eles partiram, sentimos como se uma presença maligna também tivesse desaparecido, pois os cães passaram a correr e a latir contentes, atacando subitamente seus inimigos que estavam pelo chão, revirando-os, e sacudindo todos no ar com movimentos selvagens. Voltamos a ficar animados. Talvez fosse pela atmosfera de morte que se purificou com a abertura da porta da capela, ou pelo alívio que sentimos por estar ao ar livre. O que tínhamos certeza era que a sombra do pavor pareceu se dissipar e a nossa presença ali perdeu um pouco do significado sombrio, mas, mesmo assim, nos mantivemos resolutos em nossa empreitada.

Fechamos a porta de fora da capela e a trancamos com a barra e o cadeado. Trazendo os cães conosco, demos uma busca rigorosa na casa, mas não encontramos nada além de muita poeira intocada, exceto pelos meus próprios passos de quando fiz minha primeira visita. Os cães também não demonstraram qualquer sinal de inquietação e, mesmo quando voltamos para a capela, continuaram correndo perto de nós como se tivessem chegado de uma caça a coelhos no bosque em pleno verão.

Já amanhecia quando saímos. O dr. Van Helsing tinha tirado do molho a chave da porta da frente, que fechou, enfiando a chave no bolso depois.

— Até agora — disse ele —, tudo transcorrendo muito bem. Nada sofremos, como eu receava que acontecesse, e já sabemos quantas caixas estão faltando. E um fato alvissareiro foi não ter sido preciso trazer madame Mina conosco nessa primeira e mais perigosa missão e nem perturbar seus pensamentos, acordada ou dormindo, com visões, sons e aromas horríveis que ela talvez jamais esquecesse. Ficamos sabendo, ainda, que os seres brutos que servem sob as ordens do conde não são sensíveis ao seu poder espiritual: os ratos que invadiram a capela obedecendo ao seu chamado, assim como os lobos que chamou em seu castelo para impedir a fuga de Jonathan e para calar o grito daquela pobre mãe, fugiram dos cãezinhos de nosso amigo Arthur. Temos outros assuntos diante de nós, outros perigos, outros temores, e esse monstro... ele não usou seu poder sobre as feras pela última ou única vez na noite de hoje. Acho que fugiu para outro lugar. Hoje pudemos gritar "xeque" nesta partida de xadrez que jogamos pela salvação das almas humanas. Agora, vamos para casa. Já é madrugada, e temos motivos para comemorar a nossa primeira noite de trabalho. Mas ainda teremos muitas noites e muitos dias pela frente, cheios de riscos, e devemos persistir, e não recuar diante do perigo iminente.

O hospício estava em silêncio quando chegamos, a não ser por gritos que vinham de uma enfermaria afastada e gemidos baixos que partiam da cela de Renfield. Era evidente que o pobre condenado estava torturando a si mesmo com doloridos pensamentos sem sentido.

Caminhei pé ante pé ao entrar no quarto e encontrei Mina dormindo, respirando tão suavemente que precisei chegar mais perto para ter certeza de que estava viva. Parecia mais pálida que de costume. Espero que não tenha ficado aborrecida com nossa reunião desta noite. Sinto-me verdadeiramente grato por minha esposa ter sido deixada de fora das próximas tarefas e reuniões. É um sacrifício extremo para uma mulher suportar. No princípio, não pensava assim, mas agora tenho certeza. Fiquei muito contente com o que combinamos. Ela pode ficar apavorada de ouvir certas coisas, e escondê-las pode ser pior do que contar tudo, caso ela desconfie de que estamos omitindo algo. De agora em diante, nosso trabalho será mantido longe de Mina, pelo menos até podermos lhe dizer que acabou e que livramos a terra de um monstro do mundo inferior. Sei que será difícil manter silêncio, pois não temos segredos entre nós, mas preciso ser firme nessa decisão, e amanhã não vou dizer nada sobre o que aconteceu esta noite. Permita

Deus que estas emoções pelas quais temos passado não prejudiquem sua saúde. Vou dormir no sofá para não a acordar.

1º de outubro, mais tarde — Era natural que estivéssemos com maior necessidade de dormir, depois de um dia e uma noite tão agitados. Até Mina devia estar exausta, pois, embora eu tivesse me levantado com o sol já alto, ela ainda permanecia dormindo tão profundamente que tive de chamá-la três vezes até acordá-la. Por alguns segundos, pareceu não me reconhecer e encarou-me assustada, como alguém que acaba de sair de um pesadelo. Queixou-se de cansaço, então a deixei repousando até mais tarde.

Agora sabemos que vinte e uma caixas foram retiradas e, se várias delas tiverem sido removidas juntas, será possível descobrir para onde foram. Isso, é claro, vai simplificar imensamente nosso trabalho, e quanto antes cuidarmos disso, tanto melhor. Vou procurar Thomas Snelling hoje mesmo.

DIÁRIO DO DR. SEWARD

1º de outubro — Era mais ou menos meio-dia quando fui acordado pelo professor entrando no meu quarto. Estava mais alegre e animado do que em outros dias. Era claro que a tarefa da noite passada tinha contribuído para diminuir um pouco o peso em sua consciência. Depois de comentar sobre a noite passada, ele disse subitamente:

— Seu paciente me interessa muito... Queria vê-lo. Se você estiver muito ocupado, posso ir sozinho. É uma experiência nova para mim, encontrar um maluco que filosofa e ainda sabe argumentar tão bem.

Como tinha um trabalho urgente a fazer, disse a ele que fosse sozinho, pois assim não o obrigaria a me esperar. Chamei um enfermeiro e lhe passei as instruções necessárias. Antes que o professor saísse do quarto, eu o adverti de que deveria tomar cuidado, para não se deixar levar por uma falsa impressão.

— Mas quero que ele fale de si mesmo e da razão que o levou a ingerir seres vivos. Ele disse a madame Mina, como li no diário dela de ontem, que houve uma época em que alimentou essa crença. Do que está rindo, amigo John? — perguntou o professor.

— Perdoe-me, mas a resposta está aqui — disse, colocando a mão sobre as folhas datilografadas. — Quando nosso lunático são e erudito fez essa declaração sobre como costumava comer criaturas vivas, estava na verdade com a boca cheia de moscas e aranhas que acabara de engolir pouco antes de a Sra. Harker entrar no quarto.

Van Helsing sorriu em resposta.

— Muito bem! — exclamou ele. — Sua memória é perfeita, amigo John. Eu devia ter me lembrado disso. No entanto, é esse mesmo viés de raciocínio e memória que faz da doença mental um estudo fascinante. Talvez eu adquira mais conhecimentos a partir da loucura desse paciente do que de ensinamentos dos mais sábios. Quem sabe?

Continuei meu trabalho e logo consegui resolver os assuntos mais importantes. Não me pareceu que houvesse passado muito tempo, mas Van Helsing já estava de volta ao escritório.

— Estou interrompendo? — perguntou educadamente, parado na entrada.

— De forma alguma — respondi. — Entre. Já encerrei meu trabalho e estou disponível. Posso ir agora com você, se preferir.

— Não precisa, já estive com ele!

— E então?

— Infelizmente, parece não ter consideração por mim. Nossa conversa foi breve. Quando entrei, estava sentado em um banco no meio do quarto, com os cotovelos apoiados nos joelhos, e uma expressão de contrariedade no rosto. Falei muito formalmente e com o maior entusiasmo, e demonstrei o máximo de respeito que pude. Ele não disse nada. "Você não me conhece?", perguntei. A resposta não foi animadora: "Conheço bem até demais; você é aquele velho louco do Van Helsing. Por mim, podia pegar essas suas teorias idiotas sobre o cérebro e sumir daqui. Malditos holandeses cabeças-duras!". Não disse nem mais uma palavra, e sentou-se de forma indiferente à minha presença, como se eu nem estivesse no quarto. Parece que perdi a oportunidade de aprender algo com um lunático tão brilhante. Assim, se não se importa, vou trocar algumas palavras felizes e me alegrar com a doce presença de madame Mina. Amigo John, é uma alegria indescritível que ela não tenha de passar por mais sofrimentos nem se preocupar com as terríveis tarefas que teremos de cumprir. Por mais que sua ajuda nos faça muita falta, é melhor assim.

— Concordo com todo o meu coração — respondi enfaticamente, para que ele não mudasse de ideia sobre isso. — É melhor deixarmos a Sra. Harker fora disso. As coisas já estão bem ruins para nós, homens do mundo, que já passamos por muitas situações difíceis na vida. Isso não é lugar para uma mulher, e, se ela continuasse em contato com o caso, sem dúvida ficaria arrasada mais cedo ou mais tarde.

E, assim, Van Helsing foi conversar com Harker e sua senhora; Quincey e Art estão fora, procurando descobrir a pista das caixas de terra. Vou acabar meu trabalho para nos encontrarmos à noite.

DIÁRIO DE MINA HARKER

1º de outubro — É tão estranho para mim ficar às escuras como estou hoje. Depois de tantas confidências entre mim e Jonathan ao longo dos anos, é esquisito vê-lo evitar deliberadamente a conversa sobre certos assuntos comigo. Esta manhã eu dormi até tarde, exausta do dia de ontem e, embora Jonathan também tenha se demorado, mesmo assim acordou antes de mim. Ele conversou comigo antes de sair, suave e carinhoso como sempre, mas não disse uma única palavra sobre o que aconteceu na casa do conde, apesar de saber como eu estava aflita. Pobrezinho! Imagino como isso dever ter mexido com ele. Eles decidiram que era melhor eu não participar mais desse trabalho tenebroso, e eu concordei. Mas é difícil saber que meu marido esconde alguma coisa de mim! E, agora, eis-me chorando como uma tola, mesmo sabendo que essa decisão é fruto do grande amor de meu marido e das melhores intenções dos outros.

Isso até que me fez bem. Um dia Jonathan vai me contar tudo. E, para que não pense de forma alguma que vou omitir algo dele, decidi continuar meu diário como sempre. Assim, se algum dia desconfiar de mim, vou mostrar a ele cada um dos desejos do meu coração, expressos aqui para que seus olhos amados possam ler. Na verdade, sinto-me estranhamente triste e abatida hoje. Acho que é reação à terrível excitação.

Ontem à noite, fui me deitar quando os outros saíram, apenas porque me pediram que o fizesse. Estava sem sono e tomada por uma ansiedade terrível. Fiquei pensando no que se passou desde que Jonathan veio me ver em Londres, e tudo me pareceu uma tragédia horrível, com o destino levando-nos ininterruptamente a um fim sinistro. Tudo o que fazemos parece, por mais correto que seja, submetermo-nos justamente ao que mais lastimamos. Se eu não tivesse ido a Whitby, talvez a pobre Lucy ainda estivesse conosco agora. Ela só foi visitar o cemitério depois que eu cheguei, e, se não tivesse ido lá de dia comigo, não teria voltado durante um estado de sonambulismo à noite. E se não tivesse voltado em seu sonambulismo, aquele monstro não a teria destruído como destruiu. Por que eu decidi ir a Whitby? Já estou aqui chorando novamente! Não sei o que está ocorrendo comigo hoje. Não posso demonstrar isso a Jonathan, pois, se ele souber que chorei duas vezes só esta manhã, logo eu, que nunca choro sozinha, e a quem ele nunca fez derramar uma lágrima, meu marido amado ficaria muito abalado. Vou tentar manter-me determinada, e, caso sinta vontade de chorar, ele jamais vai ficar sabendo. Imagino que seja uma das lições que nós, pobres mulheres, precisemos aprender.

Não me lembro bem de como adormeci. Lembro-me de ter ouvido latidos de cães e ruídos estranhos, como se houvesse alguém rezando ruidosamente no quarto do Sr. Renfield, que fica abaixo deste em que estou. Depois houve um silêncio tão profundo que fiquei espantada. Então me levantei e olhei pela janela. Tudo estava tranquilo e escuro. Nuvens espessas encobriam a lua. Tudo estava tão parado na natureza que um pouco de névoa esbranquiçada avançando devagar e quase imperceptivelmente sobre o gramado em direção à casa pareceu dotada de vida. Voltei para a cama, mas não consegui dormir e, depois de algum tempo, tornei a olhar pela janela. A névoa estava se espalhando, já perto da casa, espessando-se de encontro à parede, como se estivesse subindo para as janelas. O pobre homem falava mais alto do que antes e, embora eu não distinguisse uma palavra do que ele dizia, percebi, pelo tom, que estava muito emocionado.

Depois, ouvi um barulho de luta, e compreendi que os enfermeiros deviam estar tentando contê-lo. Fiquei com tanto medo que voltei para a cama, puxei a coberta sobre a cabeça e tapei os ouvidos com as mãos. Perdi completamente o sono, mas mesmo assim devo ter dormido, pois, a não ser dos sonhos, não me lembro de coisa alguma até de manhã, quando Jonathan me acordou. Creio que foi um esforço para mim, e levei algum tempo para perceber onde estava e que era Jonathan quem se inclinava sobre mim. Meu sonho foi esquisito, e confundia-se com meus pensamentos na vigília.

Pensei que estivesse dormindo e esperando ansiosamente o regresso de Jonathan, sem poder fazer nada a respeito. Sentia os pés, as mãos e a mente muito pesados, e nada acontecia no ritmo normal. Então dormi inquieta e preocupada. Comecei a ter a impressão de que o ar em torno de mim estava pesado, úmido e frio. Abaixei as cobertas do rosto e percebi, com surpresa, que estava tudo escuro no quarto. O bico de gás que eu deixara aceso, mas muito baixo, era agora um simples clarão vermelho no nevoeiro, que evidentemente havia se tornado mais espesso e invadido o quarto. Ocorreu-me que eu havia fechado a janela antes de me deitar, mas não consegui ir verificar; uma pesada letargia inibia-me os nervos. Continuei deitada e esperei que passasse, e foi isso o que houve. Fechei os olhos, mas ainda conseguia enxergar por entre as pálpebras. (É incrível como os sonhos conseguem ser traiçoeiros, e como nossa imaginação tem a capacidade de nos enganar facilmente.) O nevoeiro foi se tornando cada vez mais espesso, e pude ver então como tinha entrado, pois pareceu formar uma fumaça — ou como a energia expelida pela água fervente —, despejando-se não pela janela, mas pelos vãos da porta. Essa fumaça se espessou, moldando-se como uma espécie de coluna, tendo no alto a chama do bico de gás brilhando como um olho vermelho. Tudo começou a girar, a coluna pareceu rodopiar dentro do quarto, e em meio a tudo isso me vieram as palavras da Escritura: "uma coluna de nuvem para guiá-los durante o dia e uma coluna de fogo durante a noite".[*] Seria possível que durante o sono eu estivesse recebendo algum tipo de orientação espiritual?

---

[*] Cf. Êxodo 13:21.

Mas a coluna servia de guia tanto para o dia quanto para a noite, pois o fogo estava no olho vermelho — uma ideia que me deixou fascinada. Enquanto eu olhava para ele, o fogo se dividiu e pareceu brilhar para mim em meio à neblina, e me pareceu ter visto, em lugar de um único, dois olhos vermelhos, como Lucy disse ter visto ao crepúsculo naquele dia, quando a luz do poente refletira nos vitrais da igreja de St. Mary.

De repente, fui tomada de horror, lembrando-me de que Jonathan vira aquelas horríveis mulheres se corporificarem saindo da névoa, ao luar, e, no sonho, devo ter desmaiado. Tudo escureceu em torno de mim. O último esforço consciente de minha imaginação foi mostrar-me um rosto lívido debruçado sobre mim, saindo daquela neblina. Preciso tomar cuidado com esses pesadelos. Se não fosse o receio de assustá-los, pediria ao dr. Van Helsing ou ao dr. Seward que me receitassem algum opiáceo. Um sonho desses agora só aumentaria as preocupações que já têm comigo. Hoje à noite, vou me esforçar para dormir naturalmente. Se não conseguir, amanhã eu peço uma dose de cloral; acredito que apenas uma vez não me fará mal e vai me proporcionar uma boa noite de sono. A noite passada me deixou mais cansada do que se eu não tivesse dormido.

2 de outubro, 10 horas da noite — Não sonhei a noite passada. Devo ter dormido profundamente e não acordei quando Jonathan se deitou. No entanto, o sono não me deu descanso e sinto-me muito abatida hoje. Passei o dia todo tentando ler ou deitada e sonolenta. Ontem à tarde, Renfield perguntou se poderia me ver. Coitado! Mostrou-se muito amável e beijou minha mão, pedindo a Deus que me abençoasse. Fiquei muito emocionada com isso e choro quando me lembro dele. Aliás, preciso ter cuidado com essa história de chorar à toa. Jonathan sofreria muito se soubesse disso. Ele e os outros saíram na hora do jantar e voltaram cansados. Fiz o que pude para animá-los e creio que esse esforço tenha me feito bem, pois esqueci o quanto estava cansada. Depois do jantar, disseram que era melhor que eu fosse dormir e foram fumar, mas eu sabia que queriam conversar sobre o que cada um havia feito no decorrer do dia. Reparei pelo comportamento de Jonathan que tinha algo importante para dizer aos outros. Hoje à noite, como estava sem sono, pedi ao dr. Seward que me desse algum opiáceo, pois não dormira bem na noite anterior. Ele atendeu ao meu pedido e gentilmente preparou uma solução de sonífero, dizendo que não me faria mal, pois era muito fraca... Tomei-a e estou esperando o efeito, mas ainda estou desperta. Espero não ter agido mal. Conforme o sono começou a vir, fui acometida de um novo temor, quando me ocorreu que posso ter sido tola de ter me privado do poder de despertar. Talvez eu queira acordar. Aí vem o sono. Boa noite.

XX

DIÁRIO DE JONATHAN HARKER

1º de outubro, à noite — Encontrei Thomas Snelling em sua casa, em Bethnal Green, mas estava tão bêbado que nada me pôde adiantar. O fato de saber que receberia minha visita desencadeou nele o desejo de embriagar-se com cerveja, e ele havia começado cedo a tão desejada empreitada. Sua mulher, porém, pareceu-me uma boa pessoa, pobre alma; disse-me que ele é apenas ajudante de Smollet. Assim, parti para Walworth e encontrei o Sr. Joseph Smollet em casa, tomando tranquilamente seu chá em mangas de camisa. É um trabalhador sério, inteligente e consciencioso. Lembrava-se bem do caso das caixas e, tirando do bolso um caderno de notas, repleto de anotações a lápis que me pareceram hieróglifos, deu-me o destino dos caixotes.

Havia, disse ele, seis na partida que levou de Carfax para o número 197 da Chicksand Street, Mile End, New Town, e outras seis para Jamaica Lane, Bermondsey.

Se o conde queria espalhar suas sinistras caixas por toda a extensão de Londres, deve ter escolhido esses lugares para que de lá as caixas sejam distribuídas mais amplamente.

A forma metódica como havia organizado tudo aquilo me fez pensar que ele provavelmente não se limitaria a apenas duas áreas de Londres. Estava agora concentrado no extremo leste da margem norte, no leste da margem sul e no sul da cidade. O norte e o oeste certamente seriam também incluídos em seus planos diabólicos; e obviamente até o próprio centro da cidade e o coração da elegante Londres, no sudoeste e no oeste.

Perguntei a Smollet se poderia nos dizer se outras caixas tinham sido retiradas de Carfax.

— Bem, chefe, o senhor me tratou muito bem... — Eu havia lhe dado meia libra. — Então vou lhe contar tudo o que sei. Quatro noites atrás, em uma taberna, ouvi um homem chamado Bloxam contar que ele e seu companheiro tinham feito um carreto muito poeirento de uma velha casa em Purfleet. Esses trabalhos não são comuns por aqui, portanto é bem capaz que Sam Bloxam possa lhe dar alguma informação.

Prometi-lhe outra meia libra se me arranjasse o endereço de Sam Bloxam. Ele engoliu o restante do chá e se levantou, dizendo que ia começar a busca ali mesmo, imediatamente. Na porta, ele parou e virou-se para mim.

— Não vale a pena o senhor ficar esperando. Talvez eu me encontre com Sam ainda hoje, mas não é certo; mas, mesmo que encontre, não é provável que ele esteja em condições de conversar esta noite. Quando começa a beber, vai longe. Se o senhor deixar um envelope selado, com seu endereço, vou saber onde Sam pode ser encontrado e mandarei notícias para o senhor esta noite ainda. Mas é bom procurá-lo de manhã. Ele sempre sai cedo, mesmo que tenha bebido muito na véspera.

Foi tudo muito prático; uma das crianças saiu com um centavo para comprar um envelope e uma folha de papel e ficou com o troco. Quando voltou, escrevi o endereço no envelope e colei o selo. Smollet prometeu mais uma vez que enviaria o endereço sem falta, assim que o encontrasse, e tomei o caminho de casa. De qualquer forma, estamos na pista certa. Estou cansado hoje e preciso dormir. Mina está com o sono pesado e parece um tanto pálida. Seus olhos indicam que chorou. Pobrezinha, não tenho dúvida de que ficou angustiada por não saber mais notícias sobre o caso, o que na certa a deixa duplamente angustiada, comigo e com os outros. Mas é melhor assim. É melhor ficar frustrada e preocupada agora do que sofrer um colapso nervoso depois. Os médicos tinham razão ao insistir que ela ficasse de fora desse assunto pavoroso. Tenho de ser firme, pois esse fardo de silêncio em particular deve repousar sobre mim. Jamais vou tocar no assunto com ela, sob circunstância alguma. Na verdade, talvez não seja uma tarefa árdua. Ela mesma se mostrou reticente e não falou mais do conde e de seus malefícios desde que lhe contamos sobre a nossa decisão.

2 de outubro, à noite — Hoje foi um dia longo, desafiador e empolgante. Recebi, pelo correio da manhã, o envelope que endereçei a mim mesmo e que continha um pedaço de papel muito sujo com o endereço de Sam Bloxam:

Sam Bloxam, Korkrans, 4, Poters Cort, Bartel Street, Walworth.
Pergunte pelo *cargado*.

Levantei-me sem acordar Mina, que tem andado pálida e indisposta, e resolvi que, tão logo retornasse, a mandaria de volta para Exeter. Creio que ficará mais feliz em nossa própria casa, com suas tarefas diárias, do que aqui conosco, sem poder saber de nada. Só estive com o dr. Seward por um momento, e disse-lhe aonde ia, prometendo voltar logo que pudesse. Fui até Walworth e encontrei, com alguma dificuldade, Potter's Court. A ortografia de Smollet me enganou. No entanto, quando encontrei o endereço, não foi difícil localizar a pensão Corcoran. Quando perguntei pelo "cargado" ao homem que atendeu a porta, ele balançou a cabeça.

— Não conheço, não. Não tem ninguém aqui com esse nome. Nunca ouvi falar dele em toda a minha vida. Acho que não existe aqui nem em lugar algum.

Peguei a carta de Smollet e a reli, percebendo que o erro de grafia do endereço talvez pudesse me ajudar.

— O que o senhor faz? — perguntei.

— Sou o encarregado — respondeu ele.

Percebi que a pista estava certa. Uma gorjeta de meia libra colocou o conhecimento do encarregado à minha disposição, e descobri que o Sr. Bloxam, que passara a noite anterior no Corcoran até melhorar da bebedeira, saiu às cinco da manhã para trabalhar em Poplar. O informante não sabia onde era o seu local de trabalho, mas tinha uma vaga ideia de que se tratava de "um armazém desses novos". Dispondo apenas dessa precária informação, segui para Poplar, e somente ao meio-dia tive uma informação satisfatória a respeito do tal armazém, em um botequim onde alguns operários almoçavam. Um deles falou que estavam construindo um "armazém frio" na Cross Angel Street, e como isso estava de acordo com a descrição "um armazém desses novos", peguei uma carruagem e fui até lá. Algumas perguntas a um porteiro rabugento e um gerente rude, ambos apaziguados com algumas coroas, colocaram-me no rastro de Bloxam. Quando eu disse que estava disposto a pagar sua diária ao gerente se pudesse lhe fazer algumas perguntas sobre um assunto particular, mandaram buscá-lo. Era um sujeito inteligente, embora rude na fala e nos modos. Quando prometi pagar-lhe generosamente pela informação, ele me contou que fizera duas viagens entre Carfax e uma casa em Piccadilly, levando nove caixas "muito pesadas" em uma carroça que alugara com esse propósito. Perguntei-lhe se podia dizer o número da casa de Piccadilly.

— Eu já não me lembro do número, mas sei que fica bem perto de uma grande igreja branca, ou coisa parecida. É também uma casa muito cheia de poeira, embora não tanto quanto a casa de onde tiramos as caixas.

— Como foi que entrou nas casas se ambas estavam vazias?

— O velho que tinha me contratado estava esperando na casa de Purfleet. Ajudou a carregar as caixas. Nunca vi um sujeito mais forte que ele, e era um velho, de bigode branco, e tão magro que nem fazia sombra!

O comentário me deu calafrios!

— Ele levantava o baú como se fosse uma caixa de chá, e eu bufando e suando para conseguir segurar do meu lado, e olha que não sou fraquinho, não.

— Como foi que você entrou na casa de Piccadilly?

— Ele estava lá também. Chegou na minha frente. Quando toquei a campainha, ele mesmo abriu a porta e ajudou-me a colocar as caixas no vestíbulo.

— Todas as nove caixas?

— Sim. Cinco na primeira viagem e quatro na segunda. Foi um trabalho enorme, que deu muita sede, e nem me lembro mais como voltei para casa.

Eu o interrompi:

— As caixas ficaram no saguão de entrada?

— Isso mesmo, era um saguão enorme, e não havia mais nada lá dentro além das caixas.

Fiz outra tentativa de descobrir mais detalhes:

— Não ficou com nenhuma chave?

— Não. O velho abriu a porta e fechou-a quando eu saí. Não lembro como foi da última vez, mas daí foi por causa da cerveja.

— E não consegue se lembrar do número da casa?

— Não, senhor, mas não será difícil encontrá-la. Tem uma fachada de pedra e uma escada na porta. Conheço bem aqueles degraus depois de ter levado as caixas com mais três homens que vieram ajudar para ganhar um dinheirinho extra. O velho cavalheiro deu a eles uns xelins, e eles, vendo que conseguiram bastante dinheiro, quiseram mais. Mas ele pegou um deles pelo ombro e empurrou escada abaixo; os outros fugiram xingando.

Certo de que conseguiria encontrar a casa graças a essa descrição, e depois de pagar o informante, segui para Piccadilly.

Havia feito uma descoberta dolorosa. Era óbvio que o conde conseguia transportar as caixas de terra sozinho. Se fosse mesmo verdade, o tempo era valioso, pois agora ele tinha conseguido distribuir suas caixas, e poderia, a qualquer momento, completar sua missão sem ser visto. Em Piccadilly Circus, desci da carruagem e caminhei na direção oeste. Depois do clube Junior Constitutional, vi uma casa que conferia com a descrição e tive certeza de que aquele era o segundo antro adquirido por Drácula. Evidentemente, estava desocupada havia muito tempo. As janelas estavam cobertas de poeira, e as cortinas, descidas. Toda a argamassa da construção trazia marcas de sujeira e do tempo, e a tinta havia descascado quase completamente das ferragens. Era possível ver que havia uma grande placa imobiliária de venda na sacada até recentemente, mas que tinha sido arrancada de forma brusca, pois os arames que a prendiam ainda estavam lá. Atrás da sacada, havia umas pranchas soltas, de bordas irregulares, que pareciam todas brancas. Ah, se eu pudesse ter visto aquela placa, talvez conseguisse uma pista sobre o antigo proprietário. Lembrei de minha experiência na pesquisa e compra do imóvel de Carfax, e fiquei com a sensação de que, se encontrasse o antigo dono, poderia descobrir uma forma de entrar na casa.

Não havia mais nada para verificar na propriedade de Piccadilly nem nada que eu pudesse fazer, então dei a volta até os fundos para ver se conseguia alguma informação. Os estábulos estavam em atividade, pois as casas de Piccadilly eram quase todas habitadas. Perguntei a alguns homens que vi pelas proximidades se sabiam alguma coisa a respeito da casa desocupada, e um deles me informou que havia sido comprada recentemente, mas não sabia de quem. Também comentou, entretanto, que havia até pouco tempo antes um letreiro anunciando que o imóvel estava à venda e que se lembrava de ter visto no anúncio o nome da firma Mitchell, Filhos & Candy. Eu não quis parecer muito ansioso, ou deixar meu informante saber ou supor demais, então agradeci despreocupadamente e saí andando calmamente. Estava escurecendo e a noite de outono se aproximava, por isso não perdi tempo.

Tratei de procurar o endereço da imobiliária e, pouco depois, estava no escritório deles, em Sackville Street. Fui recebido por um cavalheiro bem-educado, mas muito reticente. Negou-se a me dar qualquer informação, além de que a casa tinha sido vendida. Quando perguntei quem a havia comprado, ele arregalou um pouco os olhos, fez uma pausa e respondeu:

— A casa foi vendida, senhor.

— Desculpe-me — respondi, também com educação —, mas tenho um motivo especial para querer saber quem a comprou.

Ele fez uma nova pausa e arqueou ainda mais as sobrancelhas.

— A casa foi vendida, senhor — disse ele novamente.

— Certamente o senhor não se importaria em me dar mais alguma informação — insisti.

— Me importaria, sim — retrucou ele. — Os assuntos dos clientes da Mitchell, Filhos & Candy são totalmente sigilosos.

Era um sujeito arrogante, e não adiantaria discutir com ele. Achei melhor pagar na mesma moeda.

— Seus clientes têm sorte de poder contar com um guardião tão resoluto para seus assuntos. Eu também trabalho nesse ramo — disse, e lhe entreguei meu cartão de visitas. — Não estou aqui por mera curiosidade; sou procurador de lorde Godalming, que gostaria de saber algo sobre a propriedade que estava, conforme ficou sabendo, à venda até recentemente.

Essas palavras colocaram as coisas em outra perspectiva.

— Eu teria muito prazer em ser útil, Sr. Harker, e especialmente a lorde Godalming — disse o homem. — Já prestamos alguns serviços para ele, quando era apenas o honorável Sr. Arthur Holmwood. Se quiser deixar o endereço, consultarei os diretores e entrarei em contato com lorde Godalming pelo correio da noite. Será um prazer se pudermos nos desviar um pouco de nossas regras para dar a informação que sua senhoria requer.

Como eu queria fazer um amigo, e não um inimigo, dei-lhe o endereço do dr. Seward, agradeci e saí.

Àquela altura, já estava escuro, e eu, cansado e faminto. Parei então para tomar uma xícara de chá na Aërated Bread Company. Tomei o primeiro trem para Purfleet. Encontrei todos os outros em casa. Mina estava abatida e pálida, mas fez um grande esforço para parecer animada. Parte meu coração ter de esconder as coisas dela e que isso havia provocado sua inquietude. Graças a Deus, esta é a última noite em que vai participar de nossas conferências e sentir o incômodo de não partilhar de nossa confiança. Foi preciso muita coragem para sustentar a decisão de mantê-la ignorante de nossa tarefa sombria. Ela parece estar um pouco mais conformada, ou pode ser que o próprio assunto tenha passado a lhe parecer repugnante, pois, quando deixamos escapar algo acidentalmente, ela chega a estremecer. Estou contente por termos tomado essa decisão a tempo, pois estamos convictos de que o número de informações cada vez maior acabaria sendo uma tortura para ela.

Não podia contar aos demais a minha descoberta até ficarmos a sós; assim, depois do jantar, e depois de um pouco de música, para preservar as aparências, mesmo entre nós, levei Mina para o quarto e a deixei ali, para que fosse para a cama. Minha querida se mostrou mais afetuosa do que nunca e agarrou-se a mim como se quisesse me prender ali; mas havia muito a ser discutido, então fui embora. Graças a Deus, tudo continuou igual entre nós, embora eu tenha deixado de lhe contar muita coisa que aconteceu comigo.

Encontrei os outros no escritório, em frente à lareira. Eu havia escrito em meu diário durante a viagem de trem e acabei lendo para eles, pois era a melhor forma de manter todos informados. Quando terminei, Van Helsing disse:

— Aproveitou bem o dia, Jonathan. Não há dúvida de que estamos na pista das caixas que faltam. Se encontrarmos todas na casa, nosso trabalho estará quase terminado. Mas, se faltarem algumas, temos de procurar até encontrá-las. Então daremos o *coup** final e caçaremos o maldito até a morte definitiva.

---

* Golpe, em francês.

— Mas como entraremos naquela casa? — perguntou Morris.

— Conseguimos entrar na outra — apressou-se em dizer lorde Godalming.

— Mas o caso é diferente, Art. Quando invadimos a casa de Carfax, estávamos protegidos pela noite e por um parque murado. Será muito diferente praticar um arrombamento em Piccadilly, de noite ou de dia. Confesso que não vejo como entrar se aquele rapaz arrogante da imobiliária não nos der uma chave. Talvez seja melhor esperar até amanhã de manhã, quando a carta dele chegar.

Lorde Godalming cerrou as sobrancelhas, levantou-se e caminhou pela sala. Depois de algum tempo, ele parou e disse, olhando para cada um de nós:

— Quincey tem razão. A tarefa é difícil, a não ser que encontremos as chaves do conde. Essa história de invasão de domicílio é coisa séria. Da primeira vez, não aconteceu nada conosco, mas agora faremos algo bastante incomum.

Como nada poderia ser feito antes da manhã seguinte e convinha aguardar a comunicação entre Mitchell e lorde Godalming, resolvemos esperar. Ficamos sentados por um bom tempo, fumando e discutindo o caso em todas as formas e abordagens possíveis. Aproveitei para escrever aqui, embora esteja morrendo de sono.

Apenas mais uma coisa. Mina dorme profundamente, com a respiração ritmada. A testa está marcada por pequenas rugas, como se estivesse pensando mesmo durante o sono. Ainda está pálida, mas não parece abatida como hoje pela manhã. Amanhã, espero que tudo isso tenha sido sanado. Ela vai ficar à vontade em nossa casa em Exeter. Como estou com sono!

DIÁRIO DO DR. SEWARD

1º de outubro — Estou preocupado novamente com Renfield. Suas mudanças de humor estão cada vez mais repentinas, e não tenho conseguido acompanhá-las. Como estão sempre associadas a algo que extrapola seu próprio bem-estar, sei que é muito importante estudá-las. Hoje de manhã, quando fui vê-lo após o repúdio sofrido por Van Helsing, sua postura era a de um homem no comando do próprio destino. Dava para ver que agia de tal forma, mesmo sendo de um ponto de vista subjetivo. Não se importava com nada terreno; estava nas nuvens e contemplava lá do alto as fraquezas e deficiências de nós, pobres mortais. Pensei em aproveitar o momento para aprender alguma coisa, então perguntei:

— E as moscas?

Mostrando-se superior, até mesmo arrogante, ele sorriu para mim um sorriso que ficaria bem em Malvólio.*

— A mosca, meu caro senhor, tem uma característica curiosa. Suas asas são típicas das potências aéreas das faculdades psíquicas. Os antigos estavam certos ao representar a alma como uma borboleta!

Decidi levar adiante a analogia até o extremo lógico, então disse rapidamente:

— Agora você está atrás de uma alma, é isso?

Ele assumiu uma expressão curiosa, denotando que a loucura parecia sobrepor a razão. Balançando a cabeça com uma certeza que raras vezes vi nele, Renfield rebateu:

— Não, não! Não estou atrás de alma alguma. Só me interessa a vida — respondeu, entusiasmado. — Mas isso não me importa agora. A vida está boa. Tenho tudo o que quero. O senhor precisará de um novo paciente se quiser estudar zoofagia, doutor!

Fiquei mais intrigado ainda, por isso o instiguei:

— Então você comanda a vida. Suponho que seja uma espécie de deus?

Ele sorriu com uma inefável superioridade bondosa.

— Não! Nem penso em comparar-me a divindades. Não me interessam sequer seus feitos especificamente espirituais. Se é para declarar minha posição intelectual em relação a coisas puramente terrenas, coloco-me no lugar que Enoque† ocupou espiritualmente!

Sua frase deixou-me em apuros, pois não consegui lembrar naquele momento o papel de Enoque. Por isso, tive de fazer uma

---

* Referência a *Noite de Reis*, de Shakespeare. Malvólio é um mordomo narcisista e pedante.

† Cf. Gênesis 5:21-24. Referência ao pai de Matusalém.

pergunta simples, mesmo sentindo que, ao fazê-la, perdia pontos aos olhos do lunático.

— E por que Enoque?

— Porque ele caminhava com Deus.

Não entendi a analogia, mas não quis admitir, por isso voltei a insistir no que ele havia negado.

— Quer dizer que você não se importa com a vida e não quer saber de almas. Por que não? — perguntei, em um tom de severidade proposital, no intuito de desconcertá-lo.

A tentativa surtiu efeito. Por um instante, Renfield retomou inconscientemente a subserviência de antes, inclinou-se diante de mim, e literalmente rastejou aos meus pés.

— Não quero alma alguma, é verdade, é verdade! Não quero. Não saberia o que fazer com almas. Almas não me serviriam de nada. Não poderia comê-las nem...

Subitamente, ele parou de falar e voltou a exibir no semblante a astúcia de pouco antes, como se fosse o vento na superfície da água.

— E, doutor, quanto à vida, o que é ela, afinal? Ter tudo de que se precisa e saber que nada faltará, isso basta. Tenho amigos, bons amigos, como o senhor, dr. Seward — disse ele, com indescritível malícia. — Sei que nunca me faltarão meios de vida!

Creio que, em meio à sua enevoada insanidade, via em mim certo antagonismo. Ele recuou instantaneamente e recorreu ao último refúgio de alguém como ele, o silêncio acovardado. Em pouco tempo, entendi que não adiantava mais insistir. Renfield ficou taciturno, e eu fui embora.

Mais tarde naquele dia, mandou me chamar. Em geral, eu não teria ido sem um motivo especial, mas estou tão interessado nele que fiz esse esforço com prazer. Além do mais, fiquei contente por ter algo para passar o tempo. Harker saiu atrás de pistas, assim como lorde Godalming e Quincey. Van Helsing está em meu escritório repassando o material preparado pelos Harker. Parece pensar que, ao se apropriar precisamente de todos os detalhes, poderá lançar alguma luz sobre eventuais pistas. Pediu que não o perturbassem sem motivo em seu trabalho. Eu o teria levado comigo para visitar o paciente, mas pensei que, depois da última rejeição, ele podia não querer voltar lá. Havia ainda outro motivo. Renfield talvez não falasse tão abertamente diante de um terceiro como quando estávamos sozinhos.

Encontrei-o sentado no centro do quarto em sua banqueta, postura que geralmente indicava certa energia mental. Quando entrei, ele perguntou de súbito, como se as palavras estivessem na ponta da língua:

— E o que têm as almas?

Estava claro, portanto, que minha suposição estava certa. O processo mental inconsciente estava funcionando, até mesmo com o lunático. Resolvi aprofundar a questão.

— Você que me diga! — devolvi a pergunta a ele.

Ele não respondeu por um momento. Ficou olhando ao redor, para cima e para baixo, como se esperasse alguma inspiração para o que diria a seguir.

— Não quero saber de alma alguma! — disse baixinho, apologeticamente.

A questão parecia estar consumindo sua mente, e então resolvi insistir, "ser cruel para ser justo".* E, assim, perguntei:

— Você gosta de vida, você quer mais vida?

— Sim! Mas quanto a isso, não há problema algum. O senhor não precisa se preocupar!

— Mas como você pode obter vida sem obter a alma também?

Isso pareceu intrigá-lo, então continuei:

— Você há de passar maus momentos quando estiver lá fora, com as almas de milhares de moscas, aranhas, pássaros e gatos zumbindo, piando e miando à sua volta. Sabe, você tirou a vida deles e agora precisa arcar com suas almas!

Aquilo aparentemente afetou sua imaginação, pois Renfield tapou os ouvidos com os dedos e fechou os olhos bem apertados, feito um garotinho no banho com sabão no rosto. Havia algo de patético na cena, que me comoveu. E também me serviu de lição, pois era como se eu tivesse um menino diante de mim, uma simples criança, apesar dos traços cansados e os pelos brancos no queixo. Era evidente que ele estava

---

* Referência a *Hamlet*, de Shakespeare.

passando por algum processo de perturbação mental e, sabendo como seus humores no passado deram margem a interpretações de coisas que ele aparentemente desconhecia, achei melhor entrar em sua mente da melhor forma que pude e acompanhá-lo. O primeiro passo era restaurar a confiança entre nós, assim perguntei bem alto, para que me escutasse, mesmo tapando os ouvidos:

— Você quer açúcar para atrair suas moscas de novo?

Ele pareceu acordar de repente e balançou a cabeça, respondendo com uma gargalhada:

— De jeito nenhum! Moscas são pobres seres vivos, afinal! — Após uma pausa, acrescentou: — E também não quero suas almas zumbindo ao meu redor.

— E as aranhas? — insisti.

— Ao inferno com as aranhas! Para que servem aranhas? Nelas não há sequer o que comer ou... — Ele parou subitamente, como se tivesse se lembrado de um tema proibido.

"Ora, ora!", pensei comigo mesmo, "é a segunda vez que ele se interrompe de repente antes de pronunciar a palavra 'beber'. O que será que isso quer dizer?"

Renfield pareceu se dar conta do lapso, pois se apressou em acrescentar, como que para desviar minha atenção do fato:

— Não dou a menor importância a esses assuntos. "Ratos, camundongos e esses pequenos gamos",* como dizia Shakespeare, poderiam ser chamados de "milho de engorda". Já superei todo esse absurdo. Tentar me interessar por carnívoros menores, quando sei o que tenho diante de mim, é o mesmo que pedir a um homem que coma moléculas com palitinhos chineses.

— Entendi — prossegui. — Você prefere cravar os dentes em coisas grandes? O que diria de comer um elefante no café da manhã?

— Que coisa ridícula! — Ele estava ficando cada vez mais consciente da situação. Achei melhor continuar pressionando.

— Como será — comentei em tom reflexivo — a alma do elefante?

---

* Referência a *Rei Lear*, de Shakespeare.

O efeito que eu desejava foi alcançado. Ele logo caiu de seu trono e se tornou novamente criança.

— Não me interessa a alma do elefante nem nenhuma outra! — exclamou.

Durante alguns momentos, ficou sentado, abatido. De repente, levantou-se, com os olhos faiscantes e todos os indícios de uma intensa excitação cerebral.

— Para o inferno, você e as suas almas! — berrou. — Por que me atormenta com isso? Já não tenho o bastante com que me preocupar, dores o suficiente com que me distrair, sem precisar pensar em almas?

Renfield mostrou-se tão hostil que achei que estava prestes a sofrer outro surto homicida, então soprei meu apito. Contudo, no instante em que o fiz, ele se acalmou e se desculpou.

— Perdão, doutor. Eu me esqueci. O senhor não vai precisar de ajuda. Estou com a cabeça tão ocupada que me irritei. Se soubesse o problema com que estou lidando, que estou tentando resolver, teria pena de mim e me toleraria, me perdoaria. Eu lhe peço, não me ponha na camisa de força. Quero pensar, e não consigo refletir direito quando meu corpo está confinado. Tenho certeza de que o senhor entenderá!

Ele evidentemente havia recuperado o autocontrole, por isso, quando os enfermeiros apareceram, dispensei-os. Renfield ficou observando-os irem embora. Quando a porta foi fechada, disse com considerável dignidade e doçura:

— Dr. Seward, o senhor mostrou muita consideração comigo. Acredite, sou muito, muito grato ao senhor!

Achei melhor deixá-lo naquele estado e saí de seu quarto. Certamente existe algo a ser ponderado sobre a situação do paciente. Diversos pontos parecem constituir o que um jornalista americano chamaria de "uma matéria", se forem colocados na ordem correta. São eles:

Não diz a palavra "beber".

Teme pensar em ser atormentado pela "alma" de qualquer ser.

Não teme vir a precisar de "vidas" no futuro.

Despreza as formas menores de vida como um todo, embora tema ser assombrado por suas almas.

Logicamente, todas essas coisas apontam para uma mesma direção! Ele tem um tipo de certeza de que vai alcançar alguma forma mais elevada de vida. Tem pavor da consequência disso: o fardo de uma alma. Portanto, a vítima que tem em mente é uma vida humana!

E a certeza...?

Santo Deus! O conde esteve com ele, e um novo plano terrível deve estar prestes a ser colocado em prática!

Mais tarde — Comuniquei minha suspeita a Van Helsing. Ele ficou muito sério e, depois de refletir, pediu que eu o levasse ao quarto de Renfield. Quando entramos, vimos, com assombro, que o doente tinha novamente espalhado açúcar para pegar moscas, as quais, letárgicas com o outono, começavam a zumbir pelo quarto. Tentamos fazê-lo voltar ao assunto de nossa conversa anterior, mas foi em vão. Ele começou a cantar, como se estivesse sozinho. Tinha na mão um pedaço de papel, que dobrou e colocou no meio de um caderno de notas.

Seu caso realmente nos intriga. Vamos analisá-lo com cuidado esta noite.

CARTA DA EMPRESA MITCHELL, FILHOS & CANDY A LORDE GODALMING

1º de outubro

Prezado lorde Godalming,

É com muita alegria que nos colocamos à disposição para satisfazer seu desejo. Com referência à informação solicitada por intermédio do Sr. Harker a respeito da compra e venda do prédio número 347 de Piccadilly, temos a dizer que os vendedores são os testamenteiros de Archibald Winter Suffield e o comprador é um nobre estrangeiro, o conde de Ville, que fez o pagamento à vista, em dinheiro. Além disso, nada mais sabemos.

Somos, meu lorde, seus humildes servidores,
Mitchell Filhos & Candy

DIÁRIO DO DR. SEWARD

2 de outubro — Coloquei um homem no corredor, para que ficasse ali prestando atenção, e me chamasse imediatamente se houvesse qualquer ruído suspeito no quarto de Renfield.

Depois do jantar, quando nos encontramos no escritório, ao redor da lareira, após a Sra. Harker ter ido dormir, discutimos as hipóteses e descobertas do dia. Harker foi o único que trouxe resultados, e estamos com muita expectativa de que sua pista seja importante.

Antes de ir me deitar, observei a cela pela abertura da porta. Renfield estava dormindo, a respiração profunda e regular.

Pela manhã, o enfermeiro me disse que, pouco depois da meia-noite, Renfield ficara agitado, rezando em voz alta. Perguntei se era tudo o que tinha acontecido e ele me respondeu que foi tudo o que ouvira. Havia algo suspeito em seu comportamento, então lhe perguntei diretamente se ele havia pegado no sono. Ele negou que dormira, mas admitiu que "cochilara" um pouco. É uma pena que não seja possível confiar em ninguém, a menos que sob vigilância.

Hoje, Harker saiu para seguir a pista que descobriu, e Art e Quincey saíram para procurar cavalos. Godalming acha que é bom termos cavalos à mão para que, quando tivermos a informação de que necessitamos, não percamos tempo. Temos de esterilizar toda a terra importada entre o nascer e o pôr do sol; assim apanharemos o conde quando está mais fraco e sem refúgio para onde ir. Van Helsing está no Museu Britânico, estudando as velhas autoridades de medicina. Os antigos médicos atentavam para coisas que seus sucessores não aceitam, e o professor está procurando tratamentos para bruxas e demônios que podem nos ser úteis mais tarde.

Às vezes, penso que nós todos estamos enlouquecendo e que o aconselhável seria usarmos camisas de força.

Mais tarde — Fizemos outra reunião. Finalmente parece que estamos na pista certa e nosso trabalho de amanhã pode ser o princípio do fim. Pergunto-me se o silêncio de Renfield pode ter algo a ver com isso. Seu humor acompanha os passos do conde, e talvez o fato de a destruição do monstro estar se aproximando o tenha afetado, mesmo que sutilmente. Se fizéssemos ideia do que se passa em sua mente, desde minha discussão com ele até a retomada da caça às moscas, talvez tivéssemos uma pista valiosa. Agora ele está quieto há algum tempo... Foi ele que fez isso? Um grito selvagem parece ter vindo de seu quarto.

O enfermeiro entrou correndo em meu gabinete e me disse que ocorreu um acidente com Renfield. Ele o ouviu gritar e, quando entrou, encontrou-o caído de bruços, coberto de sangue. Vou para lá imediatamente.

XXI

DIÁRIO DO DR. SEWARD

3 de outubro — Quero repassar com precisão tudo o que aconteceu desde o meu último registro, da melhor forma que conseguir me lembrar. Não posso esquecer nenhum detalhe, por isso vou procurar manter a calma enquanto faço o registro.

Quando entrei no quarto de Renfield, encontrei-o estendido no chão, apoiando-se no lado direito, em meio a uma poça de sangue. Deve ter recebido ferimentos graves; parecia não haver nada daquela união de propósito existente entre as partes do corpo, mesmo na sanidade letárgica. Verifiquei que em seu rosto havia contusões, como se tivesse batido contra o chão. De fato, era desses ferimentos que se originava a poça de sangue.

— Acho que ele está com a coluna quebrada — disse o enfermeiro, ajoelhando-se ao lado dele. — Veja: tanto a perna como o braço direito, e todo o lado direito do rosto, estão paralisados.

Como aquilo poderia ter acontecido era algo que deixava o enfermeiro absolutamente intrigado. Ele parecia totalmente perplexo.

— Não consigo compreender — ponderou ele, com as sobrancelhas unidas. — Ele até poderia ter machucado o rosto batendo a cabeça contra o chão; uma vez, vi uma moça fazer isso no Manicômio Eversfield, antes que alguém pudesse chegar para contê-la. E imagino que possa ter quebrado o pescoço ao cair da cama, no caso de ter tido uma convulsão estranha. Mas juro que não consigo entender como as duas coisas podem ter acontecido ao mesmo tempo. Se a coluna estivesse quebrada, ele não teria como bater a cabeça tão violentamente, e se o rosto já estivesse assim antes de ele cair da cama, encontraríamos evidências disso.

— Vá chamar o dr. Helsing e peça-lhe que faça o favor de vir imediatamente — ordenei ao enfermeiro.

Ele saiu correndo, e alguns minutos depois o professor apareceu, ainda de robe de chambre e chinelos. Quando viu Renfield no chão, olhou atentamente para ele e, em seguida, virou-se para mim. Acho que leu meu pensamento, pois disse com tranquilidade, para que obviamente o enfermeiro o escutasse.

— Um lamentável acidente. Será necessário vigiar o doente e prestar muita atenção nele. Eu mesmo vou ajudar você com isso. Vou me vestir, e voltarei dentro em pouco.

O enfermo respirava com dificuldade, e era fácil perceber que havia sofrido algum ferimento terrível.

Van Helsing voltou logo depois, com sua valise de instrumentos cirúrgicos. Evidentemente, havia pensado a respeito e se decidido, pois, quase antes mesmo de olhar para o paciente, sussurrou para mim:

— Mande o enfermeiro embora. Precisamos estar a sós com o doente quando ele recuperar a consciência após a operação.

— Acho que podemos assumir a partir de agora, Simmons. Já fizemos tudo o que podíamos por enquanto. Faça a sua ronda com os pacientes, o dr. Van Helsing precisa trabalhar. Avise-me imediatamente se algo incomum acontecer aos demais.

O enfermeiro saiu e passamos a fazer um exame cuidadoso do paciente. Os ferimentos no rosto eram superficiais; o verdadeiro ferimento era uma fratura no crânio, estendendo-se à direita pela zona motora. Depois de refletir um pouco, o professor observou:

— Precisamos reduzir a pressão. A velocidade do derrame indica que foi um golpe terrível. Toda a zona motora parece afetada. O edema no cérebro vai aumentar rapidamente. Precisamos fazer a trepanação* imediatamente, senão será tarde demais.

Enquanto Van Helsing falava, bateram de leve à porta. Fui abrir. Arthur e Quincey estavam no corredor, de pijama e chinelos.

— Ouvi chamarem o dr. Van Helsing e resolvi ir acordar Quincey, ou melhor, chamei-o, porque ele não estava dormindo. As coisas estão acontecendo depressa demais, e são estranhas demais. É impossível dormir profundamente por esses dias. Creio que amanhã à noite tudo será diferente. Vamos ter de repassar tudo e agir com muito mais cautela. Podemos entrar?

Eu assenti e segurei a porta até que entrassem. Quando Quincey viu a posição e o estado do paciente, e percebeu a horrível poça de sangue no chão, exclamou baixinho:

---

* Procedimento cirúrgico que consiste na perfuração de um osso do crânio.

— Meu Deus! O que aconteceu com ele? Pobre coitado!

Contamos em poucas palavras o que havia acontecido e disse que esperávamos que recobrasse a consciência depois da operação, mesmo que fosse apenas por um breve período, no pior dos cenários. Ele foi até a cama e sentou-se, com Godalming a seu lado. Ficamos observando pacientemente.

— Vamos esperar apenas o tempo necessário para verificar o melhor lugar para a trepanação, para podermos retirar rápida e completamente o coágulo; é evidente que a hemorragia está aumentando — disse Van Helsing.

Os minutos de espera pareciam intermináveis. Senti um peso horrível no coração, e, pela expressão de Van Helsing, deduzi que ele estava com receio ou apreensivo quanto ao que viria a acontecer. Eu estava com medo do que Renfield poderia dizer. Estava definitivamente com medo de pensar, mas a certeza do que estava prestes a acontecer me abarcava. Já tinha lido sobre homens que acompanharam os presságios da morte. O pobre homem respirava com espasmos aleatórios. Parecia que a qualquer minuto abriria os olhos e falaria, mas então vinha outra respiração demorada, e ele retornava a uma prostração pior que a anterior. Por mais acostumado que eu estivesse com leitos de enfermos e de morte, aquele suspense me deixava cada vez mais aflito. Quase podia ouvir meu coração batendo e sentia o sangue latejar nas têmporas como golpes de martelo. O silêncio se tornou agonizante. Olhei para meus companheiros e vi pelo semblante de cada um, corado ou coberto de suor, que viviam a mesma tortura que eu. Havia um suspense tenso pairando sobre nós; era como se a qualquer momento o soar de um sino terrível e poderoso fosse ecoar sobre nós quando menos esperássemos. Chegou, afinal, um momento em que ficou evidente a piora acelerada do paciente. Renfield poderia morrer a qualquer momento. Olhei para o professor e percebi que seu olhar estava fixo em mim.

— Não há tempo a perder — disse ele, com a expressão séria. — Suas palavras podem valer muitas vidas. É o que fiquei pensando, parado aqui. Pode haver uma alma em jogo! Vamos operar acima da orelha.

E, sem dizer mais nada, iniciou a operação. O paciente continuou a respirar ofegante durante algum tempo, mas, depois, respirou fundo, dando um suspiro demorado. De súbito, seus olhos se abriram e ficaram fixos, com uma expressão selvagem e indefesa. Algum tempo depois, os olhos se abrandaram em uma expressão de surpresa e satisfação, e dos seus lábios saiu um suspiro de alívio. Mexeu-se convulsivamente e disse:

— Vou ficar quieto, doutor. Mande tirar a camisa de força. Tive um pesadelo horrível, que me deixou tão fraco que não posso me mexer. O que houve no meu rosto? Sinto que está inchado e dói muito.

Ele tentou virar a cabeça, mas com o simples esforço vidrou os olhos de novo, então coloquei cuidadosamente sua cabeça na posição em que estava anteriormente.

— Conte-nos seu sonho, Sr. Renfield — pediu Van Helsing.

Ao ouvir a voz dele, o rosto de Renfield se iluminou mesmo em meio à mutilação, e o doente disse:

— É o dr. Van Helsing! Que bondade a sua ter vindo! Deem-me um pouco de água. Tenho os lábios secos e vou procurar contar-lhes. Sonhei...

Parou, parecendo que estava desmaiando. Voltei-me para Quincey:

— Traga o conhaque que está no meu gabinete, rápido!

Quincey saiu correndo e voltou em seguida com a garrafa de conhaque, um copo e uma jarra de água. Umedecemos os lábios do doente, que voltou a si. Parecia, no entanto, que o pobre cérebro avariado nunca tinha parado de funcionar, pois, assim que recuperou a consciência, lançou-me um olhar confuso e agoniado que nunca vou esquecer e me disse:

— Não devo me iludir. Não foi um sonho, mas a triste realidade.

Ao perceber as duas pessoas sentadas pacientemente na beira da cama, continuou:

— Se eu ainda tivesse alguma dúvida, eles seriam a prova de que foi real.

Por um momento, seus olhos se fecharam. Não era dor nem sono, era voluntário, como se estivesse fazendo o maior esforço para manter a consciência. Quando os abriu, disse às pressas e com mais energia do que havia demonstrado até aquele instante:

— Depressa, doutor! Estou morrendo. Sinto que só tenho poucos minutos: depois tenho de voltar à morte... ou coisa pior! Umedeça meus lábios com o conhaque de novo. Preciso dizer uma coisa antes de morrer... ou antes de o meu pobre cérebro se exaurir. Obrigado! Foi naquela noite, depois que o senhor saiu, quando lhe implorei que me deixasse ir embora. Não podia falar, pois sentia a língua presa, mas, a não ser por isso, estava perfeitamente são, como estou agora, exceto por um aspecto. Fiquei desesperado durante muito tempo depois que o senhor saiu, pareceram-me horas. Então senti uma paz súbita. Meu cérebro pareceu se acalmar de novo e eu me dei conta de onde estava. Ouvi os cães latirem atrás da casa, mas não onde Ele estava!

Van Helsing o ouvia atentamente, mas apertou minha mão com força. No entanto, não deixou transparecer nada, apenas assentiu discretamente com a cabeça.

— Continue — disse Van Helsing.

Renfield prosseguiu:

— Ele subiu para a janela, na névoa, como eu já o vira fazer muitas vezes antes; mas não era mais um fantasma: estava sólido, e seus olhos chamejavam como os de um homem furioso. Ria com aquela boca vermelha, e os alvos dentes aguçados brilhavam ao luar quando se virou para olhar para o bosque, onde os cães ladravam. A princípio, eu não lhe disse para entrar, embora soubesse que era o que ele queria. Então, ele começou a me prometer coisas, não com palavras, mas fazendo-as.

O professor o interrompeu:

— Como assim?

— Fazendo com que as coisas surgissem, como quando me enviava moscas durante o dia. Moscas grandes e gordas com aço e safira nas asas. E enormes mariposas à noite, com uma caveira e ossos cruzados nas costas.

Van Helsing assentiu e sussurrou para mim sem pensar:

— A *Acherontia átropos*, da família dos esfingídeos, que vocês chamam de borboleta-caveira ou mariposa-da-morte?

O paciente continuou explicando:

— Então, ele começou a sussurrar: "Ratos, ratos! Centenas, milhares, milhões, e cães para comê-los, e gatos também. Todos vivos, com sangue vermelho, trazendo anos de vida, e não meras moscas!". Eu dei risada, pois queria ver o que mais ele faria. Então os cães uivaram lá longe, depois das árvores escuras da casa dele. E ele me convocou até a janela. Levantei-me e olhei para fora. Ele levantou as mãos e, aparentemente, chamou sem dizer palavra alguma. Uma massa escura se espalhava no gramado, como se fosse uma chama de fogueira. Ele fez a neblina ir para a direita e depois para a esquerda, e pude ver que havia milhares de ratos com olhos vermelhos faiscantes, iguais aos dele, só que menores. Ele levantou a mão de novo, e todos os ratos pararam. Era como se ele estivesse dizendo: "Eu lhe darei todas essas vidas, sim, e muitas e muitas outras, mais e maiores, por eras e eras incontáveis, se você se curvar e me idolatrar!".* Depois, uma nuvem vermelha, cor de sangue, pareceu cobrir os meus olhos. E antes que eu soubesse o que estava fazendo, abri a janela e lhe disse: "Entre, meu Amo e Senhor". Todos os ratos haviam desaparecido, mas ele entrou no quarto, embora a janela estivesse apenas entreaberta, como faz a lua que se infiltra, por mais minúscula que seja a rachadura, e me visita com todo o seu tamanho e esplendor.

A voz do moribundo estava mais fraca; tornei a umedecer-lhe os lábios com conhaque, e ele prosseguiu. No entanto, parecia que sua memória continuou trabalhando nesse ínterim, pois a narrativa já tinha avançado. Eu estava prestes a pedir que voltasse ao ponto em que havia parado, mas Van Helsing sussurrou para mim:

— Deixe que ele continue. Não o interrompa. Não vamos deixar que ele perca o raciocínio que seguia.

Renfield prosseguiu:

— Durante o dia todo, esperei notícias dele, mas não me mandou nada, nem ao menos uma varejeira, e, quando a lua nasceu, eu estava furioso com ele. Quando ele entrou pela janela, que estava fechada, sem nem ao menos bater, recebi-o com hostilidade. Encarou-me desdenhosamente, como se eu não existisse. Foi em frente, como se fosse o dono do lugar e eu não fosse ninguém. Nem o cheiro dele era o mesmo quando passou por mim. Não consegui segurá-lo. Nisso, achei que a Sra. Harker tivesse entrado no quarto.

---

*   Cf. Mateus 4:9.

O professor estremeceu. Os dois homens sentados na beirada da cama levantaram-se e se aproximaram, ficando de pé atrás dele. Não conseguiam vê-lo, mas era possível ouvi-lo melhor. Os dois permaneceram calados. A expressão do professor, no entanto, ficou ainda mais sombria e séria. Renfield continuou, sem se dar conta do que acontecia ao seu redor.

— Quando a Sra. Harker veio me ver esta tarde, já não era a mesma; estava como o chá depois que mais água é colocada no bule — continuou Renfield. — Eu não sabia que ela estava no quarto até ela falar, e ela não parecia como antes. Não gosto das pessoas pálidas, e sim com muito sangue, e ela parecia ter perdido o dela. Naquela ocasião, não pensei nisso, mas, quando ela saiu, comecei a refletir e fiquei furioso ao perceber que ele estava lhe roubando a vida.

Senti que todos estremeceram ao ouvir aquilo, assim como eu, mas continuamos imóveis. Renfield continuou:

— Assim, quando ele veio esta noite, ataquei-o. Ouvi dizer que os loucos têm uma força prodigiosa, e achei que o venceria, pois não queria que ele continuasse a roubar a vida dela, até que vi seus olhos. Eles penetraram-me, queimando-me, e perdi a força. Ele se soltou e, quando tentei me agarrar a ele, ergueu-me no ar e atirou-me ao chão. Uma nuvem vermelha se formou diante de meus olhos, e ouvi um som que parecia um trovão, e a neblina desapareceu por debaixo da porta.

Sua voz estava enfraquecendo, e sua respiração transformando-se em estertor.

Van Helsing pôs-se de pé.

— Sabemos o pior — exclamou. — Ele está aqui e sabemos o que quer. Talvez não seja tarde demais. Vamos nos armar, como na noite passada, mas não podemos perder tempo, nem um instante sequer.

Não havia necessidade de expressar nosso medo, ou melhor, nossa convicção em palavras, pois era algo partilhado por todos. Apressamo-nos e fomos buscar em nossos respectivos quartos as mesmas coisas que levávamos conosco quando entramos na casa do conde. O professor já estava com as suas prontas e, quando nos encontramos no corredor, apontou para elas e disse:

— Trago sempre comigo e vou continuar a fazê-lo até esse assunto infeliz terminar. Sejam cautelosos também, meus amigos. Nosso inimigo não é comum. Que tristeza! Que tristeza que a nossa querida madame Mina tenha que sofrer! — disse, com a voz embargada, e parou.

Meu coração ficou repleto de fúria ou talvez de terror, não sei dizer ao certo.

Encontramo-nos no corredor e paramos diante da porta do quarto dos Harker. Art e Quincey recuaram.

— Devemos incomodá-la? — perguntou Quincey.

— Se a porta estiver trancada — disse Van Helsing —, precisaremos arrombá-la.

— Mas isso não será um susto terrível para ela? Não se arromba o quarto de uma dama!

Van Helsing disse, solenemente:

— Você sempre tem razão, mas este é um caso de vida ou morte. Todos os quartos são iguais para um médico. E, mesmo que não sejam, esta noite serão. Amigo John, quando eu girar a maçaneta, se a porta não abrir, apoie-se com o ombro e empurre; e vocês também, meus amigos. Agora!

O professor girou a maçaneta, e a porta não se abriu. Lançamo-nos todos contra ela, que foi arrombada, e, com o impulso, quase fomos atirados ao chão. O professor chegou a cair de fato, e pude enxergar por cima dele, que se levantava do chão. O que vi dentro do quarto fez os meus cabelos se arrepiarem e meu coração parar.

O luar estava tão claro que, mesmo através da espessa cortina da janela, iluminava bastante o interior. No leito, junto da janela, Jonathan Harker dormia profundamente, como que narcotizado. Ajoelhado na beira do leito, estava o vulto branco de sua esposa. Ao seu lado, estava de pé um homem alto e magro, vestido de preto. Tinha o rosto virado para o outro lado, mas reconhecemos imediatamente o conde, até pela cicatriz na testa. Com a mão esquerda, segurava as duas mãos da Sra. Harker afastadas de si e, com a direita, agarrava-a pela nuca, forçando seu rosto para baixo junto a seu peito. A camisola branca da Sra. Harker estava manchada de sangue, que escorria pelo peito nu do conde, exposto por suas roupas abertas. A posição dos dois era horrivelmente similar à de uma criança enfiando o focinho de um gato à força no pires de leite, obrigando-o a beber tudo.

    Quando irrompemos no quarto, o conde virou o rosto para o nosso lado, e a expressão do seu rosto se tornou demoníaca. Seus olhos chamejaram vermelhos, com um arrebatamento demoníaco; as grandes narinas do nariz aquilino se abriram, tremendo de fúria; os dentes brancos e afiados por trás dos lábios entumecidos pingando sangue cerraram-se como os de uma fera selvagem. Com um movimento brusco, atirou de volta no leito a vítima, que caiu como se tivesse sido arremessada do alto, e virou-se contra nós. Van Helsing já tinha se recuperado e estendeu na direção dele o envelope que continha a Hóstia Sagrada. O conde parou de súbito, como a pobre Lucy o fizera à entrada do túmulo, curvou-se e recuou. Avançamos, erguendo os crucifixos, e ele encolheu-se ainda mais. A lua foi repentinamente obscurecida por uma pesada nuvem e, quando Quincey riscou um fósforo e acendeu o gás, o conde havia desaparecido; vimos apenas uma névoa passando através das fendas da porta, que se fechara de novo. Van Helsing, Art e eu fomos na direção da Sra. Harker, que a essa altura já tinha recuperado o fôlego, e soltou um grito tão desesperado e estridente que com certeza ecoará nos meus ouvidos para o resto da vida. Corremos para junto dela. Por alguns segundos, ficou deitada em postura de impotência e desalinho. Seu rosto estava cadavérico, a palidez acentuada pelo sangue que lhe manchava a face, a boca e o queixo. Do pescoço, escorria um fio de sangue; e os olhos denotavam um pavor indizível. Ela escondeu o rosto nas mãos, deixando à mostra os sinais das garras do conde em seus punhos. Um gemido baixo e desolado surgiu por entre as palmas, fazendo o grito pavoroso parecer somente uma breve expressão da tristeza infinita. Van Helsing aproximou-se e a cobriu delicadamente com a manta. Art, depois de tê-la observado por um momento com uma expressão de desespero, saiu correndo do quarto.

    — Jonathan está em estado de estupor, conforme sabemos que um vampiro pode produzir — murmurou Van Helsing. — Nada podemos fazer pela pobre madame Mina por enquanto. Precisamos despertá-lo.

    Ele molhou uma toalha em água fria e começou a esfregar o rosto de Jonathan. Enquanto isso, a esposa soluçava, com o rosto escondido nas mãos. A lua já brilhava de novo e, olhando pela janela, vi Quincey Morris atravessar o gramado correndo e se esconder à sombra de um grande teixo. Estava imaginando qual seria sua intenção quando ouvi a voz de Harker, que recuperava os sentidos. Como esperávamos, sua expressão era de intensa perplexidade. Por alguns segundos, pareceu atordoado, mas, subitamente, recobrou a consciência e se levantou, assustado. A esposa reagiu ao movimento brusco e virou-se para ele com os braços estendidos, como se tivesse a intenção de abraçá-lo. Logo em seguida, porém, ela uniu os braços diante do rosto e estremeceu tão fortemente que a cama rangeu.

— Em nome de Deus, o que significa isto? Dr. Seward, dr. Van Helsing, o que foi isso? O que houve? O que há de errado? Mina, querida, o que aconteceu? Por que todo esse sangue? Meu Deus, meu Deus! O que está acontecendo? — Harker ajoelhou-se, unindo as mãos com força em oração. — Amado Deus, nos ajude! Ajude minha esposa! Por favor, ajude minha esposa!

Com um movimento rápido, levantou-se e começou a se vestir; sabia que era preciso recompor toda a sua virilidade para agir naquele momento de necessidade.

— O que houve? Contem-me tudo! Dr. Van Helsing, sei que o senhor tem grande estima por Mina. Faça alguma coisa para salvá-la. Ainda deve haver tempo. Tome conta dela enquanto eu o procuro!

A esposa, tomada mais ainda por terror, horror e aflição, percebeu o perigo que o marido corria.

— Não! — gritou Mina, esquecendo o próprio sofrimento e agarrando-se ao marido. — Não pode me deixar, Jonathan! Já sofri demais esta noite. Só Deus sabe! Nem posso imaginar que ele lhe faça algum mal. Você precisa ficar aqui comigo. Fique com seus amigos que cuidarão de você!

Mina mostrava uma expressão frenética enquanto falava. E quando o marido cedeu, ela o levou para a beira da cama e se agarrou a ele com todas as suas forças.

Van Helsing e eu procuramos acalmar os dois. O professor ergueu um crucifixo dourado e exclamou com espantosa serenidade:

— Não tenha mais medo, minha filha. Estamos aqui e, enquanto isto estiver junto de você, nada de mal lhe acontecerá — disse a Mina, entregando-lhe o crucifixo. — Está em segurança por esta noite; devemos nos manter calmos e discutir a situação.

Ela estremeceu e ficou em silêncio, escondendo a cabeça no peito do marido. Quando se afastou, a camisa de dormir de Jonathan ficou manchada de sangue, bem no local em que seus lábios tinham encostado e onde o sangue dos pequenos ferimentos no pescoço havia pingado. Assim que viu a mancha, ela recuou com um gemido baixo e sussurrou entre soluços:

— Impura, impura! Não devo mais encostar em meu marido ou beijá-lo! Sou agora sua pior inimiga, sua maior causa de temor!

— Deixe de tolice, Mina — retrucou Jonathan. — Não diga mais isso. Que vergonha! Não quero nem vou ouvir isso de você. Que Deus me conceda o merecimento necessário e me castigue com sofrimentos ainda mais tristes do que o que passo neste momento se por alguma atitude ou vontade minha houver algum obstáculo entre nós!

Ele abriu os braços e a apertou com força, e ela continuou soluçando por algum tempo. Jonathan olhou para nós por cima da cabeça inclinada da esposa, e seus olhos brilharam, expondo as lágrimas por sobre as narinas dilatadas. A boca estava tensa e imóvel. Quando a Sra. Harker finalmente se acalmou um pouco, Jonathan se dirigiu a mim, falando com estudada calma, que demonstrava todo seu poder de conter o nervosismo:

— Agora, dr. Seward, conte-me tudo, por favor. Sei muito bem tudo o que aconteceu, naturalmente, mas preciso saber em detalhes.

Contei-lhe exatamente o que havia acontecido, e ele me ouviu com a expressão impassível; entretanto, as narinas voltaram a se dilatar e os olhos soltaram faíscas quando descrevi como as mãos impiedosas do conde haviam segurado sua esposa naquela posição terrível, com a boca sobre a ferida aberta no peito dele. Não consegui deixar de notar a maneira amorosa como ele acariciava os cabelos desalinhados da esposa, apesar de o rosto pálido se contorcer de forma convulsiva. Quando acabei o relato, Quincey e Godalming, que também tinham saído do quarto em perseguição ao conde, voltaram. Van Helsing olhou para mim de modo questionador. Entendi que ele queria que aproveitássemos a chegada deles para distrair, se possível, os pensamentos do infeliz casal; assim, aquiescendo discretamente, Van Helsing perguntou aos recém-chegados o que eles tinham visto ou feito. A isso, lorde Godalming respondeu:

— Nem sinal dele no corredor ou em qualquer um dos quartos. Procurei no escritório, mas, apesar de ele ter passado por lá, já havia ido embora. Contudo...

Ele parou repentinamente ao ver a pobre figura na cama. Van Helsing insistiu, com o semblante sério:

— Vamos, amigo Arthur. Não há mais motivos para continuarmos escondendo coisas. Nossa única esperança agora é saber tudo. Pode falar!

Dessa forma, Art prosseguiu:

— Ele esteve no escritório e, apesar de ter ficado apenas alguns segundos, o lugar virou um verdadeiro caos. Todo o material datilografado foi queimado, e as chamas azuis ainda brilhavam entre as cinzas brancas. Os cilindros do fonógrafo também foram atirados ao fogo, e a cera só fez as chamas ficarem cada vez mais fortes.

Nesse momento, interrompi-o, dizendo:

— Graças a Deus a cópia está no cofre!

Vi seu rosto iluminar-se por um instante, mas voltou a ficar desanimado quando continuou.

— Desci correndo, mas nem sinal dele. Procurei então no quarto de Renfield, mas não vi nada, exceto... — Ele fez outra pausa.

— Continue — exigiu Harker rispidamente.

Arthur baixou a cabeça e, umedecendo os lábios, prosseguiu:

— ... exceto que o pobre coitado morreu.

A Sra. Harker levantou a cabeça e, olhando para cada um de nós, disse solenemente:

— Seja feita a vontade de Deus!

Fiquei com a impressão de que Art estava escondendo alguma coisa. Mas, como imaginei que havia um motivo para isso, calei-me. Van Helsing se virou para Morris e perguntou:

— E você, amigo Quincey, o que viu? — perguntou Van Helsing.

— Pouca coisa. Pode ser que venha a ser importante mais tarde, mas por enquanto não sei dizer. Achei que seria bom saber para onde o conde iria quando saiu da casa. Não vi o conde, mas vi um morcego sair da janela do quarto de Renfield e voar em direção ao poente — respondeu o americano. — Esperava vê-lo voltar a Carfax, sob qualquer forma, mas evidentemente ele procurou outro esconderijo. Não voltará esta madrugada, pois o sol já está quase raiando. Só poderemos trabalhar amanhã!

Ele pronunciou a última frase entredentes. Ficamos calados por alguns minutos, e acho que deu até para ouvir nossos corações batendo. Van Helsing quebrou o silêncio ao se voltar para a senhora Harker, pousando carinhosamente a mão sobre a cabeça dela.

— E agora, madame Mina, conte-nos exatamente o que aconteceu. Só Deus sabe quanto lhe queria evitar qualquer sofrimento, mas temos que saber tudo. O dia em que tudo isso terá fim está próximo, se assim for possível, e agora precisamos viver e aprender.

A pobre jovem tremia, e, pela forma como apertava o marido contra o corpo e abaixava a cabeça cada vez mais em seu colo, era possível perceber como estava tensa. Ela levantou o rosto decididamente e estendeu a mão a Van Helsing. Ele segurou a mão dela e, depois de se abaixar e beijá-la em uma reverência, apertou-a. Ela manteve a outra mão atrelada à do marido, que a abraçava e protegia com o outro braço. Depois de uma pausa, naturalmente para ordenar os pensamentos, a desventurada Sra. Harker começou:

— Ontem, tomei o opiáceo que o senhor me deu, e demorou um pouco para surtir efeito. Comecei a pensar em coisas terríveis: na morte, em vampiros, em sangue, em sofrimento. — O marido gemeu involuntariamente, e ela lhe disse com carinho: — Não tenha medo, querido. Você precisa ser corajoso e forte, ajudando-me nessa tarefa horrível. Se soubesse o esforço que preciso fazer para falar dessa coisa pavorosa, entenderia o quanto eu preciso de seu auxílio. Enfim, percebi que devia ajudar o remédio com minha força de vontade, e assim decidi que dormiria. O sono não deve ter demorado a vir, pois não me lembro de mais nada. Não vi quando Jonathan se deitou, e a próxima coisa que me vem à memória é ele estar deitado ao meu lado. No quarto havia a mesma névoa tênue e branca que eu já notara antes. Aliás, creio que o senhor ainda não sabe disso, mas relatei no meu diário. Senti o mesmo terror vago que me dominara antes. Tentei acordar Jonathan, mas ele estava dormindo tão profundamente que parecia ter também tomado o opiáceo. Tentei em vão acordá-lo. Fiquei horrorizada, com o coração apertado. Depois, o horror tornou-se ainda maior: junto ao leito, como se tivesse saído da névoa, ou melhor, como se a névoa tivesse se condensado nele, estava um homem alto e magro, vestido de preto. Reconheci-o imediatamente, pela descrição dos outros. O rosto muito pálido, o nariz fino e comprido marcado pelo feixe de luz, os lábios vermelhos entreabertos, com longos dentes brancos pontiagudos, e os olhos vermelhos, que tive a impressão de ter visto ao pôr do sol, nas janelas da igreja de St. Mary, em Whitby. Reconheci também a cicatriz vermelha na testa, no ponto em que Jonathan o atingira. Por um momento, meu coração parou de bater, e eu quis gritar, mas ele sussurrou, apontando para Jonathan: "Silêncio! Se fizer o menor ruído, eu esmago os miolos dele". Não consegui dizer ou fazer qualquer coisa. Com um sorriso zombeteiro e segurando-me com força, ele desnudou-me o pescoço com a outra mão, dizendo: "Mas, antes, um refresco para compensar meu esforço. Você pode muito bem ficar quietinha; não é a primeira nem a segunda vez que suas veias aplacam minha sede!". Sentia-me atordoada e, por mais estranho que pareça, não queria dificultar sua ação. Acho que isso faz parte da maldição que recai sobre a vítima quando ele a toca. E, oh, meu Deus, meu Deus, tenha piedade de mim! Ele pôs os lábios imundos em meu pescoço!

O marido tornou a gemer, e ela apertou ainda mais sua mão, olhando-o com pena, como se estivesse ferido.

— Senti minhas forças se esvaindo e fiquei meio desfalecida. Não sei quanto tempo durou aquele horror; mas me pareceu uma eternidade até que ele afastasse a boca asquerosa e impura de meu pescoço. Vi que dela pingava o meu sangue!

A lembrança pareceu arrebatá-la, e Mina esmoreceu; e teria caído não fosse o marido sustentá-la com o braço. Com grande esforço, recuperou-se e retomou o relato.

— Depois, ele me disse, em tom zombeteiro: "Então você, assim como os outros, pretendia colocar seu cérebro contra o meu. Tinha a intenção de ajudá-los a me perseguir e frustrar minhas intenções! Agora você sabe, e eles também, em parte, o que acontece com quem tenta me atrapalhar. Eles deveriam ter poupado suas energias para usar perto de casa. Enquanto eles aplicavam sua inteligência contra mim, que já comandei nações, e fiz intrigas por elas, e lutei por elas, centenas de anos antes mesmo de eles nascerem, enquanto isso, eu minava os esforços deles. E você, a mais amada por eles, agora é minha, carne da minha carne, sangue do meu sangue, membro da minha família, meu lagar abundante provisório; mais tarde, será minha companheira e minha ajudante. Você ainda não foi, mas será punida pelo que fez. Você os ajudou a me prejudicar, e, portanto, vai obedecer aos meus chamados. Quando meu pensamento disser 'Venha!', você vai atravessar terras e mares ao meu comando. E, para que isso sempre aconteça, tome!". Ele então desabotoou a camisa, abriu uma veia no peito com as unhas aguçadas e, enquanto me segurava pelos punhos com uma das mãos, com a outra segurou-me a cabeça e apertou-me a boca de encontro ao ferimento, de modo que, para não morrer sufocada, eu tive de engolir o... Meu Deus, meu Deus! Que fiz para merecer tal sorte? Tende piedade de mim, meu Deus! O que fiz para merecer esse destino, logo eu, que sempre tentei andar no caminho da mansidão e da virtude a vida toda? Deus, tenha piedade de mim! Olhe por esta alma infeliz que está em um perigo pior do que a morte. E, em sua misericórdia, tenha pena daqueles que lhe querem bem.

Então Mina começou a esfregar os lábios, na tentativa de limpá-los da impureza. Enquanto ela contava sua história terrível, o céu começou a clarear no leste, e a cena foi ficando cada vez mais nítida. Harker estava imóvel e calado, mas, conforme a narrativa pavorosa prosseguia, uma expressão sombria foi cobrindo seu rosto, acentuando-se à medida que a luz da manhã projetava os primeiros raios, até que, quando o primeiro facho avermelhado da aurora irrompeu, sua pele pareceu mais escura em contraste com os cabelos subitamente grisalhos.

Combinamos que um de nós ficaria à disposição do infeliz casal até nos reunirmos para decidir qual seria o próximo passo. Só tenho uma certeza neste momento: o sol brilhou esta manhã sobre a casa mais desgraçada na face da Terra.

XXII

DIÁRIO DE JONATHAN HARKER

3 de outubro — Como preciso fazer alguma coisa para não enlouquecer, resolvi escrever este diário. Agora são seis da manhã, e em meia hora vamos nos encontrar no escritório para comer alguma coisa, pois o dr. Van Helsing e o dr. Seward concordaram que precisamos nos alimentar para darmos o melhor de nós. E Deus sabe que precisaremos do melhor de nós no dia de hoje. Continuarei escrevendo em todos os momentos possíveis, pois nem quero parar para pensar. Tudo o que acontecer, por menos importante que pareça, será registrado aqui. Talvez, no final, possamos aprender mais com as pequenas coisas. Nenhum ensinamento, grande ou pequeno, teria levado Mina ou eu a uma situação pior do que a que estamos vivendo hoje. De qualquer forma, temos que confiar e esperar pelo melhor. Pobre Mina, acaba de me dizer, com lágrimas escorrendo pelo rosto que tanto amo, que é na atribulação e na provação que nossa fé é testada, que devemos continuar confiando, e que Deus vai nos ajudar até o fim. O fim! Ah, meu Deus! Mas que fim?... Temos que trabalhar!

Quando o dr. Van Helsing e o dr. Seward voltaram da visita ao infeliz Renfield, voltamos a pensar no que deveria ser feito. Primeiro, o dr. Seward disse que, quando ele e o dr. Van Helsing entraram no quarto do paciente, ele estava deitado no chão, com o rosto todo machucado, a cabeça, rachada; e os ossos do pescoço, quebrados.

O dr. Seward perguntou ao enfermeiro no corredor se ele tinha escutado alguma coisa. O homem disse que estava sentado e acabou confessando ter cochilado um pouco, quando ouviu vozes no quarto, e então Renfield disse várias vezes em voz alta: "Deus! Deus! Deus!". Depois, o enfermeiro ouviu o baque de um corpo caindo. Quando entrou no quarto, Renfield estava de bruços no chão, como os médicos o haviam encontrado. Van Helsing perguntou se ele havia ouvido "vozes" ou "uma voz", e ele respondeu que não saberia dizer. Que pareceu ter ouvido duas vozes, mas, como não havia mais ninguém no quarto, só poderia ter sido uma mesmo. Jurava ter ouvido a palavra "Deus" se dita pelo paciente. O dr. Seward disse, quando ficamos sozinhos, que não quis prolongar o assunto. Poderia haver uma investigação, e não adiantaria contar a verdade, pois ninguém acreditaria. Na verdade, testemunho do enfermeiro era suficiente para um atestado de óbito por contusão em decorrência de uma queda da cama. Se o legista exigisse uma investigação formal, a conclusão seria a mesma.

Quando começamos a discutir o próximo passo a ser dado, a primeira decisão foi de que deveríamos confiar totalmente em Mina. Não lhe esconderíamos informação alguma, por mais dolorosa que fosse. Ela mesma concordou que isso seria o melhor a ser feito, e doeu-me vê-la tão corajosa, porém tão triste e desesperada.

— Não devemos esconder nada uns dos outros — disse ela enfaticamente. — Infelizmente, já guardamos segredos demais! Além disso, não há nada no mundo que me causaria mais dor do que já sofri... ou do que estou sofrendo agora! Aconteça o que acontecer, terei a esperança e a coragem renovadas!

Van Helsing, que não parava de olhar para ela enquanto falava, argumentou com uma gentileza súbita:

— Mas, querida madame Mina, a senhora não está com medo? Não pela senhora, mas pelos outros, depois do que aconteceu?

Sua expressão ficou tensa, mas os olhos pareciam cintilar com uma devoção de mártir.

— Não! Já tomei minha decisão!

— Sobre o quê? — perguntou ele com delicadeza, enquanto todos nós permanecemos imóveis, pois sabíamos, cada um a seu modo, o que Mina estava querendo dizer.

A resposta veio com a objetividade e simplicidade de um fato constatado.

— Vou prestar muita atenção, pois, se eu ver que represento o mínimo sinal de perigo a mim mesma ou a uma pessoa querida, morrerei!

— A senhora não está pensando em se matar, está? — perguntou ele de forma abrupta.

— Sim. Se não houver ninguém entre os que me amam que possa me poupar desse sacrifício inesperado! — Ela encarou o professor de forma sugestiva ao dizer isso.

Ele estava sentado, mas se levantou e se aproximou dela, colocando a mão em sua cabeça e declarando de maneira solene:

— Minha filha, se for para o seu bem, haverá uma pessoa. Eu mesmo darei minha palavra a Deus de que encontraria essa eutanásia para a senhora até mesmo agora, se isso fosse o melhor a ser feito. Melhor ainda, se fosse o mais seguro a ser feito! Mas, minha filha... — Por um momento, o professor pareceu engasgar-se, como se um grande nó tivesse se formado em sua garganta. Ele engoliu em seco e continuou: — Há vários homens aqui que ficariam entre a senhora e a morte. A senhora não precisa morrer. Ninguém tirará a sua vida, muito menos a senhora. Enquanto aquele que maculou sua meiga existência não tiver a morte definitiva, a senhora não poderá morrer. Enquanto ele estiver entre os mortos-vivos, a morte da senhora a tornará igual a ele. Não! A senhora precisa viver! Precisa lutar e se esforçar para viver, mesmo que a morte se apresente como um consolo inenarrável. A senhora precisa encarar a Morte em pessoa, seja ela uma dor ou uma alegria, durante o dia ou durante a noite, na segurança ou no perigo! Pela sua alma, exijo que não morra. Nem pense na morte até todo esse enorme mal passar.

A pobre dama exibiu uma palidez mortal, e ficou agitada, remexendo-se no lugar em que estava. Ficamos todos calados. Não havia nada a ser feito. Aos poucos, ela foi se acalmando e, virando-se para ele, disse com uma meiguice melancólica, ao mesmo tempo que estendeu a mão:

— Prometo, meu caro amigo, que, se Deus me deixar viver, vou lutar por isso. Até que, se Ele decidir que é chegada a hora, este horror tenha ido para longe de mim.

Era tão bondosa e corajosa que todos sentimos o coração fortalecido para a tarefa e para lutar por ela, e começamos a discutir o que faríamos a seguir.

Disse a ela para guardar todos os documentos no cofre, além dos papéis, diários e registros de fonógrafo que pudéssemos usar no futuro, e que continuasse escrevendo em seu diário, como vinha fazendo até então. Ela ficou contente ao saber que teria uma função, se é que "contente" seria um adjetivo a ser usado em relação a um interesse tão macabro. Como sempre, Van Helsing havia pensado em tudo antes de nós e já sabia exatamente a ordem da execução das tarefas.

— Talvez tenha sido bom que, em nossa reunião depois da visita a Carfax, tenhamos decidido não fazer nada com as caixas de terra que estavam lá — explicou ele. — Se tivéssemos feito alguma coisa, o conde poderia ter adivinhado nosso objetivo e certamente teria se antecipado para frustrar esforços similares com relação às outras caixas. Ele não conhece nossas intenções agora. E é bem provável que não saiba que temos o poder de esterilizar seus antros para que não possa mais utilizá-los. Nosso conhecimento atual sobre a localização das caixas é tal que, após examinarmos a casa de Piccadilly, talvez identifiquemos todas elas. Hoje, portanto, é a nossa hora, e é aí que está nossa esperança. O sol que veio iluminar nossa tristeza hoje cedo nos protegerá em seu trajeto. Até o pôr do sol de hoje, o monstro vai permanecer na forma que assumiu agora. Está confinado dentro dos limites de seu invólucro terreno. Não pode se desfazer no ar nem desaparecer por fresta alguma. Se quiser passar por uma porta, vai ter de abri-la como qualquer mortal. Portanto, temos o dia de hoje para encontrar todos os antros e esterilizá-los. Assim, se não o tivermos capturado e destruído nesse ínterim, o teremos encurralado em um canto até o momento de conseguirmos executar, mais cedo ou mais tarde, sua captura e destruição.

Levantei-me sobressaltado, pois não pude me conter ao pensar que estávamos desperdiçando minutos e segundos preciosos da vida e da felicidade de Mina. Não estávamos agindo ao conversarmos. Mas Van Helsing levantou a mão em sinal de alerta.

— Não, amigo Jonathan — disse ele. — Neste caso, como diz o seu provérbio, o caminho mais rápido é o mais longo. Quando chegar a hora, teremos de agir, e agir rapidamente. Contudo, o mais provável é que a solução do problema esteja na casa em Piccadilly. O conde pode ter comprado muitas propriedades. E deve ter documentos, chaves e outras coisas dessas propriedades. Deve ter papéis para escrever, um talão de cheques. Em algum lugar, deve haver muitos pertences dele. Por que não nesse endereço tão central, tão tranquilo, no qual se pode entrar e sair pela porta da frente ou dos fundos a qualquer hora sem ser notado por ninguém devido ao intenso trânsito? Vamos fazer uma busca naquela casa. E quando soubermos o que está escondido nela, agiremos como nosso amigo Arthur caçador, e vamos capturar nossa velha raposa, certo? Certo?

— Vamos logo — exclamei. — Que o tempo é precioso!

— Mas como entraremos na casa de Piccadilly? — retrucou o professor.

— De alguma forma. Mesmo que seja preciso arrombá-la!

— E a polícia? Onde ela vai estar e o que vai dizer sobre isso?

Fiquei sem palavras. Sabia que, se ele queria adiar a ação, era porque tinha um bom motivo. Então pedi com o máximo de delicadeza que me foi possível:

— Não espere mais do que o necessário. Estou certo de que sabe a angústia em que me encontro.

— Na verdade, meu filho, não há necessidade de aumentar sua angústia — disse Van Helsing. — Mas pense bem no que podemos fazer para o mundo com essa ação. Então será a nossa vez. Eu pensei muito, e me parece que, quanto mais simples agirmos, melhor será. Mas precisamos de uma chave para entrar, não é mesmo?

Assenti.

— Agora vamos supor que você fosse o dono da casa e não conseguisse entrar nela; o que faria se não tivesse a consciência pesada de um invasor?

— Arranjaria um chaveiro respeitável e o mandaria abrir a fechadura para mim.

— E a polícia?

— Não interferiria, se soubesse que o homem está trabalhando autorizado.

— Então — prosseguiu ele, enquanto me encarava com toda a atenção —, a questão é a consciência de quem contratou e o fato de o policial acreditar na boa-fé do profissional. A polícia deve ter homens atenciosos e habilidosos, muito habilidosos, para notar as intenções, e não vai se dar ao trabalho de investigar um caso como esse. Amigo Jonathan, você pode abrir a fechadura de centenas de casas vazias em Londres, ou de qualquer cidade no mundo. Basta agir adequadamente e na hora certa, e ninguém há de interferir. Li sobre um sujeito que tinha uma bela casa em Londres e foi passar o verão na Suíça. Ele trancou a casa, mas um ladrão arrombou uma janela dos fundos e conseguiu entrar. Ele atravessou a casa, abriu as janelas que davam para a rua e entrou e saiu pela porta da frente, diante dos olhos da polícia. Depois, organizou um leilão na propriedade, com anúncio e placa no portão. Quando chegou o dia, vendeu, com um famoso leiloeiro, todos os bens que aquele outro homem possuía. Depois foi até uma imobiliária e vendeu a casa, combinando que a propriedade deveria ser demolida e o entulho retirado dentro de determinado prazo. E a polícia e outras autoridades o ajudaram em tudo o que foi preciso. Quando o dono voltou das férias na Suíça, encontrou apenas um buraco onde antes ficava sua casa. Tudo isso foi feito *en règle*,[*] assim como o nosso trabalho deverá ser feito. Se chegarmos cedo demais, o policial, que nessa hora não tem muito o que pensar, poderá ficar desconfiado. Vamos depois das dez, quando há muita gente por lá, e é um horário em que essas coisas seriam feitas se fôssemos realmente os donos da casa.

Não havia como não concordar com ele, e o terrível desespero no rosto de Mina pareceu se atenuar. Havia esperança naquele bom conselho.

— Talvez encontremos mais pistas dentro da casa — continuou Van Helsing. — De qualquer forma, enquanto alguns de nós estivermos fazendo essa busca, os demais podem procurar em outros lugares em que ele talvez tenha mais caixas de terra: em Bermondsey e em Mile End.

Lorde Godalming se levantou.

— Posso ser útil nisso — disse. — Enviarei um telegrama pedindo ao meu pessoal que mande cavalos e carruagens aonde for mais conveniente.

— Veja bem, velho camarada — interveio Morris —, é uma ideia magnífica deixar tudo pronto para o caso de precisarmos de locomoção, mas você não acha que suas carruagens com o brasão da família em uma ruazinha de Walworth ou de Mile End chamariam atenção demais para o nosso propósito? Acho melhor usarmos carros de aluguel quando formos para o sul ou para o leste. E até mesmo deixá-los a uma certa distância da vizinhança aonde formos.

— O amigo Quincey tem toda razão! — concordou o professor. — Como dizem os jovens, ele realmente tem a cabeça boa. Está

---

[*] De acordo com as regras, em francês.

visualizando adiante. Temos uma coisa muito difícil para fazer, e não queremos ninguém nos observando, se isso for possível.

Mina estava se interessando por tudo, e regozijei-me vendo que as exigências das tarefas que tínhamos de realizar a estavam fazendo esquecer um pouco as angústias da noite. Mas estava lívida, e tão magra que seus lábios estavam afastados, deixando à mostra os dentes um tanto salientes. Não comentei nada com ela, para não a magoar desnecessariamente, mas senti meu sangue gelar ao pensar no que havia ocorrido à pobre Lucy depois que o conde sugou seu sangue. Ainda não havia sinal de que os dentes estivessem ficando pontiagudos, mas era tudo muito recente, e temi pelo que poderia vir a acontecer.

Quando passamos a discutir a sequência de nossos esforços, resolvemos que, em vez de começar em Piccadilly, destruiríamos o esconderijo do conde que estava mais perto. Caso ele descobrisse logo, ainda estaríamos à sua frente em nosso trabalho. E sua presença totalmente materializada, em seu momento mais vulnerável, poderia ser uma nova vantagem para nós.

Quanto à distribuição de forças, o professor sugeriu que, depois de nossa visita a Carfax, fôssemos todos à casa de Piccadilly, e que eu e os dois médicos ficássemos por lá, enquanto lorde Godalming e Quincey procuravam e destruíam os esconderijos de Walworth e Mile End. O professor achou que seria possível o conde aparecer em Piccadilly durante o dia, e, se aquilo acontecesse de fato, teríamos que resolver a situação ali mesmo, naquele exato momento. De qualquer forma, talvez conseguíssemos medir forças. Opus-me a esse plano, já que não queria me separar de Mina, mas ela não concordou comigo, dizendo que eu devia ir, pois minha experiência com leis poderia ser muito útil na avaliação dos papéis do conde, pois entre os papéis talvez houvesse alguma pista que eu pudesse averiguar melhor por causa do meu período na Transilvânia. Na verdade, a união de todas as nossas forças seria necessária para lidar com o poder extraordinário do conde. Acabei concordando, pois Mina estava resoluta. Acrescentou ainda que a única esperança que lhe restava era que todos trabalhássemos juntos.

— Quanto a mim, não tenho medo — exclamou. — Vá, meu marido! Deus, se assim quiser, pode me proteger, esteja eu sozinha ou acompanhada.

— Então — disse eu —, em nome de Deus, partamos imediatamente e não percamos tempo. O conde pode aparecer em Piccadilly mais cedo do que pensamos.

— Não mesmo! — disse Van Helsing, levantando a mão.

— Mas por quê? — perguntei.

— Está se esquecendo de que ele se banqueteou fartamente na noite passada e que, portanto, vai dormir até tarde? — retrucou Van Helsing.

Como poderia me esquecer? Jamais esquecerei! Como qualquer um de nós poderia esquecer aquela cena terrível? Mina se esforçou muito para manter a expressão de coragem, mas a dor foi mais forte que ela, e ela cobriu o rosto com as mãos, gemendo trêmula.

Van Helsing não tinha a intenção de fazê-la se lembrar da experiência apavorante. Em seu esforço intelectual, acabou se esquecendo dela e de sua participação. Mal acabara de falar, ficou horrorizado com a própria insensatez.

— Madame Mina, minha querida madame Mina, perdoe-me! — desculpou-se ele. — Logo eu, que a prezo tanto, fui dizer algo tão descabido. Meus velhos lábios idiotas e minha estúpida cabeça de velho não merecem, mas a senhora vai conseguir perdoar esse deslize, não vai? — Ao dizer isso, curvou-se em uma reverência para ela.

Mina pegou a mão dele e o fitou, aos prantos.

— Não tem importância — disse ela, numa voz rouca. — É bom que eu mesma não consiga esquecer. Eu vou ter tantas lembranças doces do senhor que guardarei esta junto com elas. Agora, vamos, vocês logo estarão de saída. O café está pronto, e precisam comer.

Durante a refeição, tentamos, em vão, nos mostrar alegres, e Mina foi a que mais se esforçou.

— E, agora, a caminho para a nossa terrível empreitada, meus amigos! — exclamou Van Helsing. — Todos estão armados como estávamos naquela noite em que estivemos pela primeira vez no esconderijo do inimigo? Armados contra ataques fantasmagóricos e carnais?

— Todos o tranquilizamos. — A senhora estará em perfeita segurança aqui, madame Mina, até o pôr do sol. Mas, antes de partirmos, quero vê-la armada contra um ataque pessoal. Já preparei seu quarto com as coisas que o impedirão de entrar. Agora vou tratar de protegê-la diretamente, encostando a Hóstia Sagrada em sua testa, em nome do Pai, do Filho e do...

O grito dela foi apavorante, de gelar o coração. No contato com a testa de Mina, a hóstia a queimara como se fosse uma chapa de ferro incandescente. Minha pobre esposa, escondendo o rosto nas mãos, começou a gritar:

— Estou impura, impura! Até o Onipotente evita a minha carne maculada! Trarei essa marca de vergonha em minha fronte até o Dia do Juízo Final!

Abracei-a, tentando consolá-la, enquanto nossos amigos viravam o rosto, procurando esconder as lágrimas.

— Madame Mina — disse Van Helsing, com a voz emocionada e tão solenemente que não pude deixar de notar que estava inspirado em suas observações. — É possível que a senhora leve esta marca até que o próprio Deus considere adequado, como certamente o fará, no Dia do Juízo, para redimir todos os males da Terra e de Seus filhos que aqui estão. Madame Mina, minha querida, rezo para que nós que a amamos possamos estar lá para ver quando essa cicatriz vermelha, sinal de que Deus sabe tudo o que aconteceu, seja apagada e deixe sua testa tão pura quanto é o seu coração. Pode ficar certa de que essa cicatriz desaparecerá quando Deus achar que é o momento de aliviar o peso que colocou sobre nós. Até então, temos de carregar nossa cruz, como Seu Filho carregou, em obediência à Sua Vontade. Pode ser que tenhamos sido escolhidos para instrumentos de seu prazer e que nos elevemos a ele através de vergonha, lágrimas, sangue, dúvidas, temores e tudo que constitui a diferença entre Deus e o homem.

Havia esperança nas palavras dele, e consolo. Expressavam sua resignação. Tanto Mina quanto eu pudemos sentir isso, e, juntos, pegamos as mãos do velho e nos inclinamos para beijá-las. E assim, sem dizer nem mais uma palavra, nos ajoelhamos e, de mãos dadas, juramos lealdade uns aos outros. Juramos tirar o véu de tristeza de cima daquela mulher que, cada um à sua maneira, amávamos. E imploramos por ajuda e orientação na terrível tarefa que tínhamos diante de nós.

Era hora de partir, e eu me despedi de Mina. Foi uma despedida de que jamais me esquecerei.

De uma coisa estou certo: se virmos que Mina acabará sendo um vampiro, não irá sozinha para aquela região desconhecida e terrível. Creio que era assim que, nos velhos tempos, os vampiros se multiplicavam; do mesmo modo que seus horríveis corpos só podiam descansar em terra sagrada, assim também o mais santo amor era quem recrutava suas sinistras legiões.

Entramos em Carfax sem dificuldade e encontramos tudo da forma como estava na primeira ocasião. Não era fácil acreditar que aquele cenário de abandono, poeira e decadência pudesse conter o pavor que já conhecíamos. Se não tivéssemos certeza, e não tivéssemos as terríveis memórias que nos incentivavam, dificilmente teríamos levado adiante nossa missão. Não encontramos documento algum, e nem sinais de que alguém tivesse usado a casa. Na antiga capela, as grandes caixas pareciam idênticas às da última vez.

— E agora, meus amigos — exclamou solenemente o dr. Van Helsing —, temos de esterilizar a terra santificada por memórias sagradas que ele trouxe de um país distante para uso tão sórdido. Ele escolheu essa terra porque foi consagrada. Vamos derrotá-lo com suas próprias armas, pois a tornaremos ainda mais sagrada. Ela foi santificada para uso do homem, e agora a santificaremos para Deus.

Enquanto falava, tirou da valise uma chave de fenda e abriu rapidamente o primeiro caixote. A terra tinha cheiro de mofo, mas nem nos importamos com isso, pois nossa atenção estava voltada para o professor, que tirou reverentemente da valise um pedaço da Hóstia Sagrada e o depositou sobre a terra. Em seguida, depois de ter fechado a tampa, começou a aparafusá-la com a nossa ajuda.

Fizemos o mesmo em todas as grandes caixas, uma a uma, e as deixamos do mesmo jeito como as encontramos, exceto pelo pedaço de hóstia. Quando fechamos a porta atrás de nós, o professor concluiu solenemente:

— Já fizemos muito! Pode ser que tenhamos o mesmo sucesso com todas as outras, e então, no pôr do sol de hoje, o sol poderá brilhar sobre a testa da madame Mina, branca e pura novamente, sem nenhuma mácula!

Ao passarmos diante do hospício, a caminho da estação, podíamos ver a frente do prédio. Olhando ansiosamente, vi Mina na janela do nosso quarto. Acenei para ela e assenti com a cabeça, dando a entender que tínhamos sido bem-sucedidos. Ela assentiu também, mostrando ter entendido. Foi com o coração pesado que partimos rumo à estação para tomar o trem, que já se preparava para partir quando chegamos à plataforma.

Escrevi este relato no trem.

Piccadilly, 12h30 — Antes de chegarmos à Fenchurch Street, lorde Godalming me disse:

— Quincey e eu vamos procurar um chaveiro. É melhor não vir conosco. Chamaremos menos atenção ao entrarmos em uma casa vazia. Mas você é procurador, e a Incorporated Law Society poderia dizer que você deveria ter tido mais cuidado.

Discordei, pois estava disposto a participar de qualquer perigo e a correr qualquer risco, até o repúdio, mas ele continuou:

— Além do mais, um grupo menor vai chamar menos atenção. Meu título será útil para arranjar as coisas com o chaveiro e com algum policial que possa aparecer. É melhor você ir com Jack e o professor para ficar em Green Park, em algum lugar à vista da casa. Quando vir a janela aberta, quer dizer que tudo correu bem, e o senhor poderá entrar assim que o chaveiro tiver ido embora.

— O conselho é bom — concordou Van Helsing.

Godalming e Morris tomaram um carro de aluguel, e nós seguimos em outro. Na esquina de Arlington Street, senti o coração bater com muita força ao avistar a casa em que se concentravam as nossas esperanças, erguendo-se sombria e silenciosa em sua condição abandonada em meio às vizinhas mais vivazes e arrumadas. Sentamo-nos em um banco e começamos a fumar charuto, de maneira a atrair o menos possível a atenção dos transeuntes. Os minutos se arrastavam.

Finalmente, vimos parar na frente da casa uma carruagem de quatro rodas. Muito à vontade, lorde Godalming e Morris desceram, ao mesmo tempo que saltava da boleia um homem carregando um cesto de ferramentas. Morris pagou o cocheiro, que agradeceu e partiu. Lorde Godalming mostrou ao operário o que vinha fazer, e ele tirou o paletó, pendurando-o na grade em frente à casa, enquanto dizia algo ao policial que acabara de aparecer. O policial sacudiu a cabeça em concordância e se afastou, enquanto o serralheiro ajoelhava-se junto da porta e punha mãos à obra. Depois de remexer em seus pertences, pegou várias ferramentas e as organizou no chão. Levantou-se, olhou pelo buraco da fechadura, assoprou dentro dele e, virando-se para os clientes, fez um comentário. Lorde Godalming sorriu, e o rapaz pegou um grande molho de chaves. Após escolher uma delas, começou a experimentá-la na fechadura para ver se a abriria. Depois de tentar por um tempo, experimentou uma segunda chave e, por fim, uma terceira. De repente, a porta se abriu com um leve empurrão e os três entraram no saguão. Permanecemos sentados. Meu charuto ainda queimava com toda a força, mas o de Van Helsing havia se apagado. Aguardamos pacientemente o chaveiro sair e recolher seu material. Então ele segurou a porta entreaberta entre os joelhos ao colocar uma chave na fechadura. Essa chave ele acabou entregando a lorde Godalming, que lhe pagou pelo trabalho. O homem agradeceu, pegou sua maleta, vestiu o casaco e foi embora. Não houve testemunha alguma do procedimento.

Quando o chaveiro estava longe o suficiente, atravessamos a rua e batemos à porta. Quincey Morris abriu-a imediatamente. Lorde Godalming estava ao lado dele, acendendo um charuto.

— A casa está com um cheiro horrível — disse o último.

Era o mesmo cheiro de Carfax, e não havia dúvida de que o conde vinha utilizando a casa. Tratamos logo de examiná-la, andando todos juntos, para o caso de um ataque; pois todos sabíamos que tínhamos um inimigo forte e ardiloso, e ainda não havia indicação de sua presença ou não na casa. Na sala de jantar, encontramos apenas oito das nove caixas que procurávamos. Nosso trabalho não terminara, e não podíamos descansar enquanto não tivéssemos localizado a última caixa. Primeiramente, abrimos as cortinas da janela que dava para um pequeno pátio de pedras, nos fundos de um estábulo. A pintura parecia imitar a fachada de uma casa em miniatura. O estábulo não tinha janelas, por isso não havia preocupação com testemunhas. Não perdemos tempo examinando os caixotes. Com as ferramentas que havíamos trazido conosco, abrimos um por um e repetimos o procedimento realizado na antiga capela. Obviamente, o conde não estava na casa, e passamos a analisar seus pertences.

Depois de uma busca rigorosa pelos demais cômodos, do porão ao sótão, chegamos à conclusão de que estavam na sala de jantar todos os objetos pertencentes ao conde. Então examinamos tudo minuciosamente. Os documentos, ordenados sobre a grande mesa de jantar, consistiam nas escrituras das casas de Piccadilly, Mile End e Bermondsey. Havia também papéis para carta, envelopes, canetas e tinta, tudo embrulhado por causa da poeira, e também uma escova de roupa, pente, escova de cabelo, um jarro e uma bacia com água suja, que parecia avermelhada com sangue. Havia, finalmente, um molho de chaves de todas as espécies e tamanhos, provavelmente pertencentes às outras casas. Lorde Godalming e Morris tomaram nota dos endereços das outras casas, no leste e no sul da cidade, guardaram as chaves e saíram em sua missão de destruir as caixas que estavam naqueles lugares. O restante de nós permaneceu aqui, esperando pacientemente o regresso deles... ou o surgimento do conde.

XXIII

DIÁRIO DO DR. SEWARD

3 de outubro — Pareceu-nos incrivelmente longo o tempo que tivemos de esperar pelo regresso de Godalming e Quincey Morris. O professor procurou nos distrair, conversando sem parar, e notei, pela maneira como se dirigia a Harker, que estava preocupado principalmente com ele, o que era natural. Ontem à noite, parecia um homem feliz, com uma expressão forte, jovial e cheia de energia. Os cabelos eram castanho-escuros. Hoje parece um velho, acabado, derrotado, e os cabelos brancos estavam em conformidade com os olhos fundos e vermelhos e as rugas profundas, expressando a tristeza em seu rosto. A energia manteve-se inabalável; de fato, ele é como uma chama ardente, e talvez seja essa a sua salvação, pois, se tudo der certo, é o que o levará até o fim desse momento aterrorizante. De alguma forma, ele acabará acordando de novo para as realidades da vida. Coitado, e eu achando que meus próprios problemas já eram ruins o suficiente, mas os dele...!

O professor sabe disso, e está fazendo o possível para manter sua mente ativa. Todos ficamos muito interessados em suas palavras, que relembro aqui:

— Eu tenho estudado, lido e relido todo o material relacionado a esse monstro desde que tive acesso a ele, e quanto mais estudo, maior me parece a necessidade de destruí-lo de forma definitiva. Em todos os relatos, é possível perceber seu avanço. Não apenas em termos de poder, mas também de conhecimento. Analisei as pesquisas de meu amigo Arminius, de Budapeste, e descobri que, enquanto viveu, o conde foi um homem espetacular. Soldado, político e alquimista, e esse último era o ápice do desenvolvimento da ciência de seu tempo. Tinha um cérebro privilegiado, era um erudito de primeira grandeza, e seu coração não conheceu o medo nem o arrependimento. Frequentou a Scholomance, e não havia um único ramo do conhecimento de sua época que não fosse capaz de discutir. Os poderes existentes em seu cérebro sobreviveram à morte física, embora a memória não pareça estar completa. Em alguns aspectos mentais, ele permanece apenas um menino. Mas está crescendo, e algumas coisas que pareciam infantis no início agora amadurecem para atitudes de um homem. Ele está experimentando e tem obtido sucesso. Se não cruzássemos seu caminho, poderia ainda vir a ser, ou poderá ser, se falharmos, pai ou fundador de uma nova espécie de seres cujo caminho só pode levar à Morte, e não à Vida.

— E tudo isso está contra minha amada! — disse Harker, com um gemido. — O que o senhor quer dizer com experimentando? Saber disso pode nos ajudar a derrotá-lo!

— Todo esse tempo, desde que chegou, ele vem experimentando seu poder de forma lenta, porém segura. O grande cérebro infantil está ativo, e é uma felicidade para nós que ainda seja um cérebro infantil. Se ele tivesse ousado arriscar desde o início, estaria há muito tempo além de nossos esforços. De qualquer forma, pretende ser bem-sucedido, e um homem que tem séculos atrás de si pode esperar e avançar lentamente. *Festina lente** pode muito bem ser o seu lema.

— Não entendi — comentou Harker, denotando exaustão. — Seja mais claro, por favor! Talvez a tristeza e as preocupações tenham formado um obstáculo em meu cérebro.

O professor colocou a mão em seu ombro com toda a delicadeza.

— Serei mais claro, meu filho. Você não percebe que, recentemente, esse monstro vem ganhando conhecimento de forma experimental? Vem usando o paciente zoófago para conseguir acesso à casa do amigo John? O vampiro só pode entrar pela primeira vez em uma casa se for convidado por um morador; apenas depois disso ele tem o poder de ir e vir. Mas esses não foram seus experimentos mais importantes. Vocês não perceberam que todas as grandes caixas foram transportadas por outros no começo? Tudo o que ele sabia na época era que precisava ser assim. Mas, durante todo esse tempo, seu grande cérebro infantil se desenvolveu, e ele começou a se perguntar se ele mesmo não poderia mover as caixas. Passou, assim, a auxiliar os carregadores. Finalmente, quando descobriu que poderia carregá-las, tentou movê-las sozinho. E foi o que fez, espalhando as próprias sepulturas. Só ele sabe onde as escondeu. Talvez pretenda enterrá-las profundamente, e assim poder usá-las à noite ou nas horas em que for possível mudar de

---

* Apressa-te devagar, em latim.

forma; todas as caixas têm a mesma utilidade para ele, e ninguém pode saber que são seus esconderijos! Não se desespere, meu filho, ele só se deu conta disso tarde demais! Agora, com exceção de um, todos os seus covis foram esterilizados. E, antes do anoitecer, vamos esterilizar o último. Dessa forma, ele não terá onde descansar nem se esconder. Demorei a agir pela manhã para que pudéssemos ter certeza. Temos mais a perder do que ele, não é mesmo? Então temos que tomar mais cuidado do que ele! Pelo meu relógio, é uma hora da tarde, portanto, se tudo deu certo, os amigos Arthur e Quincey devem estar chegando a qualquer momento. Hoje é o nosso dia, e temos de ir adiante sem fraquejar, mesmo que o façamos devagar. O importante é não perder nenhuma oportunidade. Veja! Seremos cinco quando os outros dois chegarem aqui.

Enquanto conversávamos, bateram à porta, com a dupla batida característica do correio, e nós todos precipitamo-nos instintivamente para a entrada, mas Van Helsing, com um gesto, impôs silêncio e foi abrir a porta. O carteiro entregou o telegrama, e o professor fechou a porta de novo. Depois de olhar para todos os lados, abriu-o e leu em voz alta:

> Cuidado com D. Agora mesmo, às 12h45, acaba de sair apressado de Carfax, em direção ao sul. Parece estar fazendo sua ronda, e talvez queira vê-los.
>
> Mina

— Agora, graças a Deus, vamos encontrá-lo dentro em pouco! — exclamou Harker, após uma pausa.

— Deus saberá agir oportunamente e como lhe parecer melhor. Não tema, nem comemore ainda; pois o que desejamos neste momento pode ser o motivo de nossa derrota — atalhou Van Helsing.

— Neste momento, nada mais me importa senão aniquilar esse monstro da face da Terra — disse Jonathan, raivoso. — Venderia minha alma para isso!

— Acalme-se, meu filho! — disse Van Helsing. — Deus não compra almas; o Diabo as compra, mas não mantém a palavra. Mas Deus é piedoso e justo, e conhece a sua dor e a sua dedicação à madame Mina. Pense bem em como a dor dela seria dupla se ouvisse essas palavras despropositadas. Não tenha medo de nenhum de nós, somos todos dedicados a esta causa, e hoje tudo vai terminar. Está chegando a hora de agir. Hoje, esse vampiro está limitado aos poderes de homem e, antes do anoitecer, não vai poder se transformar. Vai demorar para chegar aqui. Veja, já é uma e vinte. Ainda temos um tempo até que ele apareça, por mais rápido que se desloque. Só precisamos torcer para que lorde Arthur e Quincey cheguem primeiro.

Meia hora depois, bateram de novo à porta. Era uma pancada comum, como a de qualquer pessoa, mas fez meu coração bater descompassado. Olhamos um para o outro e dirigimo-nos juntos ao vestíbulo, prontos a nos utilizar de nossos diversos instrumentos, os espirituais com a mão esquerda e os mortais com a direita. Van Helsing girou o trinco e, mantendo a porta entreaberta, recuou, deixando as mãos livres para agir. Ficamos muito felizes quando vimos lorde Godalming e Quincey Morris na escada, perto da porta. Eles entraram rapidamente e fecharam a porta. Lorde Godalming disse ao atravessar o saguão:

— Tudo correu bem. Encontramos seis caixas em cada casa e destruímos todas.

— Destruíram? — perguntou o professor.

— Para ele!

Ficamos calados por um tempo.

— Agora, nada mais nos resta senão esperar — disse Quincey. — Se, contudo, ele não aparecer até as cinco horas, devemos voltar, pois é perigoso deixar a Sra. Harker sozinha.

— Ele não vai demorar muito a chegar — anunciou Van Helsing, após consultar suas anotações. — Estejam todos preparados! *Nota bene*,* segundo o telegrama da madame, ele saiu de Carfax em direção ao sul. Isso quer dizer que atravessaria o rio, mas ele só pode fazer isso com a maré baixa, o que deve ter acontecido pouco antes da uma da tarde. Ter ido para o sul nos dá uma explicação. Por enquanto, está apenas desconfiado e saiu de Carfax a caminho do local em que

---

* Note-se bem, em latim.

menos esperaria encontrar alguma interferência. Vocês devem ter estado em Bermondsey pouco antes dele. O fato de não estar aqui ainda demonstra que foi a Mile End logo depois. Isso demandou-lhe algum tempo, pois precisaria ser transportado sobre o rio de alguma forma. Podem acreditar em mim, meus amigos, não vamos ter que esperar muito tempo agora. Devemos preparar um plano de ataque para não desperdiçar nenhuma oportunidade. Vamos, não há tempo a perder. Peguem suas armas! Estejam preparados!

Enquanto falava, o professor levantou a mão, em sinal de alerta, pois todos ouvimos uma chave ser inserida com delicadeza na fechadura da porta da frente.

Não pude deixar de admirar como, mesmo em um momento como aquele, cada um de nós manifestava as tendências da própria personalidade.

Em todas as nossas caçadas e aventuras, em diferentes partes do mundo, Quincey Morris sempre organizava o plano de ação, e Arthur e eu estávamos acostumados a segui-lo. O velho hábito pareceu renovar-se por instinto. Quincey olhou rapidamente em torno e, sem dizer uma palavra, com simples gestos, colocou-nos cada um em sua posição. Van Helsing, Harker e eu ficamos atrás da porta, de maneira que, quando ela fosse aberta, o professor pudesse guardá-la, enquanto nós dois nos colocaríamos entre o recém-chegado e a saída. Godalming, mais atrás, e Quincey, mais adiantado, postavam-se fora de nossa vista, prontos para se colocar em frente da janela.

Esperamos, com uma ansiedade que fazia os segundos se arrastarem com uma lentidão de pesadelo. Passos lentos e cuidadosos se fizeram ouvir no vestíbulo; evidentemente, o conde receava alguma surpresa, ou pelo menos parecia temer algo.

De repente, de um pulo, ele se precipitou na sala, com um movimento de pantera. Aquele movimento pareceu tão pouco humano que nos recuperamos na mesma hora do choque de sua chegada. O primeiro a agir foi Harker, que se lançou diante da porta que dava para a sala da frente da casa. Ao nos ver, o conde soltou um rugido, mostrando os caninos aguçados. Mas o sorriso maligno logo se transformou em um olhar fixo e frio, tal como o de um leão desdenhoso. Sua expressão se alterou novamente quando, com um único impulso, todos fomos em sua direção. Foi uma pena que não tivéssemos organizado melhor nosso plano de ataque, pois, na hora, eu não soube exatamente o que fazer. Não saberia nem dizer se nossas armas mortíferas se mostrariam úteis. Harker evidentemente quis pôr à prova essa teoria, pois desfechou um golpe súbito e potente no monstro com sua faca *kukri*. Foi um golpe poderoso, e somente a agilidade do conde o salvou. Por uma fração de segundo a lâmina deixou de se enterrar em seu coração. A ponta da faca abriu um rasgo no casaco do conde e, por ele, um punhado de notas e muitas moedas de ouro se espalharam pelo chão. A expressão do rosto tornou-se diabólica, e receei pela vida de Harker, que investira de novo com a faca. Instintivamente, avancei para protegê-lo, levantando o crucifixo e a hóstia na mão esquerda. Senti um poder intenso esvoaçar ao longo do meu braço, e foi sem surpresa alguma que vi o monstro recuar ante um movimento semelhante que cada um de nós fez espontaneamente. É impossível descrever a expressão de ódio e maldade perplexa que se estampou na fisionomia do conde. Ele começou a exibir uma cor amarelo-esverdeada, que contrastava com os olhos flamejantes, e a cicatriz vermelha na pele pálida da testa parecia latejar. Em seguida, escapou por baixo do braço de Harker antes do segundo golpe. Com um ágil movimento, afastou-se de Harker e, depois de ter apanhado no chão um punhado de dinheiro, atravessou correndo o saguão e pulou pela janela. Em meio ao ruído e o reflexo de vidros estilhaçados, caiu no pátio embaixo. No meio do tilintar do vidro, pude distinguir o som de algumas moedas de ouro que caíram das mãos do vampiro.

Corremos à janela e o vimos levantar-se, incólume, e dirigir-se ao portão dos fundos.

— Pensam que podem me enfrentar? Vocês, com suas caras pálidas todas enfileiradas, como cordeiros em um açougue? — gritou para nós. — Ainda vão sofrer muito! Pensam que me deixaram sem lugar para descansar, mas tenho mais. Minha vingança está apenas começando! Eu a espalho ao longo dos séculos, e o tempo corre a meu favor. As mulheres que vocês amam já são minhas. E, por meio delas, vocês todos serão meus... minhas criaturas para cumprir meus desejos e meus chacais para quando eu quiser me alimentar.

Soltou uma expressão cheia de desdém e zombaria, e passou rapidamente pela porta. Deu para ouvir a tranca enferrujada ranger quando a trancou atrás de si. Houve o ruído de outra porta que se abriu e bateu em seguida.

O professor foi o primeiro a falar. Percebemos como seria difícil acompanhá-lo no estábulo e corremos para o saguão de entrada.

— Ficamos sabendo de uma coisa — disse o professor. — Apesar de sua empáfia, ele está com medo de nós. Ele teme o tempo, e teme a necessidade! Por que teria pressa se não fosse isso? Posso estar enganado, mas sinto que a própria maneira como falou o traiu. Por que pegar aquele dinheiro? Depressa, sigam-no. Vocês são caçadores de animais selvagens e entendem do assunto. E acho que é preciso providenciar para que ele nada encontre que lhe possa ser útil, no caso de voltar.

E, assim falando, pôs no bolso o dinheiro que sobrara e colocou na lareira as escrituras e os demais objetos, ateando fogo em tudo. Godalming e Morris tinham corrido ao pátio em perseguição ao conde, mas ele já ia longe e havia trancado a porta do estábulo. Quando eles conseguiram abri-la, já não havia sinal dele. Van Helsing e eu tentamos verificar algo nos fundos da casa, mas os estábulos estavam vazios, e ninguém havia visto nada. Era final da tarde e logo anoiteceria. Tivemos de admitir que a luta havia terminado por hoje. Com o coração pesado, concordamos com o professor quando ele disse:

— Vamos voltar para a querida madame Mina. Tudo o que podíamos fazer agora está feito, e lá, pelo menos, poderemos protegê-la. Não nos desesperemos. Só existe mais uma caixa de terra, e vamos tentar encontrá-la. Quando conseguirmos, talvez volte a ficar bem.

Dava para notar no tom de coragem em sua voz uma tentativa de consolo para Harker. O pobre homem havia ficado muito abalado e de vez em quando não conseguia reprimir seus gemidos. Só pensava na esposa.

Com o coração entristecido, voltamos para minha casa, onde encontramos a Sra. Harker à nossa espera, com uma aparência alegre que revelava bastante sua coragem e desapego. Quando viu nossos semblantes abatidos, ficou pálida feito a morte. Durante um ou dois segundos, os olhos se fecharam, como se fizesse uma prece em segredo. E então ela disse, com voz entusiasmada:

— Jamais vou poder agradecer a todos vocês o bastante. Meu querido! — Enquanto falava, pegou a cabeça grisalha do marido nas mãos e o beijou. — Encoste a cabeça aqui e descanse. Vai ficar tudo bem, meu querido! Deus há de nos proteger, se Ele assim o desejar em Sua infinita bondade.

O pobre homem gemeu. Não havia lugar para palavras em sua angústia sublime.

Realizamos uma breve ceia, e creio que isso tenha nos animado um pouco. Talvez tenha sido somente o simples desejo de nos alimentarmos por estarmos famintos, afinal nenhum de nós havia comido nada desde o café da manhã, ou quem sabe foi a amizade que nos unia cada vez mais, mas o fato é que nos sentimos menos infelizes. A perspectiva do dia seguinte não se revelava totalmente desprovida de esperança. Fiel à nossa promessa, relatamos à Sra. Harker tudo o que havia acontecido. E, embora ficasse branca como a neve quando o perigo parecia ameaçar seu marido, e às vezes enrubescesse, quando a dedicação dele se manifestava escutou com coragem e serenidade. Quando chegamos à parte em que Harker atacou o conde tão temerariamente, ela agarrou o braço do marido e o apertou, como se assim pudesse protegê-lo de qualquer perigo que pudesse ter acontecido.

Contudo, não se manifestou até a narrativa acabar e o assunto se encaminhar para o presente. Então, sem soltar a mão do marido, Mina se levantou e falou. Como eu gostaria de poder descrever a cena com todos os seus detalhes. A mulher tão meiga e boa, em toda a radiante beleza de sua juventude e entusiasmo, com a cicatriz vermelha na testa, da qual tinha plena consciência e que nos fazia ranger os dentes pela lembrança de quando e como havia sido feita, a bondade amorosa contrastando com o nosso ódio macabro, a fé terna em oposição aos nossos medos e dúvidas, e nós conscientes de que, até onde os símbolos nos mostravam, ela, com toda a sua bondade, pureza e fé, era uma excluída de Deus.

— Jonathan — começou ela. A palavra soou como música em seus lábios, de tanto amor e ternura contida. — Querido Jonathan, e todos vocês, meus caros e verdadeiros amigos, quero que tenham uma coisa em mente durante todo esse tempo de pavor. Sei que ainda precisam lutar. Que devem destruí-lo como destruíram a falsa Lucy para que a verdadeira Lucy pudesse alcançar a vida eterna. Mas essa não deve ser uma missão de ódio. Aquela pobre alma que causou toda essa desgraça é o caso mais triste de todos. Apenas pensem na alegria que ele também terá quando sua pior parte for destruída para que sua melhor parte alcance a imortalidade espiritual. Vocês devem ter pena dele também, ainda que isso não impeça suas mãos de destruí-lo.

Enquanto Mina falava, pude ver o rosto de seu marido se cobrir de sombras e se retrair, como se a forte emoção dentro dele o sugasse até o âmago. Instintivamente, a mão da esposa apertou a sua com ainda mais força, até seus dedos ficarem brancos. Ela não hesitou diante da dor que eu sabia que devia estar sentindo, mas fitou-o com olhos mais suplicantes do que nunca. Quando concluiu, Harker levantou-se, quase arrancando a própria mão das que a seguravam, e exclamou:

— Que Deus me permita ter esse monstro diante de mim só o tempo suficiente para destruir sua existência terrena. Se, além disso, eu puder enviar sua alma para arder eternamente no inferno, eu também o farei!

— Acalme-se! Acalme-se, em nome do bom Deus. Não diga essas coisas, Jonathan, meu marido amado, ou você vai me deixar arrasada de medo e horror. Pense bem, meu querido... Tenho refletido sobre isso o dia inteiro... Talvez... um dia... eu também possa vir a precisar dessa compaixão, e que alguém como você, e com igual motivo para a raiva, pode vir a negá-la a mim! Meu esposo! Meu querido, eu o teria poupado desse pensamento se fosse realmente possível. Mas peço a Deus para que Ele não tenha levado em consideração as suas palavras destemperadas, entendendo que não passam do gemido magoado de um homem muito apaixonado e abalado pelo sofrimento. Meu Deus, que esses pobres cabelos brancos sirvam como prova de tudo o que ele sofreu. Uma pessoa que nunca fez mal algum a ninguém e que sofreu com tantas tristezas que lhe têm sido impostas.

Todos os homens presentes começaram a chorar naquele momento. Não havia como evitar as lágrimas, e choramos copiosamente. Ela também chorou, ao ver que seus doces conselhos haviam prevalecido. O marido se atirou a seus pés e, abraçando-a, escondeu o rosto nas dobras de seu vestido. Van Helsing fez sinal para que saíssemos da sala, deixando os dois corações apaixonados sozinhos com seu Deus.

Antes que o casal fosse dormir, o professor preparou o quarto contra qualquer tentativa de invasão do vampiro e garantiu à Sra. Harker que ela poderia descansar em paz. Ela tentou se convencer disso e, claramente pelo bem do marido, fez um esforço para se mostrar satisfeita. Foi uma atitude corajosa, e tenho certeza de que funcionou. Van Helsing havia deixado à mão um sino, o qual qualquer um dos dois deveria tocar em caso de emergência. Depois que o casal se recolheu, Quincey, Godalming e eu combinamos que ficaríamos acordados, dividindo a noite em turnos entre nós para garantir a segurança da pobre dama aflita.

O primeiro turno coube a Quincey, portanto devemos todos dormir agora, assim que pudermos. Godalming já foi se deitar, pois será o segundo a ficar de vigia. Agora que meu trabalho está encerrado, também vou dormir.

DIÁRIO DE JONATHAN HARKER

3-4 de outubro, quase meia-noite — O dia me pareceu interminável. Passei o dia com muita vontade de dormir. Creio que, de certa forma, pensava que, ao acordar, tudo estaria mudado, e as mudanças só poderiam ser para melhor. Antes de nos separarmos, discutimos a respeito de qual deveria ser nossa próxima providência, mas não chegamos a um acordo. A única coisa que sabemos é que resta uma caixa de terra, e somente o conde sabe onde ela está. Se ele resolver ficar escondido, pode nos enfrentar durante anos, e enquanto isso... Não gosto nem de pensar numa coisa dessas! Uma coisa é certa para mim: se algum dia existiu uma mulher que reúne toda a perfeição, é minha pobre e querida amada. Amo-a ainda mais pela doce piedade exposta na noite passada, uma compaixão que fez meu ódio pelo monstro parecer desprezível. Certamente, Deus não permitirá que o mundo se torne mais pobre pela perda dessa doce mulher. Essa é a minha esperança. Estamos todos navegando sem destino, só a fé pode nos orientar. Graças a Deus, Mina está dormindo tranquilamente, sem sonhos. Tenho medo dos sonhos que ela possa ter, com tantas lembranças terríveis para lhe servir de inspiração. Desde o anoitecer que não me parece tão calma quanto agora. Então, por algum tempo, vi em sua expressão que estava realmente descansando. Não estou com sono, embora esteja exausto... mortalmente exausto. Eu também preciso dormir. Não vou descansar até...

Mais tarde — Devo ter adormecido. Fui acordado por Mina, que estava sentada na cama, muito assustada. A iluminação do quarto me permitia ver tudo com nitidez. Ela colocou a mão sobre minha boca em sinal de alerta.

— Há alguém no corredor! — murmurou no meu ouvido.

Levantei-me, pé ante pé, e abri a porta. O Sr. Morris estava no corredor, estendido em um colchão, mas bem acordado.

— Volte para a cama — disse. — Um de nós vai ficar aqui a noite toda. Não vamos arriscar.

Sua expressão e seu gesto não permitiam qualquer discussão, então voltei e contei a Mina. Ela suspirou, esboçando um sorriso em seu pobre rosto pálido, enquanto me abraçava e murmurava:

— Graças a Deus por homens bons e corajosos!

Com outro suspiro, tornou a dormir. Escrevo agora porque estou sem sono, embora devesse tentar dormir de novo.

4 de outubro, de manhã — Mais uma vez, Mina me acordou durante a noite, mas já havíamos dormido bastante, pois dava para perceber a manhã se insinuando com seus tons cinzentos, e a chama do gás parecia uma mancha, e não um disco de luz. Ela me disse agitada:

— Vá chamar o professor. Preciso vê-lo imediatamente.

— Para quê?

— Tive uma ideia. Creio que essa ideia surgiu durante a noite e foi amadurecendo sem que eu soubesse. Ele deve me hipnotizar antes do amanhecer, e poderei falar. Vá depressa, querido. O tempo está passando.

Fui até a porta. O dr. Seward estava descansando no colchão e, ao me ver, logo se levantou.

— Algum problema? — perguntou, preocupado.

— Não — respondi. — Mas Mina quer falar com o dr. Van Helsing agora mesmo.

— Vou chamá-lo — prontificou-se ele, correndo até o quarto do professor.

Dois ou três minutos depois, estava no quarto, vestindo um roupão de chambre, enquanto Morris e lorde Godalming, na porta com o dr. Seward, faziam perguntas.

Quando o professor viu Mina, um sorriso positivo deixou para trás toda angústia expressa em seu rosto. Ele esfregou as mãos e disse:

— Querida madame Mina, vejo que realmente uma mudança aconteceu. Veja, amigo Jonathan! Hoje, nossa querida madame Mina de antes está de volta! — Então, virando-se para ela, perguntou entusiasmado: — O que posso fazer pela senhora? Por que a senhora precisaria de mim em uma hora como essa?

— Quero que o senhor me hipnotize, antes de amanhecer, para que eu possa falar livremente. Seja rápido, o tempo voa! — disse Mina.

Sem dizer uma palavra sequer, o professor fez um sinal para que se sentasse na cama. Olhando fixamente para ela, começou a fazer passes com as mãos. Mina ficou imóvel, sem tirar os olhos dele por alguns minutos. Meu coração batia descompassadamente, e eu receava uma crise. Pouco a pouco, os olhos dela foram se fechando, e ela se sentou, imóvel. Apenas o delicado peito ofegante indicava que estava viva. O professor fez mais alguns passes e parou, e pude ver que sua testa estava coberta de suor. Mina abriu os olhos, mas não parecia a mesma mulher. Tinha uma expressão distante, e a voz parecia sonhadora e triste ao mesmo tempo, algo que eu não havia presenciado ainda. Levantando a mão para impor silêncio, o professor fez um sinal para que eu fosse buscar os demais. Eles entraram na ponta dos pés, fecharam a porta e ficaram parados ao pé da cama, observando. Mina aparentemente não os enxergava. Van Helsing quebrou o silêncio, falando baixinho, para não interferir nos pensamentos dela.

— Onde você está?

Ela respondeu de forma neutra:

— Não sei. O sono não tem morada.

O silêncio perdurou por algum tempo. Mina estava tensa, e o professor a encarava fixamente. Todos nós permanecemos imóveis, mal ousando respirar. O quarto ficava mais claro. Sem tirar os olhos do rosto de Mina, o dr. Van Helsing fez sinal para que eu abrisse a cortina. Obedeci, e o dia estava claro lá fora. Uma faixa vermelha erguia-se no horizonte, e uma luz rosada pareceu penetrar em todo o quarto. Naquele momento, o professor perguntou novamente:

— Onde você está agora?

A resposta veio sonhadora, mas sua intenção era óbvia. Era como se ela estivesse interpretando. Já tinha ouvido Mina usar o mesmo tom ao ler suas anotações taquigrafadas.

— Não sei. É inteiramente desconhecido para mim.

— O que está vendo?

— Não consigo ver nada; está tudo escuro.

— O que está ouvindo?

— O barulho da água. As batidas de pequenas ondas. Posso ouvir o marulho das ondas se movendo lá fora.

— Quer dizer que você está em um navio?

Nós todos nos entreolhamos. Tínhamos medo de pensar.

— Estou!

— O que mais está ouvindo?

— Homens caminhando por cima de onde estou. O ruído de uma corrente, o ranger de um cabrestante.

— O que você está fazendo?

— Estou imóvel, tão imóvel! É como a morte!

A voz desapareceu, e Mina abriu os olhos. O sol já se levantara, e estávamos iluminados pela luz do dia. O dr. Van Helsing segurou Mina pelos ombros e pôs sua cabeça no travesseiro. Ela dormiu tranquilamente durante algum tempo; depois, suspirando, acordou e olhou ao redor.

— Falei dormindo? — foi tudo o que disse.

Mas parecia conhecer a situação, pois estava muito interessada em saber o que tinha falado. O professor repetiu a conversa, e ela exclamou:

— Não podemos perder nem um segundo. Talvez ainda não seja muito tarde.

O Sr. Morris e lorde Godalming fizeram menção de se encaminhar para a porta, mas o professor os deteve.

— Acalmem-se, meus amigos! — disse ele. — Aquele navio estava levantando âncora no momento em que ela falou. São muitos os navios que levantam âncora no porto de Londres. Qual deles será? Graças a Deus, temos de novo uma pista, embora não saibamos ainda aonde ela poderá nos levar. Agora, podemos entender melhor qual foi a ideia do conde quando correu para pegar aquele dinheiro em Piccadilly. Queria fugir. Viu que, dispondo apenas de uma caixa de terra e com um grupo de homens a persegui-lo como cães atrás de uma raposa, não havia lugar para ele em Londres. Levou a última caixa de terra para um navio e deixou este país. Acha que vai escapar, mas está enganado. Iremos atrás dele. *Tally Ho!*,* como diria o amigo Arthur quando veste sua casaca vermelha! Nossa velha raposa é esperta. Mas nós também dispomos de esperteza para caçá-la. Sinto que consigo pensar como ele pensa às vezes. Enquanto isso, vamos descansar tranquilos, pois há águas entre nós que ele não pretende transpor, e nem poderia, mesmo que quisesse. A não ser que o navio aporte, mesmo assim isso só acontecerá com a maré cheia. Vejam, o sol já nasceu, e temos o dia inteiro para descansar. Por enquanto, vamos tratar de tomar um banho, vestirmo-nos e comermos sem pressa, já que ele não se encontra na mesma terra que nós.

— Mas, se ele está fugindo de nós, por que persegui-lo? — perguntou Mina.

Ele pegou sua mão e fez um gesto carinhoso ao responder:

— Não pergunte mais nada agora. Depois de comermos, vou responder a todas as perguntas.

Ele não disse mais nada, e fomos todos trocar de roupa.

---

* Expressão inglesa usada durante a temporada de caça à raposa.

Após o café da manhã, Mina repetiu a pergunta. O professor olhou austeramente para ela e respondeu com pesar:

— Agora, minha cara madame Mina, é que precisamos segui-lo, mesmo se fosse para as profundezas dos infernos.

Ela empalideceu e perguntou:

— Mas por quê?

— Porque ele pode viver séculos, e a senhora é apenas uma mulher mortal. Há tudo a temer depois que ele deixou essa marca em seu pescoço.

Corri bem a tempo de recebê-la, desmaiada, em meus braços.

XXIV

DIÁRIO FONOGRÁFICO DO DR. SEWARD,
FALADO POR VAN HELSING

Este é um recado para Jonathan Harker.

Você deve ficar com madame Mina. Vamos sair para fazer novas investigações, mas para você nada há de mais importante que ficar ao lado dela. Nosso inimigo está voltando para seu castelo na Transilvânia. Tenho tanta certeza disso como se uma imensa mão de fogo o tivesse escrito na parede. Ele deve ter se preparado para essa fuga de alguma forma, e aquela última caixa de terra devia estar pronta para ser embarcada em algum lugar. Por isso pegou o dinheiro. Por isso fugiu apressadamente, para que não o pegássemos antes de anoitecer. Era sua última esperança, a não ser que fosse se esconder no mausoléu da Srta. Lucy, se pensasse que ela ainda é como ele e que o deixou aberto para recebê-lo. Mas não havia tempo para isso. Dessa forma, recorreu à última estratégia, que ouso chamar de seu último trabalho terreno, caso quisesse criar uma *double entente*.* Ele é perspicaz demais! Sabia que seu jogo por aqui estava terminado, por isso resolveu voltar para casa. Há um navio agora voltando pela mesma rota em que veio, e o conde deve ter embarcado nele. Agora vamos encontrar esse navio e descobrir seu destino, e então, assim que voltarmos, contaremos tudo. Assim, vamos trazer consolo para você e para a pobre madame Mina com novas esperanças. Se pararmos para pensar, ainda há uma esperança e nem tudo está perdido. Esse monstro que perseguimos levou centenas de anos para conseguir chegar a Londres. E o expulsamos em um único dia, assim que descobrimos seu paradeiro. Ele é finito, embora seja bem poderoso para nos causar muito mal e não se abata pelo sofrimento, como nós. Mas somos fortes, temos nossos objetivos, e somos ainda mais fortes juntos. Acalme seu coração, caro esposo da madame Mina. Pode ficar confiante. A batalha apenas começou e iremos vencê-la, tão certamente como Deus se encontra lá no alto, cuidando de todos os seus filhos. Que isso lhe sirva de consolo até que voltemos.

Van Helsing

---

* Duplo sentido, em francês.

DIÁRIO DE JONATHAN HARKER

4 de outubro — Quando li para Mina o recado que Van Helsing deixara no fonógrafo, ela ficou muito animada. A certeza de que o conde já não está mais no país foi um bálsamo para ela. E essa consolação parece que a deixou mais forte. Quanto a mim, agora que esse perigo horrível está se afastando de nós, sinto ser quase impossível acreditar nele. Até minhas próprias experiências terríveis no castelo de Drácula parecem um sonho esquecido pelo tempo. Aqui, em pleno outono e com o brilho do sol...

Infelizmente não há como não acreditar! Meu olhar recaiu sobre a cicatriz vermelha na testa branca de minha pobre amada enquanto eu pensava em todos os acontecimentos. Enquanto aquela cicatriz estiver ali, não tenho como não acreditar. Mina e eu temos medo de ficar à toa, então lemos e relemos todos os diários. De alguma forma, embora a realidade pareça cada vez maior, a dor e o medo parecem diminuir. Há um objetivo que nos guia e que vem se manifestando em tudo, e isso nos consola. Mina diz que talvez sejamos instrumentos para que o bem prevaleça. Talvez! Tentarei pensar como ela. Ainda não falamos sobre o futuro. É melhor esperarmos que o professor e os outros concluam suas investigações.

O dia correu tão rapidamente que até estou custando a acreditar. Já são três horas da tarde.

DIÁRIO DE MINA HARKER

5 de outubro, 5 horas da tarde — Relato da reunião. Presentes: professor Van Helsing, lorde Godalming, dr. Seward, Sr. Quincey Morris, Jonathan Harker e Mina Harker.

O dr. Van Helsing tomou a palavra:

— Como eu sabia que o conde queria voltar à Transilvânia, deduzi que ele devia ir pela foz do Danúbio ou por algum porto do mar Negro, caminho pelo qual veio. Em nossa frente, havia um vazio que nos desanimava. *Omne ignotum pro magnifico,*[*] e assim, com o coração

---

[*] Tudo que é desconhecido tende a ser magnífico, em latim.

pesado, fomos procurar os navios que haviam partido para o mar Negro na noite de ontem. Pela descrição que madame Mina fez do barulho das velas sendo içadas, era um veleiro. E esse tipo de barco não é tão importante para fazer parte da lista das embarcações do *Times*. Então, acatando a sugestão de lorde Godalming, recorremos ao *Lloyd's*, que registra todas as embarcações em atividade, por menores que sejam. Assim, tratamos de saber quais navios tinham partido para o mar Negro e chegamos à conclusão de que se trata de uma escuna, a *Czarina Catherine*, que partiu para Varna do cais de Doolitle. Presumo que este seja o navio em que o conde está. Dirigimo-nos àquele cais, e ali um empregado nos deu todas as informações que desejávamos. Ele era desbocado, tinha o rosto avermelhado e falava muito alto, mas, de forma geral, parecia ser um bom rapaz. E, quando Quincey lhe apresentou uma moeda brilhante, ele aceitou, colocou-a em uma bolsinha dentro da roupa e nos atendeu de forma ainda mais solícita e humilde. Saiu conosco e fez perguntas a vários homens broncos espalhados por lá, que também deviam ser bons rapazes, ainda melhores quando estivessem sem tanta sede. Eles falaram, xingaram e gritaram várias coisas que não entendi, apesar de ter inferido o significado. De qualquer forma, nos contaram tudo o que queríamos saber: que na véspera, ao anoitecer, um homem alto, magro e pálido, de nariz aquilino, dentes muito brancos e olhos que pareciam arder, aparecera apressado. Ele estava todo de preto, exceto pelo chapéu de palha, que não combinava com ele nem com o horário. Ele então espalhou muito dinheiro, perguntando sobre qual navio sairia para o mar Negro e para onde, exatamente. Alguém o levou ao escritório e de lá para o navio, onde, em vez de embarcar, ele parou no começo da prancha de embarque e pediu que o capitão viesse até ele. O capitão veio quando lhe informaram que ele pagaria bem; e, embora xingasse muito, a princípio, acabou concordando. Aí o sujeito magro subiu e alguém lhe disse onde poderia alugar uma carroça com cavalo. Ele foi até lá e em breve voltou, dirigindo ele mesmo uma carroça em que havia um caixote grande. Ele mesmo retirou o caixote da carroça, demonstrando uma força prodigiosa, afinal foram necessários vários homens para levá-lo para bordo. O homem insistiu muito sobre o lugar em que a caixa devia ser colocada, a tal ponto que o capitão perdeu a paciência, mas, depois de praguejar em várias línguas, pois era poliglota, acabou dizendo que ele poderia voltar, se quisesse, para ver onde o caixote ficaria. Ele respondeu que não iria, pois ainda havia muito o que fazer. O capitão respondeu que era melhor ele ser rápido, então, pois seu navio iria embora daquele lugar antes que a maré virasse. Nessa hora, o homem magro sorriu e disse que, obviamente, ele deveria ir quando achasse melhor; mas que ele ficaria surpreso se o navio levantasse âncora tão cedo. O capitão xingou de novo em várias línguas e o sujeito magro fez uma reverência; agradeceu-lhe e avisou que abusaria de sua bondade subindo a bordo antes da partida. No fim, o capitão, mais vermelho do que nunca, disse em várias línguas que não queria nenhum francês a bordo. Assim, depois de perguntar onde seria o local mais próximo para adquirir formulários de remessas, ele partiu.

"Ninguém soube nem se importou em saber para onde ele foi, pois tinham outra coisa em que pensar: logo ficou evidente que a escuna não poderia partir na hora esperada, porque um nevoeiro a envolveu. O capitão estava de muito mau humor quando o homem magro apareceu de novo, pedindo para ver onde estava o caixote. O capitão mandou-o a todos os diabos, mas o homem não se ofendeu e foi, levado por um marinheiro, ver onde estava a caixa. Ao voltar, parou no convés, coberto pelo nevoeiro. Ninguém reparou quando ele saiu. Na verdade, a tripulação não se preocupou muito com ele. Logo em seguida, o nevoeiro se desfez, e o barco pôde se preparar para partir. Quando recebemos essas informações, a escuna já estava em alto-mar.

"Assim, cara madame Mina, devemos agora descansar um pouco, pois nosso inimigo está no mar, com o nevoeiro a seu comando, a caminho da foz do Danúbio. Vamos cercá-lo, viajando por terra. Nossa grande esperança é encontrá-lo na caixa entre o nascer e o pôr do sol, assim ele não poderá lutar, e poderemos atacá-lo. Temos alguns dias para preparar nosso plano. Sabemos tudo a respeito do lugar para onde ele vai, pois falamos com o dono do navio, que nos mostrou suas faturas e toda a papelada existente. A caixa, segundo apuramos, deve ser desembarcada em Varna e será recebida por um agente chamado Ristics, que lá apresentará suas credenciais. Quando o mercador perguntou se havia algum problema, pois poderia telegrafar para Varna e pedir que uma investigação fosse feita, dissemos para não fazer isso, afinal nossa missão não deve incluir a polícia nem a alfândega. Nós mesmos devemos executá-la, sozinhos, e à nossa maneira.

Perguntei ao dr. Van Helsing se tinha certeza de que o conde estava a bordo do navio.

— Temos a melhor prova nesse sentido: suas próprias palavras, quando em transe hipnótico, hoje de manhã — respondeu.

Perguntei, ainda, se seria necessário perseguir o conde. Não queria que Jonathan se separasse de mim, e ele, naturalmente, faria questão de ir se os outros fossem. O professor me respondeu de forma inflamada, mantendo a voz baixa no começo. Porém, conforme prosseguia, mostrava-se cada vez mais irritado e incisivo, até que, por fim, ficou claro o domínio pessoal que fez dele um mestre entre os demais.

— É necessário, fundamental, indispensável! Para seu próprio bem, em primeiro lugar, e para o bem da humanidade. Esse monstro já fez muito mal, dentro do estreito escopo de que dispõe e do curto período em que foi apenas um corpo descobrindo seu caminho na escuridão às apalpadelas. Tudo isso eu já disse a eles. A senhora, minha cara madame Mina, vai saber pelo fonógrafo de meu amigo John ou pelo registro de seu marido. Contei a todos sobre como a decisão do conde de partir de sua terra inabitável e deserta para vir a um novo lugar onde a vida humana é abundante tomou-lhe séculos. Se outro morto-vivo como ele tentasse fazer o que fez, talvez não conseguisse fazê-lo nem com a ajuda de todos os séculos presentes e passados deste mundo. No caso dele, todas as forças da natureza que são ocultas, profundas e fortes devem ter agido juntas de alguma forma. O próprio local em que viveu como morto-vivo por todos esses séculos é cheio de aspectos estranhos do mundo geológico e químico. Há cavernas profundas e fendas cujo alcance nem podemos imaginar. Já existiram ali vulcões, e suas aberturas ainda fazem jorrar águas de estranhas propriedades, e gases que matam ou dão vida. Não podemos duvidar de que há algo magnético ou elétrico em algumas dessas combinações de forças ocultas que agem sobre a vida física de maneira estranha, e o próprio conde apresenta essas características desde o começo. Em uma época dura e belicosa, ele foi celebrado por ter mais nervos de aço, um cérebro mais sutil, um coração mais valente que o de qualquer outro homem. Nele, algum princípio vital encontrou, de uma forma estranha, sua expressão máxima. E assim como seu corpo se conserva forte e cresce e prospera, seu cérebro também cresce. Tudo isso sem contar com aquele auxílio diabólico com que conta agora; pois tinha que ceder ante os poderes que vinham do bem e o simbolizavam. E agora, é isso o que ele representa para nós. Ele a infectou... Perdoe-me, minha querida, por ter que dizer isso, mas falo pelo seu bem. Ele a contaminou de tal modo que, mesmo que não repita sua ação, basta a senhora viver como antes sua doce existência, e com o tempo, a morte, que é o fim de todos nós e a punição divina, vai te tornar igual a ele. E isso não pode acontecer! Juramos juntos que não acontecerá. Somos, assim, ministros da própria Vontade Divina: que o mundo e os homens por quem Seu Filho morreu não serão entregues a monstros, cuja própria existência O difama. Já nos permitiu redimir uma alma, e agora, como os antigos cruzados, redimiremos outras. Como eles, viajaremos rumo ao Oriente e, como eles, se cairmos, teremos caído em defesa de uma nobre causa!

Ele fez uma pausa e eu indaguei:

— Mas será que o conde não aprendeu com a nossa reação? Uma vez que foi expulso da Inglaterra, será que não vai evitar voltar, como um tigre faz com a aldeia que o escorraçou?

— Essa imagem do tigre é muito boa, e vou usá-la de agora em diante. Esse devorador de homens, como é chamado na Índia o tigre que já experimentou sangue humano, não se interessa mais por outra caça, mas fica espreitando de forma incansável até conseguir mais homens. Este que foi escorraçado por nós também é um tigre, um devorador de homens, e sempre estará à espreita. Não, não é próprio dele se retirar e permanecer afastado. Durante o tempo em que esteve vivo, foi à fronteira da Turquia e atacou o inimigo na própria terra. Foi obrigado a recuar, mas nem isso o fez parar. Voltou para o mesmo lugar inúmeras vezes. Perceba como persiste e resiste. Mesmo possuindo o cérebro infantil de antes, fazia muito tempo que elaborava a ideia de vir para uma cidade grande. E o que ele fez? Encontrou o lugar do mundo que lhe pareceu mais promissor. E passou a se dedicar a essa tarefa. Descobriu com toda a paciência a extensão de sua força e de seus poderes. Estudou novas línguas. Aprendeu novas condutas sociais, novos cenários de velhos costumes, política, leis, finanças, ciência, enfim, todo os hábitos de uma nova terra e de um povo novo que surgiu durante sua existência. Tudo isso só o deixou com mais desejo e apetite. E foi toda essa empreitada que colaborou com o crescimento do seu cérebro, pois teve a prova de que sempre esteve certo. Ele fez tudo isso sozinho! A partir de um mausoléu em ruínas em uma terra esquecida. O que mais não poderá fazer quando o mundo dos amplos pensamentos estiver aberto para ele? Ele sorrirá para a morte, e sabemos que fará isso. Doenças que matam povos inteiros não poderão detê-lo. Ah, se ele fosse fruto da criação de Deus, e não do Diabo, que força espetacular para o bem ele seria neste nosso velho mundo! Contudo, juramos libertar o mundo. Devemos cumprir nossa missão em silêncio, e não podemos divulgar nossos esforços. Vivemos em uma época esclarecida em que os homens não acreditam nem no que veem, e, dessa forma, a dúvida dos mais inteligentes seria a maior força do vampiro. Essa seria ao mesmo tempo sua proteção e sua maior arma para destruir os inimigos, que estão dispostos a arriscar as próprias almas pela segurança de alguém que amam. Pelo bem da humanidade, e pela honra e glória de Deus.

Depois de uma discussão geral, foi determinado que naquela noite nada seria definitivamente resolvido; que todos devíamos dormir com os fatos e tentar pensar nas conclusões adequadas. Amanhã, no café da manhã, nos encontraremos novamente e, depois de fazermos conhecer nossas conclusões um ao outro, decidiremos algum plano de ação.

Sinto uma maravilhosa paz e tranquilidade esta noite, como se uma presença desagradável tivesse se afastado de mim. Talvez...

Minha suposição não foi concluída, não poderia ser; não pude deixar de ver, no espelho, a mancha vermelha em minha testa. Sei que ainda estou impura.

DIÁRIO DO DR. SEWARD

5 de outubro — Levantamo-nos todos muito cedo, e uma boa noite de sono foi revigorante para todos nós. Quando nos reunimos na refeição matinal, estávamos mais alegres do que acreditaríamos ser possível.

Que benção é a resiliência da natureza humana. Assim que todos os obstáculos são removidos, quaisquer que sejam e da maneira que for, até pela morte, voltamos rapidamente aos princípios fundamentais da esperança e do prazer. Mais de uma vez, conforme estávamos sentados à mesa, arregalei os olhos de espanto, perguntando-me se os últimos dias não teriam sido apenas um sonho. Apenas quando vi de relance a mancha vermelha na testa da Sra. Harker fui trazido de volta à realidade. Mesmo agora, quando penso com muita seriedade nesse assunto, é quase impossível conceber que o motivo de toda a nossa aflição ainda exista. Até a Sra. Harker parece esquecer suas aflições durante longos períodos. Apenas de vez em quando algo lhe traz essa lembrança, e ela pensa na terrível cicatriz.

Em meia hora, vamos nos reunir outra vez aqui em meu escritório para decidir os próximos passos. Por enquanto, vejo apenas uma dificuldade imediata, e mesmo assim sei disso apenas por instinto, não pelo uso da razão: agora, temos de falar tudo abertamente; e, no entanto, misteriosamente, receio que a Sra. Harker não vá conseguir dizer nada. *Sei* que ela tira as próprias conclusões e, por tudo o que já aconteceu, posso imaginar como devem ser brilhantes e verdadeiras. Mas não vai dizer nada ou não vai conseguir expressá-las. Comentei isso com Van Helsing, e vamos tratar do assunto novamente quando estivermos sozinhos. Suponho que seja aquele veneno horrível penetrando em suas veias começando a fazer efeito. O conde tinha seus propósitos quando deu a ela o que Van Helsing chamou de "batismo de sangue do vampiro". Contudo, pode existir um veneno destilado a partir de coisas boas. Em uma época em que a existência das ptomaínas[*] é um mistério, não devemos nos espantar com nada! De uma única coisa tenho certeza; se meu instinto estiver certo sobre as ausências da pobre Sra. Harker, então teremos uma dificuldade terrível,

---

[*] Substância tóxica composta por cadáveres putrefatos.

um perigo desconhecido na tarefa que temos diante de nós. O mesmo poder que a faz ficar em silêncio pode também induzi-la a falar. Nem quero pensar além disso. Fazê-lo seria desonrar em pensamento uma mulher nobre!

Van Helsing virá ao meu escritório um pouco antes dos outros. Devo tentar entrar nesse assunto com ele.

Mais tarde — Quando o professor chegou, conversamos sobre como estavam as coisas. Pude notar que tinha algo em mente que queria me contar, mas hesitava em abordar o assunto. Depois de alguns rodeios, disse de repente:

— Amigo John, nós dois precisamos conversar sobre uma coisa sozinhos, pelo menos a princípio. Depois, talvez precisemos confiar nos outros. — Então ele parou, e eu fiquei esperando até retomar o assunto: — Madame Mina, nossa pobre querida madame Mina, está se transformando.

Um calafrio percorreu meu corpo diante da confirmação de meus piores medos. Van Helsing continuou:

— Com a triste experiência da Srta. Lucy, sabemos que devemos ficar atentos antes que seja tarde demais. Nossa tarefa agora, na verdade, é mais difícil do que nunca, e essa nova preocupação torna cada hora ainda mais importante. Posso ver as características do vampiro surgindo no rosto dela. Por enquanto, é algo ainda muito sutil. Mas é possível perceber, se tivermos olhos para reparar bem, sem preconceito. Seus dentes estão mais afiados, e, às vezes, seus olhos ficam mais duros. Mas isso não é tudo, ela anda cada vez mais calada, e esses períodos de silêncio também aconteceram com a Srta. Lucy. Não tem falado, apenas datilografa aquilo que gostaria que soubéssemos depois. Agora, meu medo é que, se ela, durante o transe hipnótico, pôde nos contar tudo o que o conde vê ou escuta, será que ele, que a hipnotizou primeiro, que bebeu seu sangue e a fez beber do dele, não é capaz também, se quiser, de obrigá-la a revelar-lhe tudo o que sabe?

Concordei, e ele continuou:

— Precisamos evitar que isso aconteça. Ela não pode saber de nossas intenções, de modo que não possa contar a ele o que não sabe.

Trata-se de uma missão dolorosa! Tão dolorosa que parte meu coração só de pensar, mas é preciso que seja assim. Quando nos encontrarmos, vou ter que explicar a ela que, por um motivo que não podemos revelar, ela não deve mais tomar parte nas nossas reuniões, e apenas ser protegida por nós.

Ele enxugou a testa, pois não parava de transpirar ao pensar na dor que infligiria àquela pobre alma já tão torturada. Certamente seria um alívio para ele saber que eu também havia chegado à mesma conclusão. Pelo menos, afastaria a dor da dúvida. Contei-lhe isso, e o efeito foi como o previsto.

Está quase na hora de nossa reunião geral. Van Helsing saiu para se preparar para o doloroso papel que terá de desempenhar. Na verdade, creio que sua intenção era rezar sozinho.

Mais tarde — Logo no começo da reunião geral, Van Helsing e eu tivemos um grande alívio: a Sra. Harker mandou um recado pelo marido, dizendo que achava melhor não participar de nossas reuniões para não nos constranger com sua presença. De minha parte, achei que, se a própria Sra. Harker percebera o perigo, muito aborrecimento e perigo seriam evitados. Diante da situação atual, concordamos, ao nos entreolharmos e colocarmos um dedo sobre os lábios como resposta, em guardar nossas suspeitas para nós até podermos discuti-las a sós novamente. Fomos então para o plano de ação. Van Helsing resumiu a situação em poucas palavras:

— O *Czarina Catherine* saiu do Tâmisa ontem de manhã e deverá levar pelo menos três semanas para chegar a Varna, ao passo que nós, viajando por terra, poderemos chegar àquela cidade em três dias. Se descontarmos dois dias para a viagem do navio, devido às influências meteorológicas, as quais sabemos que o conde tem poderes para manobrar, e se contarmos um dia e uma noite para os atrasos que possam ocorrer conosco, teremos uma vantagem de cerca de duas semanas. Assim, a fim de não corrermos risco algum, devemos partir daqui no máximo dia 17. Desse modo, chegaremos a Varna na véspera da chegada do navio e poderemos tomar as providências necessárias. Naturalmente, iremos armados com nossas armas materiais e espirituais.

— Sei que o conde é de um país onde há muitos lobos — observou Quincey Morris. — Proponho, portanto, que acrescentemos rifles Winchester ao nosso armamento. Confio no meu Winchester para esse tipo de situação. Você se lembra, Art, quando estávamos com aquela matilha atrás de nós em Tobolsk? Ah, se tivéssemos um rifle desses na ocasião!

— Concordo plenamente — disse Van Helsing. — Tragam os Winchesters. Quincey sempre sabe como agir, sobretudo em se tratando de caça, embora minha metáfora seja uma desonra maior para a ciência do que o perigo que os lobos podem representar para o homem. E outra coisa: acho, presentemente, que nada nos prende aqui. Creio que nenhum de nós conhece Varna e, por isso, talvez fosse mais interessante partirmos logo. Tanto faz esperar aqui como lá. Até amanhã podemos preparar tudo e, se tudo correr bem, podemos, nós quatro, partir para a viagem.

— Nós quatro? — perguntou Harker.

— Sim — apressou-se em dizer o professor. — Você deve ficar, para tomar conta de sua mulher.

Harker ficou calado por um tempo; por fim disse, em voz inexpressiva:

— Falemos sobre isso depois. Quero conversar com Mina.

Achei que era a hora de Van Helsing alertá-lo de que não revelasse nosso plano à esposa, mas o professor não se deu conta disso. Olhei fixamente para o professor e pigarreei. Em resposta, ele levou o dedo aos lábios e saiu.

DIÁRIO DE JONATHAN HARKER

5 de outubro, à tarde — O rumo que as coisas estão tomando me intriga. Achei esquisita a resolução de Mina de não participar da reunião. Também a maneira como os outros receberam o fato me intriga; da última vez que conversamos sobre o assunto, tínhamos resolvido que nada mais seria ocultado entre nós. Mina está dormindo como uma criança. Seus lábios estão entreabertos e seu semblante transparece felicidade. Graças a Deus.

Mais tarde — Tudo isso é muito estranho. Fiquei contemplando o sono de Mina e me senti quase feliz, apesar de tudo. Conforme a tarde chegava ao fim e a terra se cobria das sombras lançadas pelo sol que se afundava, o silêncio do quarto foi assumindo um caráter solene para mim. De repente, ela abriu os olhos e me encarou com ternura.

— Jonathan, quero que me prometa uma coisa, sob palavra de honra. Uma promessa para ser cumprida mesmo que eu me ajoelhe a seus pés e lhe peça, chorando, que a quebre. Prometa-me imediatamente.

— Não posso fazer uma promessa assim, de imediato, Mina — retruquei. — Não tenho o direito de fazê-la.

— Mas sou eu que desejo, querido, e não é para mim mesma. Pode perguntar ao dr. Van Helsing se não tenho razão; você pode fazer o que quiser. E mais ainda: se vocês todos concordarem, você poderá deixar de cumprir a promessa.

— Prometo! — disse eu.

Durante um momento, Mina pareceu muito feliz, embora, para mim, toda a felicidade lhe fosse contrariada pelo sinal vermelho na testa.

— Prometa-me — disse ela — que você não me contará coisa alguma sobre os planos organizados para a campanha contra o conde e nem ao menos dará a entender qualquer coisa sobre eles enquanto isto estiver em mim! — E apontou para a mancha vermelha.

— Prometo! — exclamei.

E tive a impressão de que, naquele momento, uma porta se fechara entre nós.

Mais tarde, meia-noite — Mina pareceu muito entusiasmada e contente a noite toda. Tanto que nós todos nos sentimos encorajados, como que infectados de alguma forma por sua alegria. Parecia até que toda aquela nuvem de melancolia que pairava sobre nós tivesse se retirado de alguma forma. Todos fomos nos deitar mais cedo. Mina agora está dormindo como um bebê. É uma maravilha que sua capacidade de adormecer continue intacta em meio a sua terrível aflição. Graças a Deus, pois pelo menos ela pode esquecer suas preocupações. Quem sabe o exemplo dela não me afete como sua alegria nos afetou hoje à noite? Vou tentar dormir. Que venha um sono sem sonhos.

6 de outubro, pela manhã — Outra surpresa. Mina acordou cedo, quase na mesma hora de ontem, e me pediu que chamasse o dr. Van Helsing. Pensei que ela queria ser hipnotizada de novo e, sem nada perguntar, fui chamar o professor. Ele devia estar à espera do chamado, pois estava vestido, com a porta do quarto entreaberta. Assim, escutou quando abri a porta de nosso quarto e veio me encontrar na mesma hora. Ao entrar, perguntou a Mina se os outros poderiam vir também.

— Não — respondeu ela secamente —, não será necessário. Você pode contar a eles depois. O senhor deve me levar em sua viagem.

— Por quê? — perguntou o dr. Van Helsing, tão espantado quanto eu, depois de um curto silêncio.

— Deve me levar. Estarei mais segura com o senhor, e o senhor também estará mais seguro comigo.

— Mas por que, madame Mina? Sabe que sua segurança constitui para nós um dever sagrado. Vamos enfrentar perigos que, para a senhora, em vista das circunstâncias, serão ainda maiores...

E o professor parou, envergonhado.

— Eu sei — disse Mina, apontando para a testa. — É por isso que preciso ir. Posso dizer-lhe agora, enquanto o sol está nascendo; talvez não possa dizer novamente mais tarde. Sei que, quando o conde quiser, terei de ir. Sei que, se ele me disser para ir escondida, lançarei mão de todas as astúcias, iludindo até mesmo Jonathan.

A expressão com que ela me olhou me fez cogitar que, se existe mesmo um Anjo Registrador, seu olhar concedeu a ela honras eternas. Incapaz de falar, apenas consegui apertar-lhe a mão. Minha emoção era demasiadamente grande, mesmo para se expandir em lágrimas.

— Vocês são fortes e valentes — continuou Mina. — São capazes de desafiar aquilo que derrotaria a resistência humana de alguém que precisasse se proteger sozinho. Além disso, posso ser útil, pois o senhor poderá me hipnotizar e ficar sabendo o que até eu mesma não sei.

— Tem razão, como sempre, madame Mina — replicou Van Helsing de forma solene. — Deve vir conosco. Juntos, faremos o que temos de fazer.

Como Mina não dissesse mais nada, olhei para ela. Tinha tornado a se deitar e dormia profundamente. Van Helsing me fez um sinal para que o acompanhasse, e saímos do quarto. Fomos para o quarto dele e, pouco depois, chegaram lorde Godalming, o dr. Seward e o Sr. Morris. O professor contou-lhes o que Mina lhe dissera e acrescentou:

— De manhã, partiremos para Varna. Temos de contar, agora, com um novo fator: madame Mina. Ah, que alma fiel! Para ela é uma agonia ter nos contado tudo o que contou; mas ela está correta, e fomos alertados a tempo. Não podemos perder nenhuma oportunidade e, em Varna, devemos estar prontos para agir quando o navio chegar.

— O que devemos fazer? — perguntou laconicamente o Sr. Morris.

— Em primeiro lugar, devemos embarcar naquele navio — respondeu o professor, depois de refletir um pouco. — Depois, quando tivermos identificado a caixa, prenderemos em cima dela um ramo de rosa-silvestre. Desse modo, ninguém poderá sair de dentro da caixa, conforme diz a superstição. E, a princípio, temos de acreditar na superstição. Era a fé do homem no princípio de tudo, e suas raízes estão na própria fé. Finalmente, quando tivermos a oportunidade que estamos procurando, quando não houver ninguém por perto, vamos abrir a caixa e... e tudo vai dar certo.

— Não vou esperar oportunidade alguma — disse Morris. — Quando encontrar a caixa, vou abri-la e destruir o monstro, nem que mil homens estejam observando, e nem que eu seja atirado para fora do navio em seguida!

Agarrei a mão dele de forma instintiva e descobri que era firme como aço. Creio que ele entendeu meu olhar. Espero que tenha entendido.

— Você é um rapaz valente e abnegado, meu filho! — exclamou Van Helsing. — Deus o abençoe por isso. Mas, na verdade, não poderemos afirmar o que vamos fazer. Muitas coisas podem ainda acontecer, e, até o momento exato, nada podemos dizer. Devemos estar armados e dispostos e, quando chegar o momento decisivo, nossa coragem não pode faltar. Quando chegar a hora de acabarmos com ele, faremos uso de todos os nossos esforços. Agora, vamos organizar nossos assuntos. Resolver tudo o que diz respeito às demais pessoas que amamos, que contam conosco. Não saberemos quando e nem como tudo isso vai terminar. Quanto a mim, meus negócios estão em ordem; como não tenho mais nada a fazer, vou cuidar dos arranjos para a viagem. Verei as passagens e tudo o mais.

Não havia necessidade de se dizer mais nada, e nos separamos. Eu agora vou deixar em ordem meus bens terrenos e me prepararei para seja lá o que nos espera...

Mais tarde — Todas as providências foram tomadas; fiz meu testamento, e tudo está completo. Mina, se continuar viva, será minha única herdeira. Em caso contrário, serão os outros, que têm sido tão bons para nós.

O sol já estava se pondo. A inquietação de Mina me chamou atenção para este fato. Tenho certeza de que existe algo em sua mente que será revelado na hora exata do crepúsculo. Essas ocasiões estão se tornando momentos angustiantes para todos nós, pois a cada aurora e a cada alvorecer a perspectiva de um novo perigo se abre para nós; uma nova dor que pode, queira Deus, ser um instrumento para um bom fim. Escrevo tudo isso porque minha amada não pode ouvir agora. Mas, caso tenha oportunidade de ler isto mais tarde, já deixarei tudo pronto.

Ela está me chamando.

XXV

DIÁRIO DO DR. SEWARD

11 de outubro, à noite — Jonathan Harker me pediu que escrevesse isto. Ele disse que a tarefa está além de suas forças e que deseja guardar um registro exato dos fatos.

Creio que nenhum de nós ficou surpreso quando ele pediu que fôssemos ver a Sra. Harker pouco antes do anoitecer. Recentemente, compreendemos que a aurora e o crepúsculo a fazem assumir uma estranha liberdade. Seu eu anterior se manifesta sem nenhum controle a subjugá-la ou a restringi-la nessas horas, e nada parece querer dominar sua ação. Esse estado de espírito ou condição tem início cerca de meia hora antes da aurora ou do crepúsculo, e dura até o momento em que o sol já nasceu ou as nuvens ainda ardem, com seus raios que surgem do horizonte. A princípio, ocorre uma espécie de condição negativa, como se alguma amarra fosse solta, e então se segue rapidamente uma absoluta liberdade. Quando, contudo, a liberdade termina, a transformação rapidamente se reverte ou retorna ao estado anterior, precedida por um silêncio que aumenta a expectativa em todos.

Esta noite, quando nos reunimos, parecia estar contida, exibindo todos os indícios de um conflito interior. Atribuí isso ao violento esforço que ela faz ao primeiro sinal desse comportamento. Poucos minutos depois, no entanto, já estava em pleno domínio de si, sinalizando para que o marido se sentasse a seu lado no sofá em que estava recostada. Fez o restante de nós trazer as cadeiras para perto e começou a falar, segurando a mão do marido:

— Talvez esta seja a última vez que estaremos aqui, juntos, em liberdade! Sei que você vai ficar sempre ao meu lado, até o fim — disse ela, virando-se para o marido, cuja mão, como pudemos notar, apertou a dela. — Pela manhã, vamos partir em nossa missão, e só Deus sabe o que pode estar reservado para qualquer um de nós. Vocês terão a bondade de me levar consigo. Sei que tudo o que homens sinceros e corajosos puderem fazer por uma pobre mulher abatida, cuja alma talvez esteja perdida... não, não, ainda não, mas que de todo modo corre esse risco... vocês farão por mim. Mas vocês devem lembrar que não sou como vocês. Em meu sangue, em minha alma, corre um veneno que pode vir a me destruir, que vai me destruir, a não ser que encontremos algum socorro. Meus amigos, vocês sabem tão bem quanto eu que minha alma está em risco. E, embora eu tenha consciência de que existe uma saída para mim, vocês não devem, e eu tampouco, recorrer a ela! — Ela olhou para cada um de nós, começando e terminando no marido, e todos percebemos a súplica em seu olhar.

— Que saída é essa? — perguntou Van Helsing com a voz rouca. — Que saída é essa, a que não devemos nem podemos recorrer?

— Que eu morra agora, seja pelas minhas próprias mãos ou pelas mãos de outra pessoa, antes que o mal maior me domine inteiramente. Sei e vocês também sabem que, se eu estivesse morta, vocês poderiam libertar meu espírito imortal e acabariam conseguindo fazer isso, da mesma forma que fizeram com minha pobre Lucy. Se a morte, ou o medo da morte, fosse a única coisa que estivesse no caminho, eu não hesitaria em morrer agora, entre amigos que me amam. Mas a morte não é tudo. Não posso acreditar que morrer, neste caso, quando existe uma esperança diante de nós e uma missão amarga a ser cumprida, seja a vontade de Deus. Portanto, da minha parte, abro mão aqui da certeza do descanso eterno e saio no escuro, onde podem estar as coisas mais sombrias deste mundo ou do mundo inferior!

Ficamos todos calados. Sabíamos instintivamente que aquilo era apenas um prelúdio. Todos estavam com a expressão séria, e o semblante de Harker adquiriu uma palidez acinzentada. Talvez tenha adivinhado melhor do que qualquer um de nós o que viria a seguir.

— Esta é a minha contribuição à colação de bens* — continuou Mina. Não pude deixar de notar a expressão jurídica fora de contexto que escolheu usar em um momento como aquele, e com toda a seriedade. — E a de vocês? Suas vidas, já sei — continuou rapidamente —, isso é fácil para homens corajosos. Suas vidas pertencem a Deus, e vocês podem devolvê-las a Ele, mas o que vão oferecer-me? — Ela voltou a nos encarar de forma inquisitiva, mas desta vez evitou o marido. Quincey pareceu entender e assentiu, e o rosto dela se iluminou. — Vou lhes dizer francamente o que quero. Não deve haver nada de dúvida em nossa conexão a partir de agora. Vocês devem me prometer,

---

* Termo jurídico. Refere-se à sucessão de bens.

cada um de vocês, até mesmo você, meu amado esposo, que, se chegar o momento, vão me matar.

— E quando vai ser o momento? — Era a voz de Quincey, mas soou baixa e aflita.

— Quando se convencerem de que estou tão transformada que estarei melhor morta do que viva. Quando eu estiver morta na carne, vocês, sem hesitação, cravem uma estaca no meu peito e cortem fora a minha cabeça, ou façam o que for necessário para que eu descanse!

Quincey foi o primeiro a se levantar depois da pausa. Ele se ajoelhou diante dela e, tomando sua mão, disse solenemente:

— Sou bruto e talvez não tenha vivido como um homem deveria para conquistar tamanha distinção, mas juro à senhora, por tudo o que é mais sagrado e caro para mim, que, quando chegar o momento, não vou hesitar diante do dever que a senhora nos impõe. E prometo também que só agirei na certeza, pois na dúvida posso supor que é chegado o momento a qualquer hora!

— Meu verdadeiro amigo! — Isso foi tudo o que ela conseguiu dizer entre copiosas lágrimas, enquanto se inclinava e beijava a mão dele.

— Juro a mesma coisa, minha cara madame Mina! — prometeu Van Helsing.

— Eu também! — acrescentou lorde Godalming, ambos ajoelhando, um de cada vez, diante dela, ao fazerem o juramento.

Em seguida, foi a minha vez. Por fim, o marido se virou para ela, triste e com uma palidez esverdeada, disfarçada pela brancura de neve dos cabelos, e perguntou:

— Devo eu também fazer essa promessa, minha esposa?

— Você também, meu mais amado — respondeu ela, com um infinito anseio por compaixão na voz e nos olhos. — Você não pode recuar. Você é o ser mais íntimo e o mais amado para mim no mundo inteiro. Nossas almas estão interligadas como uma só, para toda a vida e para todo o sempre. Pense, querido, que houve uma época em que homens corajosos matavam as esposas e as mulheres da família para evitar que elas caíssem nas mãos do inimigo. As mãos deles não hesitavam porque aquelas que eles amavam imploraram para que as matassem. Era um dever dos homens com suas amadas naqueles tempos de duras provações! Meu querido, se for preciso que eu enfrente a morte pelas mãos de alguém, que seja pela mão daquele que mais me ama. Dr. Van Helsing, não esqueci sua compaixão no caso da pobre Lucy com aquele que a amava... — Ela parou e corou subitamente, então alterou a frase: — Para aquele que mais direito tinha a lhe conceder a paz definitiva. Se isso acontecer de novo, conto com o senhor para fazer disso uma lembrança feliz de meu marido, que seja a mão amorosa dele a que me libertará da pavorosa provação pela qual passo.

— Mais uma vez, prometo! — foi a resposta incisiva do professor.

A Sra. Harker sorriu, positivamente sorriu, e, ao se recostar, soltou um suspiro de alívio e acrescentou:

— E agora, uma palavra de alerta que vocês não devem esquecer jamais. Esse momento, se vier, pode ser rápido e inesperado. Nesse caso, não haverá tempo a perder diante da oportunidade. Nessa hora, eu mesma posso... não! Se isso acontecer, *vou estar* ao lado de seu inimigo contra vocês.

Em seguida, tornou-se muito solene ao dizer:

— Mais um pedido. Não é vital e necessário como o primeiro, mas quero que vocês façam uma coisa por mim, se puderem.

Todos concordamos em silêncio. Não havia necessidade de falar.

— Quero que seja lida a Oração dos Mortos. — Mina foi interrompida por um gemido grave do marido. Tomando a mão dele, posicionou-a sobre seu coração e continuou: — Quero que você leia essa oração para mim um dia. Qualquer que seja o desfecho dessa pavorosa situação, será um doce pensamento para todos ou para alguns de nós. Espero que você, meu adorado, leia, pois assim a oração vai permanecer com a sua voz para sempre em minha memória, haja o que houver!

— Minha amada — implorou ele —, a morte ainda está longe de você.

— Não — contestou ela, levantando a mão em sinal de alerta. — Estou mais afundada na morte neste momento do que se sete palmos de terra pesassem sobre mim!

— Minha esposa, tenho mesmo que ler? — perguntou ele, antes de começar.

— Seria um consolo para mim, meu esposo! — foi tudo o que ela disse, e ele se pôs a ler quando ela lhe estendeu o livro de orações.

Como poderei — como qualquer um poderia — relatar aquela estranha cena, sua solenidade, sua desolação, sua tristeza, seu horror e, contudo, sua doçura? Até mesmo um cético, que não enxerga nada além de um arremedo da amarga verdade em qualquer coisa sagrada ou emocional, teria o coração derretido ao ver aquele pequeno grupo de amigos amorosos e dedicados se ajoelhar à volta daquela dama abatida e triste; ou ao ouvir a terna paixão da voz do marido, enquanto, de forma aquebrantada e emotiva que muitas vezes o obrigava a se interromper, lia a simples e bela oração funerária. Não encontro mais as... palavras... e... minha voz... está falhando!

Mina estava certa em seu instinto. Por estranho que fosse, por mais bizarro que pudesse parecer, depois daquilo sentimos a poderosa influência da oração, que nos consolou bastante. E o silêncio, que indicou que a Sra. Harker voltava ao estado posterior à liberdade de sua alma, não nos pareceu tão cheio de desespero quanto temíamos que fosse.

DIÁRIO DE JONATHAN HARKER

15 de outubro, Varna — Partimos de Charing Cross na manhã do dia 12, chegamos na noite do mesmo dia a Paris e tomamos os lugares que nos estavam reservados no Expresso do Oriente. Viajamos durante a noite e o dia, chegando aqui cerca de cinco horas da tarde. Lorde Godalming foi ao consulado a fim de ver se havia chegado algum telegrama para ele, enquanto nós, restantes, viemos para este hotel, o Odessus. Não prestei atenção na viagem.

Até que o *Czarina Catherine* chegue a este porto, coisa alguma do mundo me interessará. Graças a Deus, Mina está passando bem; parece estar se fortalecendo e está mais corada. Dormiu quase a viagem toda. Antes do amanhecer e do pôr do sol, contudo, tem se mostrado muito agitada; tornou-se quase um hábito de Van Helsing hipnotizá-la nessas ocasiões. A princípio, era preciso muito esforço, mas agora o sono hipnótico vem com grande facilidade. O professor sempre lhe pergunta o que ela está vendo e ouvindo, e ela responde, invariavelmente:

— Não estou vendo coisa alguma; tudo está escuro. Ouço as ondas bater contra o navio e o ruído de velas e enxárcias. O vento sopra forte... posso ouvi-lo no cordame, e a proa lança espuma para trás.

É claro que o *Czarina Catherine* ainda está no mar, a caminho de Varna.

Lorde Godalming acaba de voltar, trazendo quatro telegramas, um correspondendo a cada dia, desde que partimos todos no mesmo sentido: o *Lloyd's* ainda não recebeu qualquer comunicação sobre o *Czarina Catherine*. Godalming providenciou, antes de sair de Londres, que lhe telegrafassem diariamente, transmitindo informações nesse sentido.

Fomos dormir cedo. Amanhã procuraremos o vice-cônsul para ver se conseguimos entrar a bordo do navio assim que chegar. Diz Van Helsing que a nossa sorte será chegar ao navio entre o nascer e o pôr do sol. O conde, mesmo se tomar a forma de um morcego, não pode atravessar a água corrente de própria vontade e, portanto, não poderá sair do navio. Como não se atreverá a tomar a forma humana sem despertar suspeitas — o que, evidentemente, deseja evitar —, terá de ficar dentro da caixa. Assim, se entrarmos no navio depois do nascer do sol, ele ficará à nossa mercê. Vamos poder abrir a caixa e destruí-lo, como fizemos com a pobre Lucy, antes que ele acorde. De nada lhe adiantará receber a nossa misericórdia. Acredito que não teremos problemas com os oficiais ou com os marinheiros. Graças a Deus, estamos em um país onde tudo se consegue com suborno, e temos bastante dinheiro. Só precisamos garantir que o navio não atraque entre o crepúsculo e a alvorada sem aviso prévio para que tenhamos segurança. Mas creio que um bom dinheiro vá resolver isso!

16 de outubro — Mina continua a fazer as mesmas revelações: ondas batendo, escuridão e ventos favoráveis. É claro que chegaremos a tempo e, quando tivermos notícias do *Czarina Catherine*, poderemos agir sem percalços. Naturalmente, teremos alguma notícia quando a escuna atravessar os Dardanelos.

17 de outubro — Tudo foi providenciado. Acho que estamos em condições de receber o conde dignamente. Godalming mencionou aos armadores sua desconfiança de que a caixa embarcada no navio continha objetos roubados de um amigo seu e recebeu autorização para abrir a caixa por sua conta e risco. Os armadores deram-lhe um documento para ser apresentado ao comandante, de modo a ter todas as facilidades para fazer o que quiser a bordo do navio, enviando ainda uma autorização similar para seu agente em Varna. Além disso, puseram o agente à nossa disposição; ele está encantado com a maneira como Godalming o trata e se colocou à disposição para fazer tudo o que estiver ao seu alcance para facilitar nossa situação. Já combinamos tudo o que devemos fazer quando abrirmos a caixa. Se o conde estiver lá dentro, Van Helsing e Seward cortarão imediatamente sua cabeça e atravessarão seu coração com uma estaca.

Morris, Godalming e eu impediremos a interferência de terceiros, mesmo que seja preciso utilizar as armas que temos. O professor afirma que, se fizermos isso com o corpo do conde, ele se transformará em poeira imediatamente. Assim, não haveria prova contra nós no caso de surgir alguma suspeita de homicídio. Mas, ainda que isso não aconteça, temos de permanecer firmes caso tudo dê errado; talvez algum dia este registro sirva de prova a nosso favor, caso sejamos condenados à força. Mas, seja como for, estamos dispostos a executar nossa missão. Combinamos com algumas autoridades que, logo que o *Catherine* for avistado, seremos avisados por um mensageiro especial.

24 de outubro — Uma semana inteira de espera. Godalming recebe um telegrama diariamente, mas sempre anunciando que não há novidade. As respostas de Mina, pela manhã e à tarde, durante seu sono hipnótico, são invariáveis: barulhos de ondas e rangidos de velas e cordames.

TELEGRAMA DE RUFUS SMITH, DO LLOYD'S DE LONDRES, PARA LORDE GODALMING, AOS CUIDADOS DO VICE-CÔNSUL BRITÂNICO EM VARNA

24 de outubro
Informou-se esta manhã que *Czarina Catherine* está nos Dardanelos.

DIÁRIO DO DR. SEWARD

25 de outubro — Estou sentindo muita falta do fonógrafo. Escrever um diário a caneta dá muito trabalho, mas Van Helsing acha que devo escrever. Ficamos todos muito exaltados ontem quando Godalming recebeu o telegrama. Agora eu sei o que os homens sentiam em batalha quando ouviam o chamado para entrar em ação! Apenas a Sra. Harker não demonstrou qualquer emoção. Afinal, não é estranho que ela aja dessa forma, pois tomamos cuidado para que não ficasse sabendo de nada a respeito e tentamos não demonstrar euforia na presença dela. Nos velhos tempos, ela teria certamente percebido, por mais que tentássemos disfarçar. Mas ela tem mudado muito nas últimas três semanas. A letargia progride e, embora seu aspecto seja melhor e esteja mais corada, Van Helsing e eu não estamos satisfeitos. Conversamos bastante a respeito dela. Porém não dissemos nada aos demais. Se o pobre Harker soubesse de nossas suspeitas sobre o assunto, seu coração ficaria partido, e ele sem dúvida perderia a coragem. Van Helsing, segundo me disse, tem examinado seus dentes com muito cuidado durante os transes hipnóticos, e diz que não há perigo de mudança imediata enquanto os dentes não estiverem afiados. Se ocorresse tal mudança, seria necessário tomar certas medidas! Nós sabemos quais seriam essas medidas, embora não tenhamos coragem de falar sobre isso. "Eutanásia" é uma palavra confortadora! Sou grato a quem quer que a tenha inventado.

Dos Dardanelos até aqui, de acordo com o tempo gasto pelo *Czarina Catherine* depois que saiu, o trajeto deve ser feito em cerca de 24 horas. A escuna deve chegar, portanto, pela manhã; mas, como não poderemos entrar antes do meio-dia, vamos estar prontos às 13 horas.

25 de outubro, meio-dia — Nenhuma notícia da chegada do navio. A informação hipnótica dada pela Sra. Harker esta manhã foi a mesma de sempre. Todos nós estamos muitos empolgados, com exceção de Harker; suas mãos estão frias como gelo, e há uma hora encontrei-o amolando um facão de que não se separa. Será uma péssima perspectiva para o conde se a lâmina dessa faca *kukri* for encostada em seu pescoço, movida por aquela mão austera e gelada!

Van Helsing e eu ficamos hoje um pouco preocupados com a Sra. Harker. Por volta do meio-dia, ela entrou em uma espécie de letargia de que não gostamos nada. Embora não tenhamos comentado com os outros, nenhum de nós ficou feliz com aquilo. Pela manhã, estava agitada, e, a princípio, ficamos contentes em saber que havia adormecido. Entretanto, quando o marido comentou casualmente que estava mergulhada em um sono tão profundo que não conseguira acordá-la, fomos ao quarto dela para ver com nossos próprios olhos. Ela respirava naturalmente e parecia tão bem e serena que concordamos que dormir era mesmo a melhor coisa naquele momento. Pobrezinha, tem tanto para esquecer que dormir parece ser a melhor opção. Se lhe traz o esquecimento, faz-lhe bem.

Mais tarde — Nossa hipótese foi confirmada, pois, quando ela acordou após ter dormido profundamente algumas horas, parecia muito mais animada do que nos últimos dias. Ao pôr do sol, a Sra. Harker fez a habitual revelação hipnótica. Onde quer que ele esteja no mar Negro, o conde está se encaminhando para o seu destino. Para o seu aniquilamento, espero!

26 de outubro — Mais um dia sem notícias do *Czarina Catherine*. O navio já devia estar aqui. Parece que continua a navegar para algum lugar, pois as revelações da Sra. Harker continuam as mesmas. É possível que o veleiro esteja parando, às vezes, por causa da neblina. Alguns dos marinheiros que chegaram ontem à noite relataram trechos de nevoeiro a norte e a sul do porto. Devemos continuar vigiando, pois o navio pode ser avistado a qualquer momento.

27 de outubro — É estranho! Nenhuma notícia do navio. As revelações da Sra. Harker ontem à noite e hoje de manhã foram as mesmas, acrescentando: "ondas muito fracas". Os telegramas de Londres comunicam que não chegaram outras informações. Van Helsing está extremamente aflito, com medo de que o conde tenha escapado de nós. Ele acrescentou significativamente:

— Não estou gostando da letargia de madame Mina. As almas e a memória podem fazer coisas estranhas durante o transe.

Eu ia pedir que me explicasse com mais detalhes, mas Harker entrou naquele momento, e o professor fez um gesto significativo para mim. Tentaremos fazer com que fale mais claramente ao pôr do sol, quando estiver de novo hipnotizada.

TELEGRAMA DE RUFUS SMITH, DE LONDRES, A LORDE GODALMING, AOS CUIDADOS DO VICE-CÔNSUL E SUA MAJESTADE BRITÂNICA EM VARNA

28 de outubro

Informa-se que *Czarina Catherine* entrou em Galatz hoje às treze horas.

DIÁRIO DO DR. SEWARD

28 de outubro — Quando chegou o telegrama anunciando a chegada a Galatz, acho que o nosso choque não foi tão grande como seria de se esperar. É verdade que não sabíamos ao certo onde, como ou quando a situação seria definida, mas creio que já esperávamos o acontecimento de algo estranho nesse meio-tempo. O atraso da chegada a Varna havia deixado claro que as coisas não correriam conforme o esperado. Só estávamos aguardando para saber em que momento aconteceria a mudança de planos. Contudo, não deixou de ser uma surpresa para todos. Creio que a natureza funciona sobre uma base de esperança, de modo que acreditamos, mesmo contra nossa experiência, que as coisas serão como deveriam ser, e não como já devíamos saber que serão. O transcendentalismo é um farol para os anjos, ainda que apareça como um fogo-fátuo para os homens. Foi uma experiência estranha, e a recebemos de forma diferente. Van Helsing levantou as mãos para o alto, como se discutisse com o Todo-Poderoso, mas não disse uma palavra e, poucos segundos depois, levantou-se, com o rosto muito severo. Lorde Godalming empalideceu e se sentou, respirando pesadamente, e eu mesmo fiquei meio aturdido, olhando espantado de um para o outro. Quincey Morris apertou o cinto com um movimento rápido, que conheço muito bem e quer dizer: ação. A Sra. Harker ficou lívida, de tal modo que a mancha na testa pareceu estar queimando, mas juntou as mãos docilmente e ergueu o olhar em prece. Harker abriu um sorriso amargo e sombrio, como o de alguém que tivesse perdido as últimas esperanças. Mas, ao mesmo tempo, sua atitude o traiu, pois instintivamente segurou firme o cabo da grande *kukri*.

— A que horas parte o primeiro trem para Galatz? — perguntou Van Helsing, sem se dirigir a nenhum de nós em particular.

— Às seis e meia da manhã!

Nós todos nos espantamos, pois fora a Sra. Harker quem respondera.

— Como pode saber disso? — perguntou Art.

— Você esqueceu, talvez nem saiba, mas Jonathan e o Dr. Van Helsing sabem muito bem que sou especialista em horários de trem — respondeu a Sra. Harker. — Em Exeter, sempre tomava nota dos horários, para ajudar meu marido. Eu sabia que, se tivéssemos de ir ao castelo de Drácula, tínhamos de ir por Galatz, ou, de qualquer modo, passar por Bucareste, então decorei os horários. Infelizmente, não há necessidade de decorar muito, já que o trem das seis e meia é a única partida de amanhã.

— Que mulher excepcional! — comentou o professor.

— Não conseguiremos arranjar um trem especial? — sugeriu lorde Godalming.

— Infelizmente, creio que não — respondeu Van Helsing. — Este país é muito diferente do seu e do meu. Mesmo se conseguíssemos um trem especial, provavelmente ele não partiria antes do trem comum. Além disso, temos algo a preparar. O melhor é tomarmos logo as providências. Amigo Arthur, vá à estação comprar as passagens e providencie para que tudo esteja em ordem amanhã cedo. Você, amigo Jonathan, vá procurar o agente do navio e obtenha uma carta dele para o agente de Galatz, autorizando-nos a revistar o navio. Você, Quincey Morris, vá procurar o vice-cônsul e providencie para que seu colega de Galatz facilite tudo para nós, para não perdermos tempo ao longo do Danúbio. Você, John, ficará comigo e com madame Mina para discutirmos.

— E eu — completou a sra. Harker, entusiasmada, parecendo mais com ela mesma do que vinha conseguindo se manter por mais do que um dia — vou tentar ser útil de várias formas. Vou pensar e escrever para vocês, como costumava fazer. Algo está mudando em mim de uma maneira estranha, e me sinto mais livre do que vinha me sentindo ultimamente.

Os três rapazes ficaram alegres ao ouvirem-na, mas Van Helsing e eu nos entreolhamos preocupados. Contudo, não falamos nada.

Quando os três outros se retiraram, Van Helsing pediu à Sra. Harker que fosse buscar uma cópia do diário de Harker escrito no castelo e, quando ela saiu, fechando a porta atrás de si, ele disse para mim:

— Tivemos a mesma ideia! Pode falar primeiro.

— Acho que houve uma mudança. É uma esperança, mas pode ser apenas uma ilusão.

— Exatamente. Sabe por que pedi a ela que trouxesse o diário?

— Não! — respondi. — A não ser que fosse para ter uma oportunidade de conversar.

— Amigo John, em parte você tem razão. Mas quero lhe dizer uma coisa. Apesar de estar assumindo uma tremenda responsabilidade, acho que estou fazendo bem. No momento em que madame Mina disse aquilo que nos deixou tão surpresos, veio-me uma inspiração. No transe, há três dias, o conde enviou seu espírito para ler os pensamentos dela. Ou melhor, foi como se a tivesse levado para visitá-lo em seu caixote de terra no navio, com a água correndo ao redor, quando ela se libertava, ao nascer e ao pôr do sol. Ele assim ficou sabendo que estamos aqui, pois ela tem mais para contar em sua vida ao ar livre, com olhos para ver e ouvidos para ouvir, que ele, trancafiado em seu caixão, e agora está fazendo grande esforço para escapar de nós. No momento, porém, não quer que ela escape. Ele tem plena certeza de que ela atenderá ao seu chamado. Mas cortou o contato com ela, pois pode fazer isso, graças a seu poder, para que ela não vá até ele. E tenho esperança de que nossos cérebros de homens, humanos há tanto tempo e que não perderam a graça de Deus, possam chegar mais longe que o cérebro infantil dele, que jaz na tumba há séculos e não alcançou a nossa estatura, pois age apenas mesquinhamente, e por isso é pequeno. Mas madame Mina está voltando. Nem uma palavra a respeito de seus transes! Ela nada sabe e ficaria desesperada, justamente quando mais precisamos de sua esperança e coragem. Precisamos de seu grande cérebro, que é treinado como o de um homem apesar de ser o de uma doce mulher e ter um poder especial que o conde lhe deu e não pode arrancar-lhe totalmente, mesmo não sabendo disso. Silêncio! Deixe que eu fale e aprenda. John, meu amigo, estamos em uma enrascada. Estou com medo, como nunca estive antes. Só podemos confiar em Deus. Silêncio! Lá vem ela!

Pensei que o professor fosse ter um ataque histérico, como acontecera na morte de Lucy, mas ele se esforçou muito para se conter e estava completamente sereno quando a senhora Harker entrou na sala. Ela veio feliz e animada, parecendo nem se lembrar da desgraça que a acometia. Ao entrar, entregou várias folhas datilografadas a Van Helsing, que deu uma olhada nas páginas e foi se animando conforme lia.

— Amigo John, para você que já tem tanta experiência, e a senhora também, cara madame Mina, que é mais jovem, aprendam uma lição. Nunca tenham medo de pensar. Um pensamento incompleto estava se formando em meu cérebro, mas eu tinha medo de permitir sua evolução. Mas agora tenho mais conhecimento e volto ao momento em que essa ideia incompleta começou, e assim vejo que não estava incompleta. Era um pensamento completo, mas ainda muito recente e que não estava forte o bastante para se manifestar. Assim como o "Patinho Feio" de meu amigo Hans Andersen, meu pensamento não era um patinho coisa nenhuma, e sim um grande cisne, que flutua nobremente pelo lago com suas asas enormes, até chegar a hora de usá-las de fato. Vou ler o que Jonathan escreveu: "que inspirou o outro de sua raça, muito depois, a lançar suas forças pelo grande rio nas terras dos turcos? Que, quando foi abatido, voltou, e tornou a voltar muitas vezes, embora tivesse voltado sozinho do sangrento campo de batalha onde suas tropas eram massacradas, pois sabia que, no fim, ele sozinho acabaria triunfando!". O que isso nos revela? Pouco?

Não! O pensamento infantil do conde não enxerga nada, por isso ele fala de forma tão livre. Seu raciocínio de homem não enxerga nada. Meu raciocínio de homem não enxergava nada até agora. Não! Mas então chegam palavras de alguém que fala sem pensar porque essa pessoa também não sabe o que isso quer dizer, o que *pode* significar. Da mesma forma que existem elementos que repousam e, no entanto, no curso da natureza se movem e se tocam, então surge um raio de luz, do tamanho do céu, que cega, mata e destrói algo. Mas isso põe à mostra toda a terra abaixo por léguas sem fim. Não é verdade? Então, permita-me explicar. Para começar, vocês já estudaram filosofia criminal? Sim e não. Você, John, já estudou, pois é um estudo da insanidade. A senhora não, madame Mina, pois não lida com o crime, com exceção da situação atual. Ainda assim, sua mente funciona normalmente e não procura *particulari ad universale*.* Existe uma peculiaridade nos criminosos. É algo tão constante, em todos os países e em todos os tempos, que até a polícia, que não se interessa muito por filosofia, acaba aprendendo empiricamente que ela *existe*. Isso é ser empírico. O criminoso sempre trabalha em um crime, isto é, o criminoso que parece predestinado ao crime e que não faz outra coisa na vida. Esse criminoso não tem um cérebro de adulto inteiramente desenvolvido. Ele é inteligente, astuto e engenhoso, mas não é um adulto do ponto de vista cerebral. Tem, por assim dizer, um cérebro infantil. Ainda assim, esse nosso criminoso é também predestinado ao crime. Também tem cérebro infantil, e é mesmo coisa de criança agir como tem agido. O passarinho, o peixinho, os pequenos bichos não aprendem por princípio, mas empiricamente. E, quando ele aprende algo, então conquista um ponto de apoio para fazer mais. "*Dos pou sto*", disse Arquimedes. "Dê-me um ponto de apoio e moverei o mundo!" Fazer uma primeira vez é o ponto de apoio a partir do qual o cérebro infantil se torna um cérebro adulto. E enquanto ele não tiver o propósito de fazer mais, continuará fazendo a mesma coisa indefinidamente, tal como já fez antes! Minha cara, vejo que

---

* "Inferir o universal do particular", em latim.

seus olhos estão arregalados, e que para a senhora o clarão do relâmpago revela todas as léguas da terra.

A Sra. Harker havia começado a bater palmas, e seus olhos reluziram. Ele prosseguiu:

— Agora, diga a estes dois velhos cientistas qual a leitura que a senhora faz com seus olhos tão brilhantes?

O professor tomou a mão da Sra. Harker e a segurou enquanto a ouvia, mantendo o indicador e o polegar próximos do pulso de uma forma que pareceu instintiva e inconsciente, e ela explicou:

— O conde é um criminoso, um típico criminoso. Nordau e Lombroso também o classificariam assim. E, mais do que criminoso, ele tem a mente malformada. Assim, diante da dificuldade, tem de recorrer aos próprios hábitos. Seu passado é uma pista; e a única página dele que conhecemos, a qual ele mesmo nos forneceu certa vez, quando se encontrava no que o Sr. Morris chamaria de uma "enrascada", e voltou ao próprio país da terra que tentara invadir e, mantendo-se firme em seu propósito, preparou-se para uma nova tentativa. Voltou mais bem equipado para a tarefa e venceu. Então veio para Londres invadir um novo território. Foi derrotado e, quando toda esperança de sucesso estava perdida e sua existência corria perigo, fugiu pelo mar de volta para casa, da mesma forma que fugiu das outras vezes, de volta pelo Danúbio, das terras da Turquia.

— Bom, muito bom! A senhora é uma dama tão inteligente! — exclamou Van Helsing, entusiasmado, levantando-se e beijando-lhe a mão.

No momento seguinte, ele me disse com toda a calma, como se estivéssemos no quarto de um doente em consulta:

— Setenta e dois apenas, e mesmo com toda essa excitação. Tenho esperanças. — Virando-se novamente para ela, acrescentou com aguda expectativa: — Mas continue. Não pare! A senhora tem mais coisas para me contar se quiser. Não tenha medo. John e eu já sabemos. Em todo caso, vou lhe dizer se está certa. Fale sem medo!

— Vou tentar. Mas me perdoe se pareço muito egoísta.

— De modo algum! Não tenha medo. A senhora precisa ser egoísta, pois é na senhora que estamos pensando.

— Enfim, ele é um criminoso, portanto, um egoísta. E, como seu intelecto é escasso e suas ações se baseiam em egoísmo, prende-se a um propósito. Um propósito sem remorsos. Da mesma forma como fugiu pelo Danúbio, deixando as tropas para serem despedaçadas, seu único intento agora é se safar, em detrimento de tudo o mais. Assim, o egoísmo dele de alguma forma libertou minha alma do terrível poder que ele adquiriu sobre mim naquela noite pavorosa. Posso sentir! Oh, eu posso sentir! Graças a Deus, por Sua infinita piedade! Minha alma está mais livre agora como nunca esteve desde aquela funesta ocasião. E o único receio que me assombra neste momento é não saber se, durante algum transe ou sonho em que estive, ele não teria utilizado meus conhecimentos a seu favor.

O professor interveio:

— Ele, de fato, usou sua mente, e por isso nos deixou aqui em Varna, enquanto o navio que o levava sumiu no nevoeiro e apareceu em Galatz, onde, sem dúvida, havia feito preparativos para fugir de nós. Mas sua mente infantil só previu até esse ponto. E pode ser que, como sempre ocorre, em se tratando da Providência Divina, justamente o que o malfeitor considera, em seu egoísmo, seu maior trunfo, venha a se revelar seu principal ponto fraco. O caçador cai na própria armadilha, como diz, em outras palavras, o grande salmista. Agora que está livre de nós e que escapou com tantas horas de vantagem, imagino que seu cérebro infantil o mande dormir. Ele ainda acha que, como cortou a conexão que nos permitia conhecer sua mente, a senhora não terá mais como acessar os conhecimentos dele. Aí é que se engana! Aquele terrível batismo de sangue deu à senhora acesso espiritual a ele, como tem demonstrado em seus momentos de liberdade, quando o sol nasce e quando se põe. Nessas horas, a senhora age segundo a minha vontade, e não conforme a dele. E este poder, que beneficia tanto a senhora quanto outros, a senhora conquistou a partir de seu sofrimento nas mãos dele. Isto é agora ainda mais precioso, porque ele não sabe e, para se proteger, cortou o acesso ao conhecimento de nossa localização. Nós, no entanto, não somos egoístas e acreditamos que Deus está conosco em meio às trevas e nessas longas horas escuras. Vamos atrás dele sem hesitar, mesmo que corramos o risco de nos tornarmos como ele.

Amigo John, esta foi uma hora grandiosa e nos fez avançar bastante em nosso caminho. Você deve registrar e escrever tudo isso, para que, quando os outros voltarem de suas tarefas, você possa mostrar a eles, e eles vão saber o mesmo que nós.

E assim redigi isto aqui enquanto esperávamos pelos outros, e a Sra. Harker passou a limpo em sua máquina de escrever tudo o que ocorrera desde que veio nos trazer as últimas páginas escritas.

XXVI

DIÁRIO DO DR. SEWARD

29 de outubro — Estou escrevendo no trem, na viagem de Varna para Galatz. Ontem à noite, reunimo-nos um pouco antes do anoitecer. Cada um de nós tinha executado a tarefa que lhe competia da melhor maneira possível, e estávamos preparados para nossa jornada e nosso trabalho quando chegarmos a Galatz. Quando chegou o momento oportuno, a Sra. Harker preparou-se para ser hipnotizada. Desta vez, Van Helsing precisou fazer um esforço mais sério e mais prolongado do que o habitual até ela cair em transe. Em geral, ela responde a uma simples insinuação, mas hoje o professor teve de insistir nas perguntas para conseguir saber de qualquer coisa. Afinal, veio a resposta:

— Não estou vendo coisa alguma; estamos parados; não há batida de ondas, apenas o barulho de água correndo junto ao navio. Ouço vozes de homens gritando, longe e perto, e o ruído de remos. Um tiro foi disparado; o eco parece longínquo. Por cima, há o ruído de passos; cordas, cabos e correntes são arrastados. Que é isto? Surge um raio de luz; sinto o sopro do ar me atingir.

Naquele ponto, ela parou. Tinha se levantado do sofá onde estava e ergueu impulsivamente ambas as mãos com as palmas viradas para cima, como se estivesse carregando um peso. Van Helsing e eu trocamos olhares significativos. Quincey arqueou as sobrancelhas e olhou fixamente para ela enquanto a mão de Harker se fechou por instinto sobre o cabo da faca *kukri*. Houve um silêncio bem prolongado. Todos sabíamos que o tempo em que ela poderia falar alguma coisa estava esgotando, mas achamos inútil fazer qualquer comentário. De repente, a Sra. Harker se levantou e abriu os olhos.

— Algum de vocês aceita uma xícara de chá? — perguntou ela com delicadeza. — Vocês devem estar exaustos!

A única coisa que podíamos fazer era deixá-la feliz, então concordamos. Ela se levantou depressa, e, assim que saiu, Van Helsing disse:

— Como estão vendo, meus amigos, *ele* está perto da terra: saiu da caixa. Mas ainda precisa chegar ao porto. À noite, pode ficar escondido em algum lugar, mas, se não for transportado, ou se o navio não encostar, não poderá chegar à terra. Se for à noite, poderá mudar de forma e voar ou então pular para a terra, como fez em Whitby. Mas se o dia chegar antes de ele alcançar a terra, a não ser que seja carregado, não escapará. E, se for carregado, os funcionários da alfândega poderão descobrir o que a caixa contém. Isso se ele não escapar esta noite ou antes do amanhecer. Talvez tenhamos tempo de chegar. Se ele não fugir durante a noite, nós o encontraremos durante o dia, dentro da caixa e à nossa disposição. Ele não ousa se mostrar em sua forma verdadeira, acordado e visível, para não ser descoberto.

Esperamos com paciência até o amanhecer, quando poderíamos saber mais alguma coisa por intermédio da Sra. Harker.

Hoje cedo ouvimos, com a respiração suspensa pela ansiedade, suas respostas em transe. O sono hipnótico custou mais ainda a vir do que no dia anterior; quando veio, o tempo que restava antes que o sol nascesse era tão curto que começamos a perder as esperanças. Foi preciso um grande esforço de Van Helsing; afinal, em obediência à sua vontade, ela respondeu:

— Tudo está escuro. Ouço as pancadas da água junto de mim, e um ruído como de madeira contra madeira.

Parou, e o sol surgiu, avermelhado. Temos que esperar até a noite.

Deveríamos chegar a Galatz entre duas e três da manhã, mas já passamos por Bucareste com três horas de atraso, portanto só vamos poder chegar bem depois de o sol nascer. Temos ainda duas mensagens hipnóticas da Sra. Harker! Talvez uma delas, ou as duas, possa nos dizer o que realmente está acontecendo.

Mais tarde — Felizmente, ao anoitecer, não estávamos em uma estação. Se isso tivesse acontecido, não teríamos conseguido a calma e o isolamento necessários. A Sra. Harker caiu no transe hipnótico com mais dificuldade ainda do que pela manhã. Receio que seu poder de ler as sensações do conde esteja desaparecendo, justamente quando mais precisávamos dele. Até agora, quando entrava em transe, limitava-se aos fatos mais básicos. Se isso continuar assim, podemos acabar nos perdendo definitivamente. Se a influência do conde sobre ela também diminuir com a perda do poder que ela tem de saber o que acontece com ele, isso já me deixaria feliz. Entretanto, temo não ser verdade. Quando ela falou, suas palavras foram enigmáticas:

— Algo se afasta; posso sentir que passa por mim como um vento frio. Posso ouvir, muito longe, sons confusos, de homens conversando em línguas estranhas, água que se despeja com força e uivos de lobo.

Naquele instante, foi tomada por um tremor convulsivo, que se intensificou por alguns segundos e acabou travando-lhe o corpo. Parecia uma espécie de paralisia. Depois disso, nada mais disse, apesar das perguntas imperiosas do professor. Quando despertou do transe, estava com frio, exausta, fraca, mas com a mente alerta. Não se lembrava de nada, mas perguntou o que tinha dito. Quando lhe dissemos, refletiu profundamente por um longo tempo, calada.

30 de outubro, 7 da manhã — Estamos perto de Galatz e talvez eu não tenha tempo de escrever mais tarde. O amanhecer de hoje foi ansiosamente esperado por nós. Em vista da crescente dificuldade de conseguir o transe hipnótico, Van Helsing começou os passes mais cedo que de costume, mas eles só produziram efeito um minuto antes de o sol nascer. O professor não perdeu tempo em interrogar, e a resposta veio logo:

— Tudo está escuro. Ouço a água passar, na altura dos meus ouvidos, e o ranger de madeira. Mugidos de bois a distância. Há outro ruído esquisito, parecido com...

— Vamos, continue, eu ordeno! — exclamou Van Helsing. Havia desespero em seus olhos, pois o sol nascente surgia, avermelhando até mesmo o rosto pálido da Sra. Harker.

A Sra. Harker, porém, abriu os olhos e murmurou:

— Professor, para que me mandar fazer o que não posso? Não me lembro de nada.

Então, observando o espanto em nossas faces, perguntou, dirigindo-se a cada um de nós com um olhar preocupado:

— O que foi que eu disse? O que foi que eu fiz? Não sei de nada, só sei que estava aqui deitada, quase dormindo, e ouvi o senhor dizer "Continue, eu ordeno!". E achei engraçado ouvir o senhor me dar ordens, como se eu fosse uma criança malcriada!

— Madame Mina — ele disse com tristeza —, isto é prova, se fosse necessária mais alguma prova, de como eu a amo e a adoro. O fato de uma palavra dita pelo seu bem, pronunciada da forma mais sincera possível, soar tão estranha, por ter sido uma ordem para aquela a quem orgulhosamente obedeço!

O trem está apitando. Estamos perto de Galatz. Ardemos de ansiedade.

DIÁRIO DE MINA HARKER

30 de outubro — O Sr. Morris foi incumbido de me levar ao hotel no qual tínhamos feito a reserva de quartos por telegrama, já que ele seria menos necessário naquele momento, porque não fala nenhuma língua estrangeira, e os outros estavam ocupados com outras tarefas. As forças foram distribuídas como tinham sido em Varna, com a diferença de que o lorde procuraria o vice-cônsul, pois seu título constituiria uma garantia de acesso a algum oficial, já que precisávamos agir com urgência. Jonathan e os dois médicos foram procurar o agente do navio, para saber dos pormenores da chegada do *Czarina Catherine*.

Mais tarde — Lorde Godalming voltou. O cônsul não estava, e o vice-cônsul está doente. Então foi atendido por um funcionário, que foi muito solícito e se colocou à disposição para fazer tudo o que estivesse ao seu alcance.

DIÁRIO DE JONATHAN HARKER

30 de outubro — Às nove horas, o dr. Van Helsing, o dr. Seward e eu procuramos a firma Mackenzie & Steinkoff, agentes da Companhia Hapgood, de Londres. Eles tinham recebido um telegrama da matriz de Londres, em resposta a um pedido de lorde Godalming de que a filial agisse com a máxima deferência possível. Receberam-nos com muita amabilidade e nos levaram, imediatamente, a bordo do *Czarina Catherine*, que estava ancorado no porto do rio. Fomos apresentados ao comandante, Donelson, que nos relatou a viagem, e mencionou que nunca navegara com ventos tão favoráveis.

— Foi apavorante — disse ele. — Pensamos que teríamos um azar infernal para compensar o bom tempo. Viemos de Londres ao mar Negro com vento muito favorável, como se o próprio Diabo estivesse soprando as velas para o seu proveito. E sem enxergar um palmo à frente, nem navio, nem porto, nem costa, pois um denso nevoeiro nos cobriu ao longo da viagem. Depois que passou e observamos ao longe, não havia nada. Passamos por Gibraltar e não fomos avistados. Até chegarmos aos Dardanelos, onde tivemos de parar para obter licença para entrar, não cruzamos com ninguém. Inicialmente, pensei em soltar as velas e ficar por ali até o nevoeiro passar, mas depois achei que, se o Diabo queria nos levar logo para o mar Negro, acabaria conseguindo, com ou sem a nossa ajuda. Se fizéssemos uma viagem rápida, o patrão ficaria feliz conosco e não prejudicaríamos nossas entregas, e o Velho Bode, atendido em sua malevolência, ficaria grato por não termos atrasado sua vida.

Esse misto de delicadeza e esperteza, de superstição e sensatez, estimulou Van Helsing, que comentou:

— Amigo, esse Diabo é mais esperto do que algumas pessoas pensam e sabe quando encontra alguém à sua altura!

O capitão gostou do elogio e continuou a falar:

— Quando entramos no Bósforo, os marinheiros começaram a resmungar; alguns deles, os romenos, vieram me pedir que atirasse ao mar uma caixa que tinha sido colocada a bordo por um velho esquisito antes de partirmos de Londres. Eu percebi que eles tinham olhado horrorizados para o tal velho e tinham feito figa para se livrar do mau-olhado. Muito bem. Como essas superstições estrangeiras são ridículas! Mandei logo os romenos voltarem ao trabalho, mas, no mesmo instante, o nevoeiro se fechou ao nosso redor, e me senti um pouco como eles sobre aquilo, embora não achasse que fosse por causa daquela caixa enorme. O nevoeiro não se dissipou nem um pouco durante cinco dias, e eu deixei o vento nos levar, pois, se o Diabo pretendia ir a algum lugar, lá chegaria. E, se não conseguisse, ficaríamos atentos do mesmo jeito. O caso é que seguimos com vento bom e sempre em águas tranquilas. Não resta dúvida de que a viagem foi boa. Há dois dias, quando o nevoeiro se dissipou, vimos que estávamos no rio, em frente a Galatz. Os romenos ficaram loucos e queriam, por força, pegar a caixa e atirá-la ao rio. Tive de enfrentá-los decididamente para impedi-los de fazer isso. E quando o último romeno se retirou do convés, cobrindo a cabeça com a mão, estavam todos convencidos de que, com bom ou mau-olhado, a propriedade e a confiança de meus patrões estavam melhores nas minhas mãos do que no fundo do Danúbio. Já até tinham deixado a caixa no convés, pronta para ser jogada no rio, e como estava escrito "Galatz via Varna", resolvi deixá-la ali mesmo até desembarcarmos no porto e me livrar dela de uma vez. Tivemos de passar a noite ancorados, mas, de manhã, uma hora antes do amanhecer, apareceu um homem a bordo, com uma ordem enviada da Inglaterra, para receber uma caixa destinada ao Conde Drácula. Tinha todos os papéis em ordem e dei graças a Deus de lhe entregar a encomenda, pois eu mesmo já começava a ficar desconfortável com ela. Se o Diabo tinha alguma bagagem a bordo do navio, não era outra coisa senão aquela caixa!

— Como se chamava esse homem? — perguntou o dr. Helsing, tentando conter a ansiedade.

— Vou ver agora — disse o capitão.

Ele foi até o camarote e retornou em seguida, trazendo um recibo assinado por Immanuel Hildesheim, cujo endereço era Burgen-Strasse 16. Concluímos que aquilo era tudo o que o capitão sabia, então agradecemos e fomos embora.

Após nos despedirmos do capitão, fomos encontrar Hildesheim em seu escritório. Era um típico judeu errante das operetas do teatro Adelphi,* com nariz adunco e um fez. Com alguns argumentos financeiros convincentes de nossa parte, ele nos contou o que queríamos. Recebera uma carta do Sr. de Ville, procedente de Londres, encarregando-o de receber, se possível antes do amanhecer, para evitar a alfândega, uma caixa que chegaria a Galatz pelo *Czarina Catherine*. A caixa tinha de ser entregue a um certo Petrof Skinsky, que se entendia com os eslovacos que faziam o transporte para o porto pelo rio. Fora pago em uma nota promissória inglesa, que foi sacada em ouro no Danube International

---

* Teatro de Londres originalmente construído em 1806 e reconstruído em 1858, quando foi renomeado The Royal Adelphi.

Bank. Quando Skinsky o procurara, levara-o ao navio e desembarcara a caixa, a fim de evitar as despesas de carreto. Era tudo o que sabia.

Fomos, então, procurar Skinsky, mas não conseguimos encontrá-lo. Um dos vizinhos, que aliás não parecia estimá-lo de modo algum, informou-nos que ele partira havia dois dias e ninguém tivera mais notícias suas. Isso foi confirmado pelo dono da casa, que recebera por um mensageiro as chaves da casa e o aluguel devido, em dinheiro inglês, entre dez e onze horas da noite anterior. Estávamos diante de um novo impasse.

Enquanto conversávamos, um homem apareceu correndo, e anunciou, ofegante, que o corpo de Skinsky tinha sido encontrado dentro do cemitério da igreja de São Pedro, com o pescoço estraçalhado, possivelmente por algum animal selvagem. As pessoas que falavam conosco saíram às pressas para ver aquele horror.

— Isso é coisa daqueles eslovacos! — gritavam as mulheres.

Nós nos afastamos imediatamente, para não sermos envolvidos na confusão, e voltamos para o hotel.

Durante o trajeto, não chegamos a conclusão alguma. Estávamos convencidos de que a caixa estava a caminho, por água, para algum destino, mas ainda precisávamos descobrir qual. Com o coração pesado, chegamos ao hotel e encontramos Mina.

Quando nos reunimos, a primeira questão a resolver foi se Mina deveria ou não voltar a participar de nossas conversas. A situação está ficando desesperadora, e isso é ao menos uma possibilidade, ainda que perigosa. Como primeiro passo preliminar, fui liberado de minha promessa.

DIÁRIO DE MINA HARKER

30 de outubro, à noite — Eles estão exaustos, então não adianta tentar fazer coisa alguma enquanto não tiverem descansado; por isso, pedi-lhes que se deitassem um pouco, por meia hora, enquanto eu anoto tudo o que aconteceu até o momento. Sou grata a quem inventou a máquina de escrever portátil e ao Sr. Morris, por ter arranjado uma para mim. Eu divagaria muito se tivesse de escrever à mão.

Tudo pronto. Meu querido Jonathan deve ter sofrido muito, e ainda sofre! Ele está deitado no sofá; mal respira e parece estar com o corpo todo dolorido. As sobrancelhas estão franzidas. O rosto, tenso de dor. Pobre querido, talvez esteja pensando, e posso ver como seu rosto se contorce, de tão concentrado que está em seus pensamentos. Se pudesse ajudar de alguma maneira... Vou fazer o que puder.

Pedi ao dr. Van Helsing, e ele me entregou todos os papéis que eu ainda não tinha visto... Enquanto eles descansam, vou analisar tudo com atenção, e talvez chegue a alguma conclusão. Devo tentar seguir o exemplo do professor e pensar nos fatos que se me apresentam sem nenhum preconceito...

Creio que, com a ajuda de Deus, fiz uma descoberta. Vou examinar os mapas...

Estou cada vez mais convencida de que tenho razão. Minha nova conclusão está pronta. Vou reunir o pessoal e ler o memorando. Cada minuto nos é muito precioso.

MEMORANDO DE MINA HARKER
(anexado ao seu Diário)

Assunto analisado — O problema do Conde Drácula consiste em voltar para o seu castelo.

(a) Precisa ser *levado para lá* por alguém. Isso é evidente, pois, se ele tivesse o poder de mover-se sozinho, poderia ir sob a forma de homem, lobo, morcego ou qualquer outra. Evidentemente, ele tem medo de ser descoberto ou detido no estado de impotência em que deve estar, do nascer ao pôr do sol, em sua caixa de madeira.

(b) Como será levado? A esse respeito, será útil aplicar um método de exclusão. Pela estrada comum, pela estrada de ferro ou pelo rio.

1. Pela estrada comum — Haveria grandes dificuldades, especialmente para sair da cidade:

(x) Há muita gente, e as pessoas são movidas pela curiosidade natural do ser humano. Uma dúvida a respeito do que contém a caixa seria fatal ao conde.

(y) Há, ou pode haver, pelo trajeto funcionários aduaneiros e cobradores de *octroi*.*

(z) Seus perseguidores podem acompanhá-lo. É o que ele mais teme; e, para evitar isso, para não ser de forma alguma traído, ele repeliu, tanto quanto pôde, até sua própria vítima — eu!

2. Pela estrada de ferro — Não há ninguém encarregado de tomar conta da caixa. Isso arriscaria um atraso, e um atraso pode ser fatal a ele, com os inimigos em seu encalço. É bem verdade, ele pode escapar à noite; mas de que adiantaria, se estivesse em um lugar estranho, sem um refúgio para onde pudesse ir? Não é isso o que ele pretende, e ele não correria esse risco.

3. Pelo rio — Este é o caminho mais seguro, sob um aspecto, porém mais perigoso, sob outro. Na água, ele é impotente, exceto à noite, e mesmo então pode apenas invocar o nevoeiro, a tempestade, a neve e seus lobos. Mas, se naufragasse, estaria perdido. Poderia levar a embarcação para a terra, mas, se fosse uma terra hostil, sem refúgio, ficaria em uma situação desesperadora.

Pelos registros, sabemos que ele ainda transitava pela água; de modo que precisamos apenas descobrir em quais águas.

A primeira coisa consiste em compreender exatamente o que ele já fez; poderemos, então, ter um indício de qual será sua tarefa futura.

Em primeiro lugar, devemos diferenciar o que fez em Londres como parte de seu plano geral de ação, quando estava sem tempo e teve de agir da melhor maneira que conseguiu.

Em segundo lugar, devemos deduzir, pelos fatos de que temos conhecimento, o que ele fez aqui.

Quanto à primeira, evidentemente ele pretendia chegar a Galatz e mandou a fatura para Varna com a intenção de nos enganar. Seu objetivo imediato e único era fugir. A prova disso é a carta a Immanuel Hildesheim, ordenando que liberasse e recolhesse a caixa *antes de o sol*

---

* Pedágio, imposto.

nascer. Há ainda as instruções dadas a Petrof Skinsky, quanto às quais só podemos supor, mas deve ter havido alguma carta ou mensagem, já que Skinsky procurou Hildesheim.

Sabemos que, até agora, seus planos têm sido bem-sucedidos. O *Czarina Catherine* fez uma viagem extraordinariamente rápida, e isso acabou levantando suspeitas no capitão Donelson. Mas sua superstição, além da esperteza, favoreceu o conde, e ele veio com ventos favoráveis pelos nevoeiros e tudo mais até chegar a Galatz. Que os preparativos do conde foram bem executados, já temos a prova. Hildesheim resgatou a caixa, levou-a consigo e a entregou a Skinsky. Skinsky levou a caixa, e então perdemos sua pista. Sabemos apenas que está em algum lugar sobre a água, em movimento. A alfândega e os coletores de *octroi*, se houve algum, foram evitados.

Agora, resta saber o que o conde deve ter feito depois de sua chegada em terra, a Galatz.

A caixa foi entregue a Skinsky antes do amanhecer. E então, ao amanhecer, o conde podia aparecer em sua própria forma. Por que Skinsky foi escolhido? No diário de meu marido, está esclarecido que esse homem trabalhava com os eslovacos, que são muito malvistos aqui. O conde queria isolamento.

Deduzo que o conde resolveu voltar ao seu castelo pelo rio, como o meio mais seguro e secreto. Foi tirado do seu castelo por ciganos, que provavelmente entregaram a carga aos eslovacos, que por sua vez transportaram as caixas para Varna, para serem despachadas para Londres. Assim, o conde conhecia as pessoas capazes de executar esse serviço. Quando a caixa estava em terra, entre o anoitecer e o amanhecer, ele saiu lá de dentro, esteve com Skinsky e deu-lhe instruções sobre como providenciar o transporte da caixa por algum rio. Feito isso, apagou a pista, assassinando o agente.

Examinei o mapa e cheguei à conclusão de que os eslovacos devem estar subindo o Pruth ou o Sereth.

Li no diário que, em meu transe, ouvi o mugido de vacas e a água correndo à altura de meus ouvidos, e o ruído de madeira. O conde, então dentro da caixa, estava em um rio, em um barco aberto, impulsionado por varas ou remos, subindo a correnteza. Não haveria esse som se ele estivesse flutuando, seguindo a favor da corrente.

Naturalmente, pode não ser o Sereth nem o Pruth, mas podemos investigar mais a fundo. Entre esses dois, o Pruth é mais facilmente navegável, mas em Fundu o Sereth converge para o Bistrița, que corre pelo Passo Borgo e, portanto, passa muito mais perto do castelo de Drácula.

DIÁRIO DE MINA HARKER
(continuação)

Quando acabei a leitura, Jonathan tomou-me em seus braços e beijou-me. Os outros cumprimentaram-me, efusivamente, e o dr. Van Helsing disse:

— Mais uma vez, madame Mina foi o nosso mestre. Seus olhos viram quando os nossos estavam cegos. Agora, estamos novamente na pista e, dessa vez, podemos ser bem-sucedidos. Nosso inimigo está em seu momento mais fraco; se pudermos apanhá-lo durante o dia, sobre a água, nossa tarefa estará terminada. Ele tem vantagem, mas está sem forças para acelerar, já que não pode sair da caixa para não despertar a suspeita dos carregadores. Se desconfiassem de alguma coisa, acabariam atirando a caixa no rio, e lá ele pereceria. Ele sabe disso, portanto não sairá. Agora, ao nosso Conselho de Guerra! Pois, aqui e agora, devemos planejar o que cada um e todos farão.

— Vou arranjar uma lancha a vapor para segui-lo — disse lorde Godalming.

— E eu vou arranjar cavalos para segui-lo pela margem do rio, e assim vigiar suas possibilidades em terra — disse o Sr. Morris.

— Muito bem! — disse o professor. — Mas ninguém deve ir sozinho. Devemos dispor de força, para o caso de necessidade; os eslovacos são fortes e perigosos, e ele leva armas poderosas.

Todos os homens sorriram, pois carregavam um pequeno arsenal. Disse o Sr. Morris:

— Eu trouxe alguns rifles Winchester. São muito úteis em multidões, e pode haver lobos. O conde, vocês se lembram, tomou outros cuidados. Ele pediu coisas aos eslovacos que a Sra. Harker não ouviu ou não entendeu. Devemos estar preparados para tudo.

— Acho que é melhor eu ir com Quincey — disse o dr. Seward. — Estamos acostumados a caçar juntos. Você não deve ir sozinho, Art. Pode ser necessário lutar contra os eslovacos, e um golpe fortuito, pois não suponho que eles carreguem armas, desfaria todos os nossos planos. Não podemos facilitar desta vez. Não podemos descansar enquanto não tirarmos fora a cabeça do conde e tenhamos a certeza de que ele não poderá reencarnar.

Ele olhou para Jonathan enquanto falava, e Jonathan olhou para mim. Percebi logo o que o torturava. Naturalmente, queria ficar comigo; mas a expedição de lancha seria, muito provavelmente, a que destruiria... o... o... vampiro. (Por que hesitei ao escrever esta palavra?). Ele ficou em silêncio por algum tempo e, enquanto isso, o dr. Van Helsing falou:

— Amigo Jonathan, é você quem deve ir com ele, por dois motivos. Em primeiro lugar, porque é jovem e valente, e pode lutar com todas as energias, o que será necessário; e, em segundo lugar, porque tem o direito de destruí-lo, de destruir aquele que trouxe tantos males para você e para os seus. Não tenha receio quanto a madame Mina; farei tudo o que estiver ao meu alcance para protegê-la. Estou velho, mas posso lutar à minha maneira. Minhas pernas não são tão velozes para correr como já foram. E não estou acostumado a cavalgar longas distâncias ou a caçar conforme a necessidade, nem lutar com armas mortais. Mas posso prestar outros serviços. Posso lutar de outra maneira. E, se for preciso, saberei morrer, como os homens mais jovens. Enquanto lorde Godalming e o amigo Jonathan sobem o rio na lancha e John e Quincey tomam conta da margem do rio, onde talvez ele desembarque, levarei madame Mina ao coração do país inimigo. Enquanto a velha raposa estiver presa dentro de sua caixa, flutuando em água corrente, de onde não pode escapar para a terra, seguiremos o roteiro seguido por Jonathan, indo de Bistrița pelo Passo Borgo até o castelo de Drácula. O poder hipnótico de madame Mina sem dúvida nos será útil, e encontraremos nosso caminho depois do primeiro nascer do sol, quando estivermos próximos do lugar fatídico. Temos muita coisa que fazer e muitos lugares a santificar para que aquele ninho de víboras seja arrasado.

— Quer dizer, professor — interrompeu Jonathan, nervoso —, que o senhor pretende levar Mina, enquanto ela está com essa doença infernal, exatamente para aquela armadilha? De modo algum! Nem pelo céu ou pelo inferno!

Durante um momento, sua emoção foi tão grande que o impediu de falar.

— O senhor sabe o que é aquele lugar horripilante? — prosseguiu ele. — O senhor viu aquele covil pavoroso de infâmias infernais, em que o próprio luar é repleto de vultos horrendos e cada grão de poeira rodopiando no vento é o embrião de um monstro devorador? O senhor sentiu os lábios do vampiro em sua garganta? — Ele se virou para mim e, quando seus olhos pousaram sobre minha testa, jogou os braços para o alto com um grito. — Ah, meu Deus, o que foi que fizemos para teres lançado esse terror sobre nós?

E deixou-se cair sentado em um sofá, completamente abatido. A voz do professor, clara e terna, pareceu vibrar no ar, acalmando todos nós.

— Meu amigo, é exatamente porque quero salvar madame Mina daquele lugar horripilante que devo ir. Deus me perdoe por ter de levá-la àquele antro. Lá será executado um trabalho medonho, que os olhos dela talvez não vejam. Nós, homens, com a exceção de Jonathan, vimos com nossos próprios olhos o que precisa ser feito antes que aquele lugar possa ser purificado. Lembre-se de que estamos passando por uma situação difícil. Se o conde escapar desta vez, e ele é forte, sutil e esperto, pode decidir dormir por mais um século, e então, com o tempo, nossa querida... — Ele tomou minha mão e continuou: — Ela acabará se tornando companheira dele, assim como aquelas outras que você, Jonathan, conheceu pessoalmente. Você mesmo nos contou sobre seus lábios maliciosos. Você ouviu a gargalhada voluptuosa que deram quando agarraram o saco que o conde atirou para elas. Você estremece de medo, e devia mesmo estremecer. Perdoe-me por provocar-lhe essa dor, mas é necessário. Meu amigo, não se trata de uma necessidade extrema em que estou apostando minha própria vida? Se alguém deve ir para aquele lugar e ali ficar para sempre, serei eu a fazer companhia para ele.

— Faça o que quiser — disse Jonathan, com um suspiro que fez seu corpo estremecer inteiro. — Estamos nas mãos de Deus!

Mais tarde — São admiráveis o esforço e a boa vontade desses homens. Como pode uma mulher não amar homens que são tão sinceros, verdadeiros e corajosos? E isso também me fez pensar no maravilhoso poder do dinheiro! No que o dinheiro pode fazer quando bem empregado, e qual seria o seu poder quando mal utilizado. Graças a Deus, lorde Godalming é rico, e tanto ele como o Sr. Morris, que também tem dinheiro, mostram-se dispostos a gastar generosamente. Sem isso, nossa pequena expedição não poderia partir tão depressa nem tão bem equipada. Não faz nem três horas que resolvemos o que cada um de nós faria, e lorde Godalming e Jonathan já dispõem de uma ótima lancha, que partirá ao primeiro sinal. O dr. Seward e o Sr. Morris já estão com meia dúzia de cavalos aparelhados. Dispomos de todos os mapas e instrumentos de que necessitamos. O professor Van Helsing e eu partiremos no trem das 11h40 da noite de hoje para Veresti, onde arranjaremos uma carruagem para atravessar o Passo Borgo. Levaremos conosco uma boa quantia em dinheiro, pois vamos precisar comprar uma carruagem e cavalos. Vamos sozinhos, e nós mesmos vamos dirigir a carruagem, pois não podemos confiar em mais ninguém em um momento como esse. O professor fala vários idiomas, o que facilitará muito as coisas. Nós todos seguiremos armados; até eu tenho um revólver. Jonathan não ficou tranquilo enquanto eu não estivesse armada como os outros. Infelizmente, não posso usar algumas das armas que os outros podem: a cicatriz em minha testa o impede. O dr. Van Helsing me consolou de forma afetuosa, dizendo que estou perfeitamente munida, pois deve haver lobos. O tempo está ficando cada vez mais frio, e breves nevascas vêm e vão como sinais de alerta.

Mais tarde — Foi preciso toda a coragem para me despedir de meu marido. Talvez nunca mais nos vejamos. Força, Mina! O professor cuidará atentamente de você. A expressão no rosto dele é um aviso. Agora não é ocasião para lágrimas, a não ser que, queira Deus, sejam de alegria.

DIÁRIO DE JONATHAN HARKER

30 de outubro, à noite — Estou escrevendo ao clarão da fornalha da lancha que lorde Godalming está atiçando. Ele tem muita experiência com lanchas, já que tem uma no Tâmisa e outra em Norfolk Broads. No que diz respeito aos nossos planos, estamos convencidos de que a dedução de Mina estava correta e que, se o conde fugir para o seu castelo por via fluvial, será pelo Sereth e depois o Bistrița. Chegamos à conclusão de que o lugar escolhido para a travessia da região, entre o rio e os Cárpatos, deve ser mais ou menos a 47 graus de latitude norte. Não temos receio de subir o rio à noite a boa velocidade, pois é largo e bem profundo. Lorde Godalming me aconselhou a dormir um pouco, a fim de nos revezarmos, mas estou sem sono. Não posso dormir, lembrando-me do perigo terrível que ameaça minha querida Mina e de que ela vai àquele lugar maldito. Meu único consolo é que estamos nas mãos de Deus. Só por essa crença será mais fácil morrer do que viver, e assim ficar livre de toda atribulação de uma vez.

O Sr. Morris e o dr. Seward partiram antes de nós em sua longa cavalgada. Estão seguindo pela margem direita, mas afastados do rio, pelo planalto. De lá podem ter uma vista ampla do curso d'água e evitar seguir suas curvas. No princípio do percurso, levaram dois homens para tomar conta dos cavalos de reserva, quatro ao todo. Dentro em pouco, dispensarão os homens, e eles mesmos cuidarão dos animais. Talvez seja necessário unir nossos esforços; se isso acontecer, todo o nosso grupo terá montaria. Uma das selas poderá ser adaptada facilmente para servir a Mina, em caso de necessidade.

Nossa aventura é selvagem. Estamos aqui, correndo no escuro, sentindo o frio do rio que parece subir e nos atingir, e todas as vozes misteriosas da noite ao nosso redor nos fazem entender tudo com enorme clareza. É como se estivéssemos navegando à deriva, rumo a lugares desconhecidos, costumes desconhecidos, penetrando em um mundo de coisas sombrias e pavorosas. Godalming está fechando a porta da fornalha.

31 de outubro — Continua a viagem. O dia nasceu, e Godalming está dormindo. Estou de vigia. A manhã está muito fria, e é agradável ficar junto à fornalha, mesmo estando com grossos casacos de pele. Até o momento, passamos por alguns poucos barcos abertos, mas nenhum deles conduzia qualquer caixa ou volume parecido. Sempre que voltávamos sobre eles o foco da lanterna elétrica, os tripulantes ficavam amedrontados e caíam de joelhos, rezando.

1º de novembro, à noite — Nenhuma novidade durante todo o dia. Entramos agora no Bistriţa, e se nossas suposições estiverem erradas, teremos perdido nossa oportunidade. Revistamos toda embarcação que encontramos, grande ou pequena. Hoje de manhã, a tripulação de um barco nos tomou por autoridades e nos tratou com o máximo respeito. Isso nos deu uma ideia, e em Fundu, onde o Bistriţa deságua no Sereth, arranjamos uma bandeira da Romênia, que hasteamos ostensivamente. O truque deu resultado com todas as embarcações que revistamos depois. Alguns eslovacos nos disseram que um grande barco passou por eles, navegando a uma velocidade superior à habitual, com tripulação dupla. Isso aconteceu antes de eles chegarem a Fundu, de modo que não podiam dizer se o barco entrara no Bistriţa ou continuara no Sereth. Em Fundu, ninguém nos deu notícia de tal barco, de modo que ele deve ter passado ali à noite. Estou sentindo muito sono. Godalming insiste em fazer o primeiro plantão. Deus o abençoe por tudo quanto tem feito por Mina e por mim.

2 de novembro, pela manhã — É dia claro. Godalming não me acordou. Diz que seria um pecado, pois eu dormia tranquilamente, esquecido dos sofrimentos. Parece egoísmo eu ter dormido tanto, deixando-o velar a noite toda; mas ele tinha razão. Sinto-me outro; e, enquanto me sento aqui vigiando, Godalming dorme. Posso fazer tudo o que é necessário para cuidar do motor, dirigir e ficar de guarda. Posso sentir que minha força e energia estão voltando. Onde estarão agora Mina e Van Helsing? Devem ter chegado a Veresti lá pelo meio-dia de quarta-feira. Levariam algum tempo até conseguir uma carruagem e cavalos. Sendo assim, se já partiram e viajaram em boa velocidade, devem estar chegando ao Passo Borgo agora. Que Deus os guie e os ajude! Tenho medo até de pensar no que pode acontecer. Quem dera pudéssemos ir mais depressa... Mas não podemos. Os motores estão trabalhando intensamente. Como será que o dr. Seward e o Sr. Morris estão se saindo? Parece haver inúmeros rios descendo das montanhas e desaguando neste rio, mas, como nenhum deles é muito largo — pelo menos por enquanto, embora sem dúvida sejam terríveis no inverno, quando a neve derrete —, nossos cavaleiros talvez não tenham encontrado nenhum obstáculo. Espero estar com eles antes de chegarmos a Strasba. Se até lá não tivermos conseguido derrotar o conde, talvez seja necessário que nos consultemos para saber quais serão nossos próximos passos.

DIÁRIO DO DR. SEWARD

2 de novembro — Três dias na estrada. Nenhuma novidade e nenhum tempo para escrever, pois cada minuto é precioso. Descansamos apenas o necessário para os cavalos, mas estamos suportando tudo de forma esplêndida. Nossos dias de aventuras se mostram cada vez mais úteis. Temos de nos apressar; só ficaremos satisfeitos quando avistarmos a lancha novamente.

3 de novembro — Soubemos em Fundu que a lancha subiu o Bistrița. O frio está apertando. Há indícios de neve; se cair muito pesada, ficaremos presos e nos atrasaremos. Nesse caso, teremos de arranjar um trenó e prosseguir viagem à moda russa.

4 de novembro — Soubemos hoje que a lancha foi detida por um acidente quando tentava forçar caminho em uma corredeira. Os barcos eslovacos sobem bem com a ajuda de um cabo e de um piloto experiente. Poucas horas antes, alguns tinham passado. Godalming é um mecânico amador, e evidentemente foi quem colocou a lancha a caminho de novo. Afinal, a lancha passou com a ajuda de alguns moradores locais, mas, segundo informaram os camponeses, a embarcação parecia avariada; os camponeses nos disseram que a lancha seguiu pelas águas calmas, mas parava de tempos em tempos por todo o percurso em que foi avistada. Precisamos continuar com mais força do que nunca. Nossa ajuda pode ser necessária em breve.

DIÁRIO DE MINA HARKER

31 de outubro — Chegamos a Veresti ao meio-dia. O professor me contou que hoje, ao amanhecer, mal conseguiu me hipnotizar e que a única coisa que pude dizer foi: "escuro e quieto". Ele saiu para comprar uma carruagem e cavalos. Mais tarde, disse ele, comprará mais cavalos, para podermos mudá-los durante a viagem. Temos mais de 100 quilômetros pela frente. A paisagem é maravilhosa e muito interessante. Se ao menos estivéssemos aqui em outra situação, teria sido magnífico visitar tudo isso. Se Jonathan e eu estivéssemos a passeio sozinhos, teria sido tão prazeroso! Parar e ver as pessoas, aprender algo sobre suas vidas, e encher nossas mentes de lembranças com todas as cores deste país selvagem, bonito, peculiar e com um povo tão exótico! Mas, infelizmente...

Mais tarde — O dr. Van Helsing voltou. Arranjou os cavalos e a carruagem; vamos jantar e partir em uma hora. A dona do hotel preparou um enorme cesto de provisões que parece dar para um batalhão. O professor a incentiva e sussurra para mim que pode ser que fiquemos uma semana sem conseguir outro alimento. Ele também fez compras e trouxe um magnífico conjunto de peles e todo tipo de roupas quentes. Não há a menor possibilidade de passarmos frio.

Partiremos em breve. Tenho medo de pensar no que pode acontecer conosco. Estamos realmente nas mãos de Deus. Só Ele sabe o que está guardado para nós, e rezo, com toda a força de minha alma triste e humilde, para que Ele cuide de meu amado esposo. Que, aconteça o que acontecer, Jonathan saiba que o amei e o honrei mais do que posso dizer, e que meu último e mais sincero pensamento será sempre seu.

XXVII

DIÁRIO DE MINA HARKER

1º de novembro — Viajamos o dia todo, a boa velocidade. Os cavalos parecem saber que estão sendo bem tratados, pois não precisam ser atiçados para atingir um bom ritmo. Já fizemos várias trocas, e o resultado não foi diferente, então acreditamos que será uma viagem tranquila. O dr. Van Helsing tem se mostrado lacônico; diz aos camponeses que estamos com pressa de chegar a Bistrița e os paga bem para fazerem a troca dos cavalos. Bebemos sopa quente, café ou chá e partimos. A paisagem é adorável, repleta de todo tipo de belezas imagináveis, e o povo é ousado, forte e simples, e parecem todos detentores de belas qualidades. São muito supersticiosos, muito mesmo. Na primeira casa em que paramos, quando a mulher que nos atendeu viu a cicatriz na minha testa, fez o sinal da cruz e aquele sinal com os dois dedos, para afastar o mau-olhado. Creio até que se deram ao trabalho de acrescentar mais alho em nossa comida, e eu não suporto alho. Desde então, tomo cuidado para não tirar o chapéu ou o véu, e tenho conseguido não despertar suspeitas. Viajamos depressa, e como não temos um cocheiro para espalhar boatos, temos evitado escândalos. Mas eu diria que o medo do mau-olhado nos acompanhará ao longo de todo o caminho.

O professor parece incansável. Não fechou os olhos nem por um instante durante o dia, mas me fez dormir longamente. Ao anoitecer, hipnotizou-me e disse que respondi como sempre, "escuro, água batendo e rangidos de madeira". Então nosso inimigo ainda está no rio. Tenho medo de pensar em Jonathan, mas, de alguma maneira, não temo por ele nem por mim mesma. Escrevo na sede de um sítio enquanto esperamos aprontarem nossos cavalos. O dr. Van Helsing dormiu agora. Pobrezinho, parece muito cansado, envelhecido e grisalho, mas sua boca permanece firme como a de um conquistador. Até dormindo é intenso, resoluto. Mais adiante farei com que descanse enquanto conduzo a carruagem. Vou argumentar que temos dias pela frente, e ele não pode estar extenuado quando sua força for mais necessária... Tudo pronto. Partiremos em breve.

2 de novembro, pela manhã — Consegui dirigir a carruagem enquanto Van Helsing descansava e, assim nos revezando, viajamos durante a noite inteira. Agora, estamos em pleno dia, claro, apesar de frio.

Há na atmosfera um peso estranho; digo peso por falta de um termo melhor. Ambos nos sentimos oprimidos. Está frio demais, e apenas o casaco de pele nos aquece. Ao amanhecer, Van Helsing me hipnotizou e disse que eu respondi: "escuridão, madeira estalando e água rugindo", o que quer dizer que o rio está mudando, à medida que eles sobem. Espero que meu marido não esteja correndo mais perigo do que o necessário; mas estamos nas mãos de Deus.

2 de novembro, à noite — Viajamos o dia todo. A paisagem vai ficando mais selvagem conforme avançamos. As grandes rochas dos Cárpatos, que em Veresti jaziam tão distantes e baixas no horizonte, agora parecem nos rodear e se erguer à nossa frente. Estamos bem-dispostos. Creio que ambos fazemos esforços para animar um ao outro, e assim acabamos entusiasmando a nós mesmos. O dr. Van Helsing disse que pela manhã chegaremos ao Passo Borgo.

Agora há pouquíssimas casas, e o professor comentou que vamos ter que seguir com os últimos cavalos que conseguimos, já que talvez não seja mais possível fazer trocas. Ele comprou mais dois, além dos dois que trocamos, de modo que agora teremos apenas os quatro que nos levam. Nossos queridos cavalos são pacientes e bons, não nos dão trabalho algum. Não estamos preocupados com outros viajantes, já que até eu mesma posso conduzir.

Devemos chegar ao Passo em pleno dia. Não queremos chegar antes disso. Então cadenciamos o ritmo, e cada um descansou bastante ao fazermos revezamento. O que terá nos reservado o amanhã? Vamos em busca do lugar em que meu pobre amado sofreu tanto. Deus permita que não nos desviemos em nosso caminho, e que Ele zele pelo meu marido e por todos aqueles que nos são caros e que enfrentam um perigo mortal. Quanto a mim, não sou digna aos olhos d'Ele. Ai de mim, sou impura a Seus olhos, e assim devo continuar até que Ele se digne a me permitir estar em Sua presença como alguém que não incorreu em Sua ira.

MEMORANDO DE ABRAHAM VAN HELSING

4 de novembro — Para o meu velho e leal amigo John Seward, médico de Purfleet, em Londres, para o caso de não me ver nunca mais. Isso pode servir como explicação. É manhã, e escrevo junto de uma fogueira que madame Mina e eu conservamos acesa a noite toda. Está fazendo muito frio, e madame Mina está dormindo. Sinto que foi afetada pela neve que, ao cair do céu carregado, parece que vai durar o inverno inteiro. Madame Mina é sempre muito atenta, mas não fez absolutamente nada o dia todo, apenas dormiu. Nem apetite teve. Não fez registro algum em seu diário, justo ela que escrevia a cada parada. Algo me diz que isso não é bom. Ela parece mais animada agora à noite. Dormir bastante deve tê-la restaurado. Ao anoitecer, tentei hipnotizá-la; infelizmente, sem resultado. O poder da hipnose, que já vinha diminuindo a cada dia, chegou ao fim de vez esta noite. Seja o que Deus quiser e aconteça o que acontecer, aonde quer que esteja nos levando.

Como madame Mina não está fazendo seus registros, é melhor que eu mesmo faça, à moda antiga mesmo, sem estenografia, para que haja um registro diário.

Chegamos ao Passo Borgo logo depois do amanhecer de ontem. Ao ver os sinais da aurora, preparei-me para hipnotizar madame Mina. Paramos a carruagem e descemos. Preparei uma cama com peles, fiz com que ela se deitasse e, bem mais rápido do que o habitual, ela ficou hipnotizada. Como antes, veio a resposta: "escuridão e o burburinho da água". Depois, acordou, muito disposta, e em breve chegamos ao Passo. Nessa ocasião, algum novo poder pareceu se manifestar nela, que apontou para a estrada, dizendo:

— Este é o caminho.

— Como sabe? — perguntei.

— Como não saberia? — disse ela, acrescentando, depois de uma pausa. — Meu Jonathan não viajou por aqui e descreveu a viagem?

A princípio, achei estranho, mas depois vi que só existia aquele caminho transversal. Era um caminho pouco usado e muito diferente da estrada de Bucovina a Bistrița, que é mais ampla, mais difícil e com mais tráfego.

Seguimos por ele; quando encontramos outros caminhos — nem sempre temos certeza de serem estradas, pois encontram-se negligenciados e sob uma camada de neve —, os cavalos, e apenas eles, sabem por onde ir. Dei rédea livre a eles, e os animais seguiram em frente pacientemente. Aos poucos, fomos encontrando todas as coisas que Jonathan descreveu em seu diário. Viajamos durante muitas horas. Eu pedi a madame Mina que dormisse, e ela de fato dormiu durante muito tempo, tanto que fiquei desconfiado e tentei acordá-la. Entretanto, ela continuou dormindo, e pode ser que eu nem consiga acordá-la, mesmo tentando. Não quero machucá-la, por isso não vou insistir. Ela sofreu muito, e dormir pode ser mesmo o melhor. Acho que eu mesmo cochilei, pois tive a sensação de me sentir culpado, como se tivesse feito alguma coisa errada. Estava em meu assento, com as rédeas na mão, e com os cavalos trotando como sempre. Mina ainda dormia. Estava quase anoitecendo e o sol esparramado pela neve deixava um tom de amarelo e projetava sombras alongadas nos pontos íngremes da montanha. Estamos, afinal, subindo, e ah! Tudo é tão rochoso e selvagem, como se fosse o fim do mundo!

Neste ponto, acordei madame Mina, dessa vez sem muita dificuldade. Tentei hipnotizá-la, mas não consegui. Era como se eu nem estivesse ali. Quando terminei os meus inúteis esforços, escurecera totalmente. Madame Mina deu uma risada, e eu me virei para olhar para ela. Está bem desperta agora, e parece tão disposta como eu jamais a vira, desde aquela noite em Carfax, quando entramos pela primeira vez na casa do conde.

Estou um tanto surpreso e inquieto, mas ela está tão alegre e atenciosa comigo que me esqueço de todos os temores. Acendi uma fogueira e, enquanto ela preparava a comida, fui cuidar dos cavalos e lhes dar de comer. Quando voltei, a comida já estava pronta, mas ela não quis comer comigo, dizendo que estava com tanta fome que não aguentara me esperar. Não gostei daquilo, mas tive medo de assustá-la e nada disse. Ela me ajudou e eu comi sozinho; em seguida, nos embrulhamos nas peles e deitamos junto ao fogo, e eu lhe disse para dormir enquanto eu vigiava. Acabei me distraindo da vigilância e, quando olhei para ela de novo, vi que estava acordada, mas encarando-me com os olhos muito brilhantes. Isso aconteceu mais duas vezes. Dormi até pouco antes do amanhecer. Tentei hipnotizá-la, mas sem resultado. Ela não entrou em transe, apesar de ter fechado os olhos obedientemente.

Quando o sol se levantou, ela adormeceu profundamente. Tive de carregá-la para a carruagem, depois de ter selado e atrelado os animais. Ela continua dormindo, e parece mais saudável e corada do que nunca. E eu tenho medo, muito medo! Tenho medo até de pensar, mas não posso parar. Estamos em uma aposta de vida ou morte, ou até algo maior do que isso, e não se é permitido hesitar.

5 de novembro, pela manhã — Tenho de ser preciso em todos os detalhes, pois, apesar de termos visto muitas coisas estranhas juntos, pode ser que você pense que eu, Van Helsing, esteja louco e que os horrores e toda essa tensão em meus nervos acabaram destruindo meu cérebro.

Viajamos ontem o dia inteiro, rumo às montanhas, atravessando uma região cada vez mais selvagem, repleta de precipícios e quedas-d'água. Madame Mina continuava dormindo. Eu senti fome e comi, mas nem a acordei para isso. Temo que o feitiço fatal esteja agindo sobre ela, maculada pelo batismo do vampiro. Imaginei que teria de me privar do sono da noite caso ela continuasse dormindo. Estávamos em uma estrada ruim, antiga e cheia de imperfeições, e senti a cabeça pendendo pouco antes de adormecer. Acordei de novo com aquela sensação de culpa e de que havia se passado muito tempo. Madame Mina ainda dormia, e o sol estava baixando. Mas, de fato, a paisagem havia mudado: as montanhas pareciam mais distantes, e nos aproximamos do alto de uma colina íngreme com um castelo igual ao que Jonathan descrevera em seu diário. Regozijei-me e estremeci ao mesmo tempo: agora, para o bem ou para o mal, o fim estava próximo.

Acordei madame Mina e mais uma vez tentei hipnotizá-la, em vão. Desse momento até que a grande escuridão caísse sobre nós — pois, mesmo depois do pôr do sol, os céus refletem o seu brilho sobre a neve, e tudo fica por algum tempo em um longo crepúsculo —, soltei os cavalos e os alimentei diante do único local de abrigo que consegui encontrar. Acendi uma fogueira e conduzi madame Mina para perto do fogo.

Ela estava acordada e mais encantadora do que nunca. Aconcheguei-a em suas mantas e preparei a comida, mas ela não comeu, alegando simplesmente falta de apetite. Não a forcei, mas tratei de comer, pois sabia que precisava me manter forte para enfrentar o que tinha pela frente. Depois, temeroso do que estava por vir, tracei uma grande circunferência em torno do lugar em que estava madame Mina; sobre essa circunferência, espalhei uma parte da hóstia, que eu tinha quebrado em pedaços minúsculos, de maneira que nenhum ponto ficasse descoberto. Madame Mina ficou sentada durante todo aquele tempo, imóvel como se estivesse morta, e foi empalidecendo até ficar mais branca do que a neve, mas não disse uma palavra. Quando me aproximei, porém, ela agarrou-se a mim, e pude perceber que a pobrezinha estremecia da cabeça aos pés, com um tremor que parecia até doloroso.

— Não gostaria de se aproximar da fogueira? — perguntei-lhe, com a intenção de verificar o que ela podia fazer.

Ela levantou-se, mas, depois de dar um passo, parou.

— Por que parou? Vamos! — insisti.

Ela sacudiu a cabeça e tornou a se sentar onde estava.

— Não posso! — E permaneceu calada.

Fiquei contente, pois o que ela não podia fazer, nenhum daqueles de quem eu tinha medo poderia. Embora houvesse perigo para seu corpo, sua alma estava salva!

Pouco depois, os cavalos começaram a relinchar e a empinar, e tratei de acalmá-los. Quando sentiram que eu os tocava, mostraram-se alegres, lambendo-me as mãos, e se aquietaram por um tempo. Muitas vezes, durante a noite, precisei ir vê-los, e eles sempre se acalmavam quando eu me aproximava. De madrugada, a fogueira começou a extinguir-se, e fui atiçá-la, pois a neve começava a cair, e o frio, a ficar mais intenso. No meio da escuridão, havia uma espécie de luz, como sempre parece haver sobre a neve; e os flocos, ao cair, pareciam assumir formas humanas, como mulheres arrastando o panejamento de longos vestidos. Estava tudo parado, e o silêncio era quebrado apenas pelo relincho dos cavalos, que recuavam assustados, como se temessem o pior. Comecei a sentir medo, um medo terrível. Entretanto, a sensação de segurança dentro da circunferência me acalmou. Concluí que a minha imaginação pudesse estar sendo alimentada pela escuridão da noite e por toda a agitação e angústia dos últimos tempos. Parecia que as lembranças da pavorosa experiência de Jonathan estavam brincando com minha mente. Os flocos de neve rodopiavam e nos rodeavam, e vi algo parecido com o vulto das mulheres que beijaram Jonathan. Então os cavalos começaram a se abaixar amedrontados e a gemer de terror, como pessoas sentindo dor; mas o pavor não se apossou deles a ponto de quererem fugir. Tive medo por madame Mina quando aqueles vultos malditos se aproximaram e nos rodearam. Olhei para ela, mas estava calma, sorrindo para mim. Eu fiz menção de ir na direção da fogueira, para avivá-la, e madame Mina me agarrou pelo braço, sussurrando de forma tão inaudível que aquilo parecia um sonho.

— Não! Não vá! Não saia daqui! Está em segurança aqui dentro!

Encarei-a nos olhos e disse:

— Mas e a senhora? É pela senhora que temo!

Então ela deu risada, uma risada abafada, irreal.

— Teme por mim? Por quê? Ninguém está mais em segurança no mundo do que eu!

Quando procurava refletir sobre o significado de suas palavras, um sopro de vento avivou as chamas e, à luz da fogueira, vi a cicatriz vermelha na testa da pobre moça. Então, compreendi. De qualquer maneira, teria compreendido pouco depois, pois as figuras que giravam na névoa e na neve se aproximaram, mantendo-se, porém, sempre fora do círculo sagrado. Então começaram a se materializar, se Deus não tirou meu juízo, pois vi com meus próprios olhos. As três mulheres que Jonathan tinha visto estavam bem diante de mim, em carne e osso. Reconheci as formas curvilíneas, os olhos brilhantes e cruéis, a pele avermelhada e os lábios volumosos. Elas sorriam o tempo todo para madame Mina, e suas risadas quebravam o silêncio da noite. Elas se abraçavam e apontavam para ela, dizendo em tom suave, o tom que Jonathan comparou ao tilintar de taças de vidro:

— Venha, irmã! Venha conosco! Venha! — gritavam.

Olhei para madame Mina e senti uma alegria profunda ao ver sua expressão de repulsa e o terror estampado em seus olhos. Graças a Deus não pertencia a elas ainda! Peguei uma tora ao meu lado e avancei na direção da fogueira com uma hóstia em riste. Elas recuaram, gargalhando horrorosamente. Alimentei o fogo sem medo, pois sabia que estávamos protegidos. Elas não se aproximariam, pois eu estava armado, e madame Mina não conseguiria sair de dentro do círculo nem elas conseguiriam entrar nele. Os cavalos estavam em silêncio e estirados no chão, e cada vez mais brancos sob a neve que se acumulava sobre eles. Soube que o terror havia passado para os pobrezinhos.

Ficamos assim até que os raios alaranjados da aurora se projetassem na neve. Eu me sentia abatido e amedrontado, mas, quando o lindo sol começou a subir pelo horizonte, a vida voltou a mim. Aos primeiros alvores da aurora, as figuras malditas se dissolveram em espirais de névoa e neve, e desapareceram na direção do castelo.

Vendo que o amanhecer se aproximava, virei-me instintivamente para madame Mina, disposto a hipnotizá-la; mas ela caíra subitamente em um sono profundo e não consegui acordá-la. Fiz uma fogueira e fui ver os cavalos: estavam todos mortos. Tenho muito o que fazer aqui hoje. Vou esperar o sol esquentar mais um pouco, pois há muitos lugares aonde devo ir, lugares em que a luz do sol, mesmo obscurecida pela neve e pela névoa, será uma segurança para mim.

Vou comer para me fortalecer bastante e, depois, mãos à obra! Madame Mina continua dormindo. Graças a Deus dorme calmamente.

DIÁRIO DE JONATHAN HARKER

4 de novembro, à noite — O acidente com a lancha foi um golpe terrível para nós. Se não fosse isso, já teríamos alcançado o barco há muito tempo, e minha querida Mina estaria livre. Não gosto nem de imaginá-la perto daquele lugar horrível. Arranjamos cavalos e estamos seguindo por terra. Escrevo enquanto Godalming faz os preparativos. Temos nossas armas. Os ciganos que se cuidem se desejam briga. Se ao menos Morris e Seward estivessem conosco! Resta-nos ter esperança! Se eu nunca mais escrever aqui, adeus, Mina! Que Deus a abençoe e proteja.

DIÁRIO DO DR. SEWARD

5 de novembro — Ao amanhecer, avistamos o grupo de ciganos logo à frente, afastando-se desesperados do rio com sua carroça. A neve caía suavemente e havia uma atmosfera estranha no ar. Talvez isso fosse apenas uma impressão causada pelos nossos próprios sentimentos. Uivos de lobos ao longe chegavam até nós; a neve, caindo incessantemente, deve tê-los expulsado das montanhas, então estamos rodeados por perigo de todos os lados. Os cavalos estão quase prontos, logo partiremos. Vamos cavalgar até alguém morrer. Só Deus sabe quem, onde, o que, quando ou como será...

MEMORANDO DO DR. VAN HELSING

5 de novembro, à tarde — Pelo menos não estou louco. Devo agradecer a Deus por esta graça, depois do que passei. Deixei madame Mina dormindo dentro do círculo sagrado e tomei o rumo do castelo. O martelo de que me muni em Veresti foi útil, pois com ele consegui tirar as dobradiças enferrujadas de todas as portas, para que não se fechassem — por azar ou má intenção — após minha passagem. A amarga experiência de Jonathan me serviu de alerta. Lembrando-me de seu diário, encontrei o caminho da capela. O ar estava opressivo. Parecia haver ali algum vapor sulfuroso que, às vezes, deixava-me inteiramente tonto. E aquele barulho permanente em meus ouvidos... seriam os lobos uivando ao longe? Então pensei em minha querida Madame Mina, e estava em um apuro terrível. O dilema me pegou entre seus chifres.

Ela, não ousei trazê-la para este lugar, mas deixei-a a salvo do vampiro naquele círculo sagrado; mas poderiam aparecer lobos! Mas a tarefa que eu tinha de executar estava ali; quanto aos lobos, teríamos de nos resignar se essa fosse a vontade de Deus. De qualquer forma, seria apenas a morte e a liberdade depois disso; assim, escolhi por ela. Se fosse por mim, preferiria morrer na boca do lobo do que na sepultura do vampiro! Dessa forma, decidi dar andamento ao meu trabalho.

Eu sabia que precisava encontrar pelo menos três sepulturas habitadas. Procurei e procurei, até encontrar uma delas. Ali estava ela, em seu sono vampiresco, tão cheia de vida e voluptuosa beleza que estremeci, como se tivesse ido ali para cometer um assassinato. Não duvido que, em outros tempos, quando isso acontecia, muitos homens que tentaram executar a mesma tarefa para a qual eu me preparava agora eram traídos pelo coração e perdiam a coragem. Então iam adiando a tarefa e acabavam hipnotizados pela beleza e pelo fascínio da morta-viva. Ficavam ali mesmo até o anoitecer, e a vampira acordava. Os lindos olhos da mulher pálida se abriam, amorosos, e a boca voluptuosa se oferecia para um beijo, e os homens fraquejavam. Era assim que mais vítimas acabavam no covil da vampira, um a um. Mais discípulos para o aglomerado de mortos-vivos!

Sentia, sem dúvida, um fascínio pela simples presença daquela mulher, apesar de estar em uma sepultura deteriorada pelo tempo e coberta pelo pó dos séculos, e apesar do cheiro horrível que emanava dali, como nos esconderijos do conde. E eu, Van Helsing, com toda a minha resolução e todo o meu justificado ódio, senti-me comovido. Com uma vontade de parar tudo, que parecia paralisar até mesmo meu pensamento. Talvez fosse a necessidade de dormir que estivesse me afetando, e eu realmente estava quase pegando no sono, aquele sono hipnótico de quem cede a uma agradável fascinação, quando um lamento longo e grave cortou o ar nevado, tão dolorido e pesaroso que me despertou como o som de um clarim. Era a voz de madame Mina.

Então eu me entreguei com empenho à minha sinistra tarefa, arrombando outro túmulo de outra das irmãs, a morena. Não me atrevi a parar para olhá-la, como fizera com a primeira, para não cair em seu feitiço; continuei procurando até que, pouco depois, encontrei, em um túmulo grande e alto, a última, a irmã loira que, como Jonathan, eu tinha visto se corporificar, saindo dos átomos da névoa. Era de uma beleza tão radiante e exoticamente voluptuosa que meu instinto masculino gritava para amá-la e protegê-la. Mas, Deus seja louvado, o grito angustiante de madame Mina não saía de meus ouvidos e, antes que o encantamento tivesse efeito sobre mim, eu tinha terminado o pavoroso trabalho. Eu já procurara em todos os túmulos da capela e, como tinha visto apenas três daqueles fantasmas ao nosso redor durante a noite, deduzi que não havia ali outros mortos-vivos. Encontrei também um grande túmulo, mais imponente que todos os outros. Nele havia apenas uma palavra:

DRÁCULA

Era, portanto, a casa do morto-vivo, do Vampiro-Rei, responsável por tantos outros. O vazio comprovou o que eu já sabia. Antes de fazer as mulheres voltarem à condição de mortas com meu pavoroso trabalho, espalhei sobre o túmulo de Drácula um pouco da hóstia, e assim o bani para sempre dali como morto-vivo.

Depois comecei minha medonha tarefa, e tive medo. Se fosse apenas uma, teria sido relativamente fácil. Mas três! Se tinha sido horrível com a encantadora Srta. Lucy, que dizer com aquelas estranhas, que tinham sobrevivido durante séculos e se fortalecido com a passagem dos anos, e que, se pudessem, lutariam por sua vida?

Foi um trabalho de carniceiro, amigo John. Se eu não tivesse fortalecido meus nervos com a lembrança da outra morta e daquela viva sobre quem pendia um destino tão pavoroso, não teria ido adiante. Tremi e tremo ainda agora, embora tudo já tenha passado, e graças a Deus meus nervos não fraquejaram. Se não tivesse visto a expressão de repouso da primeira, e a alegria que demonstrou antes da dissolução final, revelando que a alma fora conquistada, eu não teria ido adiante em minha carnificina. Não poderia ter suportado o grito horrendo e as contorções quando a estaca atravessou o peito, nem a visão da espuma sangrenta expelindo de seus lábios. Teria fugido aterrorizado e não terminaria o trabalho. Mas já acabou! Pobres almas! Agora sinto piedade e posso chorar por elas, tão calmas em seu sono de morte, por um rápido momento, antes do desaparecimento final. Pois, amigo John, mal havia terminado de lhes cortar a cabeça com a faca e o corpo já começava a se desmanchar, até voltar a ser o pó original, como se a morte, que deveria tê-las levado há tantos séculos, afinal proclamasse: "Aqui estou!".

Antes de sair do castelo, lacrei as entradas, para que o conde nunca mais penetrasse ali como morto-vivo.

Quando entrei no círculo, madame Mina dormia, mas acordou repentinamente. Ao me ver, gritou com uma dor que me fez sofrer:

— Vamos sair deste lugar horrível! Vamos encontrar meu marido que, tenho certeza, está chegando aqui.

Estava pálida e fraca, mas seus olhos denotavam pureza e fervor. Ver sua palidez e doença me deixou alegre, pois tirou da minha mente a horrível imagem das malditas vampiras adormecidas.

E assim, confiantes e esperançosos, mas ao mesmo tempo com medo, caminhamos em sentido leste, para encontrar nossos amigos e também *ele*. O conde se aproximava, madame Mina tinha certeza disso.

DIÁRIO DE MINA HARKER

6 de novembro — A tarde já ia muito adiantada quando o professor e eu seguimos rumo ao leste, por onde eu sabia que Jonathan estava vindo. Caminhamos devagar, embora o caminho fosse em declive, pois carregávamos os tapetes e as peles pesadas. Nem cogitamos a possibilidade de não termos com o que nos aquecer sob aquele frio e aquela neve. Levávamos também provisões, pois estávamos completamente isolados do mundo, sem nenhuma habitação até onde eu conseguia enxergar por entre a neve. Quando já tínhamos caminhado cerca de uma milha, eu me sentei um pouco para descansar. Olhamos para trás e vimos o castelo de Drácula recortando o céu. Havíamos descido tanto o penhasco em que ficava o castelo, que, daquele ângulo, os Cárpatos pareciam muito abaixo. Vimos a construção em toda a sua grandeza, empoleirada no topo de um precipício abrupto de trezentos metros de altitude, e com um grande vazio entre suas empenas e as íngremes montanhas adjacentes em todos os lados. Havia algo selvagem e sobrenatural naquele lugar. Ao longe, ouviam-se uivos de lobos. Estavam distantes, mas o som, mesmo chegando abafado pela neve que caía, era pavoroso.

Pela maneira como Van Helsing se movimentava, entendi que ele procurava um local estratégico para não ficarmos muito expostos em caso de ataque. A estrada ainda era íngreme; podíamos ver traços dela em meio à neve que cobria tudo.

Dentro em pouco, o professor, que se adiantara, fez um sinal para mim, então me levantei e fui para perto dele. Ele descobrira um lugar maravilhoso, uma espécie de gruta natural na rocha, cuja entrada parecia uma porta. O professor colocou as peles e as provisões dentro da gruta e me fez entrar.

— Veja! Aqui a senhora está segura e, se os lobos aparecerem, posso enfrentá-los um por vez.

O professor fez um ninho aconchegante para mim, tirou algumas provisões e insistiu que eu comesse, mas não consegui; a comida me causava repugnância, e, por mais que quisesse agradá-lo, não pude nem ao menos tentar. Ele ficou triste, mas não me censurou. O professor tirou da caixa seu binóculo e ficou em pé no alto do rochedo, observando o horizonte. De repente, gritou:

— Venha, madame Mina, venha ver!

Subi para junto dele na pedra. Ele me entregou o binóculo, apontando em determinada direção. A neve caía incessante e rodopiava com intensidade, pois um vento forte começara a soprar. Mas às vezes o vento esmaecia, e eu podia ver um longo trecho do caminho. Além de um grande espaço coberto pela neve, pude ver um rio, que parecia uma fita escura serpeando e curvando-se ao longo do caminho. Bem em frente de onde estávamos, e não muito distante — de fato, tão perto que fiquei admirada de não ter avistado antes —, vinha um grupo de homens montados a cavalo, rodeando uma carroça comprida que sacolejava para os lados a cada buraco, como o rabo de um cachorro. Destacados contra o fundo de neve como estavam, pude identificar pelas vestimentas que eram ciganos.

Sobre a carroça, havia uma grande caixa quadrada. Meu coração bateu furiosamente ao avistar aquilo, e compreendi que o fim estava próximo. A noite ia caindo, e eu sabia que, quando o sol se escondesse, a Coisa que ainda estava aprisionada na caixa teria liberdade novamente, e poderia escapar de nós de inúmeras maneiras. Voltei-me para o professor, mas verifiquei, consternada, que ele não estava mais lá. Em seguida, eu o vi logo abaixo. Tinha traçado um círculo em torno do rochedo, igual àquele dentro do qual eu me abrigara na noite anterior. Quando terminou, voltou para junto de mim e disse:

— Pelo menos aqui a senhora estará livre *dele*!

Tomou o binóculo de minhas mãos e exclamou:

— Veja. Estão vindo depressa; chicoteiam os cavalos e galopam com a maior velocidade que podem. — Ele fez uma pausa e então continuou, com voz grave: — Querem chegar antes do anoitecer. Talvez tenhamos chegado tarde demais. Seja o que Deus quiser!

Uma rajada de neve encobriu o espaço diante de nós, mas passou em breve, e outra vez o professor fixou o binóculo na planície.

— Veja! Veja! Veja! — gritou ele subitamente. — Dois cavaleiros chegam do sul, a galope. Devem ser Quincey e John. Tome o binóculo e olhe antes que a neve oculte tudo.

Peguei o binóculo e olhei. Os dois homens podiam ser o dr. Seward e o Sr. Morris. De qualquer maneira, eu sabia que nenhum deles era Jonathan. Ao mesmo tempo, *sabia* que Jonathan não estava longe. Olhando em torno, vi dois outros homens galopando a toda velocidade, vindo do norte. Logo percebi que um deles era Jonathan, e deduzi que o outro era lorde Godalming. Também eles estavam perseguindo o grupo de homens com a carroça. Quando disse isso ao professor, ele deu gritos de satisfação, como um menino, e então deixou seu rifle Winchester preparado, encostado na rocha, na abertura do abrigo, depois de ter olhado atentamente o terreno, até a neve impedir-lhe a visão.

— Estão vindo para cá. Logo haverá ciganos por todos os lados.

Eu tirei o revólver, disposta a utilizá-lo também, já que, enquanto conversávamos, o uivo dos lobos se tornava cada vez mais próximo. Quando a neve diminuiu por um momento, tornamos a olhar. Era estranho ver a neve caindo em flocos tão pesados perto de nós, e além, o sol brilhando cada vez mais forte enquanto afundava em direção ao topo das montanhas distantes. Varrendo a lente do binóculo, pude ver aqui e ali pontos se movendo individualmente e em grupos de dois, três e mais — os lobos estavam se reunindo para suas presas.

Cada instante de espera parecia uma eternidade. O vento invadia a caverna com lufadas brutalmente gélidas, e a neve batia furiosamente contra nós, em espirais. Por vezes, não enxergávamos um palmo diante do nariz, mas em determinados momentos nossa vista alcançava longe. Estávamos tão acostumados a esperar por amanheceres e crepúsculos que já sabíamos exatamente o momento em que aconteceriam — e seria em breve. É difícil acreditar que, de acordo com nossos relógios, ficamos menos de uma hora esperando naquele abrigo de pedra até que os diversos grupos começaram a convergir na nossa direção. O sol descia no horizonte, e o grupo de ciganos se aproximava. O vento se tornou mais feroz, com lufadas incessantes vindas do norte, e talvez por isso as nuvens de neve se dispersaram, tornando possível ver nitidamente os membros de cada grupo, perseguidos e perseguidores. Era estranho como os perseguidos pareciam não se dar conta de que estavam sendo perseguidos, ou pelo menos não se importar; eles pareciam, entretanto, acelerar com velocidade redobrada enquanto o sol se punha cada vez mais baixo no topo das montanhas.

Foram se aproximando cada vez mais. O professor e eu nos agachamos na pedra com as armas prontas. Ele estava decidido a não os deixar passar. Eles nem faziam ideia de que estávamos ali.

De repente, duas vozes gritaram ao mesmo tempo:

— Alto!

Uma era de Jonathan, alta e emocionada; outra, do Sr. Morris, calma e resoluta, em tom de comando. Os ciganos podiam não entender a língua, mas o tom era inconfundível. Instintivamente, eles pararam, e lorde Godalming e Jonathan aproximaram-se, a galope, de um lado, e o dr. Seward e o Sr. Morris, de outro. O chefe dos ciganos, um homem de aspecto magnífico, que, montado em seu cavalo, parecia um centauro, deu ordem para que os perseguidores recuassem. Em seguida, mandou os companheiros seguirem em frente com um tom de voz brutal; eles açoitaram os cavalos, que saltaram adiante. Os quatro homens, entretanto, apontaram os rifles e ordenaram, ameaçadoramente, que parassem. No mesmo instante, o dr. Van Helsing e eu saímos do nosso esconderijo e apontamos nossas armas para eles. Vendo que estavam cercados, eles puxaram as rédeas, permanecendo nas montarias. Os ciganos pararam de novo, e o chefe lhes deu nova ordem. Cada um se muniu da arma de que dispunha, faca ou pistola, e preparou-se para a luta.

O chefe, com um rápido movimento, lançou o cavalo para a frente, apontando primeiro para o sol — que estava quase atingindo o alto da montanha — e depois para o castelo, e disse alguma coisa que não pudemos compreender. Em resposta, nossos quatro companheiros apearam e avançaram contra a carroça. Eu deveria ter sido tomada por um pavor terrível ao ver Jonathan correr tal perigo, mas o ardor da batalha deve ter me empolgado como aos demais; não senti medo, apenas um desejo frenético de fazer alguma coisa. O chefe dos ciganos deu uma ordem a seus homens, que imediatamente rodearam a carroça desajeitadamente, empurrando-se, ávidos para cumprir a ordem.

No meio disso eu pude ver Jonathan de um lado do círculo de homens e Quincey de outro, forçando passagem para a carroça. Estavam resolutos a cumprir sua tarefa antes do pôr do sol, e nada parecia detê-los ou atrapalhá-los. Nem as armas em riste, nem o reflexo das facas dos ciganos e nem o uivo dos lobos ao fundo; nada distraía sua atenção. A impetuosidade de Jonathan e a evidente determinação de seu propósito aparentemente deixaram os ciganos sem ação. Instintivamente, acovardaram-se e abriram-lhe passagem. No instante seguinte, ele havia saltado sobre a carroça e, com uma força inacreditável, empurrou a grande caixa para o chão. Enquanto isso, o Sr. Morris tivera de empregar a força para romper o círculo dos ciganos. Contendo a respiração, eu observava todos os movimentos de Jonathan, e com o canto do olho vi o Sr. Morris avançar desesperadamente entre as facas dos ciganos. Ele se defendeu com seu facão, e a princípio achei que tinha alcançado seu objetivo a salvo; contudo, quando chegou ao lado de Jonathan, que pulara da carroça, pude ver que apertava o flanco ferido com uma das mãos e que escorria sangue entre seus dedos. Mas isso não o deteve. Enquanto Jonathan procurava, com desesperada energia, levantar a tampa da caixa em um dos lados com a grande *kukri*, ele atacou freneticamente a tampa pelo outro lado, com sua faca *bowie*. Sob os esforços conjuntos dos dois, a tampa da caixa começou a ceder, e logo os pregos se soltaram com um ruído agudo e a tampa foi jogada para trás.

A essa altura, os ciganos, vendo-se ameaçados pelos rifles de lorde Godalming e do dr. Seward, tinham desistido de resistir. O sol estava quase se escondendo sobre os cumes da montanha, e as sombras de todo o grupo se projetavam sobre a neve. Vi o conde estendido dentro da caixa, sobre a terra, uma parte da qual se espalhara sobre ele quando a caixa caíra da carroça. Estava mortalmente pálido, parecendo uma figura de cera, e seus olhos vermelhos tinham aquela expressão horrivelmente vingativa que eu conhecia tão bem.

E, enquanto eu o observava, aqueles olhos viram o sol que se punha, e a expressão de ódio transformou-se em triunfo.

Mas, naquele instante, a lâmina do facão de Jonathan brilhou, e eu estremeci ao vê-lo cortar o pescoço do conde. Ao mesmo tempo, a faca do Sr. Morris atravessou-lhe o coração.

Foi como um milagre. Diante dos nossos próprios olhos, em menos tempo do que um respirar, todo o corpo se transformou em pó e desapareceu.

Enquanto eu viver, terei a alegria de lembrar que, no momento da dissolução final, houve no rosto do conde uma expressão de paz como jamais supus que pudesse haver.

O castelo de Drácula erguia-se contra o céu avermelhado, e cada pedra da construção em ruínas destacava-se na luz do sol poente.

Os ciganos, acreditando de alguma forma que nós éramos os responsáveis pelo desaparecimento do morto, viraram-se, sem dizer uma palavra, e fugiram a galope. Os que estavam sem montaria subiram na carroça e gritaram aos outros que não os abandonassem. Os lobos, que tinham se mantido a certa distância, saíram atrás deles, deixando-nos livres.

O Sr. Morris, que tinha caído no chão, apoiou-se no cotovelo, apertando o flanco ferido; o sangue continuava a escorrer entre seus dedos. Corri para junto dele, pois o círculo sagrado já não me detinha; os dois médicos fizeram o mesmo. Jonathan ajoelhou-se por trás dele, e o ferido encostou a cabeça em seu ombro. Com um suspiro, Morris segurou minha mão na sua mão limpa. Deve ter visto a angústia estampada em meu rosto, pois sorriu, dizendo:

— Sinto-me feliz por ter sido útil! Meu Deus! — gritou, fazendo um esforço para se sentar e apontando para mim. — Valeu a pena morrer por isso! Olhem!

O sol estava bem em cima do cume da montanha, e seus raios avermelhados atingiam em cheio meu rosto. Impulsivamente, os homens caíram de joelhos, exclamando:

— Amém!

— Graças a Deus que tudo não foi em vão! — disse o moribundo. — Vejam! A neve não é mais imaculada que sua fronte! A maldição passou!

E, para a nossa amarga tristeza, com um sorriso e em silêncio, morreu um galante cavalheiro.

NOTA

Há sete anos, todos nós atravessamos um inferno. Creio que a felicidade de alguns de nós depois disso compensou tudo o que sofremos. Mina e eu temos a alegria adicional de o aniversário de nosso filho ser na mesma data da morte de Quincey Morris. Ela acredita que algo do espírito corajoso de nosso amigo passou para ele. Seu nome é uma homenagem a todo o nosso grupo de amigos, mas nós o chamamos de Quincey.

No verão deste ano, fizemos uma viagem à Transilvânia e percorremos os lugares tão cheios de terríveis recordações para nós. É quase impossível acreditar que o que vimos com nossos próprios olhos e ouvimos com nossos próprios ouvidos tenha sido verdade. Todos os vestígios do passado foram apagados. O castelo permanece como antes, erguendo-se imponente sobre uma paisagem de desolação.

Ao regressarmos, falamos dos velhos tempos, de que podemos lembrar sem desespero. Tanto Godalming como Seward estão casados e felizes. Tirei os papéis do cofre, onde estavam guardados desde nosso regresso, há tanto tempo.

Ficamos chocados com o fato de que, em todo o material, praticamente não há um documento autêntico; tudo se resume a uma pilha de papéis datilografados, com exceção das últimas anotações dos diários feitas por mim, Mina e Seward e do memorando de Van Helsing. Não poderíamos exigir que alguém aceitasse tais documentos como prova de acontecimentos tão horrendos, mesmo que quiséssemos. Van Helsing resumiu tudo enquanto carregava nosso filho no colo:

— Não precisamos de provas. Não pedimos a ninguém que acredite! Este menino saberá um dia como sua mãe foi valente e corajosa. Já conhece sua dedicação e carinho. Mais tarde, saberá como alguns homens a amaram tanto que se atreveram a tais coisas para sua salvação.

Drácula
Dracula

Copyright © 2021 by Novo Século Editora Ltda.

EDITOR: Luiz Vasconcelos
COORDENAÇÃO EDITORIAL: João Paulo Putini
TRADUÇÃO: Marsely de Marco
DIAGRAMAÇÃO: João Paulo Putini
PREPARAÇÃO: Marcia Men
Elisabete Franczak Branco
REVISÃO: Equipe Novo Século
CAPA: Gustavo Sazes

Texto de acordo com as normas do Novo Acordo Ortográfico da Língua Portuguesa (1990), em vigor desde 1º de janeiro de 2009.

Dados Internacionais de Catalogação na Publicação (CIP)

Stoker, Bram, 1847-1912
Drácula
Bram Stoker ; tradução de Marsely de Marco.
Barueri, SP: Novo Século Editora, 2021.

Título original: Dracula

1. Ficção irlandesa 2. Vampiros - Ficção I. Título
II. Marco, Marsely de

21-0393　　　　　　　　　　CDD Ir 823

Índice para catálogo sistemático:
1. Ficção irlandesa Ir823

Alameda Araguaia, 2190 – Bloco A – 11º andar – Conjunto 1111
CEP 06455-000 – Alphaville Industrial, Barueri – SP – Brasil
Tel.: (11) 3699-7107 | Fax: (11) 3699-7323
www.gruponovoseculo.com.br | atendimento@gruponovoseculo.com.br

facebook/novoseculoedi
@novoseculoeditora
@NovoSeculo
novo século editora

Compartilhando propósitos e conectando pessoas
Visite nosso site e fique por dentro dos nossos lançamentos:
www.novoseculo.com.br

Edição: 1
Fonte: Arnhem